D0328072

Michelle Coquillat

La poétique du mâle

PRÉFACE
DE COLETTE AUDRY

Gallimard

A Colette AUDRY qui a dit un jour : « [La] mise en cause de soi en tant qu'individu créateur [est] tout ce que l'écrivain aura à connaître, pourvu qu'il soit né du sexe masculin. Quand l'écrivain est une femme s'y ajoute, de surcroît, la mise en cause massive de la catégorie à laquelle elle appartient en tant que catégorie capable de création. La simple mise en cause de l'individu débouche sur sa mise à l'épreuve : rien n'est joué d'avance, il faut courir le risque. Tandis que la mise en cause de la catégorie barre les issues, en ce qu'elle fait intervenir la prédestination. » (« Le premier pas » in La création étouffée *de Suzanne Horer et Jeanne Socquet.)*

SOMMAIRE

Troisième partie :

LA MÈRE REJETÉE

PRÉFACE

L'essai qu'on va lire n'est en aucune façon une mise à mort de la littérature, il faut le dire d'entrée de jeu pour arrêter sur la pente les critiques mâles (ou autres) que tenteraient les commodités du contresens. C'est une exploration, une sorte de reconnaissance en terrain miné des voies et moyens par lesquels la littérature opère sur les esprits (comme peut opérer une drogue) d'une manière diffuse, à propos d'un sujet donné : le rapport du sexe à la création.

Parler de la façon dont opère la littérature ne signifie pas qu'on suspecte les intentions de celui qui a écrit. Un écrivain n'est pas un propagandiste sournois, il n'ignore pas qu'il n'a aucun intérêt à l'être, mais son message peut toujours en cacher un autre, plusieurs autres, à son insu. Encore le mot « cacher » est-il peu satisfaisant : ce qui est formulé est toujours sous-tendu et diffusément débordé par d'autres communications. Et rien n'est vraiment caché, le clandestin baigne dans une lumière qui brouille la vue. Cela tient à l'épaisseur du langage et au fait que les écrivains sont des échos de leur temps et de tout le passé humain. Même les plus iconoclastes. Cela est vrai absolument de la poésie, mais vrai aussi à des degrés divers de n'importe quelle prose littéraire.

Et ces idées ne sont pas nouvelles, mais il faut les rappeler pour commencer.

« *J'ai eu un professeur de grec inoubliable, raconte
O. Mannoni*[1]. *Je me rappelle la classe de grec où il faisait
ses adieux à Andromaque, on traduisait* L'Iliade *et il avait
réussi à se faire prendre pour Hector... Il se gonflait de
phallocratisme, avec un orgueil démesuré, sans aucune pitié
pour sa future veuve. Il lui faisait sentir son infériorité de
femme avec un sadisme inimitable : à lui la mort glorieuse
et la gloire éternelle, à elle l'esclavage sordide chez les Grecs
et le métier à tisser. Plus tard, chez les Grecs, lui dit-il,
quelqu'un parfois la désignerait à un visiteur : « Tu vois
cette misérable esclave ? C'était l'épouse du grand Hector. »
Ainsi même cette maigre consolation, ce reflet misérable de
sa vie perdue, elle ne les devrait encore qu'à son mari.*

Simone de Beauvoir dans Le Deuxième sexe, Kate
Millett dans La Politique du mâle *s'étaient livrées à une
prospection systématique de quelques œuvres littéraires pour
révéler — au sens où l'on révèle un cliché photographi-
que —, la première, les images types de la femme inscrites
dans le trésor culturel humain, la seconde, la façon dont les
images féminines reflètent la réalité des rapports de pouvoir
dans les sociétés. Mannoni ajoute une pièce à leur description en évoquant celui qui transmet le message, l'enseignant
qui perpétue le modèle originel, réfracté par sa propre
individualité. L'Hector d'Homère n'est pas à proprement
parler phallocrate, pourquoi le serait-il quand le monde
antique l'est pour lui ; tendrement attaché à Andromaque et
à Astyanax, hanté par le pressentiment de sa mort prochaine, il s'angoisse devant le sort inéluctable qui attend ses
bien-aimés et qui est le fait d'une société guerrière et
patriarcale où les femmes n'ont aucun pouvoir sur leur vie
puisqu'un homme existe en leur lieu et place.*

*Le professeur, lui, se prend pour Hector, ce qui l'autorise
à projeter sur le héros troyen sa misogynie et sa phallocratie*

1. *Fictions freudiennes*. Isaure et Anaxagore, pp. 114/115, Le Seuil,
1978.

personnelles; il se fait, dans la première moitié du XXᵉ siècle, militant des valeurs d'une société archaïque. Et certes, dans ce cas particulier, parce qu'il est un personnage caricatural, l'effet produit est plutôt contraire à celui qu'il se proposait, tendant, comme on le voit, à éveiller l'esprit critique dans les jeunes têtes. Avec un enseignant plus subtil, les élèves n'y auraient vu que du feu, ils auraient sucé les yeux fermés le mépris de la femme avec le lait de la tendresse humaine, et leur pitié pour le couple troyen se serait peut-être accrue de ce mépris. La littérature permet cela. Son pouvoir de faire rêver réside dans une fusion qui est aussi confusion. De sorte que les commentaires des honnêtes professeurs, qui n'oublient pas de prendre la distance historique nécessaire en rappelant à leurs élèves la dureté de « la condition féminine » dans le monde antique, n'ont pas beaucoup de prise sur l'image acceptée comme parfaite d'un amour conjugal incrusté dans les structures sociales d'une époque lointaine, façonné par elles, qui, de génération en génération, auréole la douleur d'Hector et d'Andromaque sur les remparts de Troie ou l'attente solitaire de Pénélope confinée devant son métier à tisser.

La contamination, malgré tout, peut ne pas survivre indéfiniment aux formes sociales et aux faits historiques qu'elle a poétisés. L'émotion poétique se prolonge, mais aseptisée. Eumée continue à nous attendrir, s'il ne nous donne plus la nostalgie de l'esclavage. C'est que la distance historique a fini par s'imposer. Elle l'a pu d'autant plus facilement que le phénomène collectif était plus facilement isolable dans les esprits des jugements de valeur qu'il charriait avec lui. On a toujours su plus ou moins que les esclaves étaient des humains comme les autres, victimes seulement d'un sort affreux et qu' « une âme d'esclave » ne l'était pas par essence : ce ne pouvait être qu'une âme asservie.

Il en résulte que pour certaines œuvres littéraires, la période de mue durant laquelle elles rentrent sous terre

correspond moins à un changement de mode qu'à un rejet
délibéré. Kipling, par exemple : il est significatif que le
chantre de l'impérialisme britannique ait subi un temps
d'occultation qui couvre à peu près celui de la décolonisa-
tion. Moment du découronnement et du remords de l'homme
occidental. Le moment est loin d'être révolu, mais déjà le
plus fort de la crise est derrière nous, tandis que s'ébauchent
les projets d'un nouvel ordre mondial.

Déjà cette œuvre nous insulte moins, elle a perdu de sa
virulence, on la réédite. On va redécouvrir ce reportage
impitoyable sur l'Inde victorienne qu'est The City of
dreadful night ; il sera possible de le lire à la façon dont
Karl Marx recommandait de lire Les Paysans de Balzac.
Beaucoup plus tard, si l'humanité d'ici-là ne s'est pas
détruite elle même, les violences de l'ère impérialiste auront
pris place dans les esprits aux côtés des fureurs guerrières
que nous content L'Iliade ou les Niebelungen sur les époques
archaïques.

Tout cela ne fait que rappeler que les vicissitudes du
destin de l'écrit ont trait à celles de l'histoire et que la
littérature paie souvent au prix fort son trouble pouvoir
d'enchantement. L'Oncle Tom fait encore figure de minable
collabo. Eumée ne le peut plus depuis longtemps.

Mais les critiques ne s'habituent pas aux vicissitudes, elles
sont vécues par eux dans le désarroi. Il n'est que de lire, ces
temps-ci, les articles qui paraissent sur Céline. Ceux qui les
écrivent sont écartelés entre leur terreur d'être suspectés de
racisme et leur terreur d'être accusés d'avoir méconnu un
génie malheureux. Moyennant quoi ils réussissent à apparaître à la fois comme de faux antiracistes et de mauvais
critiques.

*

Au degré le plus bas, la brûlure n'est qu'un malaise et
tout le monde l'a éprouvée. Un lecteur français n'est pas trop

gêné que les Français puissent être maltraités dans un roman étranger ; il est résigné à ce que, pour les Anglais, Waterloo soit une victoire. Chacun est capable, à ce degré-là, de mettre entre parenthèses son appartenance à une certaine communauté. C'est un peu ce que devait faire un Juif, il y a soixante ans pendant la représentation du Marchand de Venise *au Théâtre Antoine. Ce que ne peut plus faire un Juif d'aujourd'hui quand il lit Céline. A se désolidariser ainsi, il se sentirait quelque part avili.*

Or, depuis que les humains vont au théâtre, depuis qu'existe l'écriture, les femmes sont réduites à se désolidariser de leur sexe, à le mettre entre parenthèses, sous peine de se couper de la masse des œuvres écrites, qui, même lorsqu'elles ne sont pas foncièrement ni systématiquement misogynes, leur racontent la misère des femmes. « Il vaut mieux qu'un seul homme voie le jour plutôt que des milliers de femmes », proclame l'Iphigénie d'Euripide à l'instant où son héroïsme l'égale au plus vaillant des guerriers. Ce qu'exprime par la bouche même d'une femme le poète tragique, ce n'est pas seulement, comme Homère par la bouche d'Hector, la réalité du sort des femmes dans la Grèce antique, ce n'est pas un simple fait de société — car aucune société, après tout, ne survivrait à une telle répartition des naissances, quelle que soit la puissance séminale des mâles —, c'est la déconsidération radicale du sexe féminin tout entier. De telle sorte que si la société est, pour les femme, un lieu de sujétion, la littérature est une école du mépris d'elles-mêmes, proféré jusque par des femmes.

Les femmes qui aiment lire ne peuvent satisfaire leur passion sans avaler des couleuvres. Et ce ne sont pas les hymnes à la louange des femmes qui peuvent adoucir l'amertume. Car ils les convient à toujours plus d'abnégation. Les hymnes aux mères surtout, souvent accusateurs du sexe féminin tout entier — à une exception près : « Toutes les autres femmes, écrit Albert Cohen dans Le Livre de ma mère *ont leur petit moi autonome, leur vie, leur soif de*

*bonheur personnel. Leur sommeil qu'elles protègent et gare à
qui y touche. Ma mère n'avait pas de moi, mais un fils*[1]. »
    Rien de tout cela n'est contestable.

    *Un Juif, après tout, peut se dispenser de lire Céline et
quelques rares autres, il n'en restera pas mutilé. Et les pages
antisémites de Céline ne figurent pas dans les Morceaux
choisis des écoles et des lycées. Pour un enfant juif, la
rencontre de l'antisémitisme n'a lieu que dans la vie. La
petite fille, elle, n'est nulle part protégée*[2]. *Le chemin de la
culture est pour elle hérissé de silex tranchants, il lui faut
bien s'en accommoder. Le pire danger étant de se laisser
avoir. On comprend que se libérer à travers et par la
formation qu'elle reçoit lui soit beaucoup plus difficile qu'à
un garçon.*

*

    *Mais rien n'a guéri les femmes de lire. Car la littérature
est leur héritage, à elles aussi et elles font bien de ne pas y
renoncer. On en revient à notre avertissement du début.
Michelle Coquillat n'a nul besoin de se faire rappeler que la
littérature est un beau royaume. La reconnaissance de la
beauté littéraire est même le présupposé de toute sa
réflexion. Si les écrivains dont elle parle n'avaient ni génie
ni talent, le livre qu'elle a écrit se ramènerait à la critique
qui se fait actuellement des manuels scolaires. Ceux-ci
peuvent être expurgés, remaniés, remplacés. Tandis qu'un
roman comme* Les Mémoires de deux jeunes mariées *est
une totalité intangible et irremplaçable et que la prise de
distance qui pourra s'opérer à son propos, analogue à celle
qui a eu lieu pour l'esclavage dans les poèmes homériques,
s'esquisse à peine dans les brumes de l'avenir.*

    Cela ne tient pas seulement à ce que le règne du patriarcat

1. P. 130. Gallimard éd., 1979.
2. Et la petite fille juive est hyperagressée.

*n'est pas encore révolu (l'esprit du patriarcat s'étant remo-
delé en fonction d'une société industrielle capitaliste comme
la nôtre, le sexe féminin demeure un sexe second, subor-
donné dans les faits et dans les têtes). Cela ne tient pas
seulement à ce que les images littéraires féminines ne sont
pas de simples photographies de la réalité sociale et des
mentalités : elles gardent une vertu agissante, elles se font
modèles — non pas simplement informatives mais normati-
ves —, tout cela est connu, mais il y a autre chose. S'ajoute
encore le rapport de l'artiste en tant qu'artiste à la femme.
Non pas rapport que l'artiste entretiendrait avec la femme,
mot qui recèle l'idée d'une certaine réciprocité, mais rapport
infligé dont la littérature transmet le message.*

*Dire que ce message-là est destructeur serait trop peu dire,
il est d'emblée annihilateur. Il concerne l'idée que se fait celui
qui écrit du pouvoir créateur lui-même, pouvoir masculin
par essence, dont la nature propre est de n'être pas féminin.
C'est de cela que traite Michelle Coquillat ; en cela résident
la force et la nouveauté des analyses de cette Poétique du
mâle.*

*La littérature regorge de figures émouvantes, parfois
saisissantes. Corneille n'est pas misogyne, ni Victor Hugo,
ni Balzac, encore moins Stendhal. Pourtant l'immense
majorité des œuvres littéraires — y compris quelques-unes
créées par des femmes — enseignent aux femmes qu'elles
sont interdites de création. Interdites de création dans la vie
comme en art. Car l'interdit déborde largement la fabrication des œuvres : on le voit par la conduite et les sentiments
des personnages présentés dans les œuvres. Et ainsi, d'une
part, seul un homme peut écrire Le Cid, mais Chimène ne
peut rien d'autre qu'imiter Rodrigue. Et quand une femme
ose prendre l'initiative de ses actes, il n'en peut résulter que
malheur et mort, elle a enfreint une loi transcendante. Ce
n'est pas tant la vie des femmes qui est programmée, pour
elles, qu'elles-mêmes, au profond d'elles-mêmes, dans la
passivité. Au point que lorsqu'elles se sentent sur le point de*

céder à un amour dont elles se défendent, il ne leur reste souvent d'autre recours que de mettre leur « honneur » entre les mains de celui qui emploie tous ses efforts à y porter atteinte, telle Julie dans La Nouvelle Héloïse.

La représentation que l'on se fait de l'acte créateur a beau évoluer au cours des âges, l'idée de l'impuissance féminine à créer perdure. Parce que la production d'une œuvre mobilise des forces et des richesses ignorées du sujet lui-même, elle a toujours été perçue comme un mystère. Dans l'Antiquité, sous la Renaissance encore, c'est un influx divin auquel la muse sert de premier médium, puis, à travers elle, le poète. Dans la France chrétienne et monarchique de l'âge classique[1] l'inspiration a cessé d'émaner d'un tout-puissant pour devenir un analogon de la création divine. Le poète est alors devant ses œuvres comme Dieu le père devant l'univers : celui qui fait et engendre. Corneille appelle ses tragédies ses filles. Et certes, ce n'est qu'analogie en effet, façon de se représenter, d'imaginer, façon de dire l'avènement d'une œuvre. Mais l'analogie est persuasive et le langage est fait d'analogies. Parler de la naissance d'une œuvre, c'est déjà ouvrir la porte à l'analogie. Toujours est-il que, du pouvoir d'engendrement, mâle par essence, on conçoit que les femmes apparaissent exclues.

Mais l'analogie paternelle va connaître un retournement. On verra l'engendrement se convertir en gestation, suivie d'un enfantement, les pères créateurs se muer en androgynes, sortes de créatrices-créateurs. Ils se sentiront gros d'une œuvre, rêveusement lourds et réceptifs[2]. Or, les femmes ne gagneront rien au changement. Elles auront à apprendre que l'androgynie n'est pas pour elles, qu'en leur faisant

---

1. A une ou deux exceptions près, Michèle Coquillat a limité ses analyses à la littérature française depuis le XVIIe siècle.
2. Interrogé naguère à la radio sur le fait que ses compositions n'étaient pas souvent jouées, Igor Markevitch a répondu fort naturellement : « Je sais, je ne suis pas une bonne mère pour mes œuvres. »

porter et mettre au monde des enfants de chair, la nature leur a fermé une fois pour toutes l'accès à quelque forme de création intellectuelle et artistique que ce soit, les hommes demeurant seuls dépositaires du principe féminin dans les choses de l'esprit.

Bien entendu les écrivains n'ont pas voulu dire explicitement ces choses. Ils n'ont fait que développer une nouvelle analogie justificatrice de ce qui demeurait pour eux une évidence en quelque sorte clandestine : l'impuissance créatrice des femmes.

Michelle Coquillat déshabille l'évidence de son enveloppe de clandestinité en nous proposant une lecture neuve de quelques pans de la littérature. Il faut la suivre pas à pas dans ce travail de dévoilement. Se rappelant alors les doutes et les anxiétés de l'écrivain devant son papier blanc, la hantise de la sécheresse, le dégoût matinal des pages écrites la veille, toutes ces misères tant ressassées par ceux auquel le pouvoir de créer a été reconnu de tout temps par nature, peut-être mesurera-t-on pour finir le poids terrifiant de handicap supplémentaire que représente pour les femmes le déni catégorique de ce pouvoir.

Si l'on ajoute que le déni les frappe aussi dans la conduite et l'invention de leur propre vie, on comprendra que ce livre s'adresse à toutes les femmes.

Colette Audry

INTRODUCTION

Il est encore relativement facile de faire admettre aux
hommes la nécessité socio-économique de l'égalité des
sexes. Non que la théorie ici éloigne le sexisme, mais les
modes pragmatiques de l'économique et du social ne
s'accommodent pas de controverses abstraites sur la
différence des sexes, même si les vieux schémas résistent
encore à la pratique. Qui oserait affirmer publiquement
qu'il faut payer différemment les hommes et les femmes ?
Et cependant chez les hommes, le sentiment inconscient,
mystérieux, d'une supériorité, résiste. Quel est le phallocrate qui, à bout d'argument, ne s'est pas brusquement
écrié : « Oui mais... Beethoven, c'est un homme... Shakespeare, un homme... Victor Hugo... un homme. » Et
c'est vrai. Il semble qu'il y ait une propagation de la
création par le mâle, comme par une espèce de gène
distinctif, carrément lié à on ne sait quel Y ou Z qui
manquerait à la femme et nous donnerait l'équation : la
femme accouche et l'homme crée. C'est passé dans les
mœurs. On y croit. Bien sûr, on sait maintenant que la
différence est un phénomène culturel — du moins
sommes-nous beaucoup à le croire — et les féministes ont
depuis longtemps fait le long décompte des préjudices que
la pensée des hommes a fait subir aux femmes : de Platon
à Freud et Lacan, quel éreintage systématique, où le

pouvoir des mâles se fonde traîtreusement sur l'effroyable docilité des femelles. Traîtreusement ? Certes. La docilité des uns ne s'obtient jamais que par la traîtrise des autres. Et la traîtrise c'est précisément que la non créativité des femmes, qui est encore, malgré tout, un fait de civilisation, échappe à l'Histoire. Quand nous croyons tous, dévotement, au progrès, là il n'y a pas de progrès. Pas assez. Pas comme il le faudrait. Tout se passe comme si on achoppait sur quelque mystère, aussi étrange que la vie même, sur une force obscure contre laquelle la raison se brise. Comme ces petites filles brillantes, drôles et pleines d'humour qu'on voit se briser et s'abêtir à douze ans, devenir vides, mimer éternellement les gestes maternels, oublier leur précocité et terminer en apprentissage ménager sans qu'on s'étonne vraiment de ce qui leur est arrivé. Et pourtant on leur avait donné l'éducation, l'école et tutti quanti... Mais on avait oublié l'éternel étau du patriarcat familial, le sinistre effet de la coéducation sur les fillettes de ces écoles maternelles, où elles apprennent, des petits garçons, la passivité, la servilité, le narcissisme. On avait oublié ces systèmes fermés comme des tunnels, dans lesquels nous devons passer, que nous subissons et qui sont nos modes d'être. Des schémas. Des organisations toutes faites, dans lesquelles nous tombons et qui nous happent, sans qu'on y puisse grand-chose, à moins de leur dire non, parce qu'on les a reconnues, déchiffrées puis rejetées. Des systèmes si profondément ancrés, si plaisants pour leurs bénéficiaires, que l'Histoire passe sans les toucher. Vieille machination du pouvoir qui se nourrit toujours de l'occulte et contre laquelle on s'épuise en lutte vaine, parce qu'il se trouve toujours un mage, un homme de science pour la justifier à posteriori. Le progrès scientifique ne fait-il pas si bien les choses qu'il y a toujours une découverte habilement utilisable et qui permette d'affirmer que l'intelligence est quasi héréditaire ou que les prostituées ont une psychophysiologie particulière qui les prédispose à aimer vendre leurs corps ? La difficulté d'être de la femme vient alors de cette contradiction entre un devenir que sa raison lui fait concevoir meilleur et le mystère d'une condition défaillante où sa liberté s'enlise. Mais le pouvoir de l'homme ne s'exprime que dans l'occulte, rien ne le justifie que ce phallus sacré qu'il élève au pinacle, qu'il divinise et dont il fait le modèle absolu de toute puissance. Comment a-t-il pu si longtemps compter sur la servilité femelle ? Comment une telle aberration a-t-elle pu se propager ? Comment ? Mais par la littérature.

La littérature est une dramatisation des rapports humains. Lorsque ces rapports sont simples, le drame s'exprime de la façon la plus simple, c'est-à-dire par le théâtre. Lorsqu'ils deviennent très complexes, le roman apparaît, le récit. Mais faire de la littérature, c'est toujours exposer une mythologie, c'est-à-dire rejouer, en les pérennisant, pour les étaler ou les exorciser nos relations au monde, aux autres, nos conflits essentiels. En cela, la littérature est un message qui figure et sculpte les comportements des êtres, et à travers laquelle s'expriment nos hantises, nos angoisses et nos désirs les plus constants. Ainsi notre besoin de lecture, ou de cinéma, vient de ce que nous y trouvons des modèles de comportement, des solutions aux dilemmes psychologiques qui se posent à nous. Nous sommes nourris de ces relations toutes faites, préfabriquées, dont nous ne pouvons nous défaire, et que nous adaptons, plus ou moins bien, à notre usage. N'est-ce pas l'un des sens de *Madame Bovary* ? Dénoncer ces tiroirs de vie dans lesquels on peut être tenté de s'enfermer, comme dans une urne funéraire. L'influence de la littérature est immense. Plus grande que celle de l'action directe. Nous nous y référons constamment, et quand nous croyons agir librement et avec autonomie, nous retrouvons au fond de notre inconscient (individuel ou collectif) les normes établies par nos héros, les systèmes et

les solutions exposés dans nos livres. L'art actuel, d'ailleurs, en devenant hermétique, ésotérique, se ferme,
comme le nouveau roman, à sa fonction ancestrale et
devient inutile. Dans la place laissée vacante, s'engouf-
frent les idéologies politiques. On lit moins, on vote
davantage. Ou bien on se reporte à des comportements
clairement exprimés dans des littératures plus anciennes.
Les femmes qui ne lisent pas se demanderont alors à quoi
tout cela rime, puisqu'au fond elles échappent, elles, au
pouvoir contraignant et créateur des écrivains. Mais nous
vivons dans une société où nos rôles sont dès l'enfance
dessinés par les livres ou les graphiques que l'on nous
propose, et même si nous ne lisons pas, nous n'échappons
pas à la puissance suggestive de la lecture des autres.
Lorsque la femme est exclue de la création littéraire et
philosophique parce qu'on lui donne à croire qu'elle n'a
pas de génie mais le sens du détail, et que vingt romans lui
indiquent, de la façon la plus nette et cependant la plus
voilée, que dans la vie courante cet aphorisme est toujours
vérifié, elle se met à sentir, à son égard, une méfiance
compréhensible pour la création. Mais il faut aller plus
loin. Si tout le système créatif mis en place et scrupuleuse-
ment suivi par le mâle implique que sa participation à elle,
la femme, à l'acte de la création ne peut et ne doit se faire
que par un sacrifice librement consenti, certaine alors que
c'est là son destin, et que dans la nature des choses il lui
faut s'immoler, elle s'immolera. Ce qui est un rituel
sacrificiel de la littérature deviendra un véritable suicide
collectif. Voilà la chausse-trape. Ce n'est pas qu'il y ait
suicide collectif. C'est qu'il s'accomplisse pour satisfaire
une obscure « nature des choses », quelque nécessité qui
échappe à tout contrôle, à toute culture. Comme la mort,
sur laquelle nous ne pouvons rien. Comme la maladie.
Comme le cycle menstruel qui est aussi inexorable, avec
son organisation quasi mathématique et ses jeux d'hormo-
nes, que le mouvement des marées ou la loi de la

gravitation. Comme par hasard, dans notre littérature, la femme s'apparente à la mort, à la maladie, symbolise l'horreur du destin de l'homme, de cette part de lui-même sur laquelle il ne peut rien, parce qu'elle appartient au cycle inexorable de sa fatalité biologique. Hasard qui nous le voyons n'est déjà plus un hasard, mais une machination. La femelle est d'emblée liée au biologique, et vogue la galère, qu'est-ce que nous y pouvons ? Le mâle, lui, est un animal culturel. La culture, quelle prise réelle pourrait-elle bien avoir sur un être femelle qui appartient, par un arbitrage purement biologique, à l'insondable mystère de ce qui naît et de ce qui meurt sans qu'on sache pourquoi ?

Divagation que tout cela ? Non. Car c'est bien un mystère que l'impuissance culturelle de la femme à se libérer de ses liens. Un mystère que toute notre littérature nous assène, par une série de savantes analogies, et qui maintient la femme dans la glaise élémentaire dont l'homme s'est libéré. Il domine alors les éléments dont elle fait partie. Elle est une part du cosmos dont il déchiffre les secrets et dont sa conscience le distingue. Transcendance à droite. Contingence à gauche. Or c'est précisément l'aptitude à la création qui est la seule et unique justification mâle à la transcendance. C'est parce qu'elle ne crée pas — ou peu, ou rarement, ou mal — que la femme est impitoyablement rejetée dans la contingence. C'est donc là qu'est le mystère. Là qu'il va s'exprimer.

Dans la *Psychanalyse des contes de fée*, Bruno Bettelheim a bien montré à quel point le conte ne répond pas, chez l'enfant, à une nécessité psychologique, mais à un besoin schématique. Ce n'est pas dans les relations réellement exprimées des personnages entre eux, que le tout petit trouve l'aliment à sa recherche d'un équilibre intérieur. Peu importe alors que l'histoire soit cruelle, violente, effrayante. En vérité c'est même dans cette violence que, paradoxalement, il trouve parfois les éléments qui le réconfortent. Non ; sous l'histoire elle-même,

sous son déroulement qui n'est qu'une apparence l'enfant
retrouve la situation cachée, schématisée qui répond à son
angoisse inconsciente. Car dit Bettelheim de façon extraordinairement révélatrice : « il a besoin d'une éducation qui,
subtilement, uniquement par sous-entendus, lui fasse voir
les avantages d'un comportement *conforme à la morale,*
non par l'intermédiaire de principes éthiques abstraits,
mais par le spectacle des aspects tangibles du bien et du
mal qui prennent alors pour lui toute leur signification. »
. C'est aussi le cas des adultes et de la littérature.
Seulement, il faut que l'éducation se fasse encore plus
subtilement, que les sous-entendus soient encore plus
voilés. La littérature est alors pour la femme un énorme
piège, dans lequel on affirme son impuissance, sans jamais
en dévoiler les raisons. Il s'agit de lui faire comprendre
qu'elle est inférieure *parce qu'elle ne crée pas,* et qu'elle ne
crée pas par une raison qui échappe au contrôle de l'être
humain. Les caractéristiques psychophysiologiques des
deux sexes découlent, *alors,* de cet aphorisme, qui, jamais
dévoilé, toujours sous-entendu, mais perpétuellement présent, devient une vérité d'évidence contre laquelle il serait
absurde de se révolter. Voilà pourquoi on a toujours senti
qu'il y avait, dans l'œuvre, quelque chose qui dépassait
l'histoire. Qu'importe en réalité que le Cid exprime le
dernier sursaut d'une civilisation féodale défaillante,
qu'importe sa conception du point d'honneur. Tout cela est
parfaitement dépassé, un moment obscur de notre histoire
réduite à la pure anecdote. Non, en vérité, ce n'est pas
cela qui compte et où s'exprime le génie *universel* de
Corneille. Ce qui compte, c'est que le Cid reproduise, une
fois encore, le geste symbolique du mâle créateur qui
manifeste sa puissance par des actes jamais perpétrés,
c'est qu'il crée analogiquement le monde, comme Dieu
l'extirpant du chaos, et le fasse naître, par son acte, à
l'organisation, à l'ordre rationnel. Ce qui compte, ce n'est
pas que Mme de Mortsauf soit le lys dans la vallée, la

femme tendre, pure, douce, maternelle qui a d'interminables conversations morales, au fond d'un jardin, avec un jeune homme qui se croit amoureux d'elle : c'est qu'une force la pousse à se comporter, même un moment, comme toutes les putains littéraires balzaciennes, qu'elle « réintègre » son sexe, s'abandonne à la passion, et manque ainsi à s'individualiser, réaffirmant une fois de plus que dans le processus de la création les femmes n'ont pas de place. S'il est vrai que, quoiqu'elle fasse, elle est toujours femme, c'est-à-dire pareille à toutes les autres femmes, elle est vouée à la contingence. C'est ça qui compte. C'est ça que l'on saisit. C'est ça qui fait qu'au-delà d'un langage qui vieillit, de situations qui s'usent, de psychologies que le progrès rend absurdes, l'œuvre reste inchangée, sans ride. Sa permanence vient de ce qu'elle transmet une vérité qui échappe à l'évolution, au mouvement, à la conscience claire. Et cette vérité est la sauvage affirmation de la domination d'un sexe sur l'autre que seul un pouvoir occulte peut justifier. Parodiant la formule anarchiste célèbre : « élection, piège à con », on peut dire alors : « création, piège à... » et cette fois-ci, la phrase prend son sens plein. Car c'est bien un piège tendu à la femme, parce qu'elle a une sexualité féminine, que la création, ou plutôt parce qu'elle n'a pas une sexualité masculine.

Quand créer c'est aspirer à la divinité biblique et solitaire, l'exercice du mâle qui cherche à se diviniser s'exprime dans un monde qui lui doit sa naissance, dont il s'affirme le maître parce qu'il l'a fait jaillir « de rien », mais d'où il n'exclut pas la femelle. Dans la littérature du XVIIᵉ siècle, il y a des héroïnes extrêmement positives, parce que l'homme, n'ayant pas de difficultés à se diviniser, accepte de voir la femme le prendre pour modèle. Elle n'y est jamais créatrice, mais enfin elle est héroïque. C'est-à-dire qu'elle peut, comme Chimène, n'être ni vile, ni venimeuse, ni dangereuse pour le mâle. Compte tenu, bien sûr, qu'elle ne cherche pas à l'évincer

dans la création. Parce qu'alors c'est le chaos. Mais
lorsque la figure du patriarche biblique disparaît, le
modèle de la création n'est plus la Genèse, mais la
procréation. Ici, il faut être deux. Ici, la femme va être
extrêmement gênante car elle va réclamer — et elle le fait
d'instinct, immédiatement — son droit à participer à la
création. N'est-ce pas elle, d'ailleurs, qui met au monde ?
L'analogie est alors en sa faveur. Or le mâle ne veut pas lui
abandonner sa puissance exclusive à créer. Il ne le veut
pas, parce que c'est le bastion imprenable de son pouvoir
sur elle. Pourquoi a-t-il besoin de ce pouvoir ? Personne
sans doute n'a mieux répondu que Sade.

Parce que tendant à la liberté totale, absolue, tendant à
reconstituer pour lui la divinité solitaire, il lui faut
éliminer les autres pour manifester son pouvoir libérateur.
On n'avait pas attendu Sartre pour s'apercevoir que ce sont
les autres qui constituent les limites où se heurte la liberté
individuelle. Tuer les autres et rester seul, c'est cela se
faire libre, pour Sade. Et c'est cela aussi, pour le créateur.
Tuer les plus faibles. Tuer celles qui se sont constituées
par la volonté de l'homme les êtres faibles : les femmes. A
partir de l'affirmation de la mort de Dieu, la littérature
devient une entreprise de meurtre rituel et d'anéantissement sacrificiel du faible (femme, être féminisé, passif)
par celui qui se veut le fort. Elle est, par là même, toujours
un acte de violence. Violence que l'on retrouve dans la
sexualité, le viol, la domination sadique de l'autre.
Violence où le mâle se rappelle à propos le cycle éternel
du mouvement de la vie, où quelque chose meurt pour
qu'autre chose renaisse, par une volonté élémentaire
inexorable, qu'il institue alors en destin naturel. Le destin
de l'autre, naturellement, même s'il affirme qu'il en
souffre. Même s'il affirme que cet autre, c'est aussi lui.
Voilà ce que nous raconte la littérature. Toujours la même
chose. Toujours l'éternelle histoire de l'homme qui se fait
tout seul, qui se sort du chaos, qui se fait dieu, ou bien

alors qui domine son destin d'être absurde et dépourvu de sens, et lui donne une signification en l'affirmant libre, justement parce que, cette liberté, il la conquiert sur les autres. Se faisant, il se prouve sa transcendance. Affirmer sa *différence* essentielle d'avec la femme, c'est pour le mâle affirmer une conscience à l'état supérieur, une quasi-divinité, une essence. C'est cela que la littérature propage, et c'est pourquoi on la qualifie d'universelle. Certes, elle l'est. Voilà la raison pour laquelle on peut dire aussi qu'elle est truquée. Car les situations changent, les mentalités évoluent, les femmes expriment leur désir d'être enfin les égales des hommes, démystifient les systèmes, décodent les pièges des familles, des sociétés, des enjeux économiques. La littérature se fait l'interprète complaisant de leurs espoirs. Voilà de nouveaux dialogues, de nouvelles mentalités, de nouveaux comportements. Et puis tout cela avorte. Sous le plateau où les accessoires se modernisent, le vieux serpent est toujours caché. Le schéma ne change pas. Et toutes ces tentatives se terminent toujours par la même défaite, la même impuissance, symboliquement exprimée, de la création féminine. La même affirmation qu'elle ne peut être androgyne... et que c'est cela qu'il faut être. Le même rejet dans la contingence. La même arrogante certitude que le pouvoir est aux créateurs... et qu'il n'y a de créateur que le mâle. La femme, parcelle cosmique, que ne commandent que les forces incontrôlées de la biologie ou des mystères astraux, est une machine qui n'est identique à l'homme que dans ce qu'il a, justement, qui échappe à son contrôle : la mort. La mort toujours. Dans tout ce qui n'est pas la mort, ils sont dissemblables. La mort et le hasard ne créent rien. Ils détruisent. Or c'est précisément de la mort qu'il faut partir. Pourquoi le créateur veut-il se diviniser ? Parce qu'il refuse de mourir. Retrouver le geste qui crée et non pas celui qui reproduit est alors son ambition première, le geste de Dieu faisant le monde : seul et sans que rien, auparavant, n'existe. Pour en exclure la femme, pour qu'elle se sente, elle-même, inapte à créer, il suffit de représenter, continûment, dans la littérature des situations au cours desquelles la différence entre l'homme et la femme s'exprime uniquement dans l'ordre du créatif (pour l'homme) et du reproductif (pour la femme). Point d'extravagante antithèse d'expression, de sentiment ou même de comportement : cela pourrait amener une révolte féminine. Mais à indiquer, sans relâche, que le seul don de la femme consiste à mimer l'homme, c'est évidemment établir sa dépendance vis-à-vis de celui avec lequel est créé un véritable lien de vassalité, c'est surtout la cantonner dans ce qui est le contraire de la création : la reproduction. Or n'est-elle pas, précisément, l'être qui enfante et partant reproduit ? Il est clair alors que le désir de l'homme est de s'exclure de la sexualité et l'on comprend fort bien ce que veut dire Rousseau par exemple quand il affirme que le mâle « n'est mâle qu'en certains instants » quand la femelle « est femelle toute sa vie, du moins toute sa jeunesse ». C'est que pour le mâle, en dehors de son rôle de géniteur, il a un rôle créateur, qui occupe la plus grande partie de son existence. Quant à la femme, on n'en peut dire autant d'elle : elle est livrée tout entière à la reproduction. Pas de fonction divinisatrice en elle. Cela, naturellement, fait de la femme l'être de la mort, quel que soit le schéma créatif. Certes, reproduire est empêcher l'anéantissement de l'espèce ; mais c'est exposer tout crûment l'anéantissement tragique de l'individu. Le mâle alors bannit la femme de la conscience, et pour sa punition, en fait la créature de l'espèce, de la masse. Elle devient en quelque sorte l'âme de la société contre laquelle le mâle lutte, orgueilleusement pour être et créer. D'un côté le collectif : la femme. De l'autre côté la personne : l'homme. Voilà établies des relations schématiques qui mettent dans le même sac : l'individu, la conscience, la création, la divinisation et l'horreur de la mort. Dans l'autre sac : l'espèce, le maintien de la race, la société, la reproduction, la sexualité et la mort. La simple énumération du contenu du sac féminin nous fait frémir... la société, la sexualité, la mort ! Mais c'est que toute notre littérature nous crie aux oreilles l'horreur de la lutte de l'individu contre la société castratrice, étouffante, infâme. C'est que tous les héros de nos textes s'exposent à nous dans leur mépris de l'espèce et l'arrogante affirmation de leur supérieure prise de conscience, de leur défi à la mort, de leur désir de devenir Dieu. Les relations s'établissent sans qu'on ait même besoin de les montrer du doigt. Tout ça, c'est la faute à la femme. On oublie la monstrueuse machination primitive qui l'a liée à la mort et à la sexualité. Car nous vivons sur un himalaya de sophismes, sans que cela semble nous gêner le moins du monde. Ainsi, lorsque s'effrite le modèle si pratique de la cosmogonie biblique et que l'analogie de la création à l'acte sexuel se fait de plus en plus jour, avec son cortège d'angoisse et de souffrance, lorsqu'il ne suffit plus d'analyser les paroles sorties de la bouche de la divinité pour renvoyer la femme à son rôle de suivante, parce que son instinct lui dit que si la condition pour créer est d'être androgyne, elle peut fort bien être androgyne, le système va consister alors pour le créateur à affirmer à la femme qu'elle n'est pas femme. Pourquoi ? Parce que dépourvue d'essence, elle ne peut avoir de caractère fondamental. Tout son être est un faux-semblant. Elle n'est que l'image de la féminité, elle n'en a que l'apparence, les caractères secondaires.

Pourquoi un tel paradoxe ? Parce que, dans le projet androgyne, la condition de la non créativité de la femme tenant à son absence de nature fondamentale, il est nécessaire qu'elle l'admette comme une vérité absolue contre laquelle nous ne pouvons rien. Et le Poète de s'affliger hypocritement de ce qui fait de la femme une créature inférieure, alors qu'il voudrait tant qu'elle soit sa

compagne, son égale, son reflet. Beau thème littéraire.
Pendant ce temps-là, il s'affirme, lui, femme. Entendons-
nous, dans ce que la féminité a de fondamental. Ce qui fait
qu'il est androgyne. La femme qui tenterait de parvenir à
l'androgénéité, ne pouvant prendre en elle rien de fondamental, n'arriverait qu'au grotesque d'une superposition
d'apparences : ce n'est pas en fumant la pipe qu'on se fait
hermaphrodite. La femelle cependant, autre paradoxe, est
la dualité même puisque sa fonction reproductrice la lie à
la sexualité. Certes, mais cette dualité n'est pas androgyne
puisque non créatrice. Nous nous trouvons donc toujours
sur deux plans : celui de la chair et celui de l'esprit, et
nous comprenons très vite que la pureté désincarnée
qu'affiche le poète est la condition nécessaire à son
maintien dans les hauteurs inatteignables de la production
artistique.

Or, toute déchue qu'elle soit, la femme est cependant, à
partir de Rousseau, le grand, le seul modèle de la création.
Elle nourrit dans son sein le fœtus qui lentement prend
forme, puis elle accouche de la vie. Pour s'approprier
l'action, le créateur va assassiner le modèle. Pour se
maintenir loin de la vile sexualité il va reproduire
l'enfantement, mais seul. Victime et bourreau, dualité
intérieure et « essentielle », il sera cette totalité sans
laquelle il n'y a pas de création, la réunion grandiose des
pôles opposés : passif, actif, négatif, positif. Il va se livrer
à un énorme mimétisme de la création de la vie, sans
reproduction. Avec l'espoir d'atteindre un jour la divinité
par l'œuvre parfaite. Celle que, comme l'univers, nul ne
pourrait jamais reproduire.

Vieille obsession mâle de l'immortalité...

PREMIÈRE PARTIE

La création comme analogie à l'acte de la Genèse

I

L'HARMONIE

Le Dieu de la Genèse, c'est une puissance d'harmonisation du chaos, une volonté de donner vie à l'inexistant, de concevoir le monde comme une totalité justifiable et cohérente. Dans l'exercice créateur de la Genèse, le monde et le mâle sont créés ex nihilo ; la femme, non : elle est formée à partir d'une matière déjà existante : le mâle. Il est création, elle n'est que procréation. Directement issu du Père, le mâle se sent justifié à se croire analogue au Père : il en procède, et par l'esprit est doué, comme Lui, pour la création, c'est-à-dire pour faire surgir *de rien* l'existant, ou du chaos, la forme. La femme est d'emblée enfermée dans son rôle procréateur : de même qu'il a fallu la former de la matière existante, de même sa fonction sera de perpétuer cette matière. A-t-elle une âme ? Voilà une controverse parfaitement justifiée par une simple lecture de la Genèse, car la femme y est chair et chair seulement et elle ne renvoit que faiblement l'image divine puisqu'elle ne la renvoie qu'au second degré : elle n'est à l'homme sur le plan matériel que ce que l'homme est à Dieu sur le plan spirituel. La femme est alors une grande inconnue : car si l'homme tient à Dieu par son âme, à quoi tient la femme ? Sa conscience d'être n'est-elle qu'un reflet de celle de l'homme ? Une forme de mimétisme ? Comme il est simple, la chair étant mortelle et la mort étant la terreur perma-

nente de l'homme qui en fait le mal suprême, l'anti-Dieu
puisque celui-ci est la lumière et la conscience, comme il
est simple donc de faire de la femme l'être du mal et de la
mort. Cela paraît logique : la côte, la chair, le mal, la
mort. Le tour est joué. Ce qui est moins clair, c'est la façon
dont de tels postulats ont pu se développer dans les
consciences collectives. Jusqu'où faut-il aller pour les
trouver ainsi ancrés dans l'orgueil injustifié du mâle ? Car
faire de l'homme l'être de la création et de la femme la
créature de la procréation c'est conclure à l'exclusion pure
et simple de cette dernière du monde de l'art et de la
pensée créatrice : alors qu'à l'homme, tel Dieu concevant
la Genèse, il ne faudra rien pour créer, il faudra à la
femme, simple procréatrice, un germe, celui-là précisément que lui fournit l'homme qui, à la fois, la crée et la
fertilise. Voilà tout simplement signée sa dépendance
nécessaire, son impuissance à être et se penser autonome.

Ce qui soutient parfaitement le sentiment de l'analogie
de la création avec la Genèse, chez Corneille par exemple,
c'est que l'œuvre est toujours le résultat d'un combat où le
chaos vaincu s'harmonise pour rendre le monde totalement
justifiable et réductible à une Idée. L'œuvre créée est à
l'image du monde créé par Dieu et les personnages eux-
mêmes, ainsi que la vision générale du poète, reflètent
l'organisation triomphante de la logique sur l'absurde et le
contingent. *Le Cid, Horace, Cinna* sont le champ de la
lutte avec l'Ange, où l'ombre et le chaos cherchent à
prendre possession, par l'absurdité du hasard, de l'âme
des êtres. Le héros se dresse alors comme le Dieu créateur
pour dire violemment non au désordre de l'histoire. L'être
créateur se voit en fait, toujours, face à un nœud
d'absurdité établi par le hasard et que le hasard lui-même
pourrait résoudre : méprisant cette chance qui ferait de lui
un être de la contingence, il choisit la lutte qui, dépassant
l'absurde, l'amène à la cohérence, quelle qu'elle soit,
même si elle lui est contradictoire. Mais créer, c'est

forcément résoudre une contradiction, même s'il faut le faire par la violence, même s'il faut le faire au mépris de l'humain. Créer, c'est surtout ne pas laisser le hasard prendre les choses en main et voir se résoudre de soi-même, sans un effort réducteur absolument divin, le désordre de ce hasard.

C'est Chapelain qui, en 1637, dans *Les sentiments de l'Académie sur « le Cid »*, affirmait que l'art véritable se proposait « l'idée universelle des choses » et que comme tel il « épurait » l'histoire, qu'il dépassait. C'était bien faire du créateur l'analogue du Dieu biblique qui, faisant entrer en lutte le hasard et la volonté logique, assure le triomphe de celle-ci. Chez Corneille, les héros sont analogues au créateur, leur lutte est une puissance formatrice aussi violente et orgueilleuse que celle qui présida à la naissance du monde. Le Cid par exemple refuse d'être soumis à une loi sociale arbitraire qui ferait de lui un être en état irréductible de contradiction car une suite de hasards l'accule au chaos. Victime de la rencontre fortuite d'un premier hasard — qui fait de l'agresseur de son père le père de Chimène — et de l'arbitraire d'une loi sociale, qui comme toute loi sociale est fondée sur une manifestation despotique du hasard (ici, un second hasard), il a le choix entre s'abandonner au désespoir d'une situation dont il voit l'absurdité ou lutter pour la résoudre logiquement et lui donner une vérité qui, absolue, la sorte de la contingence. Il décide de lutter. Et si son choix — celui de son père — paraît pour nous, mainte-nant, être arbitraire pur, c'est sa détermination à maintenir ce choix dans cet absolu, à ne jamais s'en écarter, à lui donner valeur de nécessité, qui en fait un choix dégagé du temps, de l'anecdote et du social. Ainsi Rodrigue se présente-t-il à nous comme le champion de l'ordre. C'est à l'ordre de l'ordre qu'il appartient, c'est-à-dire à l'ordre de la raison transcendante. Entouré d'un faisceau d'événe-ments illogiques et qui, comble de l'ironie, ne le concer-

nent que par personne interposée, il est dans la position du
Dieu créateur qui a le choix entre être ou ne pas être.
Aussi son acte est-il profondément grave car il entraîne
l'être ou le non-être de ceux qui l'entourent : le vieux Don
Diègue ne s'y trompe pas qui se lamente : « Faut-il voir en
un jour flétrir tant de lauriers ? » Car sans l'acte créateur de
Rodrigue, la vie entière du père sombre dans la non-
existence : c'est comme s'il n'avait pas vécu, d'où l'angoisse de son cri : « N'ai-je donc tant vécu que pour cette
infamie ? » Rodrigue agit alors avec son père comme le
Père qui, face au hasard qui l'annihile, lui donne nécessité
donc existence : Don Diègue n'est en fait qu'une faible
créature. Les événements dans la tragédie forment donc un
fouillis, un désordre sombre qui est celui du chaos avant la
Genèse et dans lequel le monde peut retomber, sans
l'intervention créatrice du héros, qui se présente alors
toujours comme un effort conscient. Ainsi le comte de
Gormas, le père de Chimène, bien que son action soit
définie par lui-même comme volontairement opposée à
l'arbitraire de la volonté royale (et il s'en explique
violemment avec Don Arias) cependant c'est à son impulsion de colère qu'il se laisse aller, il est clair que si cette
même volonté royale ne s'opposait pas à ses désirs, il ne
chercherait pas à la contrecarrer mais au contraire s'y
soumettrait. Le comte Gormas donc n'est pas un créateur,
et comme tel Corneille l'abandonne au sort fatal qui attend
tout être livré à la contingence. Ce qui l'anime, c'est le
désir de satisfaire son plaisir et non point la haine de
l'arbitraire, ou le besoin de se justifier par une nécessité
supérieure. Tel n'est pas le cas de Rodrigue. Il est
brutalement précipité dans le désordre créé par l'arbitraire
d'un destin injuste causé par la folie illogique du comte
Gormas. Il est alors plongé dans un monde absurde
puisque aucune solution rationnelle ne peut mettre fin à la
contradiction dans laquelle il se trouve. Tel est le chaos.
Rodrigue pourrait s'y soumettre : il lui suffirait d'avoir

moins de hâte à venger son père ; il serait soit emprisonné par l'infante, soit directement empêché d'agir par les agents du roi : car la société, despotiquement responsable de son dilemme, s'oppose à son action : le chaos est comme une espèce de lac aspirant où naît la léthargie, l'inexistence. Pour Rodrigue, se livrer au temps, c'est-à-dire au hasard, ce serait attendre, car dans le marais de l'inexistence où le roi joue le jeu du fatum :

« Le temps assez souvent a rendu légitime

Ce qui semblait d'abord ne se pouvoir sans crime. »

Or précisément, Rodrigue *n'attend pas.* Sa précipitation lui permet d'affirmer l'absolu de la loi et que le légitime, tenant de « l'idée universelle des choses », ne peut dépendre du hasard. Son acte confère la force de l'absolu à une loi que le temps rendait absurde, par là même lui donnant valeur de nécessité. A partir de ce moment-là la contradiction dans laquelle il se débat est résolue : il sort *vivant* du néant dans lequel il était plongé, et vivant parce que s'étant placé au-dessus des errements du temps et des diktats de l'histoire, vivant parce que libre, mais aussi irrémédiablement seul. Ayant atteint la transcendance, il est devenu Dieu, il s'est donné vie et s'est conçu en triomphant du chaos. Mais la Genèse est un choix : pour être le créateur-Dieu il faut refuser de rester dans l'ombre, refuser d'être comme un vaisseau emporté par les mouvements du temps et vivant au gré des événements, dans la relativité. Ne regardant pas l'histoire du haut d'une Idée cohérente et logique, l'être relatif n'en ressent alors pas l'absurdité : se plier à ce qui est l'opposé de l'Ordre et de la Rigueur permet aux confidents, aux hommes ordinaires de continuer à exister sans se poser de questions. Car le créateur-Dieu se crée au mépris de son plaisir, sa « gloire » est de se concevoir comme Idée et transcendance au détriment de ce qui lui tient le plus à cœur et dont nous voyons souvent que, réhabilité par le social qui est le désordre et le relatif, il constitue un faisceau de

désirs anticréateurs. Rodrigue, Octave, Horace reflètent
l'effort formateur de Corneille-Dieu : leur monde est une
perpétuelle allégorie créatrice où la vie se conquiert
toujours sur le néant, puissant et séducteur. Créer est donc
se faire violence, et Horace ou Octave, Nicomède ou
Polyeucte se font violence. Créer c'est s'engager dans une
action logique, mais la logique créatrice n'est pas dans le
déroulement déductif de postulats variés. Elle est dans
l'affirmation d'une permanence, d'une transcendance et
d'une nécessité. Ainsi Horace est-il de tous les dieux
cornéliens l'un des plus puissants : son action est comme
une analogie dramatique du programme de la Création ; par
deux fois renvoyé au néant — c'est-à-dire à la possibilité
de voir se résoudre par le sort le désordre dans lequel il se
trouve —, par deux fois il affirme qu'il fera l'Ordre, seul,
par une action consciente qui violente et annihile l'arbitraire d'une destinée qui fait de lui, par une série de
hasards, le beau-frère d'un Curiace, le fils d'un Horace, le
frère de Camille. Quant à Octave, s'il ne veut pas retomber
dans le non-être, il lui faut trouver en lui-même une
parfaite cohérence : et ne pas haïr aujourd'hui ce qu'il
aimait hier. Pour cela il lui faut donner une permanence à
un sentiment qui autrement deviendrait l'effet du hasard :
l'amour qu'il porte précisément à ceux qui veulent sa
perte, Cinna et Emilie. Sa clémence, son acte créateur
rejettent dans le néant ceux qui jusque-là avaient pourtant
fait figure de dieux et de héros. Car Cinna et Emilie,
contraints de se désavouer, de se contredire et de se
démentir sont passés à côté de la divinité créatrice de soi :
ils sont rejetés dans l'ordre inférieur du relatif.

La création est alors un acte par lequel le créateur
s'affirme *libre* de toute contingence, insoumis à l'aliénation
créée par le temps, refusant la dictature du hasard, et
responsable de façon absolue d'une action qui le laisse seul
— parce que aussi, il ne peut la faire que seul — mais
ayant vaincu la mort. La nécessité d'un tel acte — réitérée

maintes fois par des affirmations du genre de : « je le ferais encore si j'avais à le faire », l'amène à défier le hasard, à le provoquer, pour, ensuite, le vaincre. Ainsi les événements multiples qui encombrent apparemment les tragédies de Corneille sont-ils absolument nécessaires à son schéma créatif. L'essence d'un tel théâtre étant de transcender l'histoire, l'arbitraire et le temps ne peut s'exprimer en dehors de l'enchevêtrement des événements et des circonstances dont la tâche créatrice du héros est précisément de réduire le désordre. La Genèse pour Corneille est un effort de réduction du temps, de dépassement de sa dictature, un refus de sa relativité et de sa contingence. Dieu créant se fait atemporel. Tel est le Poète, qui, aux prises avec l'histoire, la domine.

Il est clair alors que pour Corneille la Genèse est un effort puissant qui lui apparaît admirable et dont il ne questionne pas la grandeur. Les héros qu'il conçoit sont des modèles et il indique nettement qu'il entend qu'on les regarde ainsi : l'effort qu'ils consentent sur eux-mêmes dit assez l'altruisme de leur dessein et la générosité du projet divin. L'analogie à la Genèse se fait dans un ordre où Dieu, perpétuellement sollicité, sauve l'homme qui devient analogiquement divin. Car lorsqu'il imite Dieu, l'homme ne peut qu'être grand, et le héros ne peut que servir d'exemple, ainsi en déclare Livie qui proclame, face à la clémence admirable d'Auguste :

... « La postérité dans toutes les provinces
Donnera votre exemple aux plus généreux princes. »

II

LE CHAOS

Les fins des tragédies raciniennes sont loin d'avoir cet éclat : « Hélas », s'écrie Antiochus désespéré ; « l'ingrate mieux que vous saura me déchirer », se lamente Oreste devenu fou ; « Plût aux dieux que ce fût le dernier de ses crimes », s'écrie Burrhus ; « Que ne puis-je avec elle expirer de douleur », sanglote Zaire, l'esclave d'Atalide ; devant Mithridate expirant, Xipharès enfin dit à Monime : « Unissons nos douleurs ». A la création triomphante de Corneille, succède la création douloureuse, et si la tragédie racinienne est bien une analogie à l'effort créateur de Dieu, cet effort ici n'est plus le même que celui qu'exalte Corneille : c'est un effort qui aboutit à une création chaotique, injuste et désespérée. Créant, Racine lance à Dieu un cri de révolte et de réprobation. Les créatures, c'est-à-dire dans ses tragédies les êtres soumis, dépendants de la force destructrice de l'être qui, comme Agrippine, Andromaque, Diane ou Rome, a la puissance, n'ont d'autre ressource que celle de vivre sans but, sans que leur volonté puisse jamais leur permettre de trouver en eux la force de maintenir une quelconque permanence. Face aux responsables de leurs malheurs, ils commettent l'erreur de n'opposer que leurs désirs ; face à la volonté qu'exerce le maître, volonté qui souvent refuse le mouvement, réclame que toutes choses durent, s'élève contre le

changement, eux les créatures, n'expriment, par ce désir
qu'ils cherchent désespérément à ériger en valeur
suprême, qu'une force née du hasard, arbitrairement
formée pour leur perte. Il y a toujours un espoir, à l'issue
de la tragédie cornélienne : le héros a rétabli l'ordre, quel
qu'en ait été le prix, sa création se fait dans un système de
logique, elle est une pacification des mouvements du
temps et de l'espace. Le héros racinien n'est créateur que
de désordre et de désespoir ; l'horizon est bouché quand se
termine l'action, il faut tâcher de survivre dans un monde
dominé par l'injustice et l'impuissance du désir. Le
système s'établit en effet selon une hiérarchie implacable :
de Dieu à la créature on passe analogiquement de l'être
responsable du malheur des autres aux misérables voués à
leurs désirs.

La tragédie racinienne en effet a toujours son centre
occupé par un personnage fixe, d'une effroyable cruauté et
qui, comme Dieu, se définit par sa permanence, à
l'exclusion de toute autre valeur. Face à cette figure qui dit
non au changement et qui est imperméable au désir des
autres, on s'aperçoit que la morale humaine n'existe que
parce que la créature, soumise au mouvement du temps,
cherche, par analogie avec la fixité divine, à retenir les
variations inéluctables de son mode d'être, désire, en fait,
empêcher son expansion dans le temps. Ne pas avoir de
morale, alors, pour la créature, c'est se livrer sans limite à
cette accélération du mouvement, c'est s'abandonner sans
résistance à son désir. Le désir, en effet, naît du hasard et
de l'histoire, il est dans le lot de la créature. Parmi les
premiers mots que prononce Oreste, il y a « mon cœur et
mes désirs ». Pyrrhus, Hermione, Achille, Iphigénie ne
font rien d'autre que chercher inlassablement à satisfaire
ce désir, né soit des tribulations de l'histoire soit de
changements dans l'espace, de hasards de rencontres, soit
même, comme c'est le cas pour Néron, de tous ces
éléments conjugués : une nécessité politique et historique

l'amène à vouloir séparer Britannicus de Junie ; le hasard
de la rencontre le fait tomber amoureux de Junie et par là
même désirer à la fois se séparer d'Octavie et perdre
définitivement Britannicus qui, ennemi politique, est
devenu en même temps un rival. Ce qui caractérise alors le
temps faible, celui de la créature, c'est qu'il fait naître une
multitude de désirs dont certains peuvent même être
contradictoires. Toujours le désir est anti-universel ; né du
mouvement, participant du chaos, il s'oppose à l'Idée, il
entre dans une perspective antimorale : le désir nouveau
est en conflit avec ce qu'il y avait avant dans l'individu, et
qui lui est fondamental. Ainsi s'oppose en Pyrrhus le désir
d'Andromaque et le sens de l'honneur et de la parole
donnée ; ainsi Agamemnon est-il tiraillé entre son désir de
faire la guerre et son sens paternel. Mais les créatures
raciniennes se révoltent. L'injustice d'une condition où le
temps amène inéluctablement le changement, où, entre la
créature et Dieu, il y a une incompatibilité fondamentale
qui tient à la fixité divine, apparaît comme une véritable
obsession de l'injustice chez le personnage de Racine :
« De quoi suis-je coupable ? » crie Iphigénie devant
l'iniquité du sort qui fait d'elle une absurde victime. Mais
dans le temps fort, la relativité n'existe pas : pour Dieu,
innocence ou culpabilité ne semblent pas avoir de signification. C'est toujours par rapport au mouvement que le
relatif existe. Alors la créature revendique le droit à sa
condition. Racine regarde avec compassion les êtres
faibles justifier leur condition par une faiblesse qui leur
est « essentielle ». C'est déjà le droit baudelairien à la
contradiction que Pyrrhus réclame : le droit d'aimer
aujourd'hui son ennemie d'hier. C'est le même droit au
changement, responsable de son amour nouveau pour
Junie que Néron demande avec violence. Il se veut et
s'affirme une créature lorsqu'il crie à Burrhus que l'amour
naît du hasard, change et qu'il le sait (IV,3). Nous le
voyons alors transformer ce désir en une idée fixe aussi

solide que celle qui pousse Agrippine à vouloir que tout
reste en place, que le monde perdure. Voilà l'erreur de la
créature : vouloir changer le monde et que tout devienne
fonction de son désir. L'amour de Néron est condamné.
Ainsi Titus et Bérénice se désolent-ils sans cesse que leur
amour, possible une semaine auparavant tant que Vespa-
sien vivait, soit devenu impossible : c'est que Titus a
changé de face ; de romain il est devenu empereur, lié à
Rome (force maîtresse, agissante et fixe de la tragédie).
Cependant tous deux se soumettent. Leur désir cède le
pas, mais ils vont vivre. Néron, quant à lui, ne veut pas se
soumettre à la volonté d'Agrippine : ce qu'il aurait pu
consentir lui sera arraché ; Pyrrhus ne veut pas se
soumettre à la volonté d'Andromaque : il mourra. C'est que
la créature qui veut transcender son désir, en faire une
valeur suprême, qui veut le transformer en « idée universelle », se livre à une perversion analogique qui ne peut se
solder que par la mort et le désespoir. On ne cherche pas
impunément, quand on est mortel, à jouer Dieu.

Face à ces mouvements du temps qui font fluctuer les
créatures et les portent çà et là dans une violence
exacerbée, qui les fait chuter puis se relever, qui les
plonge dans l'erreur, il y a cette figure fixe, ce personnage
qui, lui, avec une indifférence totale pour le besoin avoué
de changement de la créature, avec une injustice inouïe à
l'égard de son désir, insiste pour que tout reste en état. Il
constitue une espèce de force d'inertie qui freine le
mouvement désordonné du temps ; dans ce sens il est
réducteur du chaos. Il représente une transposition de
l'infini face à la finitude. Ainsi Andromaque ne veut pas
voir changer son sentiment pour Hector. Toute son action
s'articule autour de ce qui fait sa raison d'être, son
essence. Sa relation — *d'avant* — avec Hector s'est figée
pour devenir une permanence. Négligeant les accidents,
les circonstances qui feront naître de terribles désastres,
se regardant avec indifférence (du moins une indifférence

essentielle) devenir responsable de la mort de Pyrrhus et d'Hermione, de la folie d'Oreste, ignorant même, quoiqu'avec douleur, le risque qu'elle fait courir à son fils, elle ne veut qu'une chose, c'est la permanence de ce sentiment, c'est que ni l'histoire (en l'occurence celle de Troie et des Grecs), ni le hasard (l'amour que lui porte Pyrrhus) n'y portent atteinte. Elle veut demeurer intacte face à la dégradation qui l'entoure et dont sa fixité est responsable. Les relations qu'a Dieu avec la créature ne peuvent alors qu'être des relations de destruction. Même Néron ne peut résister à la fixité d'Agrippine : celle-ci veut que son pouvoir sur lui se maintienne intact. Mais Néron a *vieilli*. Le temps a fait sur lui une marque qu'il ressent profondément et qui, de plus en plus, modifiera son comportement. C'est ce que Racine indique avec clarté lorsqu'il définit Néron, à ce moment précis, comme un « monstre naissant ». Ainsi face à Néron qui change, qui se dégrade, Agrippine perdure. Son ambition unique est de durer. Sa définition est dans cette durée, tout comme l'est celle de Rome, dans *Bérénice*. Même Titus, adulé, maître, respecté, ne peut éviter d'être entraîné au désespoir par la force de l'inertie romaine, de cette ville personnalisée, véritable statue de l'atemporalité qui refuse de voir qu'à la République a succédé l'Empire et qu'une reine vaut bien une impératrice. Aussi sommes-nous troublés, dans les tragédies de Racine, par des absurdités qui se situent à tous les niveaux. Non seulement l'absence de sens de la relativité de la morale du personnage-Dieu, non seulement son absence de sens des valeurs humaines créent une incompatibilité flagrante entre lui et les autres (incompatibilité source d'absurde), car ils ne se comprennent pas et ne parlent pas le même langage, mais, très souvent, comme dans le cas de *Bérénice* ou celui d'*Iphigénie*, la minceur du dessein du personnage central, l'anachronisme de sa position font un contraste cruel et illogique avec l'importance des risques courus par les autres. De plus, il existe dans le monde racinien une si totale irresponsabilité ambiante, que ses tragédies deviennent des farces cruelles et grotesques. En effet, en quoi Hermione est-elle responsable du conflit qui oppose Andromaque et Pyrrhus ; en quoi Iphigénie est-elle responsable de l'absence de vent ; qu'a Junie à faire dans une sombre histoire de pouvoir politique qui est celle d'Agrippine et de Néron ; quant à Bérénice, est-elle responsable du fait que Rome déteste les reines ? Mais ce qui caractérise Dieu dans son immobilisme, c'est que, immuable, il refuse de comprendre le changement, il est imperméable à la pitié, il méprise la contingence. Racine ne magnifie pas l'atemporalité divine ; il la présente comme une inertie, un frein, une idée fixe aussi dévastatrice que la soumission à la contingence. Car il est clair que le personnage central, raide, impavide, est responsable du désastre général. Pour être il lui faut assumer le malheur des autres. Dans *Bérénice* et *Iphigénie*, le dieu cruel n'apparaît jamais, même s'il est omniprésent : Rome reste toujours comme une femelle menaçante, interdisant à Titus de changer quoi que ce soit à sa physionomie qui doit rester pour jamais fixe (car on peut fort bien imaginer que, maître du monde, Titus décide de donner à Rome une nouvelle loi qui cesse de faire d'une reine une interdiction pour un empereur... D'ailleurs y avait-il vraiment interdiction ? Non pas). Quant à Diane, elle n'est jamais présente, son pouvoir est total, elle semble même être la maîtresse du hasard, car rien ne peut empêcher qu'elle ne soit obéie, aucun stratagème ne réussit, et toujours quelque hasard, quelque personnage secondaire, est là pour seconder son cruel projet.

Le personnage-Dieu « est », quand les autres sont « dans le temps ». Voilà pourquoi il crée, mais sa création est horrible. Ce n'est pas un hasard si Racine choisit de traiter Iphigénie ou Bérénice, c'est-à-dire, des faits historiques ou mythiques où la barbarie et la cruauté divines s'expriment avec le plus d'évidence. Alors que Corneille conçoit un monde logique, harmonieux, structuré, où Dieu, par analogie, semble donner aux êtres le droit à la divinité, la possibilité d'être des héros créateurs, ce que créent Andromaque, Agrippine, Rome, c'est un monde de souffrance ou les autres sont abandonnés à l'irresponsabilité et à l'impuissance. Or le maître est si enfermé dans son immobilité qu'il n'en tire nul sentiment de joie créatrice. Souvent même son action le détruit. Mais en même temps que son dessein de n'être pas touché par le changement, il a fait la preuve de sa liberté absolue. Ni Andromaque, ni Rome, ni Agrippine, ni Diane ne se laissent soumettre à aucune contrainte : elles sont libres car inaccessibles à la pitié, sentiment trop humain. C'est en fonction de la vérité qu'elle se donne à elle-même qu'Andromaque choisit d'être ce qu'elle veut être. Dans le désastre des morts et des folies qui terminent la tragédie son triomphe s'exprime clairement en terme de pouvoir et de liberté : « Aux ordres d'Andromaque ici tout est soumis », s'écrie Pylade. Elle commande, elle agit : elle a su ne pas céder au mouvement, elle a donc gagné sa divinité. Il fait peu de doute d'ailleurs qu'elle est l'héroïne racinienne la plus cruelle (sa cruauté s'exprimant dès la première scène où elle affronte Pyrrhus). Les deux autres divinités les plus barbares avaient moins de peine à maintenir leur fixité libre et triomphante puisqu'elles n'apparaissaient pas : Diane d'un côté dans *Iphigénie*, Rome de l'autre dans *Bérénice*. Ces deux derniers maîtres pouvaient être alors une image à peine transposée de la divinité : immuable, injuste, amorale, barbare et invisible. Cependant la victoire d'Andromaque a quelque chose qui nous touche davantage, car on assiste, tout au long de la tragédie, à l'effort incessant qu'elle fait sur elle-même pour maintenir sa rigidité et sa permanence : elle risque à chaque instant la mort de son fils. Il faut bien dire cependant qu'elle n'est pas soumise à la tendresse maternelle. Lorsqu'elle rappelle

à Céphise les paroles d'Hector (III, 8) : « Je te laisse mon
fils pour gage de ma foi / S'il me perd je prétends qu'il me
retrouve en toi », elle veut indiquer qu'investie de fonctions paternelles, sa tendresse de mère devient accessoire,
d'autant plus que ce qu'elle chérit en son fils c'est
« l'image d'Hector ». En vérité, elle est aussi monstrueuse
qu'Agrippine et l'une des habiletés les plus étranges de
Racine est sans doute d'avoir réussi à convaincre des
générations de sa détresse : elle a pu si souvent paraître
pitoyable. Elle ne l'est pas et lorsqu'elle décide finalement
de se donner la mort, elle n'est pas vaincue, au contraire.
Par un artifice, elle triomphe de Pyrrhus qu'elle hait, en le
mettant dans l'obligation, après qu'elle l'a épousé, de
traiter Astyanax comme son propre enfant et de le
protéger. Décidant de se suicider, elle se déclare libre de
ne pas oublier, libre de perpétuer en elle une vérité qu'elle
s'est donnée librement pour fondamentale. Dans le désastre qui l'entoure, elle seule triomphe, elle seule n'est pas
détruite par le dernier hasard qui la touche : l'assassinat,
inattendu pour elle et dont cependant elle est responsable,
de Pyrrhus. Il semble donc que parce qu'elle a accepté la
souffrance des autres, parce qu'elle a décidé une fois pour
toutes de maintenir sa liberté d'être ce qu'elle a décidé
d'être, Andromaque se soit, à partir de ce moment où elle
s'est donnée la liberté, écartée de l'atteinte des forces du
hasard. Elle est devenue intouchable. Elle est le créateur.
Alors que chez Corneille, le créateur est celui qui triomphe
de la contingence au détriment de ses propres désirs, et
qu'ainsi, pour lui, Dieu souffre pour créer, chez Racine,
nous assistons au triomphe de la permanence du héros au
détriment des désirs des autres. Par l'acte créateur, le
héros racinien se donne la liberté, voire même la puissance, et le Dieu de Racine est un Dieu redoutable. Tant il
est vrai que dans l'univers janséniste, l'alternative s'exprime en termes de liberté et d'esclavage, la créature
n'étant jamais libre, même pas libre de se damner

puisqu'elle y est, toujours, prédestinée. Si la création se
fait chez Corneille par le triomphe de l'harmonie sur le
chaos, de l'ordre sur le désordre, elle se fait chez Racine,
de la même manière, par le triomphe de la liberté sur
l'impuissance à être libre : privée de liberté, la créature
est dans le chaos. Quel que soit alors le type de tragédie
que nous ayons, celui où le personnage fixe est invisible
(comme dans *Bérénice, Iphigénie, Phèdre,* où il s'agit de
Rome, Diane et Vénus), ou bien celui où le personnage
fixe est présent (comme dans *Andromaque,* et *Britannicus*
où il s'agit d'Agrippine et d'Andromaque), ce qui caractérise le monde racinien, c'est que la liberté de l'être que
l'on peut voir comme une transposition divine, s'exprime
toujours en terme de cruauté, d'amoralité, et de violence à
l'égard des autres. Dans l'exercice créateur de la Genèse
racinienne, Dieu joue un rôle où l'on retrouve en germe
des schémas nietzschéens ; cependant quel que soit le
besoin de Racine d'exprimer sa révolte contre un Dieu qui
ne laisse à la créature d'autre alternative que l'arbitraire, il
ne peut empêcher que son théâtre ne témoigne, en fin de
compte, de la liberté suprême de ce Dieu et de sa
puissance, contre laquelle nulle créature ne peut rien. Que
faire alors quand il faut créer ? Y a-t-il une création qui ne
soit pas cruelle ? Si Corneille est un créateur serein, sûr
que la vie échappe au désordre et qu'engendrer c'est
s'opposer au chaos, il ne fait guère de doute que Racine ne
puisse se libérer de l'angoisse de la création. Tant il
semble vrai que, pour lui, créer, c'est évoquer des
fantômes de désirs, pernicieux et morbides, c'est concevoir un monde livré à la damnation et à l'impuissance.
Qu'y a-t-il de plus dérisoire en effet que *Bajazet* où nous
n'assistons qu'à un simulacre de tragédie où les acteurs :
Bajazet, Roxane, Atalide, Acomat croient jouer un rôle
libre et véritable quand ils ne sont que des fantoches que
le sultan Amurat regarde de loin agir avec une terrible
indifférence. Alors que nous avons cru assister à un drame

où les acteurs principaux étaient maîtres de leur destin et
que nous avons tout misé sur la réponse et l'attitude de
Bajazet, nous nous apercevons qu'ils ont été tous floués :
rien ne pouvait rien changer, les angoisses et les hésita-
tions morales de Bajazet deviennent d'une cruelle dérision, la colère et l'espoir de Roxane sont de purs jeux de
miroir. Telle est la soi-disant liberté des créatures : à la
fin, elles sont toujours trompées, seule la mort les attend et
dans le désert qu'elles avaient peuplé de fantasmes seul
Dieu reste en lice. Ainsi la morale stricte qui est imposée à
la créature — et qui donc ne sert à rien, puisqu'elle ne
sauve ni Hippolyte, ni Bajazet, ni Mithridate — ne
correspond à aucune rigueur divine. Dieu est monstrueux
parce qu'il échappe à la morale. Peut-être le créateur,
quant à lui, est-il celui qui — précisément — se
désengage de l'ordre des mœurs, les dépasse, les méprise.
En 1674, quand il écrit *Iphigénie en Aulide* juste avant
Phèdre, Racine se soulage en changeant l'ordre de la
création, en faisant, par un artifice, qui enfin lui fait
plaisir, retomber le supplice, *justement,* sur quelqu'un qui
le mérite, et non plus sur la victime innocente de la
divinité. Il en exprime, dans sa *Préface,* une grande
satisfaction. Phèdre, cependant, le ramène à son obsession
janséniste, celle dans laquelle il lui faut finalement
rentrer. Car si le créateur-Poète est Dieu quand il crée, il
n'en est pas moins une créature mortelle ; s'il se libère
parfois de la tutelle des mœurs, il doit y rentrer, à la fin,
comme toute créature, à la fin qui est celle de toute
créature : la mort. Si le poète participe de la liberté du
créateur — liberté qui est totale, qui est indifférence
profonde au relatif, aux lois de la morale —, il participe
également de l'impuissance mortelle de la créature. Il est à
la fois Dieu et l'être fini qui reçoit pour leçon les paroles
que prononce Joad à la fin d'*Athalie* — paroles qui sont
également les ultimes paroles du poète :

« Apprenez, roi des Juifs, et n'oubliez jamais

Que les rois dans le ciel ont un juge sévère »...

Ainsi malgré leur triomphe les divinités-humaines des tragédies sont-elles menacées : on sait le sort que l'histoire réserve à Agrippine ; Andromaque dépend désormais d'un peuple changeant ; quel destin sera celui d'Amurat ? Qu'adviendra-t-il du poète ? Cette angoisse, si différente pourtant de celle des créateurs du XIXe siècle, est cependant la souffrance dans laquelle ces derniers se reconnaîtront, probablement celle qui permet aux poètes contemporains de se sentir en terrain connu. La sérénité et la satisfaction de Corneille par contre les gênent. A la paternité satisfaite, ils préfèrent la paternité honteuse d'être, doutant de son principe, incapable de se justifier. L'obsession de la cruauté qui est celle de Racine, obsession qui l'amène à créer des situations encore et toujours dominées par l'injustice, l'impuissance et l'erreur, à concevoir un monde éternellement fermé, correspond au pessimisme du XXe siècle créé par le sentiment de l'horreur sociale, la cruauté des maîtres et l'impuissance des esclaves. Par contre Corneille qui adore le créateur et le voit exemplaire trouve par là même sa position de créateur admirable. Son analogie créatrice à la Genèse l'amène à se transposer par un exercice où la forme a la puissance de ne naître, comme la création divine, d'aucune forme préexistante. Ce sont donc des actions sans exemple, extraordinaires, qu'analogiquement, toujours, les héros cornéliens vont perpétrer. En ceci nous verrons que Mme de Lafayette se place dans la même lignée créatrice. Tout comme Mme de Clèves qui, lors de son aveu, fait un acte absolument sans précédent (en cela, d'ailleurs, se masculinisant, d'où le scandale), le héros cornélien entreprend des actions qui, soit par leur puissance physique, soit par l'effort qu'il représente pour se vaincre, constituent des actes neufs, véritables représentations de la création *ex nihilo*. Il est sans doute l'un des premiers phénomènes qui nous aient incité à toujours associer création véritable et originalité. Comme Dieu, le héros et le créateur sont seuls (solitude qui est, bien entendu, le lot de Mme de Clèves) mais leur maîtrise totale d'eux-mêmes et du monde qui, comme une conséquence de leur action créatrice, leur deviennent complètement intelligibles, mais leur liberté (maîtrise et liberté qu'Auguste exprime dans *Cinna* avec tant d'orgueil) les *satisfont* pleinement : encore une fois, leur besoin essentiel étant un besoin d'ordre, l'ordre règne et justifie leur existence en les rendant vivants. C'est par le jansénisme que Racine se distingue de Corneille : il est obsédé par l'injustice de la création. Cette lutte entre la liberté et l'esclavage, c'est-à-dire entre la permanence et le chaos où la permanence triomphe du désordre des passions au détriment des désirs des autres, l'amène à contester le bien-fondé de la création. Il se sent pris au piège de cette lucidité que lui donne sa divinité créatrice, et de cette ignorance de soi qui est son lot de créature — ambiguïté qui est celle de tous ses héros. L'obsession de la cruauté est telle alors qu'il porte son attention sur la créature déchirée. Pour Corneille, il rêve d'être Dieu, sa prédilection va à la divinité, qui est parfaite, son intérêt se porte tout naturellement vers le héros divin.

III

LA FEMME HÉROÏQUE
MAIS IMPUISSANTE

Dieu étant créateur asexué, il n'aurait pas dû y avoir
d'impossibilité ontologique à la création féminine. Hélas,
sur ce concept, qui est essentiel, et tient à la nature de
Dieu, se greffe très vite l'analogie de Dieu au Père,
analogie chrétienne, et qui fait basculer le créateur au rang
de géniteur. L'idée abstraite de la création glisse rapidement vers une vision plus sexuée de la Genèse. Une
certaine ambiguïté va en dégrader l'acte, ambiguïté qui
tend à assimiler pouvoir divin et pouvoir phallique, œuvre
du père, c'est-à-dire conception, et œuvre du mâle. Et puis
c'était compter sans la fameuse côte, qui fait de la femme
une dépendance concrète de l'homme, un appendice de la
virilité. La misogynie du XVIIe siècle a été probablement la
plus triomphante de toutes, la plus glorieusement exprimée, puisqu'elle s'est appuyée sur une véritable divinisation du phallus et de son pouvoir créateur. On se souvient
de tel médecin de l'époque s'étendant avec admiration sur
les caractéristiques divinement magiques du membre en
question. Et cependant, dira-t-on, Corneille a créé des
héroïnes sublimes. Racine a donné à presque toutes ses
tragédies des noms de femme.

Il est juste de commencer par faire un sort à la sublimité
des femmes cornéliennes, puisque aussi bien Corneille est

le plus simple des deux, le plus clairement inféodé à une vision traditionnelle de la Genèse.

On est frappé, en lisant les tragédies de Corneille, par une contradiction. D'un côté de grandes héroïnes, de l'autre une œuvre qui abonde en affirmations misogynes, en points de vue de mâle consacrant à la femelle des théories qui en font un être faible, changeant, veule, lâche et passablement stupide. Le début de *Polyeucte*, à cet égard, est exemplaire : Néarque : « Quoi, vous vous arrêtez aux songes d'une femme ! » La suite est encore plus claire : « faibles sujets », « extravagance » (des rêves qui sont songeries de femmes), « vains objets », « pleurs », « craintes », « larmes », « soupirs », « sans raison », tels sont les mots qui sortent de la bouche de Néarque et de Polyeucte lorsqu'ils parlent de Pauline. Polyeucte indique d'ailleurs très clairement que, s'il est ému par cette lâcheté de femme, il la méprise cependant et n'en est pas ébranlé. Il est caractéristique que l'obstacle entre lui et Dieu, c'est-à-dire entre lui et la puissance créatrice phallique, soit une femme. En ceci, Polyeucte est une pièce exemplairement misogyne. Point n'est besoin de rappeler que l'obstacle qui se dressait entre Rodrigue et son honneur, c'est-à-dire sa raison d'être, son essence, était également une femme, que le conflit d'Horace est dû à la présence des femmes et que, tout de suite, on peut remarquer que l'homme ne peut gagner sa divinité, consacrer sa véritable essence que malgré la femme et contre elle. Puisqu'il est clair que la puissance du Père seule est créatrice et que donc toute création est phallique, la femme est présentée d'emblée comme une force castratrice qui cherche à rendre l'homme à l'impuissance en l'empêchant d'arriver à « l'idée universelle », c'est-à-dire en gênant son essor intellectuel, en brimant sa puissance de conceptualisation. Pour parvenir à ses fins, elle cherche à enliser l'homme dans l'affectif et le désir. Elle le traite de barbare (Horace) parce qu'il transcende le relatif et c'est quand il triomphe et devient

Dieu qu'elle le hait (Camille) ou refuse de le comprendre (Sabine). Car Dieu est éloigné d'elle. Entre elle et la divinité l'homme projette sa stature et son ombre et elle ne voit de Dieu que ce que l'homme en reflète. Ainsi la femme ne connaît Dieu qu'en ce que l'homme lui ressemble. Voilà pour la misogynie exprimée. Mais vu d'un autre côté, Corneille a créé Chimène, Sabine, Emilie, Rodogune, ... qui ont toujours paru être des modèles de grandeur, de force morale, de courage, de volonté et, finalement de puissance. Alors ?

Voyons donc ce qu'il en est, de Chimène. Il est vrai que certains ont pu penser qu'elle était la véritable héroïne de la tragédie. L'une des raisons tient à ce que, si Rodrigue balance avant de prendre sa décision héroïque, Chimène, elle, ne s'abandonne à aucune hésitation dialectique. Quand Rodrigue, lui, *dit* qu'il hésite, *raisonne* sur cette hésitation, sur son sens, Chimène *affirme* que son choix est inébranlable et immédiat : « Je ne consulte point pour suivre mon devoir » (vers 820). En vérité, si Chimène n'hésite pas, c'est parce que Rodrigue lui a déjà montré la voie. « Tu n'as fait le devoir que d'un homme de bien ; / Mais aussi le faisant tu m'as appris le mien. » Rien de créateur chez Chimène, pas de puissance phallique qui seule lui aurait permis de penser sa conduite *ex nihilo*. Rodrigue est son exemple ; son maître, « /sa/ générosité doit *répondre* à la /sienne/ ». Elle est un écho de l'homme qui l'*instruit*. Elle veut se faire identique à lui (« Même soin me regarde... »). Quant à lui, il y consent. Il la sait assez forte pour se modeler sur lui. Il la traite bientôt en magister qui veut forcer son disciple à la grandeur. Peut-être même pourra-t-elle, dépassant l'obstacle de l'homme, se hisser jusqu'à Dieu ? « Va, je ne te hais point », lui dit-elle. « *Tu le dois* », répond-il. Hélas la misérable côte fait que, malgré l'effort généreux, altruiste, créateur de l'homme, la femme est impuissante à concevoir des situations totalement neuves qui feraient d'elle une élue

directe de Dieu. Chimène succombe : « Je ne puis », voilà
sa réponse à l'offre de divinité que lui fait Rodrigue. Le
haïr serait se montrer son égale, consentir à un sentiment
jamais exploré. Toujours tenté de faire de la femme sa
compagne véritable, identique à lui-même, l'homme verra
toujours opposée à ses souhaits cette *impuissance ontologique* à être autre chose que son reflet. Etre de la
procréation, elle finit par avouer sa faiblesse totale :
« Mon unique souhait est de ne rien pouvoir » (vers 984).

    C'est justement cette faiblesse qui nous émeut en
Chimène. Et cependant c'est bien ce qui la condamne.
Aussi fou pour nous que cela puisse paraître, il est clair
que dans l'optique cornélienne de la création, Chimène,
tuant Rodrigue quand celui-ci le lui demandait et se livrant
ainsi à un acte inouï, aurait été divine. Son impuissance à
perpétrer un tel acte ne la rejette pas hors de l'héroïsme,
mais hors de l'héroïsme créateur, analogique du geste de la
Genèse. En réalité, jusqu'à ce que le roi intervienne et
l'oblige à se fixer dans une attitude de refus, l'essentiel de
l'héroïsme de Chimène consiste à faire semblant, à
prétendre. Son devoir est de crier et son honneur est moins
dans une vérité et une permanence intérieures connues
d'elle seule que dans la reconnaissance par les autres de
l'effort qu'elle fait pour se vaincre : « …je veux que la
voix de la plus noire envie /Elève au ciel ma gloire et
plaigne mes ennuis,/ *Sachant que je t'adore et que je te
poursuis.* » Le devoir de Rodrigue est d'agir ; celui de
Chimène, de dire. Aussi bien le sait-elle, puisqu'à son
amant qui vient lui faire ses adieux avant de combattre
Don Sanche à qui il a décidé — pour l'amour d'elle — de
se livrer, elle crie enfin : « …va, songe à ta défense,
/Pour forcer mon devoir, pour *m'imposer silence.* » Voilà
clarifiée la position de la femme qui est absurde et
contradictoire : créature du concret et de la chair, confrontée à des obstacles charnels, la loi ni la culture ne
l'autorisent à l'action : par une espèce de condamnation

naturelle et d'injustice du destin, sa faiblesse physique la rend incapable, elle qui est cependant issue de la chair, de résoudre les conflits qui se posent à elle et qui, inévitablement, sont de l'ordre du concret. Elle a doublement besoin de l'homme, qui est à la fois son maître (Rodrigue), et son bras (Don Sanche). Elle ne peut alors que transposer son action sur le mode de la parole : « …sa valeur (celle de Don Gormas)… pour se faire entendre au plus juste des rois / Par cette triste bouche m'empruntait ma voix » (vers 679-680). Alors que Don Diègue trouve en son fils un « bras », Don Gormas n'a en sa fille qu'une « voix », destin chimérique de la femme, que Vigny et tant d'autres feindront aussi de trouver grand. En vérité, cette transposition sur le mode du dire et non pas du faire donne à la femme la simple fonction d'écho de l'homme, fonction que Chimène rend dérisoire lorsqu'elle avoue à Rodrigue que tout ce langage, en fait, est vide de sens, puisqu'elle ne désire qu'une chose, c'est de ne pas réussir, c'est que son appel vengeur ne soit pas entendu. Sachant et espérant qu'il n'aura pas d'effet, son discours est un faux-semblant, son héroïsme est une duperie. En vérité ce que dit Corneille clairement, c'est que l'honneur et la vérité de la femme sont liés à la parole : celle qu'elle prononce et celle que les autres prononcent à son endroit. Son essence n'est pas une nécessité intérieure : elle ne peut « se » faire, elle « est » faite ; ainsi est-elle au pouvoir des autres et dépend-elle de la société. C'est le roi qui, mettant en doute la sincérité de sa parole, l'oblige à une action concrète : c'est un homme qui, encore une fois, lui tend la perche de l'héroïsme créateur. En affirmant publiquement : « …ta flamme en secret rend grâces à ton roi, / Dont la faveur conserve un tel amant pour toi », Don Fernand oppose au discours violent — et que nous savons mensonger — de Chimène une fin de non-recevoir. Elle ne peut plus se contenter d'être une voix qui crie vengeance. Le roi lui-même la met devant sa contradiction, l'oblige à

se déclarer, la renvoie brutalement à son rang de second, à
son acte dérisoire de femme. Elle ne peut plus prétendre.
Elle peut, par ce duel judiciaire, se venger enfin concrète-
ment de celui qui l'a touchée dans sa chair. Le tuer elle-
même eût été plus extraordinaire ; mais Don Sanche, en
étant son bras, peut, par une vengeance exemplaire, lui
permettre d'accéder à l'héroïsme créateur. Or nous allons
assister à sa deuxième capitulation. A Don Fernand qui lui
demande si elle accepte Don Sanche comme champion,
elle ne répond pas : Sire, je le veux, mais « Sire, je l'ai
promis ». L'action ni la volonté n'entrent encore en ligne
de compte, mais une fois de plus la parole, et surtout la
parole donnée. Mise par le roi en demeure d'agir, obligée
de faire suivre ses paroles d'une action qui les justifient,
elle ne peut exprimer une volonté. Tout ce qu'elle est
capable de faire c'est de s'en remettre à une sorte de
fatalité de la chose dite, comme si elle était presque
dépassée par cette parole, voire irresponsable de sa
conséquence : « Sire, je l'ai promis. »

Sa seconde rencontre avec Rodrigue va précipiter sa
seconde défaite, car c'est un pacte illusoire qu'elle lui
demande de passer avec elle : c'est à une sorte de jeu qu'il
doit se livrer pour la satisfaire : « Va, sans vouloir mourir,
laisse-moi te poursuivre, / Et défends ton honneur si tu ne
veux plus vivre. » Ce qu'elle demande à l'homme, c'est la
tolérance de sa faiblesse, tolérance que réclamera également Sabine au vieil Horace : « Gardez votre constance et
souffrez nos soupirs » (III, 4). Car la femme se sait sans
force. Dans la hiérarchie établie par Corneille : Dieu,
l'homme-divinisé, l'homme ordinaire et la femme, Sabine
par exemple (*Horace,* I, 1) n'hésite pas à se placer sans
gloire, à s'affirmer faible et sans héroïsme : « Ma
constance du moins règne encore sur mon âme », dit-elle à
Julie. « Quand on arrête là les déplaisirs d'une âme, / Si
l'on fait moins qu'un homme, on fait plus qu'une femme. »
Elle ajoute d'ailleurs : « Commander à ses pleurs en cette

extrémité, / C'est montrer *pour le sexe* assez de fermeté. »
Cet aveu, au cours des dix premiers vers de la tragédie,
fait d'elle un être qui se définit tout de suite par son
affectivité : ces larmes, ce trouble, ce désordre du
sentiment et du désir qui sont comme un obstacle
infranchissable à son dépassement, qui forment un écran
entre elle-même et l'idée. Non qu'elle ne puisse apercevoir
cette idée. Ainsi s'écrie-t-elle, au vers 722, pour dominer
la peine qui la submerge, l'horreur d'une situation qu'un
hasard cruel lui inflige : « Regardons leur honneur comme
un souverain bien. » Elle sait que pour réduire le désordre
qui tient son âme sujette, il lui faut dépasser les
sentiments contradictoires qui l'animent et se hausser à
une « idée universelle des choses » (l'honneur des Hora-
ces et celui des Curiaces), idée qui seule, dans son
abstraction, soit susceptible de rendre tolérable l'horreur
d'une lutte fratricide que la sensibilité réprouve. Mais elle
ne peut supporter cette hauteur qui lui paraît cruelle. Sans
doute *Horace* est-elle la tragédie de Corneille qui pose le
mieux le désaccord fondamental qui oppose l'homme et la
femme dans la vision créatrice de la Genèse. Chacun des
sexes développe un sens des valeurs qui lui est propre et,
finalement, les rend incompatibles. Car Sabine, si elle
comprend intellectuellement la position d'Horace, cependant ne peut ni l'imiter ni l'approuver. C'est au nom de
toutes les femmes, qu'elle affirme préférer l'absence de
cruauté à cet exercice du pouvoir qu'elle juge affective-
ment immoral et injuste. Créature ici à la fois cornélienne,
en ce qu'elle est femme, et racinienne, en ce qu'elle
récuse le sentiment qu'il n'y a de création et de grandeur
que dans un dépassement de l'ordre commun de la morale.
Mais s'il semble certain que Racine l'eût absoute, tout en
la plaignant, il ne fait aucun doute que Corneille la
condamne. L'exercice du dépassement ne tolère nulle
médiocrité : à Dieu qui lui demande son fils, Abraham ne
répond pas par le doute, il sait que Dieu se place au-delà

du relatif humain. Or, dans *Horace*, le problème est d'être
homme, ou de dépasser l'homme. Si Horace parvient à se
diviniser, c'est parce qu'il fait du sort une nécessité, parce
qu'il applique, à l'événement qui l'assaille, l'exercice de sa
volonté. Ainsi dira-t-il au roi : Valère « demande ma mort,
je la veux comme lui ». Loin de consentir au destin, de s'y
livrer — quoique avec courage — comme le fait Curiace,
il précède cette destinée et se l'approprie. Il se met ainsi
au-dessus des errements du temps, au-dessus des lois.
Aussi bien le roi le confirme-t-il (vers 1754) : « Et de
pareils aussi sont au-dessus des lois. » Voilà ce que ne
peuvent souffrir ni Camille ni Sabine. Mais cette impuissance à être autre chose que femme se transforme bientôt
en haine de la grandeur de celui qui, par son acte, devient
Dieu. Alors que Chimène n'avait qu'admiration pour son
maître reconnu, et qu'elle tentait de se modeler sur lui,
sans réellement y parvenir, mais par l'effet d'une impuissance ontologique qui la faisait souffrir, Camille et Sabine
sont les femmes-femmes, castratrices, haineuses du pouvoir du mâle, s'obstinant dans leur infériorité (« Soyons
indignes... Dégénérons... ») (vers 1240) et que cependant
Horace, au faîte de sa gloire, essaye encore d'attirer vers
les sphères plus hautes de l'esprit, tente de sortir de
l'enlisement du relatif affectif. Son échec est total avec
Camille. Avec Sabine, il s'efforce à une dernière action de
maître. Il lui demande de se régler sur lui, de le prendre
pour modèle, de le suivre et de dépasser enfin l'humain
contre lequel sans cesse il combat : « Embrasse ma
vertu... Participe à ma gloire... et te *réglant* sur moi, /
Fais-toi de *mon exemple* une immuable loi. »

La réponse de Sabine permet à Horace d'exprimer par
son mépris la misogynie fondamentale de Corneille :
« Quelle injustice aux dieux d'abandonner aux femmes /
Un empire si grand sur les plus belles âmes. » Ce que le
païen Horace appelle injustice, le chrétien Claudel l'appellera « épreuve », et que les femmes s'en réjouissent,

elles ne servaient à rien, puisqu'elles ne pouvaient suivre l'homme dans sa grandeur, elles serviront désormais à son salut, par la souffrance qu'elles lui infligeront... Chimène et Sabine tentent cependant toutes deux une action à la fin. Action, il faut bien le dire, si peu suivie d'effet qu'elle en devient pathétique, car à la pauvre Sabine qui vient courageusement offrir sa vie pour celle de son époux, le vieil Horace coupe tout simplement la parole et dans l'action qui suit on ne revient tout bonnement plus sur cette offre généreuse. Corneille se débarrasse de Sabine en onze vers. Il la fait admonester (gentiment d'ailleurs) par Tulle (« Sabine écoutez moins la douleur qui vous presse ») et tout est dit. Elle n'a rien changé. Son action a été purement verbale, et n'a compté pour rien dans le déroulement normal de la tragédie. Elle a fait une tentative d'héroïsme, non couronnée de succès, voilà tout. Aussi bien il était assez clair que ça ne servirait pas à grand-chose, car il est bien évident qu'une femme ne valant pas un homme, aurait-elle pu prendre sur elle le châtiment qui incombait à Horace ? D'ailleurs elle présentait cette offre comme une façon de se débarrasser de sa propre vie devenue misérable, tombant alors dans l'affectif. Quant à Chimène, qui, elle, était montée bien plus haut, puisqu'elle avait reconnu la grandeur de son amant et qu'elle avait indiqué son désir d'essayer de le suivre sur son chemin héroïque en refusant de voir changer un devoir qui était devenu sa raison d'être, elle est moins maltraitée par Corneille que Sabine. Pour avoir dit à l'infante, tentatrice de l'arbitraire (qui lui affirmait : « Ce qui fut juste hier ne l'est plus aujourd'hui » [1775]) : « Le devoir qui m'aigrit n'a rien de limité », il lui sera pardonné en partie d'être une femme. Quand elle transcende son devoir, quand elle accède à « une idée universelle » qui dépasse l'amour, l'affectif, la volonté d'un roi, elle a droit à un autre traitement. Mais tout ce que le roi offre à sa vertu c'est un an de sursis. Parce qu'elle a eu la faiblesse d'avouer son amour (« Il

3

faut l'avouer, sire... Rodrigue a des vertus que je ne puis
haïr ») elle s'est ramenée d'elle-même à sa condition de
femme, et face à cette coalition d'hommes il est certain
qu'elle n'est plus de taille. Rodrigue lui-même, qui la
pressait d'être héroïque, lui affirmait qu'elle « devait » le
haïr, non seulement ne dit plus rien pour la soutenir dans
son projet, mais encore affirme bien haut son désir de la
« posséder ». Il « espère » maintenant car il sait qu'elle
est vaincue. Elle s'est bien battue, mais elle n'a pu
transcender totalement sa féminité. Si elle s'est haussée
par moment au rang d'homme, c'était en fait en le
prétendant, on peut même dire, par le seul fait de le
prétendre. Mais le dire n'était pas assez. Face à l'action
elle n'a pu se vaincre. S'en est fait de l'espoir d'héroïsme
créateur et de divinisation possible de la femme. Corneille
qui nous avait laissé croire un moment qu'elle pouvait se
viriliser, nous met à la fin en face de l'évidence : ce n'était
qu'un faux-semblant. Comment s'appelle-t-il, au demeurant, ce faux-semblant ? Don Fernand le définit fort
nettement à l'avant-dernier vers : « Un point d'honneur ».
S'agissait-il d'un « point d'honneur » lorsqu'il fallait à
Rodrigue défendre, sur un soufflet, l'honneur de son
père ? S'agit-il d'un point d'honneur lorsqu'il faut à
Chimène se souvenir de la mort du sien ? L'injustice du
traitement apparaît évidente.

Finalement, dans le système créatif de la tragédie
aristotélicienne, Chimène est destinée à inspirer la pitié.
Rodrigue : l'admiration. Ainsi en est-il d'Horace et de
Sabine ; de Polyeucte et de Pauline. Car Polyeucte, dans
sa mort héroïque de martyr, n'inspire pas la pitié : il
connaît la joie du chrétien et l'exprime bien haut. Or nous
avons tendance à notre époque à voir la grandeur de l'être
pitoyable, au détriment de celle de l'être fort. Corneille
n'en juge pas ainsi et si Pauline est vertueuse, elle l'est,
elle aussi, en second. Polyeucte, après son action d'éclat,
en veut faire son élève, et, une fois de plus, comme

Horace, comme Rodrigue, il appelle la femme à le prendre
pour guide : « ...daignez suivre mes pas (1282) ...c'est
peu d'aller au ciel, je veux vous y conduire (1283) ». Il
sera son maître, et aussi bien, en véritable femme qu'elle
est, Pauline répond-elle : « Je te suivrai partout... »
(1681). Bientôt elle est vaincue par la puissance de
Polyeucte et se fait chrétienne. C'est son énergie à lui,
cette énergie qui lui vient de l'Idée (ici la foi) directement
liée à la puissance divine, qui a été le moteur actif de toute
l'action. Quant à Cinna, servant une femme (ce qu'il répète
maintes fois acte I, scène 3), modelant son action sur sa
volonté, sa décision, la prenant pour guide, nous n'avons
pas de mal à nous apercevoir rapidement qu'il n'est pas le
héros ; sa palinodie finale (ainsi que celle d'Emilie) n'est
que la sanction qui fait de lui un comparse. Peut-on aussi
prendre une femme pour guide sans commettre une action
irréparable, voire perverse ? Or, Emilie est, avant Cléopâtre, la femme qui, usurpant la maîtrise de l'homme, ne
peut être responsable que de ruine et désolation. Le
fameux monologue de Cinna (Acte II, scène 3) en fait foi.
L'alternative ne se situe plus sur le plan du bien et du mal,
de la haine et du mépris, comme pour le Cid (si bien que
pour celui-ci le choix était clair, sinon facile) : en vérité
Cinna, suivant une femme, n'a que le triste choix d'être
« sacrilège » ou « parricide » : sacrilège car il a juré
allégeance à Emilie ; parricide car Auguste est un père
pour lui. Ainsi la femme lui fait-elle commettre une action
abominable, que sa morale réprouve, que son sens de la
justice rejette, qui met en cause, non pas seulement sa
vie, mais son honneur. S'il est vrai que pour Rodrigue
l'obstacle à l'honneur était aussi une femme, il n'en reste
pas moins vrai que Chimène ne demandait pas qu'il lui en
fasse le sacrifice, au contraire : elle le voulait grand,
même si c'était pour qu'il soit perdu pour elle. Cinna sera
quant à lui puni de s'être donné pour maître une femme ; il
se condamne d'ailleurs en avouant : « je/ ne forme qu'en

lâche un dessein généreux » (852). Pour Emilie, s'étant
crue, par une perversion bien évidemment intolérable,
capable de maintenir sa volonté dans l'abstrait de l' « idée
universelle », ayant joué à l'homme en croyant sa
« haine » « immortelle » (1725), elle revient à sa
« nature » de femme, sujette, charnelle (on lui donne un
époux), seconde : « Ma haine va mourir, que j'*ai crue*
immortelle. » Il semble donc que des héroïnes qu'il a
conçues Chimène soit celle qui touche le plus Corneille.
Probablement parce que c'est celle qui reconnaît le plus
ouvertement la supériorité de l'homme, qui le prend
volontairement pour maître et s'offre d'elle-même à n'être
que son image, une transposition de son héroïsme de mâle.
Sa récompense est d'être admirable. A l'autre extrémité de
la lignée des femmes cornéliennes, il y a Cléopâtre,
véritable personnage racinien, coupable de manœuvres
créatrices corrompues, exemple d'erreur créatrice. Quand
la femme veut créer, elle ne peut le faire que par la
perversion qui est celle de la matière. Cléopâtre ainsi est
aveuglée *physiquement* par sa passion du pouvoir, qui est
une passion lourde, et qui s'abat avec violence sur tout son
entourage. Il semble alors que l'analyse qui consiste à voir
Corneille plonger plus avant dans le monstrueux à mesure
qu'il conçoit ses héros par besoin de créer une perpétuelle
lutte entre la volonté et le sentiment naturel inné soit assez
dangereuse. Corneille en vérité quand il crée des monstres, tout comme Racine, les crée femmes, et s'il est vrai
que ces femmes sont ignobles parce qu'elles font taire en
elles tout sentiment humain, toute faiblesse naturelle, il
est clair que c'est parce que ce sont des femmes qu'elles
sont ainsi dégradées. C'est bien parce que Corneille voit la
femme totalement assujettie à sa nature charnelle, nécessairement dominée par cette nature qui fait d'elle une
mère, une épouse, une esclave, une seconde, qu'il montre
comment toute tentative de domination de la femme par
l' « idée » est incompatible avec la soumission nécessaire

à cette nature vulgaire et ne peut qu'être cause de
catastrophes irréparables. Il est tout à fait caractéristique
que Cléopâtre soit brutalement confrontée à ses devoirs de
mère (sacrés et essentiels pour Corneille) et que la
permanence qu'elle s'est donnée et à laquelle, comme un
homme, elle se tient, crée avec de tels devoirs un conflit
qu'immédiatement le créateur-Poète tient pour inaccepta-
ble. Car enfin quand Polyeucte, pour Dieu cela est vrai,
n'hésite pas à demander à sa femme de le suivre dans la
mort : c'est bien. Quand Rodrigue désespère par sa
décision une femme digne et courageuse : c'est bien.
Quand Cléopâtre sacrifie ses enfants : c'est mal. Et c'est
mal car tout dans son vocabulaire, ses mœurs, son texte, sa
présence, indique au spectateur que c'est mal. La femme
qui veut se maintenir dans l' « idée » ne réduit pas le
chaos qui est le mal, par un acte créateur de l'harmonie,
qui est le bien. Non. Elle est mise dans une situation où
elle perpétue ce chaos, où elle n'enfante que le mal, où
elle ne peut, finalement, comme Cléopâtre, que se
détruire. C'est qu'en vérité le désir de Cléopâtre d'atteindre à la maîtrise totale et la puissance absolue est
illégitime : n'est-elle pas vouée à être seconde, disciple et
donc disciplinée ? Comme Eve, elle cherche à atteindre
l'analogie sacrilège avec Dieu, or, elle n'est que « le
sexe », terme consacré à la femme, au XVIIᵉ siècle, et qui
implique bien sa définition. D'ailleurs le sentiment de
Cléopâtre est trouble : au désir de puissance s'ajoute la
haine de Rodogune, qui corrompt ce désir, l'entache
d'affectivité et surtout le soumet. Lorsqu'Auguste se vainc
pour atteindre la clémence, hauteur de l'Idée d'où il
dominera les incidences de l'affectivité humaine, c'est à sa
propre gloire qu'il pense, à sa propre divinisation : cette
maîtrise de soi vient de la position élevée dans laquelle il
s'est placé, parce qu'il conceptualise le monde au lieu d'en
vivre les contingences. C'est pour régner sur son ennemi
que Cléopâtre devient meurtrière. Quand l'homme veut se

vaincre, la femme, elle, ne veut que vaincre. Elle est un
assassin et il est clair alors que dans sa volonté de
puissance la femme est dangereuse : elle détruit tout, sans
discernement, avec un aveuglement qui vient de sa nature
même et qui fait que, sans maître, elle est livrée à la chair
et à ses pulsions. Dans son péché d'orgueil, elle ne peut
ainsi que se damner éternellement, dans une éternelle
répétition de la condamnation de la Genèse. L'homme doit
donc être vigilant, car lorsque la femme veut la puissance,
c'est toujours par des voies illégales, tortueuses, immora-
les, puisque c'est contre nature. Le lâche assassinat, le
poison, voilà les armes de Cléopâtre. Car, sachant qu'elle
est faite pour être lige, la femme sait que pour régner il lui
faut aller contre Dieu. C'est un acte antidivin que celui
d'Eve ; c'est un acte blasphématoire que celui de Cléopâtre : « Tombe sur moi le ciel pourvu que je me venge »
(1532). Cette rébellion contre Dieu n'est pas promé-
théenne : c'est celle du mal, et celle du mal qui, avec le
visage de la femme, prend celui du serpent, c'est-à-dire de
la dissimulation et de la haine : « il est doux de périr après
ses ennemis... il faut dissimuler » (V, 2). L'alternative est
de plus en plus claire : il faut tendre à Dieu et chercher à
coïncider à lui, ce qui implique quelque identité de
substance : c'est bien là la tentation du mâle ; ou bien se
rebeller contre lui ou se soumettre à sa puissance : là est le
destin de la femme, puisqu'elle est différente de Dieu et
ne peut jamais lui être analogique. Le cri de Cléopâtre est
alors : puisque je ne puis être Dieu, je hais Dieu ou je
serai l'anti-Dieu. Corneille pourrait avoir de la pitié pour
ce blasphème héroïque : il n'en a pas. Cette femme qui se
heurte à toute la rigidité de l'institution mâle et écume
d'insultes parce qu'elle hait sa condition de femme lui
inspire de l'horreur ; il nous la rend monstrueuse. Car
enfin l'histoire ne manque pas de femmes qui pour arriver
à la gloire n'ont pas dû obligatoirement passer par le
filicide ou l'assassinat : Jeanne d'Arc, Jeanne Hachette.

Non. Ce qui intéresse Corneille c'est de rendre évident que dans sa tentation créatrice la femme ne peut se livrer qu'à une monstrueuse *parodie* de l'acte du mâle : ainsi comme Rodrigue, Octave ou Polyeucte, Cléopâtre veut être un magister, « ce n'est qu'en m'imitant que l'on me justifie » dit-elle à ses deux fils (668), en ajoutant sardoniquement : « Pour jouir de mon crime il le faut achever. » Mais qu'imiter en la femme, puisque voulant régner elle est sans vérité, sans existence propre, un monstre dans le vrai sens du terme ? Puisque voulant entraîner le monde dans le chaos originel, son règne serait celui du mal ?... Tant qu'elle est dans une position qui revient à l'homme, c'est-à-dire dans la position du maître, les valeurs sont inversées, c'est l'apocalypse : la vertu est « sotte » (1510) et « ridicule », la tendresse « dangereuse autant comme importune » (1511), le crime fait le bonheur (1496), la haine est toute puissante. Pour elle donc, pas de pitié. Femme virile, elle ne sera pas sauvée, sa déraison la rend incapable de repentir, elle ne peut désirer pour sa succession « qu'horreur », « jalousie » et « confusion » (1822) : c'est là le seul testament dont Corneille la rende capable ; car pour la femme invertie ou pervertie point de salut ; elle fait courir à l'homme et au monde un risque si grand qu'il est impardonnable, et c'est la rage au cœur et l'insulte à la bouche que Cléopâtre disparaît. Il est intéressant de remarquer qu'Arsinoé, dans *Nicomède*, reçoit de son créateur un traitement plus doux. Elle est pourtant tout aussi ignoble que Cléopâtre, elle est fourbe, lâche, dissimulée, elle complote d'assassiner son beau-fils, héritier légitime du trône, pour y mettre son propre fils Attale et tous les moyens lui sont bons, espions, meurtriers à gage, etc. Cependant Corneille lui fait la grâce d'un repentir in extremis qui la sauve, et tout rentre dans l'ordre qu'elle avait, un moment, compromis. Pourquoi ? C'est que, malgré sa bassesse, Arsinoé ne cherche jamais à s'approprier le pouvoir, *directement pour elle*. Elle

respecte l'ordre sacré qui veut que la maîtrise appartienne
à l'homme de façon légitime. Elle sait que si elle détient
une forme de pouvoir, il ne pourra être qu'occulte, et c'est
bien ce à quoi elle travaille en cherchant à mettre son fils
sur le trône : le dominant, elle serait, cachée, la maîtresse
du maître. Mais c'est tout ce à quoi elle prétend et elle
reste ainsi, pour Corneille, totalement femme, consciemment au second rang, sachant que, par nature, elle ne peut
accéder au premier que par la ruse et la fourberie. Voilà
qui donne à l'auteur l'occasion justifiée d'exprimer sa
misogynie et de mettre dans la bouche de Nicomède, son
porte-parole, certaines de ces formules destinées à stigma-
tiser la femme en la désindividualisant, formules dont il a
le secret : « La fourbe n'est le jeu que des petites âmes /
Et c'est là proprement le partage des femmes. » (1255-
1256, *Nicomède*.) Malgré cela, si Arsinoé est amorale, elle
n'est pas, comme Cléopâtre, perverse, et la perversion est
pour Corneille plus odieuse que l'amoralité : c'est ne pas
respecter l'ordre sacré analogique de la Genèse. Conserva-
teur par essence, il ne met pas cet ordre en doute, qui lui
paraît donné une fois pour toutes et immuable. Il y a donc
pour lui un ordre naturel, d'origine divine, et puis l'ordre
perverti, véritable tragédie de l'enfer, qui en est l'opposé
et qui plonge le monde dans la confusion, la violence, le
désordre et l'impuissance. Voilà ce que devient la société
quand les femmes en prennent la commande, une société
où règne l'animal et la concupiscence.

IV

LA FEMME DESTRUCTRICE

Nous avons vu que, chez Racine, le personnage fauteur de trouble, celui qui porte la responsabilité de la tragédie, qui s'exprime comme une désagrégation, un abaissement, est, la plupart du temps, une femme ou un concept féminisé. On a beau jeu de dire que Diane et Vénus sont des déesses et d'insinuer qu'ainsi elles échappent à toute catégorisation, ou de prétendre que Rome est une ville et que sa personnalisation constante est affaire de style ou figure de rhétorique ; il n'en reste pas moins que ces figures de style sont fortement sexuées et que ces déesses, par le simple fait qu'il existe des dieux, sont marquées par des caractères féminins. Andromaque, Agrippine, Rome (une première fois pour *Bérénice,* une seconde fois pour *Mithridate*), Diane et Vénus : beau tableau d'abominations féminines ou féminisées, six victimes, des fous, des désespérés, et surtout un monde que ces personnalités dominent, où peu à peu se dévoilent au spectateur comme aux autres personnages l'abaissement de toute relation humaine, l'amoralité, la jalousie, l'hypocrisie, la brigue, le meurtre, l'assassinat, la trahison, et surtout la haine.

Chez Corneille, créateur serein, l'être qui réduit le trouble et le désordre, et se comporte, parce qu'il s'élève au-dessus de la contingence et qu'il prend par rapport à l'événement et l'histoire une hauteur qui est une véritable transcendance, comme Dieu lorsqu'il crée la Genèse, est toujours un mâle. Sa tragédie porte d'ailleurs des noms d'hommes. Lorsqu'elle porte un nom de femme, bien que ce ne soit pas celui de l'héroïne (*Rodogune*), c'est la tragédie de la perversion, de l'apocalypse, où le monde bascule dans l'enfer et dans l'horreur.

Avec Racine, les tragédies portent les noms des femmes (Andromaque, Iphigénie, Phèdre, etc.). Cependant nous avons vu que ces femmes ne sont pas toutes le moteur de la tragédie, toutes ne portent pas la responsabilité du désastre. Dans *Bérénice* la force cachée est Rome, la puissance destructrice que nous appellerions maintenant à juste titre « fasciste ». Si Bérénice est alors une victime de Rome, au même titre que Titus, pourquoi la tragédie ne porte-t-elle pas le nom de ce dernier, puisque aussi bien, fort de son titre d'empereur et de sa puissance neuve, il pourrait sans doute s'opposer à la désagrégation du couple qu'il forme avec Bérénice ? Ne semble-t-il pas, du moins superficiellement, en assumant la dictature romaine, faire sienne la violence de la ville ? A lire l'Histoire, c'est bien lui qui porte la responsabilité de la rupture tragique qui les séparera à jamais. Or Racine présente les choses différemment. Négligeant la vraisemblance qui aurait pu vouloir que, se sachant aimée, Bérénice fasse tout pour sauver son amour, négligeant le fait qu'elle est hors de chez elle, en situation précaire et n'ayant pour seul appui réel qu'Antiochus, oubliant la position de Titus qui, lui, est l'empereur et doit penser à la raison d'Etat, c'est à Bérénice que le créateur fait assumer la responsabilité dernière de la tragédie, Bérénice qui ainsi, contre toute attente, se fait l'alliée de Rome. Courage, dira-t-on. Transcendance. Dépassant son amour, Bérénice assume le devoir de Titus, prend en main leur destin et atteint la gloire. Or c'est bien là que l'on voit la différence fondamentale entre Corneille — qui conçoit la création comme un effort de volonté qui, réduisant à néant l'arbitraire, le hasard, la volonté des autres, bâtit une harmonie, un ordre — et Racine. C'est parce qu'il veut être conséquent et toujours identique que le héros cornélien atteint cette divinité qui lui est essentielle. Chez Racine, les êtres au contraire se heurtent à cette fixité contre laquelle ils ne peuvent rien. Corneille forme le monde. Racine s'y brise. Bérénice et Titus sont brisés. Ce n'est pas la gloire qu'ils atteignent mais la soumission. S'opposer, c'était non pas vivre en résistant à l'immuabilité romaine, mais pour eux, de façon dérisoire, mourir. Tant il est vrai que face à la volonté immobile du responsable de la tragédie, il n'y a d'autre échappatoire que le suicide, ou la mort. Non, la gloire, dans l'ordre de la Genèse, aurait été de s'opposer à Rome en assumant un effort de dépassement de soi ou de l'autre qui aurait permis cette opposition. Chez Corneille Dieu est atteint et le mâle trouve la Vie. Chez Racine Dieu est vainqueur et, dans la lutte stérile qui l'oppose à lui, l'être trouve la Mort. Bérénice, à la fin de la tragédie, fait alors acte de soumission. Elle met fin à la lutte, c'est-à-dire à la vie, car y a-t-il au fond autre chose pour le mortel, chez Racine, que cette lutte ? Mais, ce faisant, elle apparaît, elle, femme, comme l'alliée de la puissance destructrice, elle fait de Titus une double victime : victime de Rome, victime d'elle-même qui s'allie à Rome. En vérité si nous regardons les deux grandes tragédies où le dieu est caché, *Phèdre* et *Bérénice,* nous nous apercevons que le processus intérieur est identique. A un moment donné, la femme prend le parti de la puissance destructrice et devient en quelque sorte son exécutrice, s'investit de sa violence meurtrière, prend à son compte son amoralité et sa fixité. Elle en est elle-même détruite. Entre Phèdre et Bérénice, la différence est dans le momentum. Longtemps nous voyons Bérénice lutter. Phèdre, non. Elle a lutté auparavant. Lutte horrible, que Œnone nous rapporte, dont elle sort presque mourante. Mais lorsqu'elle crie à Œnone : « C'est toi qui l'a nommé », avec une dernière terreur

quasi superstitieuse, c'est qu'elle sait qu'elle vient de
s'abandonner tout entière à Vénus, et qu'elle en deviendra
le bras destructeur. A partir de ce moment-là, elle le dit
très bien, elle n'est plus elle-même, elle est une véritable
incarnation de la destruction. Bérénice se rend à la
dernière scène de la tragédie. Mais ne nous y trompons
pas. En se soumettant à la Ville, elle en épouse la violence
et la méchanceté : son dernier acte est un acte de cruauté
où s'exprime tout entière la volonté de puissance qui ne
peut être que destructrice de la divinité Bérénice-Rome.
L'âpreté avec laquelle elle rejette Antiochus, son seul
allié, son ami fidèle, fait de ce dernier une troisième
victime, peut-être la plus malheureuse. Il ne peut que
s'écrier, foudroyé : « Hélas ». Pour Phèdre, la pensée
racinienne se dévoile avec beaucoup plus de clarté encore.
Car si elle est en définitive une victime, elle est également
le seul être de la tragédie qui exprime la puissance et qui
ait sur les autres le terrible pouvoir de la destruction et de
la mort. Dans son abandon à Vénus, sa cruauté et son
amoralité deviennent flagrantes, ses réflexes quasi nietzschéens de domination donnent parfois le sentiment qu'en
renversant un à un les obstacles qui s'opposent à son désir
elle tend à une liberté supérieure. Etrange contradiction,
elle est finalement vaincue, son dessein était dérisoire,
elle cherchait à être divine, elle en est punie par la prise
de conscience qu'être dieu c'est assumer la destruction et
l'horreur, c'est être responsable de la mort des autres. Car
échapper à cette tentation c'était mourir. Tout comme
Bérénice elle sait bien qu'il n'y a que la mort qui puisse
libérer l'être de la lutte d'où il sort forcément vaincu. Autre
alliée de la puissance divine, Œnone la rappelle à la vie et à
la soumission, qui est de se transformer en représentation
vivante de la déesse : « ... venge-toi ; nos causes sont
pareilles ! » (III,2). Phèdre reconnaît ici parfaitement en
elle la tyrannie et la violence de Vénus, en qui elle est en
train de se métamorphoser : « Implacable Vénus... Tu ne

saurais plus loin pousser ta cruauté / Ton triomphe est
parfait… » L'un des effets de cette transfiguration dont
elle est l'objet est de lui faire déléguer ses pouvoirs à
quelqu'un d'autre, tout comme le fait la déesse elle-
même : Œnone est sa victime tout comme elle est celle de
Vénus. Car, malgré ce qu'elle peut prétendre, la malheureuse Œnone n'agit que sur son ordre exprès ou tacite :
« Mon zèle n'a besoin que de votre silence… » (III,3). Or
ce silence, Phèdre le lui accorde et va même, avant de se
retirer, jusqu'à préparer son action en répondant à
l'empressement de Thésée par ce terrible et ambigu :
« Vous êtes offensé » (III,4). Œnone n'a plus qu'à agir, la
responsabilité cependant en incombe toute à Phèdre.
Leurs deux suicides parallèles ne sont que des suicides
analogiques : Phèdre abandonne Œnone comme Vénus
l'abandonnera elle-même. Horrible monde que celui de la
puissance alors, où les grands mêlent toujours la lâcheté et
l'irresponsabilité à la cruauté et la violence. Mais en
mourant, Phèdre trouve encore la force de se livrer à une
dernière cruauté, celle de désespérer à jamais l'homme
qu'elle hait le plus : Thésée. En déclarant dans un dernier
souffle qu'Hippolyte n'était point coupable, elle fait de
Thésée un meurtrier absurde : il a déchaîné sur un
innocent la force aveugle de Neptune. Et quand, en
s'écriant « Ah, père infortuné », il lance à Phèdre :
« Cruelle… », jamais insulte n'a été plus justifiée. Mais
elle, non contente d'avoir créé un pareil désespoir,
rassemble ses dernières forces pour rendre hommage à ce
« fils chaste et respectueux », et pour découvrir en une
seconde non seulement qu'il a été méjugé, calomnié, mais
qu'encore il eut la vertu de ne pas découvrir Phèdre, et
l'amour filial de ne pas confondre son père de honte en lui
révélant les préoccupations amoureuses de sa belle-mère à
son endroit. La perte de Thésée n'est que plus atroce. Elle
le sait. Thésée le reconnaît : « Allons, de mon erreur,

hélas, *trop* éclaircis... », il sent là la fatalité de la vengeance.

Ce qui est remarquable alors, c'est que la créature qui s'investit de pouvoirs divins, développe une volonté de puissance et veut le triomphe et la liberté qu'elle exprime par un instinct de violence et de cruauté. Cependant les autres qui sont soumis à ce pouvoir, ne le reconnaissent pas, manquent à comprendre que ce qu'ils appellent hasard désastreux, fatum, malchance, est souvent directement inspiré par sa force destructrice, par la volonté consciente et négative issue de sa violence. Ainsi ce qui, dans la mort d'Hippolyte, apparaît de hasard malheureux, de destin absurde, est bien, en fait, causé directement par la machination de Phèdre.

Mais il y a deux êtres dans Phèdre : la déesse et la femme ; et si la femme est soumise, la déesse, elle, a toutes les libertés. On comprend alors le déséquilibre étrange du personnage, tantôt femme tantôt déesse, tantôt abandonnée, ou plutôt révoltée contre son joug, tantôt habitée, tantôt sanglotante et mourante, tantôt hantée par la passion de la puissance et le goût de la liberté. Car avant l'aveu fatidique à Œnone elle n'est pas libre : impuissante, elle vit dans le fantasme. L'âge, la crainte de l'adultère, le sentiment de sa propre grandeur, de sa position mythique et sociale, forment autour d'elle des barrières qui lui paraissent infranchissables ou que tout au moins elle se refuse à franchir. Or une fois lâchée en elle la puissance divine, elle réduit tous ces obstacles, en même temps qu'elle met en marche le processus de destruction des autres. Son aveu la libère du temps (son âge), elle refuse que le hasard ait prise sur son existence, hasard qui fait d'Hippolyte le fils de Thésée, elle fait fi de sa position — qui rend son union impossible avec celui qu'elle aime. Son aveu, en la libérant, la fait totalement maîtresse du destin de ce dernier. Elle le pousse à désirer d'épouser Aricie et à précipiter d'autant sa propre destruction. Par la même occasion elle gouverne le destin d'Aricie. Liberté et puissance sont indissociables. C'est là que la tragédie apparaît comme un jeu, jeu cruel, où l'être choisi, abandonné rentre dans son univers mortel, et incapable de faire face aux conséquences que sa passion de la puissance et de la liberté ont déchaînées n'a plus qu'à mourir ou à se donner la mort. Il reste alors à méditer sur le sort de ceux que la puissance fait siens, devant cette leçon où le pouvoir avilit et détruit inexorablement.

Cependant, face au monde tel que Racine nous le dévoile dans ses tragédies, tragédies de femmes, deux hypothèses semblent se dégager. La première est que, comme les forces destructrices sont des femmes, ou des femmes qu'elles délèguent avant de les détruire, la femme ne peut qu'être responsable de l'anéantissement et du chaos. Elle est la créature de la mort. Comme telle, la leçon claire est qu'il ne faut, sous aucun prétexte, lui donner un quelconque pouvoir : elle est alors rejetée dans la position servile seconde où sa nature la tient. Dans cette perspective l'œuvre de Racine s'exprime dans une négativité : elle reprend inlassablement un processus inversé de la création, elle renouvelle sans fin l'expérience que Corneille fait avec Rodogune, elle est une méditation qui exprime sans fin l'obsession de l'impuissance créatrice, bref, elle répond au schéma comique de Molière en étant la tragédie de la perversion. Position, de toute façon, éminemment misogyne où la femme, obstacle, mur sur lequel vient se briser l'espoir d'ordre de l'homme, est cause de la destruction de ce dernier, en même temps que de l'anéantissement de celle qui la représente. Peut-on imaginer cependant qu'un créateur puisse passer sa vie à reprendre sans fin un mode créatif par essence négatif pour le dénoncer ? Le comique étant fondé sur l'absurde, cela est parfaitement possible, voire même nécessaire à Molière, dont l'œuvre ainsi est le négatif de celle de Corneille, s'inscrit dans la même ligne, mais à l'envers. En

réalité la tragédie plus volontiers expose qu'elle ne
dénonce et on trouve trop de cohérence chez Racine pour
que l'on puisse s'attarder très longtemps à une telle vision
des choses.

La seconde hypothèse, qui semble beaucoup plus
tentante, est que Racine, dans son acte de réprobation
pour la création, choisit, par misogynie, la femme pour
représenter le créateur. Car ce monde racinien, que
dominent les femmes, où la liberté s'exprime dans la
cruauté, la puissance dans le désengagement de la morale,
où la domination prend corps au mépris de toutes les
vertus, où lorsque la puissance parle et veut, rien ne peut
empêcher l'épanouissement de sa force, monde exempt de
justice immanente, où le hasard à la face trop cruelle et à
peine cachée de la divinité féminine (car même dans
Bajazet où le Dieu agissant est Amurat, Roxane ne
s'investit-elle pas de son pouvoir, quitte à en être
affreusement punie ?), ce monde n'est-il pas clairement
celui du jansénisme ? Univers sans bonté où Dieu ne
promet même pas à l'homme de bien qu'il sera sauvé, où
s'il est prédestiné à la damnation, rien ne pourra l'en
délivrer, où il n'a de loisir que de se damner. Qu'est-ce
d'autre qu'*Andromaque* où la cruelle fixité d'une femme
cause la mort de Pyrrhus, homme droit et charitable (n'a-
t-il pas sauvé Astyanax de l'holocauste ?), la folie d'Oreste,
le grand, le puissant, le courageux Oreste ? Pourquoi
Hippolyte doit-il être la victime innocente de Vénus,
puisque aussi bien Racine s'est gardé de justifier la
vengeance de la déesse en faisant du fier jeune homme
l'amant d'Aricie (on aurait pu croire autrement que sa
haine entretenue de l'amour n'eût pu déchaîner la colère
de la déesse) ? C'est bien un monde janséniste positive-
ment décrit que celui-là, mais un monde où à travers la
femme, le créateur est dénoncé, un monde d'horreur où le
poète doute de Dieu, où l'œuvre le met en accusation.
Création sanguinaire, violente et désordonnée où le pou-

voir est fatal pour soi et pour les autres. Car les hommes
eux-mêmes ne sont pas sauvés du pouvoir : Mithridate
meurt, percé de coups, Pyrrhus tout puissant et chez lui
tombe sous le couteau d'Oreste, Achille ne peut sauver
Iphigénie, que seule la volte-face divine éloigne du
bûcher. Tous étaient pourtant rois. Si la création était
montrée dans son ordre perverti, comme chez Molière,
c'est-à-dire si Racine disait simplement : « voyez ce qu'est
la création lorsqu'elle est aux mains des femmes : l'apocalypse », il y aurait forcément un mâle qui, prenant les
choses en main, rétablirait l'ordre de la Genèse, comme
c'est le cas chez Molière, où le roi, la justice royale, la
reconnaissance du père recréent l'harmonie compromise
par la femme ou la féminisation. Chez Racine, non. Tout
brûle. Tout est damné. Et c'est la femme qui, toujours, en
porte la responsabilité. *Mithridate* seul échappe à cette
règle, encore faut-il remarquer que ce n'est qu'une
apparence. Car si Pharnace est l'instrument de Rome, il
semble net que le mépris dans lequel tous le tiennent est le
mépris habituel de l'homme pour la femme. Car Pharnace
n'existe pas : il est donné à Rome, second, sujet entièrement soumis, féminisé en quelque sorte. Xipharès dit de
lui qu'il est « l'esclave des Romains » (I, 1), et l'horreur
que Monime éprouve pour son alliance est celle d'une
véritable alliance « contre nature » (ceci n'impliquant
nullement que Pharnace soit physiquement féminin). Il n'y
a de réelle grandeur alors que dans la résistance à
l'oppression divine, car Dieu est injuste. Comment justifier par conséquent que toute la sauvage cruauté des
puissances soit entre les mains des femmes autrement que
par la misogynie essentielle et inconsciente de Racine ? Et
si toute création est un acte de violence amorale, comment
ne pas concevoir alors le sens profond de l'angoisse
racinienne, qui culmine avec *Phèdre* ? Torturé par l'inquiétude obscurément ressentie que son œuvre est un constant
blasphème, remet en cause le bien-fondé de la création,

que toute création se fait par le triomphe de la cruauté et
par une espèce d'assassinat des autres, ne peut-on pas
comprendre qu'ici il ait dû abandonner ? *Phèdre* était un
seuil que l'on ne pouvait dépasser, où la mise en
accusation du pouvoir était si flagrante, où la haine
inexprimée de Dieu se faisait jour avec une telle révolte,
que la retraite de Racine à Port-Royal semble se justifier
de soi-même. Il s'y réconcilie avec Dieu. De retour au
théâtre avec *Esther*, douze ans après, il présente une image
purifiée de la création. Pour la première fois, la force
agissante est un mâle : Mardochée (investi du pouvoir du
Dieu des Juifs). Deux ans après (1691) *Athalie* ne renie
pas *Esther* : Joad rentre dans l'ordre de l'harmonie divine,
porteur de la parole et de la puissance de Dieu il soumet
Athalie et la femme reprend sa place naturelle, elle reçoit
le dernier avertissement du Grand Prêtre qui exprime
l'apaisement créatif de Racine, sa rentrée dans la sérénité
de l'ordre de la Genèse : « Reine, sors, a-t-il dit, de ce
lieu redoutable / *D'où te bannit ton sexe* et ton impiété »
(II,1). *Athalie,* c'est la fin de l'impuissance de l'homme,
c'est son retour triomphant à l'ordre créatif du mâle.
L'harmonie est rétablie par la destruction du mal (Athalie,
la femme) et la parole rendue à l'homme pour célébrer la
justice si complètement mise en doute auparavant :
« ... n'oubliez jamais / Que les rois dans le ciel ont un
juge sévère / L'innocence un vengeur, et l'orphelin un
père. » Sa paix faite avec Dieu, Racine écrit donc deux
tragédies où la création s'exprime en termes absolument
inverses, où l'ordre de la Genèse est complètement
respecté, où la puissance analogique de Dieu revient au
mâle créateur de vie (ici l'univers juif est sauvé) qui
rétablit la hiérarchie naturelle de la Création où la femme
est disciple (Esther) ou seconde (Josabeth).

La conclusion de tout cela ? Tout simplement que
lorsque la création est entre les mains des femmes elle est
cruelle, amorale, violente, sanglante, injuste et abomina-

ble et lorsqu'elle incombe à l'homme, elle est ordonnée, juste, puissante et admirable. Quelle que soit l'origine de l'itinéraire intellectuel et moral de Racine, on voit tout de suite une constante : la haine de la femme, le mépris pour l'être coupable et damné, la condamnation inexorable de la chair et du sexe dont elle est issue. Peut-être même peut-on penser que la réprobation du créateur à l'égard de Dieu vienne de cette création manquée : la femme, cruelle, hypocrite, fourbe et castratrice ? L'interrogation de Racine sur la nécessité de la femme rejoindrait alors celle des penseurs modernes, Claudel en tête, qui répondent à cette existence par la nécessité de l'épreuve du mâle. Pour l'auteur de *Phèdre* son message est clair : de nécessité, la femme n'en a pas, car sa présence est source de trop de mal, ou si elle en a une, cette nécessité ne peut être que celle d'une punition divine ou d'une dernière cruauté de Dieu.

Voilà probablement quelles furent les deux grandes tendances du siècle de Louis XIV, telles qu'elles furent exprimées par les deux hommes qui marquèrent ce siècle de leur formidable emprise. Mais au-delà des relations que leurs personnages établissent entre eux, au-delà de leur comportement dramatique et du climat psychologique qui s'en dégage, ce qui est important pour nous, c'est que ces tragédies rendent compte d'un schéma créatif dont les femmes sont exclues, c'est que la création y apparaisse encore et toujours le fait du mâle. Car les êtres opprimés peuvent réagir à l'oppression directement exprimée. Mais ne voit-on pas encore très souvent des femmes elles-mêmes, passant facilement sur les propos misogynes de Corneille, dire qu'il a créé cependant de bien « belles » héroïnes et l'excuser avec légèreté d'avoir contribué à l'impuissance créatrice de générations de femmes ? Ce qui est remarquable en fait, c'est de s'apercevoir que les différentes interprétations des différentes époques n'ont jamais rien changé à la leçon profonde de ces textes : que

l'on écoute La Bruyère, Voltaire ou Sainte-Beuve, le
schéma reste intouché et non dévoilé : supercherie de
l'Homme, que l'on retrouve dans les soi-disant « nouvelles
lectures » contemporaines où la misogynie ambiante s'est
imprimée avec plus de violence encore. Surtout pour
Racine. Car Racine déroute et floue les femmes qui ont
longtemps cru à sa « tendresse » pour elles, à sa compassion, à sa féminité. Corneille, lui, elles ne le gênent pas,
qui s'offre même le luxe hypocrite de leur tendre la main,
d'insuffler à ses héros le désir de les faire devenir ses
disciples. Mais l'impuissance féminine est donnée, chez
Corneille, comme une évidence ontologique. Il transperce
l'obstacle qu'elles constituent (Pauline, Chimène, Sabine)
et bientôt plus rien ne peut empêcher son épanouissement
viril et divin qui s'exprime dans la grandeur reconnue du
mâle. En terme plus moderne, il y a jouissance, chez
Corneille, une jouissance toute créatrice. Mais les femmes
gênent Racine, elles l'empêchent de créer. Elles sont ce
mur de violence et de cruauté auquel l'homme se heurte :
sa tragédie est dans sa tentative désespérée de les réduire à
néant et dans son impuissance à le faire. L'homme est
brisé des coups qu'il se donne contre l'opacité féminine.
Mais il se venge, Racine, en dégradant leur création, en
faisant d'elles, les prêtresses de la mort : lorsque le monde
est sous la domination de la cruauté et de l'horreur, ce sont
les femmes qui le tiennent. Comment ensuite vouloir
créer, lorsqu'on est femme, comment le vouloir, et surtout
le pouvoir. Peut-on, femme, ne pas ressentir le danger
absolument mythique de toute création féminine ? La
création s'entoure alors d'une véritable majesté divine,
d'une aura mystique soigneusement entretenue, elle
devient le domaine secret de la virilité où la femme,
profane, ne peut entrer qu'en iconoclaste, en blasphématrice, en profanatrice du culte. On sait, depuis Eve, ce
qu'il en coûte de vouloir mordre au fruit de la création : la
mort. Mais pas seulement la mort pour soi : la création de

la femme entraînerait inévitablement aussi la mort de
l'homme, punition trop lourde, insupportable. Contradiction, d'autre part évidente : la femme n'est-elle pas l'être
qui donne la vie ? Ainsi déclare Corneille dans ses propos
sur la Tragédie que Jason certes est bien coupable
d'abandonner Médée après ce qu'elle a fait pour lui, mais
qu'en s'en vengeant *sur ses enfants,* Médée fait « quelque
chose de plus », tant il apparaît que là est l'acte sacrilège
de la femme, qui elle aussi a son domaine secret : celui de
la maternité. Idée essentielle à la pensée du XIXᵉ siècle sur
la création. Il apparaît alors clairement qu'à l'Homme tout
est permis, devant lui s'ouvre une étonnante complexité de
possibles : fait à l'image de Dieu, il peut aller jusqu'à la
divinisation. La femme racinienne qui l'en empêche
bafoue la création et quelle que soit la pitié qu'elle puisse
nous inspirer, quand elle est (ce mur) cet être castrateur,
quand elle s'en fait l'interprète ou la main, elle fait horreur
à un spectateur ou à un lecteur à qui la clé de la tragédie
est maintes fois donnée, sous la forme de ce schéma
inéluctable analogique de la Genèse. Pour la femme, elle
est totalement limitée dans ses actions comme dans ses
fonctions, enfermée qu'elle est dans un système de
conventions très étroit qui en fait l'être de la servitude
sociale. Le seul droit qu'on lui accorde est en fait le droit à
la parole (Corneille). Encore faut-il noter, comme nous
l'avons déjà fait, qu'il y a deux paroles : celle de l'homme
et celle de la femme, la première renvoyant à l'action et en
étant, par sa force, une forme, la seconde ne renvoyant
qu'au vide, n'étant qu'une partie de la convention. Certes,
elle constitue, cette parole, pour la femme cornélienne,
son seul moyen d'action : il faut pour Chimène, crier et
prétendre, pour Pauline, persuader, pour Camille, il est
vrai, en mourir. Mais ne nous semble-t-il pas toujours,
pour cette dernière, que le châtiment est disproportionné
au crime, tant le langage de la femme, dépourvu de
véritable incidence sur l'action, nous paraît vide ? N'est-il

pas vrai, d'autre part, qu'Horace lui-même insiste sur le
fait qu'elle était sa sœur, et que son sang, glorieux, mâle,
l'avait en quelque sorte virilisée ? Aussi inflige-t-il à la
malheureuse une punition qui est exemplaire, une véritable punition d'Homme, qu'il aurait refusée à tout autre
femelle qui ne lui aurait pas été si proche, parce que la
parole est aux femmes comme une arme inutile. Chez
Racine, le propos a des apparences plus complexes : les
femmes agissent, empoisonnent, tuent ou crient un « sor-
tez » qui est aussi meurtrier qu'un coup d'épée. Chez
Racine, les femmes ont le pouvoir : Rome, Vénus,
Andromaque commandent, dominent, sont en tout point
souveraines. Dans l'instant Roxane peut tout sur Bajazet.
Voilà qu'ici les femmes ont le premier rôle et qu'on a pu
dire bizarrement du cruel Racine qu'il était le « tendre
Racine ». En ce sens, Corneille est moins dangereux pour
le monde féminin qu'il offense par ses outrances misogynes. Sans doute peut-on penser que la partie de son
système créatif la plus pernicieuse et la plus hypocrite est
celle où, de façon toujours identique, son héros fait à la
femme l'appel du pied traditionnel à la grandeur, lui
demande de le suivre dans sa gloire, lui indique la voie
royale qu'elle refuse ou qu'elle ne peut prendre, parce
qu'elle en est, ouvertement, incapable. Ainsi l'homme se
donne-t-il la belle part, et se justifie-t-il d'exploiter par la
suite la malheureuse femelle, puisqu'elle a prouvé, sans
qu'on puisse revenir sur cette faiblesse, qu'elle était bien,
malgré ses efforts, une créature nulle et non efficace. Le
reste est rhétorique et on peut dire que les femmes
prononcent de belles paroles, mais sur le chemin de la
gloire elles n'égalent pas l'homme et on ne les prend guère
au sérieux. Quant à la question actuelle de savoir si, dans
notre système de pensée moderne, dans l'organisation
sociale qui est la nôtre, et compte tenu de nos critères
moraux ou créatifs, Corneille a conçu de « bien belles »
héroïnes, cette question est parfaitement absurde, car ce

qui compte c'est que nous percevions, de façon inconsciente et sans jamais le formuler ou le dénoncer, le
système créatif dans lequel Corneille fonctionne. Or dans
ce schéma, la femme, seconde, quoique très loquace, est
abandonnée par l'homme, son maître, dans son ascension
vers la gloire et la divinité, malgré ses efforts elle ne peut
le suivre, elle est impuissante à créer : voilà ce sur quoi
l'on bute, voilà ce qui constitue la trame réelle de la
tragédie qui reste la geste du mâle plus ou moins racontée
et exploitée par la femme qui est exclue de son action. Une
fois ce schéma dénoncé, il n'y a plus rien à dire des
héroïnes cornéliennes et une femme, dont l'enfance serait
nourrie exclusivement de ces pièces, qui y chercherait
inconsciemment les réponses aux questions inconscientes
qu'elle se pose sur elle-même, n'aurait plus qu'à passer le
reste de sa vie à déplorer de ne pas être un homme pour
accéder à une destinée aussi glorieuse... Il y a en tous les
cas fort à parier qu'elle n'écrirait jamais une ligne. Si elle
ne lisait que Racine, il lui faudrait pour écrire un goût
pervers de la cruauté et du mal, il lui faudrait faire face à
la condamnation que subit tout créateur femelle qui
s'obstine dans son rôle blasphématoire et assumer la mort
de tous ceux qui l'entourent, la destruction de tous les
hommes qui sont auprès d'elle. Sans doute ne s'y résou-
drait-elle pas. Sans doute encore, si, dominant son
angoisse, elle se décidait à aller jusque-là, paierait-elle,
par son impuissance créatrice et sa médiocrité, le prix que
toute inversion à la nature doit donner à la justice
immanente. Car la responsabilité de la femme racinienne
qui veut créer est terriblement lourde : à quel avenir
splendide Hippolyte était-il promis que Phèdre a totalement détruit, quelle perte l'humanité a fait en lui, en
Pyrrhus, qu'attendait la gloire des armes ou de la paix, en
Bajazet, noble, sincère, droit et courageux ? N'est-il pas
étrange que, présageant de si loin la phobie du XXe siècle à
l'égard de la mère castratrice, Racine crée en Agrippine ce

fantôme où convergent les obsessions des mâles, cet être, dégradé, fini en tant qu'être, mais que la maternité couvre encore de sa force oppressante à laquelle se heurte la virilité naissante de Néron ? C'est peut-être en Agrippine que la peur et la haine de la femme, viscérales chez Racine, s'expriment avec le plus de force : ce n'est pas la femme, qu'il redoute, c'est son mythe, c'est la chair inexorablement créée pour sa destruction. La femme qui n'avait pas de rôle avec Corneille s'en taille un ici, et terrible : elle est la puissance qui détruit, annihile et castre. Entre les deux fonctions le choix est si terrible qu'il se détruit presque de lui-même. Et cependant, ce choix, certains hommes le font pour la femme, qui préfèrent le charme incertain et second que lui donne Corneille à la violence destructrice que Racine lui prête. Question de degré dans la misogynie. Ainsi une récente reprise de *Britannicus* refusait tout simplement à Agrippine l'horreur de son rôle. Ce faisant, le metteur en scène, J.-P. Miquel, disait tout simplement non à la peur de l'homme pour la femme, du fils pour sa mère, affirmait absurde la tyrannie femelle. Bonté virile ou misogynie suprême ? On se le demandait devant cette Agrippine haletante, perdue, grotesque, courante, pleurante et gémissante, pitoyable à force de crainte. De force et de mystère elle n'avait point, et devant la puissance *immédiate* de Néron, monstre déjà fait et non plus naissant, devant sa domination absolue de l'être-mère, de la femme mythique, devant sa carrure virile la tragédie devenait sans objet, une bouffonnerie où les exhortations de Burrhus tombaient comme des formules vides dans un monde où le conflit était dépassé, où la femme était réduite, où le fils n'avait plus aucune raison de craindre la mère. Et voilà pour la gynophobia. Dans ce *Britannicus* trahi, l'homme surnageait au mépris du texte, par une volonté d'homme d'en refuser la teneur inquiète, par une misogynie ignorante qui, tout en rendant service à la femme, la réduit totalement : il ne lui reste même pas la ressource de détruire le monde pour s'en venger. Car refuser à la femme la seule fonction de la cruauté : c'est bien ; mais lui refuser tout rôle tout court : c'est moins bien. Si c'est cela que l'on veut faire, il faut monter du Corneille et laisser à la femme racinienne le triste lot qui lui incombe mais qui cependant lui donne une place dans le monde, même si c'est celle de la mort, même si c'est une place négative. Et que vaut-il mieux : nier ou insulter ? Reléguer ou haïr ? Or cette femme racinienne, qui lance sur le monde un signe sacrilège, qui exprime, dans sa violence aliénante une volonté de puissance sauvage, si elle nous fait peur, si elle jette sur la création féminine l'angoisse et la réprobation, si elle est une véritable insulte à Dieu que les deux dernières tragédies rendent à sa gloire solitaire, si elle désigne à la femme l'enfer, cependant existe. Le choix était alors pour la femme d'être inutile ou nuisible, inexistante ou démoniaque et telle était bien l'alternative qui se présentait à toute créatrice, à cette époque dominée par la pernicieuse infiltration d'un schéma de la création où le seul modèle ne pouvait être que la Genèse.

V

LE CRÉATEUR-PÈRE

Les penseurs chrétiens n'ont, étrangement, jamais mis en question l'appartenance de Dieu au principe viril. Car enfin, on aurait fort bien pu concevoir que le créateur de toute chose se prolongeât dans la créature qui enfante : la femme, et soit principe femelle. Mais le Dieu phallique qui crée fait triompher l'organisation sur le hasard : il n'accouche pas du monde, il le conçoit. La Genèse est donc l'histoire d'une création parfaite : la femme, quant à elle, perpétue dans la chair la contingence, la mortalité et l'imperfection de la créature. Ainsi pour les poètes du XVIIᵉ siècle, les deux créations sont-elles radicalement opposées : l'une est une genèse, l'autre est une condamnation. En se considérant comme le père de son œuvre, le créateur classique se pense dans son analogie du mâle avec Dieu : ce qu'il conçoit plonge ses racines dans l'absolu du mystère de la Genèse où Dieu *seul* triomphe du désordre, dans la gloire de son autonomie créatrice.

Dans l'Examen de *Rodogune,* parlant de la tendresse qu'il a pour sa pièce, Corneille écrit : « cette préférence est peut-être en moi un effet de ces inclinations aveugles qu'ont *beaucoup de pères* pour quelques-uns de leurs enfants ». C'est que, pour lui, acte de l'homme *seul* qui se hausse vers Dieu et qui donc toujours tend vers le Bien, c'est-à-dire l'Ordre, l'Intelligence, la Conscience et l'Har-

monie, la création analogique de la Genèse est totalement
désincarnée. Comme elle est une conception *ex nihilo,*
« de rien », elle est le contraire d'une reproduction. Elle
est un engendrement qui fait du Poète le père de son œuvre
comme Dieu est le Père de l'humanité, le maître d'œuvre
de l'univers. Le mâle divin et solitaire crée l'œuvre comme
un monde neuf et qui procéderait de lui. La femme, par
contre, n'échappe pas à la sexualité, puisque son fruit est
une reproduction. Par définition, elle perpétue un modèle.
Comme elle ne peut que « reproduire », son acte n'est
jamais qu'une copie. Toute la différence est là, entre
« produire » et « reproduire », œuvrer dans la chair,
concevoir dans l'esprit. Car pour reproduire il faut être
deux : il n'y a pas d'accomplissement de la sexualité sans
dualité. Pour reproduire aussi, il faut une forme préexistante sur quoi se modeler, il faut un être guide. Or Dieu
précisément crée seul : il ignore la dualité, il est sans
guide. Voilà pourquoi, dans l'horreur du sexe que constitue la vision judaïque du monde, Dieu ne peut être un
principe féminin. Il ne peut être la mère de l'univers.
Parce qu'il conçoit la sexualité comme une abjection,
comme la condamnation après la faute — qui est la faute
de la femme — et sa sinistre conséquence : la mort,
l'homme s'y refuse. Créer pour lui, c'est revenir au temps
d'avant la faute, c'est oublier la chute. C'est donc
forcément rejeter la femme, sur qui il fait peser le poids de
sa propre déchéance, de sa tragique exclusion de l'Eden.
C'est aussi bannir le sexe. Le créateur est alors UN, et
c'est précisément parce qu'il est le Père de son œuvre qu'il
atteint l'unité et avec elle l'harmonie qu'il veut établir sur
le monde.

Par analogie, l'être créateur est toujours seul. Il est
même abandonné de tous, obligé d'imposer, dans la
contradiction, voire même la réprobation générale, son
acte inouï. Au moment qu'il décide de sa vengeance,
Rodrigue a contre lui la société entière. Chimène, certes,

qui ne veut pas voir tuer son père, mais l'infante, le roi.
Horace est plus seul encore que désavoue même son frère
d'armes Curiace (« Mais votre fermeté tient un peu du
barbare » (456), que réprouve Sabine, que condamne et
maudit Camille. Quant à Auguste, du haut du pouvoir qui
est le sien, il découvre la solitude la plus amère, celle de la
trahison de ceux en qui il a mis toute sa confiance : Cinna,
Emilie, puis Maxime. Il ne peut plus croire en personne
qu'en lui-même, ou en sa compagne, Livie, reflet de lui-
même. Car, quand elle le pousse à la clémence, croyant lui
proposer une solution nouvelle, que fait-elle d'autre que
reprendre, comme un écho, les propos qu'il se tenait à lui-
même : « Mais quoi ! toujours du sang et toujours des
supplices ! » (1162) ? Personne n'attend de lui un acte de
clémence, cela ne s'est jamais vu. Même Dieu, désespéré
pourtant par la révolte de l'ange qu'il a le plus aimé, et
qu'il a « fait », comme Auguste « a fait » Cinna et a
« fait » Emilie, qui sans lui, et il le leur rappelle, ne sont
rien, même Dieu donc ne pardonne pas à Lucifer.
Personne, non plus, n'attend de Polyeucte qu'il s'offre en
holocauste pour la gloire de sa foi. Pas même Néarque qui
cependant l'a converti, et qui finalement va le suivre. Mais
dans l'effort qu'il doit faire pour ne pas désavouer son
acte, pour demander avec insistance la mort, il connaît la
plus affreuse des solitudes : c'est contre Pauline elle-
même qu'il lui faut lutter : « Vivez heureuse au monde, et
me laissez en paix » (1290).

En s'imposant contre ceux qu'il aime le plus, ou contre
la femme qu'il désire, l'être créateur rejette avec violence
la sexualité. C'est contre sa chair qu'il œuvre, dans le
dessein d'éviter le piège de la reproduction, de la dualité.
Par opposition, Cinna ne peut être le « père » d'un acte
créateur : en s'alliant à Emilie, il a constitué une entité
reproductrice. Il ne peut même plus être vu comme le seul
maître du groupe : Emilie se mesure à lui, s'affirme sa
rivale. Non seulement il est incapable d'agir, mais encore

il devient plus ou moins son subalterne. Scène dramatique où les deux amants se battent pour s'adjuger la responsabilité *unique* de la conjuration. Comment l'éviter ? Dans la reproduction, la femme n'est-elle pas habilitée à réclamer sa part ? Problème qui sera plus tard celui de la création sexualisée, mais où là encore le poète pour désincarner la création s'attachera à prouver qu'elle est le fait du mâle solitaire, du mâle débarrassé de la dualité reproductrice, de celui qui, dans un accouchement grandiose et symbolique, donne vie selon un modèle sexuel certes, mais totalement dégagé de la chair, puisque débarrassé du femelle.

Nous pouvons nous apercevoir dès maintenant combien la revendication féminine actuelle de concevoir l'œuvre de la femme comme celle enfin où entrerait le corps, où s'exprimerait la puissance de la chair, est une soumission à un schéma odieux qui, la liant à la sexualité, à la reproduction, à l'organique, a fait d'elle l'être de la chute, du péché et de la mort, l'être où la dualité inévitable de la reproduction est source de chaos, d'inintelligibilité, d'angoisse et de violence. Dans cette perspective, qui s'exprime de façon exemplaire dans le duel tragique entre Cinna et Emilie pour avoir la primauté du geste, l'homme et la femme ne peuvent que s'affronter en ennemis irréductibles. Dire que le monde de la femme est celui où s'instaure la prédominance du corps est aussi absurde alors qu'affirmer l'aptitude du mâle à concevoir dans l'abstraction. Pourquoi y aurait-il dépendance de l'un par rapport à l'autre ? Pourquoi faudrait-il toujours établir des différences de principes relatives à la différence des sexes ? Il est clair cependant que l'obsession virile de faire de la création un acte libéré du charnel, obsession qui, elle le sent bien, l'exclut au premier chef, et qui fait toujours du créateur le père de son œuvre, même lorsqu'il en devient également la mère dans le schéma sexualisé, justifie amplement la femme de tomber dans le mythe de la femme corps et sang, sexe et tragique dualité interne. Mais c'est faire sien alors un système paradoxal, qui, lui déniant la puissance d'atteindre l'unité (et par là même la création), va toujours cependant lui reprochant d'être « simpliste ». Simpliste et irresponsable. Car le grand corollaire de la chair est d'être dominée par la mort et de n'y pouvoir rien. Le Père, par contre, entretient avec son œuvre une relation de parfaite responsabilité : elle est totalement achevée et ne lui échappe pas. Le héros créateur n'est comptable à personne de ses actions : « Je le ferais encore si j'avais à le faire », répète-t-il à l'envie, fort de la puissance du « je » qui l'anime. Ses actes, il les a commis seul, et les assume totalement fier d'une paternité qui le divinise. Tel est Corneille, dans ses Préfaces, dans les Examens de ses pièces où il affirme sans cesse l'absence d'autonomie de son œuvre par rapport à lui, le Père. « Je l'ai fait... Je l'ai conçue... voilà ce que m'a prêté l'histoire... j'ai changé les circonstances... », c'est ce qu'il ne cesse d'écrire. De même que l'univers doit tout à son créateur de la même façon, rien, dans la tragédie cornélienne, ne doit échapper à la pensée formatrice de celui qui crée. C'est qu'en vérité, l'œuvre, comme l'univers, n'existe pas hors de son créateur, et dans ses Examens, Corneille semble vouloir nous en donner la clef, définitive, avec ce sentiment qu'elle est faite une fois pour toutes, qu'elle devient atemporelle, ce qui, pour nous qui vivons dans le chaos de l'événement et de l'athéisme, paraît tout à fait inconcevable. Nous continuons à penser que l'œuvre a une autonomie, qu'elle quitte, voire trahit son créateur, qu'elle fluctue avec les conceptions sociales et les mouvements de l'histoire, qu'elle est changeante comme l'être et non pas impavide comme l'univers. Notre vision de la création est moins désincarnée.

Celle de Corneille est parfaitement jupitérienne. Elle répugne à se fonder sur quelque modèle humain et considère que le défi qui lui est lancé est celui de la

divinité. Créer c'est être Dieu, ça n'est pas faire un enfant,
c'est échapper à la mort, dont précisément l'enfant incarne
la présence (si la mort n'existait pas, la reproduction ne
serait pas nécessaire). Créer c'est donc se libérer du sexe
(Dieu n'enfante pas) et rendre la femme inutile avec son
cortège de sinistres conséquences : mort égale sexualité,
sexualité égale femme, femme égale mort. Son désir alors
— désir reproductif — l'entraîne vers la mort, c'est-à-dire
vers le mal. Son amour est une souffrance. Elle est tout ce
que n'est pas Dieu. Non seulement elle n'a aucun accès à
la création, non seulement elle ne peut jamais être le Père
totalement désincarné de son œuvre, mais encore, si
l'envie venait à la prendre de rivaliser avec l'homme dans
l'acte créatif, elle causerait sa perte comme Emilie cause
celle de Cinna, ou plongerait le monde dans le cataclysme
de l'expérience racinienne. Quelques femmes, cependant,
créèrent, au XVIIe siècle. L'une d'entre elles, Mme de
Lafayette, écrivit une œuvre forte dont il est intéressant
d'analyser, avec *La Princesse de Clèves,* le schéma créatif,
pour voir comment, placée face à ce choix, elle a répondu
à ses sollicitations.

VI

LA FEMME PIÉGÉE

Où, chez Mme de Lafayette,
le « jeu » remplace le « je »

La *Princesse de Clèves* c'est au fond l'histoire d'une
femme qui se défie d'elle-même et qui, pour échapper à sa
nature de femme qui l'entraîne vers la chair et l'instabilité,
pour échapper également à la nature instable et féminine
de la société dont les pulsions de désir et de mort
l'inquiètent et l'angoissent, se cherche des appuis, et les
voyant tous disparaître les uns après les autres, s'enfouit
dans la prison rassurante du couvent, le dernier abri. Ce
n'est pas l'histoire (qu'on pourrait attendre d'une femme),
de la féminité triomphante. C'est l'histoire de la féminité
bafouée, de la peur : peur du monde, peur de soi.

Dans sa préface à l'édition Garnier-Flammarion de
1966, Antoine Adam notait que ce début « d'intrigues de
cour », écrit dans un style « conventionnel » était « rebu-
tant », voire même « insupportable ». C'était méconnaître
sans doute l'essence de ce roman de femme qui est d'être,
non plus la geste du mâle comme les tragédies de
Corneille, mais le roman de la société, d'une société. Le
premier rôle est au groupe, à ses pulsions, à son mode
d'être. Sans le détail clairvoyant des mouvements qui
agitent cette cour, l'analyse des motifs qui l'inspirent, la
revendication désespérée, le cri de révolte que Mme de
Lafayette pousse face à une condition qui la condamne à
l'agitation où la personnalité se noie, où le « je » se

4

dissout, où la tranquillité, qui est la sérénité et la
souveraineté divines, jamais ne peut être atteinte, per-
draient toute signification. Car Mme de Lafayette part du
groupe. Alors que nous voyons le schéma créatif cornélien
s'exprimer dans une individualisation solitaire et souveraine du mâle, individualisation qui est sa tentative de
divinisation, alors que chez Corneille la violence s'établit
de l'homme à la femme ou contre la femme, de l'homme à
la société ou contre la société, chez Mme de Lafayette la
société est une donnée définie dans son analogie féminine
de dépendance, la société est une véritable « condition »
qu'il faut assumer, tout comme la créature a une condition
nécessairement assumable. Si Corneille recrée indéfiniment le monde, retrouvant dans chaque œuvre la volonté
d'échapper au chaos, d'être comme Dieu au premier
moment du possible, renouvelant donc son geste, dans une
permanente analogie du souvenir divin, Mme de Lafayette,
part, elle, de la chose créée, conçoit l'acte créateur comme
achevé et puis en mesure le désastre. A l'intérieur de ce
groupe, animé par la femme, dominé par l'arbitraire et la
contingence, une femme, Mme de Clèves, porte sur cette
création un regard de haine ou de dégoût, aspirant à la
sérénité virile et créatrice. Car la principale accusation de
Mme de Clèves va à l'amour, l'amour et le désir de plaire
qui sont le moteur actif de cette société. Pas une
expérience amoureuse qui dans ce roman ne soit tragique,
que ce soit celle de M. de Clèves qui en meurt, celle de
Sancerre et d'Estouteville, celle du vidame de Chartres et
de la reine, etc. Or l'amour, lié au hasard, est fait de
femme. Dans *Don Sanche d'Aragon,* Corneille faisait dire
à la reine Isabelle (558) : « Je puis aimer puisque enfin je
suis femme. » En refusant l'amour, Mme de Clèves refusera
de faire le mal inhérent à son être de femme qu'elle
désavoue, et sans pouvoir aller, par un effort vraiment
créateur, jusqu'à faire le bien, de façon positive, par une
action quelle qu'elle soit qui lui aurait donné une vérité

individuelle, une vérité dégagée du sexe contre lequel elle
ne peut que s'opposer, incapable malgré tout parce qu'elle
est femme, de transcender cette condition, elle se conten-
tera d'une position neutre, une position de repli, qui est
malgré tout une façon de dire non à la femme qu'elle hait
en elle, parce que le monde qui l'entoure, la société dans
laquelle elle vit, et que l'on nous décrit minutieusement,
ont fait de l'amour, du désir, de la femme et du groupe des
objets de répulsion. Terrible expérience de femme :
voulant écrire, Mme de Lafayette, soumise au conditionnement inconscient des schémas créatifs qui lui sont imposés, ne peut pas partir de ce qui lui paraît l'homme, c'est-
à-dire une individualité capable de tous les actes et de
toutes les fonctions. Négligeant l'être qu'elle n'arrive pas
ou craint de concevoir elle ne voit que le paraître ; Dieu
disparaît au profit de la créature et l'homme au profit de la
femme. La transcendance est réduite à une sorte de
neutralité. L'individu cède le pas au groupe. Mme de
Lafayette part donc de la femme, et elle lui allie, dans une
inexorabilité incroyable, l'amour, véritable exhalaison
féminine : « les dames y avaient tant de part », dit-elle en
décrivant la cour de Henri II, « que l'amour était toujours
mêlé aux affaires et les affaires à l'amour. » Or la
dégradation de l'amour, que nous notons au XVIIe et au
XVIIIe siècle à la fois entraîne la dégradation de la femme
sans laquelle il n'existe pas, et vient d'elle. Face à
l'homme qui a une essence divine, la femme est immédiatement définie comme la créature de la créature, un reflet,
une apparence. Son milieu est l'arbitraire et la déraison.
Tel est l'amour. Absurde, par définition il souffle où il
veut, il n'entre pas dans un dessein clairement organisé,
au contraire, même, il s'oppose, la plupart du temps, à
l'*ordre* naturel et social. Cela est clair chez Racine. Cela
l'est encore davantage chez les romanciers du XVIIIe siècle,
où, comme chez l'abbé Prévost, l'amour, frappant comme
une maladie, défiant les logiques sociales, ne peut être

qu'une force du mal et de la déchéance. Contaminé, Des
Grieux (*Manon Lescaut*) va jusqu'à l'ignominie, au vol, au
jeu, c'est-à-dire au renoncement à sa caste et à sa vérité de
mâle. Et cela, sans y rien pouvoir. La femme devient alors
la maladie de l'homme, l'amour, un des symptômes de sa
maladie. Inspiré par elle, créature du hasard et de
l'arbitraire, créature de l'apparence et de la dépendance,
l'amour, qui a toutes ces caractéristiques et qui est sans
attaches divines, est frappé d'exclusion de la logique,
rejeté de l'ordre divin, à moins qu'il ne soit racheté par un
autre amour, celui que Dieu sanctifie, et qui est de l'ordre
de la charité et non plus du désir. La charité échappe alors
à la femme : elle est l'aspiration du mâle à retrouver son
essence et toute création devient ainsi, par ce biais, acte
d'amour. Mais d'un amour non sexué, non charnel, un
amour qui cherche son identité et son identification.
Amour sublimé qui est celui du Père et d'où la mère est
exclue. Le sachant, Mme de Lafayette refuse d'être l'auteur
de son œuvre. Voilà pourquoi également elle écrit avec
Mme de Clèves une œuvre qui la condamne en tant que
femme, où, partant de l'hypothèse clairement exprimée
que l'amour est fait de femme, puis montrant tous les
amours condamnés, voués à la folie, au désespoir ou à la
mort, elle condamne du même coup la femme ou du moins
montre le monde la condamnant, comme porteuse d'une
contagion de folie, de désespoir ou de mort. Car c'est bien
le monde qui la condamne, puisque l'éducation peut
l'éloigner de cette tentation du désir : Mme de Chartres
peint à sa fille l'horreur de l'amour, la met en garde contre
les désordres qu'il entraîne, l'éduque dans la voie de la
« tranquillité » et du repos. Sans devenir un homme pour
autant — malgré une tentative, celle de l'aveu — et créer
des actions *ex nihilo*, inconnues, incroyables, sa fille
montre cependant par son comportement l'injustice de
l'éducation et le danger des conventions sociales : la
femme peut ne pas être cette malade de l'amour, il suffit

pour cela de la soumettre à une expérience à contre-courant de la culture, et c'est bien ce à quoi se livre Mme de Chartres, elle est en cela clairement originale. Car la société est coupable, cela est vrai, Mme de Lafayette le montre sans ambage, coupable de s'établir selon des relations de dépendances successives, où l'individu, brimé, ne peut parvenir à l'expression triomphante du je. C'est l'ordre du temps, qui est un ordre de va-et-vient, l'ordre du « encore », du « plus », du « plus jamais », du « désormais », du « maintenant » qui sont comme une sorte de jeu qui s'oppose à l'ordre du « je » qui est l'ordre cornélien. L'affirmation, chez ce dernier, de la supério-rité du je sur le passage du temps s'exprime à chaque instant par des formules où la permanence du moi s'énonce dans une *logique* interne et créatrice, dans une identité absolue : « Je le ferais encore si j'avais à le faire. » Au je ne change pas et ne changerai jamais (dans le bien comme dans le mal, que ce soit Cléopâtre, Don Sanche, Auguste ou Rodrigue), correspond la plainte désespérée du groupe où le « je » s'effrite, se dilue dans le mouvement qui le fait se mouvoir, désirer et vieillir. Car le désir, qui règle cette société, est un mouvement d'accélération du temps, où l'être précipite sa chute, se porte vers le futur pour le voir se réaliser plus vite, se rendant ainsi responsable de sa propre dégradation, de sa marche plus rapide encore vers la mort. La femme, à qui revient ce désir, devient une fois de plus la grande pourvoyeuse des enfers. Ainsi est-il normal qu'au désir s'allie la crainte, la peur d'avoir désiré en vain, le sentiment de la nécessité de posséder ce qui a coûté un tel prix : tel est le vœu de M. de Nemours, qui est d'obtenir auprès de Mme de Clèves ce bonheur qu'il voit comme un arrêt du mouvement, un répit dans la course à la mort et qu'il définit en ces termes : « l'espérance de passer ma vie avec vous... » Mais pour Mme de Clèves, son désir est ailleurs, et c'est que ce mouvement permanent soit totalement arrêté, c'est que les sentiments de M. de

Nemours ne changent jamais, et il est étrange de voir que,
soit sincérité soit incompréhension, il ne puisse lui en
donner l'assurance complète. A sa plainte de voir le temps
faire pour elle ce qu'il a fait pour tant d'autres, c'est-à-dire
détruire l'amour qu'il lui porte, il ne peut que répondre,
bien vaguement : « … Vous me faites trop d'injustice… »
Pour M. de Nemours, il est soumis au « maintenant », son
amour s'exprime dans un désir à terme, et il ne conçoit
guère l'angoisse de permanence qu'exprime Mme de Clèves : pour lui, il est dans le « jeu » c'est-à-dire dans un
mouvement dont il ne cherche pas à contrôler l'illogisme et
l'incohérence. Tout ce qui l'entoure n'est-il pas d'ailleurs
soumis à ce jeu ? Caractère systématique et arbitraire de la
convention sociale, du : ce que l'on fait et ce que l'on ne
fait pas à la cour, hiérarchie très particulière d'un monde
qui s'établit dans l'espace, dans un véritable ordre du
concret, comme un château de cartes. Le centre en est
occupé par le roi, figure fixe, point invariable et qui se
perpétue, inexorablement de père en fils. Seul être
immuable, il est dans un ordre du temps et de l'espace
différent des autres et son comportement en porte la
marque. Son attitude, par exemple, souvent étonne : sa
gentillesse, sa douceur, sa patience à l'égard de tel ou tel
sont objets de surprise. Les satellites n'auraient pas, eux,
les mêmes bontés. La cour, en fait, est semblable à un
échiquier, ou mieux à un système astral miniature où
tournent autour du roi (Dieu) des astres majeurs qui ont
chacun leurs satellites. Mais dans ce monde miniaturisé,
tout alors prend des allures ludiques. Il n'y a d'immuable
que le roi. Les autres systèmes sont en mouvement
permanent, pour revenir cependant toujours à des places
précédemment occupées par d'autres ou par eux-mêmes,
tant qu'ils sont là, si bien que toute parole est l'écho d'une
parole antérieure, tout acte le reflet d'un acte déjà vécu,
toute organisation sociale, obligatoirement, une convention. Etrangement, le temps, responsable du jeu des

créatures, de leur passage, de leur disparition, n'affecte
pas le système qui est en perpétuelle rotation sur lui-
même. Ainsi s'explique le pessimisme de Mme de Lafayette
qui n'imagine pas un univers changé, modifié dans ses
fondements en quelque façon, qui se contente de faire dire
à une femme que, dans le monde tel qu'il est, inchangeable, donné une fois pour toute, la femme cependant est
devenue l'être de la mort. Certes elle est seconde (nous le
verrons nettement reconnu), certes elle est dépendance,
mais, se rebiffe l'écrivain, elle n'a pas à être la créature de
la mort. Elle a la liberté de refuser, en rejetant l'amour,
cet office qu'on lui a fait assumer, sans raison, injuste-
ment. Voilà qui fait la grande originalité du roman, au
XVIIe siècle. Mme de Clèves est bien entièrement soumise au
fortuit du jeu illogique et insaisissable de la rencontre
arbitraire du temps et de l'espace. Sorte de météore, elle
apparaît un jour pour disparaître, ayant fait son office, (et
d'ailleurs il semble qu'à la fin la romancière se débarrasse
presque d'elle et en quelque sorte l'abandonne : son héroïne
la déçoit-elle ?) : « Il parut *alors* une beauté à la cour. » A
partir de ce moment sa vie est soumise au hasard : sa
rencontre avec M. de Clèves ; sa rencontre avec M. de
Nemours, la présence cachée de ce dernier à son entretien
fameux avec son mari (hasard qu'il se soit trouvé là
précisément à ce moment-là)... Ainsi ce monde, indépen-
dant de la logique, vit dans le sentiment permanent du
« merveilleux », sentiment que tout est possible et que
toutes les interventions du maître sont probables. Il n'y a
rien d'étonnant à l'engouement des femmes de cette
époque pour le conte de fées : le merveilleux naît de la
contingence, dépend du temps qui le fait et le défait, ainsi
que d'une volonté supérieure à l'être humain mais dont le
système paraît arbitraire puisqu'il n'appartient pas au
même univers. Arbitraire comme la mode, la beauté ou le
crédit. Il y a donc une condition de la société satellite du
maître et dépendante de lui, qui est analogique de la

condition de dépendance de la femme : société et femme
prennent des traits identiques, forment de plus en plus un
même corps, ont mêmes impulsions, mêmes motivations,
mêmes goûts. Or Mme de Clèves est, et se veut différente
de cette société où le masque et l'adresse, où l'art de
cacher et de maquiller (son visage, son âge, ses desseins,
l'objet de ses désirs) remplacent l'héroïsme individuel du
monde divin cornélien.

Son désir, reconnu, de « différence » est déjà, en soi,
une ébauche d'acte héroïque : au regard du maître, tout
comme dans le bâteau de guerre de Candide, les individus
sont indifférenciés. Voilà pourquoi, d'ailleurs, Mme de
Lafayette ne décrit pas ses protagonistes différents de
façon individualisée : leur dépendance masque leur individualité, ils sont tous indifféremment beaux et bien faits,
pleins d'esprit et charmants. Avant d'être des êtres, ils
sont la cour, et être la cour, c'est être beaux et bien faits.
Seules les différentes positions par rapport au maître
(parenté ou faveur) marquent quelque différence : voilà
pourquoi chacun aspire à se rapprocher de lui. En fait,
avec l'individualité, c'est la vie qu'il donne ; il est bien le
Dieu de la Genèse. Mais dans *La Princesse de Clèves*, s'il
est un dieu omniprésent, il est aussi un dieu caché :
jamais il ne pense devant nous. Cependant ceux qui sont
ses favoris se sentent investis de sa puissance de vie : tel
est M. de Nemours. On pourrait penser alors qu'une telle
faveur, une telle distinction, puisse attirer Mme de Clèves.
Elle l'aime, cela est vrai, mais elle n'aime pas l'amour.
L'expérience du monde lui prouve que consentir à ce
mariage, c'est se détruire, comme fut détruit M. de Clèves
qui, jeune, puissant, vigoureux, en bonne santé, meurt en
moins de temps qu'il ne faut le dire, d'amour et de
jalousie, fait tout de même remarquable. L'adaptation
cinématographique du roman, où Marina Vlady tenait le
rôle de Mme de Clèves, dénaturait complètement le sens
destructeur de la passion, en faisant de M. de Clèves un

homme vieillissant. Non, c'est jeune et plein de vie, sans raison physique aucune, qu'il meurt. Autant pour l'amour. Voilà ce qui attend celui qui s'y adonne ; voilà le pouvoir de la femme. Il est certain qu'on mourait vite à cette époque, et jeune, mais enfin cette décision de la romancière de donner à M. de Clèves une mort si exemplaire, si étonnante ne peut pas ne pas nous troubler. Et de quoi meurt-il ? De l'aveu extraordinaire que sa femme lui fait de son amour pour un autre. Aveu qui a de quoi nous intéresser. Nous verrons qu'il n'est pas aussi remarquable qu'il paraît, mais enfin il a profondément choqué et intéressé les contemporains de Mme de Lafayette, et nous savons que maintes discussions de cour se sont élevées à son propos. Pourquoi ? Mme de Clèves fait quelque chose de tout à fait inhabituel, quelque chose qui ne s'est jamais vu et dont elle exprime elle-même le caractère étonnant : « Je vais vous faire un aveu que l'on n'a jamais fait à un mari. » Ainsi donc la voilà affirmant un acte parfaitement créateur. Et nous nous disons : Mme de Clèves est un homme, elle a atteint la puissance créatrice du mâle, elle n'a pas besoin d'exemple. Mme de Lafayette est-elle sauvée quant à elle de l'emprise étouffante des schémas créateurs que nous avons dénoncés, a-t-elle réussi à se libérer de l'infiltration sournoise de la pensée biblique, voit-elle enfin une création féminine ? Point. Hélas, il faut déchanter. Le propos n'est pas réellement créatif. Il a été bel et bien inspiré par M. de Clèves lui-même lorsque, lui faisant le récit de l'amour malheureux de son ami Sancerre pour Mme de Tournon, il lui disait : « ...la sincérité me touche d'une telle sorte que je crois que si ma maîtresse, et même ma femme, m'avouait que quelqu'un lui plût, j'en serais affligé sans en être aigri. Je quitterais le personnage d'amant ou de mari, pour la conseiller et pour la plaindre. » Ce faisant, il l'a déterminée, sans qu'elle s'en rende compte nettement, à une telle action éventuelle, puisque Mme de Lafayette ajoute : « Ces paroles firent

rougir Mme de Clèves, et elle y trouva un certain rapport
avec l'état où elle était, qui la surprit et qui lui donna un
trouble dont elle fut longtemps à se remettre. » Ainsi
l'auteur se garde bien de laisser croire que le propos aurait
pu échapper à son héroïne. Non. Il l'a frappé. Elle s'en
souviendra. Ainsi voilà une action qui n'est originale
qu'aux yeux du monde. Sur le point de masculiniser son
personnage en lui permettant une action totalement originale, Mme de Lafayette recule, ne peut le faire, hésite pour
des raisons de vraisemblances qui en disent long sur le
sentiment que l'on a de la pensée créatrice des femmes.
D'autre part, le motif profond de cet aveu est douteux.
C'est un autre rempart que cherche Mme de Clèves, un
autre abri contre elle-même, et de cette façon elle est bien
traditionnellement femme, puisqu'elle passe de protecteur
en protecteur, de sa mère, puis, après l'abandon de cette
dernière qui meurt (comme par hasard, juste au moment où
elle s'aperçoit de la passion de sa fille pour M. de
Nemours : de près ou de loin l'amour cause toujours la
mort) à M. de Clèves, qui, tant qu'il était son mari et son
amant (puisque insatisfait) ne lui était pas une protection.
L'aveu fait, elle lui dit : « *Conduisez-moi* ; ayez pitié de
moi, et aimez-moi encore, si vous pouvez. » Une fois de
plus, l'homme doit être à la femme un guide et un maître.
Après la mère, veuve et donc investie de pouvoirs
paternels, qui était son premier maître, elle demande à M.
de Clèves de la diriger et de la protéger. Thème, ici,
parfaitement cornélien. Mais alors que chez Corneille c'est
le mâle qui se propose à la femme en guide et en exemple,
point de vue d'homme, ici, point de vue de femme, c'est la
femme qui, *reconnaissant* volontairement sa faiblesse,
demande à l'homme d'être son maître. Telle était Chimène.
Telle est Mme de Lafayette elle-même qui ne saurait écrire
sans la caution de La Rochefoucauld ou Segrais, qui ne
saurait admettre ouvertement la « paternité » de son
roman. Certes, dira-t-on, il n'en reste pas moins que, s'en

prenant à l'arbitraire, au temps, au hasard qui toujours a gouverné sa vie, Mme de Clèves veut transcender la condition illusoire de l'amour, pour en faire un absolu et une permanence. Certes, elle le désire et elle le dit. Mais elle y renonce. Elle sent trop la contradiction qu'il y a entre l'amour tel qu'il est, comme une donnée du paraître et de la féminité, et l'amour tel qu'elle le veut, plus proche de la « charité », véritable transfiguration analogique de la permanence divine, pour pouvoir y croire. Son action est une action d'abandon et de renoncement, une action négative, surtout l'exposé amer de son impuissance à être une individualité séparée et différente. Elle se sait finalement femme, et considère qu'on n'y peut rien changer. Tout ce que peut la femme, c'est renoncer au mal, c'est rentrer dans l'oubli. Mais, en renonçant à l'amour porteur de mort, de désespoir, de changement, condamné et damné, elle proteste contre l'éducation qui, au lieu d'éclairer l'être sur la grandeur de la recherche de la sérénité, de cette « tranquillité » si importante pour Mme de Chartres et qui deviendra sa philosophie, donne comme inévitable le désir et les passions qui plongent l'être dans l'enfer. Car elle n'envisage pas un amour heureux. Elle n'envisage pas un amour qui, dégagé du temps et de la chair, du vieillissement, de l'altération et de la déchéance, apporterait au monde la sérénité divine. Elle n'y croit pas. Si de tels êtres ne peuvent y arriver, qui y arrivera ? Mais elle n'y croit pas, car elle porte en elle le sentiment de la déchéance de tout ce qui est féminin, déchéance donnée, ontologique, contre laquelle on ne peut rien. Son désir de permanence et d'absolu est un cri d'angoisse car il reste inassouvi. L'homme, le mâle créateur, ne s'est jamais manifesté dans cette œuvre qui n'est restée qu'au niveau perdu de la créature finie d'où nulle originalité ne peut germer. Le couvercle est pesant sur la femme. Son besoin de création, son besoin de puissance différenciée qu'elle exprime dans l'aveu et qui est le besoin de se voir comme un homme, elle ne peut, Mme de Lafayette, l'assumer. Elle écrit le roman déchiré de la femme bafouée, où la femme qui veut éviter l'écueil de l'horreur racinienne, celui de la cruauté ou de l'hypocrisie (Mme de Tournon), du mensonge et de la haine, doit châtrer ce qui est femme en elle, en quelque sorte consentir à se *neutraliser*. Son entrée au couvent constitue l'acceptation d'une certaine impuissance féminine qu'elle reconnaît en elle et contre laquelle elle ne peut rien : son besoin d'être garantie, protégée, conduite. Et il faut bien comprendre que ce choix n'est pas aussi glorieux que l'on croit. C'est un choix nécessaire. Se libérer des conventions, résister au roi, à la cour, à M. de Nemours n'est rien à côté des données constantes de l'amour, force bestiale, force de mort. Nous l'avons trop vu dans le cours du roman. Ce n'est pas à M. de Nemours qu'elle dit non, c'est à l'amour ; et en disant non à l'amour, c'est à la femme qu'elle dit non, en préférant de rentrer dans la mort. Héroïsme certes mais héroïsme de vaincue, héroïsme non créatif parce que non combatif. Et que combattre que l'on croit décision d'un créateur suprême ? Pourquoi lutter quand toute analyse du monde porte à croire que la créature féminine a été abandonnée de Dieu ? A la pulsion cruelle et vengeresse de la femme racinienne, Mme de Lafayette répond non. A la question que Racine pose implicitement à la femme, il lui semble que tout vaut mieux qu'une pareille apocalypse, tout vaut mieux que de s'abandonner à la fonction de l'amour qui est une fonction de mort. En faisant mourir si brutalement M. de Clèves de l'aveu de sa femme, Mme de Lafayette ne laissait aucun choix à son héroïne : l'amour était bien évidemment destructeur, et surtout son aveu l'avait détruit. Or pourquoi est-ce grave ? Parce que cette mort a l'air d'être *une punition*. L'héroïne d'ailleurs, la ressent comme une punition. Punition de quoi ? On peut penser que ce soit elle-même qu'elle ait ainsi puni, Mme de Lafayette, punie d'avoir pensé, une seconde, par un acte inouï, s'approprier le pouvoir créateur qui n'est, par essence, que le fait du mâle. M. de Clèves meurt comme Hippolyte meurt, comme Pyrrhus, comme Bajazet, comme Mithridate. Tout acte créateur de la femme a pour conséquence la nécessité pour elle d'assumer la mort des autres. En vérité Mme de Clèves a tué M. de Clèves. Avec une telle conception de la création, on imagine aisément les affres de Mme de Lafayette, on comprend qu'elle ait renié son œuvre : la faisant, elle était criminelle, sacrilège et blasphématrice. La fin du roman, étonnamment neutre, plate, non descriptive, sans aucune tentation d'originalité, semble alors être une espèce de demande de grâce : qu'on lui pardonne, elle a compris son erreur, elle ne cherchera plus à être créatrice. Elle n'écrira plus.

Père de son œuvre, le créateur abstrait dressait au ciel sa volonté de faire, comme Dieu, une œuvre délivrée de la chair, qui est la mort de l'être. La femme, qui porte l'enfant, qui perpétue la race, est celle qui, en même temps, expose le signe tangible de la mortalité. Elle en est punie. On l'accable sous le poids d'une faute dont le châtiment sans appel serait précisément la mort, donc la sexualité. Mais de l'œuvre de chair, le mâle se tire sans dommage. Sa participation s'arrête avant la conséquence ultime du sang et des cris de la naissance. Quand il veut, alors, créer une vie qui échappe à la mort, comme Dieu concevant la Genèse, il ne peut le faire qu'en écartant ce sang, cette chair, auxquels d'ailleurs il se sent étranger. Se désincarner pour créer ce qui, enfin, l'immortalisera, le fera Dieu, c'est donc exclure la femme.

Affirmer qu'il y a, à partir du XVIIIe siècle, rupture du schéma de la création analogique de l'acte divin de la Genèse est certes indubitable. Des obsessions cependant restent, réminiscences de la vision du créateur père de son œuvre. Une des plus importantes : celle de la pureté du créateur. Pureté, chasteté qui s'opposent à l'impureté féminine. Pureté, malgré la sexualité fondamentale qui est l'expression de la virilité. Pureté du Père, celle du père d'Octave dans *La Confession d'un enfant du siècle* comparé à la neige et aux sommets montagneux, et où s'exprime la relation désincarnée entre le père et le fils.

Et puis, il y aura toujours aussi l'obsession de l'acte inouï, un désir vague, abstrait bien sûr, de créer, parfois, *ex nihilo*. Mais de plus en plus ces désirs seront en contradiction avec le schéma nouveau, torturant précisément parce que de près ou de loin la mort s'y profile, et la mère, et la femme, et la chair : la création dans son analogie à l'acte sexuel.

DEUXIÈME PARTIE

La création sexualisée

I

ATHÉISME ET RUPTURE
DU SCHÉMA ANALOGIQUE
DE LA GENÈSE

Il faudra attendre très longtemps pour voir les femmes se relever du coup porté à leur créativité par les schémas de la littérature du XVIIᵉ siècle. Lorsqu'elles redresseront la tête et s'acharneront une fois de plus à la lutte, le créateur aura totalement changé de visage. De créateur-Dieu exerçant sa puissance dans l'absolu il se sera vu déchoir, par la mort de Dieu, au rang de mâle féminisé noyé dans les affres de la contingence et de l'histoire, obligé enfin de disputer à la femme sa prérogative poétique. Etrangeté du destin de la femme, elle ne verra vraiment s'ouvrir son ère qu'avec le matérialisme reconnu, et tant qu'il restera au Dieu des chrétiens un souffle de vie, elle sera vaincue. Peut-être alors faut-il marquer l'année 1938 d'une pierre blanche : Roquentin, découvrant la vie comme contingence absolue, revendiquant sa négativité, matière vulnérable à tant d'influences possibles, liberté qu'il faut toujours remettre en jeu, ferme définitivement la porte à l'exclusive création du mâle et Sartre ouvre, sans le savoir, le chemin à la littérature féminine, en France.

Aux sereines évidences d'un monde donné, fabriqué par une souveraine intelligence où le créateur mâle, transcendant la matière, pouvait prétendre à la liberté divine, succèdent, au XVIIIᵉ siècle les premiers ferments de l'inquiétude matérialiste, avec ses questionnements scien-

tifiques, son sens profond du relatif et cette angoisse de
n'être que situé qui fait s'écrier à Diderot, en 1756, dans
une lettre à Landois : « Le mot *Liberté* est un mot vide de
sens ;… il n'y a point et il ne peut y avoir d'êtres libres ;…
nous sommes ce qui convient à l'ordre général, à l'éducation, à l'organisation et à la chaîne des événements. »

L'abandon progressif de la transcendance divine va
profondément modifier le sens de la création qui, une fois
l'athéisme ancré, n'aura plus d'analogie sur quoi se fonder
et devra se résoudre à des subterfuges pour se reconstituer
en transcendance. Privé d'assise ontologique, de nécessité
essentielle, le créateur voit sa liberté, aussi bien que ses
certitudes, s'effondrer. Qu'est-ce que le Beau ? Qu'est-ce
que le génie ? Questions qui tracassent les philosophes, et
si Voltaire répond avec assez de tranquillité que le beau
« est souvent très relatif comme ce qui est décent au Japon
est indécent à Rome, et ce qui est de mode à Paris ne l'est
pas à Pékin » (*Dictionnaire Philosophique*), rejoignant ici
Montesquieu, Diderot est loin d'avoir la même placidité
d'âme. Son glissement progressif du déisme à l'athéisme se
traduit par un sentiment de plus en plus interrogatif à
l'égard du créateur, du génie, du Beau. Car lorsque Dieu
n'existe plus, la création, pour l'homme réduit à la mort,
devient absurde. S'il est certain que pour Diderot le
problème ne se pose pas encore en ces termes, l'illusion
tragique que devient la création sans Dieu apparaît dans
l'impuissance qu'il se reconnaît à la définir et l'entêtement
avec lequel il cherche à la cerner : article *Génie*, petit
texte *Sur le Génie, Recherches philosophiques sur l'origine
et la nature du Beau, Les Salons, Le Neveu de Rameau*,
etc. Affirmer que le beau est relatif ou que son essence se
trouve dans l'appréhension des « rapports » n'est pas
suffisant. Il y a dans toute création la part de Dieu qu'il
faut lui restituer. Alors nous voyons Diderot, dans le *Salon
de 1767*, déifier l'artiste, faire endosser à Vernet la
fonction, désormais vacante, de Dieu : « ce n'est plus de

Dieu, c'est de Vernet que je vais vous parler ». L'imagination, c'est-à-dire la faculté de créer de rien, *ex nihilo*,
comme Dieu, était depuis dix ans déjà (article *Génie*)
la marque du génie, très exactement du créateur ouvertement
divinisé. Ici, l'évidence se fait provocante : « ... l'artiste
n'a de modèle présent que dans son imagination ;... il peint
avec une vitesse incroyable ;... il dit : Que la lumière se
fasse et la lumière est faite ; que la nuit succède au jour et
le jour aux ténèbres, et il fait nuit, et il fait jour... » Voilà
un démarquage sans équivoque de la Genèse. Ce qu'il
signifie c'est que lorsqu'on ne peut plus voir dans la
création une analogie au geste de Dieu où l'homme se
transcende vers l'absolu dans un acte de mimétisme viril,
on n'a guère d'autre ressource, d'abord, que de diviniser
l'homme. L'athée complet s'y résout sans problème et pour
Diderot il attribue immédiatement au créateur humain les
qualités antiques du Dieu de la Genèse : grandeur,
puissance, majesté, « ... ces compositions prêchent plus
fortement la grandeur, la puissance, la majesté de la
nature que la nature même » (*Vernet*, 1767). L'œuvre alors
ne prend pas ses racines dans la nature dont elle n'est pas
le langage. La création, comme celle qu'on avait attribuée
à Dieu, a ceci d'inhumain qu'elle n'a pas de ferment et
qu'en vérité, comme celle de Dieu, elle n'est analogique de
Rien ; alors que la création de la femme, comme elle n'est
qu'une procréation, ne peut aboutir qu'à une ressemblance, une copie, un existant formé d'un autre existant.
Revendication qui déjà exclut l'univers féminin, et Diderot
ne se fera pas faute de le dire maintes fois. Revendication
qui fait déjà songer à toutes les manigances désespérées
des mâles du XXe siècle où le besoin de se diviniser se
manifeste, chez les critiques dits structuralistes par
exemple, par la prétention de créer, de rien, leur propre
langage critique qui serait un signe neuf, inouï, se refusant
à être formé par une confrontation quasi copulatrice avec
l'œuvre. Le langage critique serait en soi, comme Dieu,

comme le créateur. Attitude d'autant plus étrange, nous le
verrons, que la seule analogie créatrice qui ait pu survivre
au naufrage de Dieu, est l'analogie à la procréation de la
femme. Mais nous comprenons sans peine que cette
analogie ne sera pas dévoilée, ou plutôt qu'elle sera
suffisamment maquillée pour que l'homme y puisse prétendre sans honte pour lui. Nous comprenons, d'autre part,
que les premières affres du matérialisme amènent inexorablement le sentiment de l'aliénation de l'être, de sa
manipulation, comme déjà le fait remarquer Diderot, par
« l'ordre général, l'organisation, l'éducation et la chaîne
des événements ». Mais les hommes se rebelleront contre
la découverte honteuse de leur contingence, contre le goût
terreux de la matière qui les envahit, matière et contingence dans lesquelles ils rejetteront alors les femmes, sans
raison, sans justice, pour exprimer, au moins contre un
autre être, leur individualité toute puissante, comme une
dernière tentative de se dépasser, comme l'expression
ultime de leur liberté conquise par la lutte. N'est-il pas
étrange, par exemple, que dans son très court texte *Sur le
Génie,* Diderot ait éprouvé le besoin de rejeter immédiatement la femme hors de la sphère de la création parce que
son « utilité » est seulement « domestique et minu-
tieuse » ? Quel besoin, dans un texte aussi abstrait, de se
livrer à une diatribe contre le petit esprit observateur des
femmes ? Pourquoi rappeler son état de servitude en la
comparant à un valet trompant son maître ? Cet esprit
observateur, marque primordiale du génie pour Diderot, à
cette époque-là, il le dénie complètement et sans chercher
le moins du monde à atténuer son insulte, à la femme. Dès
cet instant on aperçoit une individualisation possible de
l'homme où il exprime son refus du conditionnement et de
la matière, et un rejet inexorable de la femme dans la
contingence, c'est-à-dire dans l'esclavage, dans l'absence
d'individualisation donc le mimétisme, la masse. De plus
en plus nous découvrons que la création est la seule façon

de sortir de la contingence, du mouvant du groupe, et ainsi pour atteindre à sa liberté qui fait de lui un dieu, l'homme doit-il faire un effort qui immédiatement donne à toute création un caractère de violence. Cette violence marquera le sentiment du génie créateur chez les romantiques et on la trouve déjà nettement exprimée chez Diderot. Elle manquera à la femme, biologiquement faible, inapte à l'effort. Mais c'est Rousseau qui fera de cette faiblesse un principe moral, la condition analogique de l'impuissance féminine. Ainsi, écrit-il dans *Sophie ou la femme* (livre cinquième de l'*Emile*) : « l'un doit être actif et fort, l'autre passif et faible : il faut *nécessairement* que l'un veuille et puisse, il suffit que l'autre résiste peu. Ce principe établi, il s'ensuit que la femme est faite spécialement pour plaire à l'homme... Ce n'est pas ici la loi de l'amour, j'en conviens ; mais c'est celle de la nature, antérieure à l'amour même ». On reste pantois devant cette nécessité, ne reposant que sur elle-même, s'établissant dans un rapport *nécessaire* de maître à esclave et où se pose en germe la doctrine de Sade. On est encore plus étonné par ces sophismes exposés comme vérité d'Eglise et où se retrouve toute la vieille casuistique du XVIIᵉ siècle.

Et certes, il faut être subtil pour comprendre de telles vérités philosophiques. Mais Rousseau n'était pas sot. Il savait bien qu'il fallait fonder sa nécessité, établir son principe d'inégalité. Le Dieu des chrétiens, si pratique, ne pouvait plus servir. On le remplace par la nature. Car la nature, c'est ce sur quoi nous n'avons pas de contrôle, ce qui échappe à notre organisation humaine : « Le développement interne de nos facultés et de nos organes est l'éducation de la nature ; l'usage qu'on nous apprend à faire de ce développement est l'éducation des hommes ; et l'acquis de notre propre expérience sur les objets qui nous affectent est l'éducation des choses » (l'*Emile*). Ainsi dépendons-nous totalement de la nature, sorte de substitut divin, et est-elle responsable de ce que nous sommes

individuellement. Au moment où la femme allait pouvoir
revendiquer le droit d'être, parce que son infériorité
ontologique semblait disparaître avec le christianisme, la
nature implacable va, par un ordre encore plus absurde, la
forcer à rejoindre le clan des « naturellement » inférieurs.
Mais cette nature, qui est notre essence et qui repose sur
un vague « Auteur des choses », peut être étouffée, nous
dit Rousseau, par le conditionnement social. Ainsi faut-il
s'employer à la préserver, cette bonne nature injuste, et
égoïste. Avec une perversion étonnante dans son inconscience, il enjoint alors à la femme, dans le début de
l'*Emile,* de s'en faire chez l'homme la gardienne, d'en
retrouver la pureté, l'antériorité parfaite, de la dégager
surtout de l'habitude, qui en est en quelque sorte le
contraire. Ainsi ne fonde-t-il pas l'infériorité qu'il reconnaît ensuite à la femme sur les mœurs ou quelque
dégénérescence abjecte de l'essence, mais sur la seule
nécessité qui échappe en partie à l'histoire, le seul
domaine sur lequel nous n'ayons aucun contrôle, aucune
responsabilité : la nature. Après cela, que dire ? Et surtout
que faire, sinon s'incliner. Le naturel : « unité numérique,
entier absolu, qui n'a de rapport qu'à lui-même », qu'est-
ce d'autre alors que le divin, et c'est par quelque diktat qui
la dépasse, une fois de plus, et qu'on lui dit impérieux
parce que mystérieusement nécessaire, que la femme *doit*
consentir à sa bassesse. Non seulement y consentir, mais
l'assumer, s'en faire la chienne de garde.

NATURE ET SEXE CHEZ ROUSSEAU.
AU COMMENCEMENT ÉTAIT
LE PHALLUS

La pensée dans l'*Emile* se développe avec une cohérence relative, cherchant à déceler avec une rigueur rationnelle une essence absolue de l'homme, une vérité qui lui soit transcendante (malgré quelques concessions à la relativité des impulsions sexuelles sous l'influence des climats, par exemple) et dans le sein de laquelle il puisse retourner comme vers la perfection. L'éducation est donc une sorte d'initiation à l'*être*, un regard porté vers l'*intérieur* de soi pour y déceler une substance qui soit l'humain : « notre véritable étude est celle de la condition humaine » (livre premier). Or la femme, immédiatement définie *naturellement* comme l'être destiné à *plaire*, comme celle qui dépend toujours du jugement des autres et doit être « asservie » aux « bienséances », n'est pas humaine. Elle est femme, en ce qu'il ne faut pas en elle retrouver la nature (*id est* les dispositions innées) mais la vaincre : « Il faut les exercer d'abord à la contrainte, afin qu'elle ne leur coûte jamais rien ; à dompter toutes leurs fantaisies, pour les soumettre aux volontés d'autrui. » Faut-il en conclure qu'avec la femme la nature a fait une erreur ? C'est bien plutôt qu'ici le concept de nature est moins abstrait et général qu'on le croit. « En tout ce qui ne tient pas au sexe, la femme est homme », nous affirme généreusement Rousseau. « On trouve entre eux des différences générales

qui paraissent ne point tenir au sexe ; elles y tiennent
pourtant… tout ce qu'ils ont de commun est de l'espèce, et
tout ce qu'ils ont de différent est du sexe. » Distinction
qui, nous l'espérons aussitôt, va nous permettre de
découvrir, dans cette communauté d'espèce, le fondement
même de la nature humaine. Commence la difficulté. La
« figure est semblable ». Bien. « La machine est
construite de la même manière ». Fort bien. La femme a
« les mêmes besoins, les mêmes organes, les mêmes
facultés » que l'homme. Encore mieux. Seulement, hélas,
on s'arrête là. Il faut se rendre à l'évidence et découvrir
avec chagrin que tout ce qui ne tient pas de l'organisation
physiologique proprement dite, du train des organes
purement animaux, a tout l'air de tenir du sexe, puisque
toute psychologie entre l'homme et la femme s'affirme,
chez Rousseau, dans sa différence, et que tout comportement est radicalement particulier. L'espèce, eh oui,
l'espèce, ça veut dire l'animalité, bien sûr. En tout ce
qu'ils ont d'animal, l'homme et la femme sont identiques.
Rousseau nous l'accorde. Pour le reste, il tient au sexe,
positif chez l'homme, négatif chez la femme.

  Mais Rousseau n'en reste pas là et livre la femme à
l'animalité. « Il n'y a nulle parité entre les deux sexes,
quant à la conséquence du sexe. Le mâle n'est mâle qu'en
certains instants, la femelle est femelle toute sa vie, ou
tout au moins toute sa jeunesse ; tout la rappelle sans cesse
à son sexe, et, pour en bien remplir les fonctions, il lui
faut une constitution qui s'y rapporte. » Voilà une ambiguïté qui n'est que trop claire. Lorsque Rousseau dit : tout
ce que l'homme et la femme ont de différent « tient du
sexe », il n'entend pas le même langage que lorsqu'il parle
des « conséquences du sexe », qui sont l'acte de reproduction. C'est dire, en fait, que dans le premier cas, il donne à
« sexe » le sens de « nature », de manifestation fondamentale de l'inné. N'affirme-t-il pas : « Tout ce qui
caractérise le sexe doit être respecté comme établi par la

nature » ? Ainsi l'activité sexuelle est-elle la manifestation la plus concrète de la volonté naturelle. La passivité de l'un et l'activité de l'autre sont donc des principes incontestables puisque antérieurs à l'éducation. On comprend alors ce que Jean-Jacques veut dire lorsqu'il s'écrie : « l'homme plaît par cela seul qu'il est fort ; ce n'est pas ici la loi de l'amour, j'en conviens ; mais c'est celle de la nature (= le sexe), antérieure à l'amour même ». Ce qui est premier, essentiel, irréfutable, c'est donc le sexe. L'impulsion fondamentale, c'est celle de la sexualité. La femme a-t-elle une sexualité ? Bien discutable, selon Rousseau... Que trouve en effet à répondre la Julie de *La Nouvelle Héloïse* à la violente pulsion sexuelle qui transporte Saint-Preux ? « Mon cœur trop tendre a besoin d'amour, mais... mes sens n'ont aucun besoin d'amant. » La femelle « est femelle toute sa vie », quand le mâle n'est mâle qu'en certains instants, car la femme ne vit que dans « la conséquence du sexe », c'est-à-dire pour la reproduction. Elle n'existe que fertilisée ou pour être fertilisée. Le mâle est humain d'abord, c'est-à-dire doué d'une nature, entendons une sexualité, reproducteur ensuite et seulement par moments. Engluée dans sa tâche reproductive, la femme y met toute son énergie, elle est une fonction secondaire de reproduction, jamais un principe. Quand on dit que la femme n'est que sexe, il faut bien comprendre alors qu'il ne s'agit que de la conséquence du sexe, celle qui a simplement trait à la continuation de l'espèce.

La femme est donc une matière à laquelle il faut donner forme et qui doit servir à la conséquence du sexe du mâle. Les deux sexes ne se retrouvent, en fait, que dans l'acte de la reproduction. C'est leur communauté *d'espèce,* où l'homme exprime l'aspect animal de sa sexualité. Il a donc, mâle, une sexualité qui tient, à la fois, de la vérité profonde de l'être et de son animalité. Le sexe, fondamental et inné, c'est la nature essentielle, et (comme nous le verrons plus loin), la vie ; c'est également, au moment de l'alliance avec la femme, le temps très court de la propagation de cette vie.

Sexe, nature, essence, deviennent, de fait, des termes interchangeables, et les remplacer l'un par l'autre est assez révélateur. « Tout ce qu'ils ont de commun est de l'espèce, et tout ce qu'ils ont de différent est du sexe », devient en clair : tout ce qu'ils ont de commun est... de l'animalité, et tout ce qu'ils ont de différent est de l'essence ou de la nature. Or tout en eux est différent : l'un veut, l'autre ne peut, l'un a « l'audace », l'autre « la honte », l'un a « la raison », l'autre « la pudeur », l'un « la passion », l'autre « des désirs »... Volonté, audace, raison, passion, tout cela c'est au mode subjonctif : à l'homme, la pensée. Impuissance, honte, pudeur, désir : le monde du féminin est au négatif, exprime le manque et le mal.

Mais, dira-t-on, fort bien ! Qu'est-ce qui nous empêche d'affirmer que c'est ce qui est passif qui est essentiel, que le sexe féminin est le premier et que c'est dans la femme que la nature s'exprime ? Tout simplement la logique du système, logique dangereuse dans son sophisme apparemment irréfutable : quelle est la voix de la nature ? La sexualité : la femme n'a pas de sexualité ; donc pas de nature. Cependant on emploie le mot de « nature » en parlant de la femme ? C'est que l'on n'entend pas « nature fondamentale », « essence », mais « reproduction », pour la femelle. La primauté du mâle devient alors un véritable principe philosophique : « En devenant votre époux, Emile est devenu votre chef, *ainsi l'a voulu la nature.* » La cause est entendue sans plus ample discussion... la cause et le type d'éducation qu'il faut donner à l'un et l'autre sexe.

Celle de Sophie est bâclée en un chapitre, où l'on parle d'ailleurs beaucoup plus d'Emile que d'elle. Il faut quatre livres pour former en Emile « l'homme naturel », auquel il n'est jamais question d'espérer offrir une « femme natu-

relle », mais « la femme qui convient à cet homme »,
distinction, ou plutôt oubli de l'épithète qui est en soi
claire. Comment former une femme naturelle, puisque la
femme n'a pas de nature ? Plus exactement puisque la
nature n'a pas doté la femme d'une vérité transcendante
qui s'exprimerait dans des penchants irrésistibles et *bons* ?

Comme il est étrange en effet de le voir remarquer
l'emportement avec lequel les petites filles veulent être
libres, comme si quelque instinct obscur les poussait, et
alors que les petits garçons pourraient y voir la prémonition
de leur essence, ce n'est chez l'enfant femelle que
perversion, c'est « parce qu'elles ont ou doivent avoir peu
de liberté » qu' « elles portent à l'excès celle qu'on leur
laisse ». Pas question, pour elles, de préparer de loin « le
règne de cette fameuse liberté ». En vérité, tout est
dégénérescence chez la femme, tout est altération. C'est
que, lorsque l'homme se retourne, il voit luire pour éclairer
sa route le principe naturel, peut-être un peu caché par les
arbres de la forêt sociale, mais enfin, comme un grand
monument à la gloire de la virilité. Quand elle se retourne,
la femme ne voit rien. Elle est dans la nuit. Rien ne la
guide vers le bien antérieur, vers la vérité première.
Comme tout être matériel et uniquement animal, elle se
dirige inexorablement vers le mal. Etre second, manufac-
turé par la culture de l'homme, par sa société, elle a
tendance à lui échapper, elle réclame une liberté illusoire
qu'elle ne peut, naturellement, assumer. C'est une obsession de l'homme que celle-là, de voir s'allier au mal l'être
dont il a la responsabilité. Le mâle a toujours l'angoisse
que sa création refuse brutalement de continuer à dépendre de lui. Exprime-t-il là sa culpabilité, lui qui conçoit,
au fond, que la création est un tabou, que seul Dieu a le
droit de créer ? Il est étrange, en tous les cas, qu'en plein
XIXe siècle, ce soit une femme, Mary Shelley, qui ait
exprimé la peur du mâle devant l'interdit. Frankenstein,
apporte la preuve que, lorsqu'il touche à la vie, l'être

humain enfreint une véritable loi divine, la forme qu'il
crée ne peut être que néfaste. Femme, Mary Shelley devait
bien sentir sur elle le poids de sa condamnation. Elle
devait bien savoir que, forgée par l'éducation de l'homme,
faite par lui, elle était, comme le monstre de Frankenstein,
susceptible de sombrer dans le mal et, surtout, comble de
l'horreur, de rejeter la tutelle de l'homme. On aurait voulu
alors que l'animal humain fabriqué gagnât, purgeant ainsi
Mary Shelley et les femmes de leurs propres hantises. Il
aurait fallu pour cela qu'il ne se fasse pas immédiatement
l'allié du mal. Nous ne sommes pas, de nos jours, sortis de
cette vieille crainte mythique. Ni le socialisme ni le
marxisme ne nous ont guéri de penser qu'il y a des choses
que l'on ne fait pas sous peine de punition terrible.
Comment expliquer autrement les craintes que l'on a
devant le pouvoir de la science, devant les manipulations
génétiques, devant enfin l'espoir terrifiant que l'être
humain puisse dominer la vie et en déceler les secrets ?
Or, le monstre de Frankenstein, les robots, les machines
animées, quasi vivantes, précisément parce qu'ils sont des
fabrications, qu'ils n'ont pas d'âme, ne possèdent pas en
eux cet espèce de garde-fou moral, social que constitue la
nature. On se souvient d'Aristote : « le bien propre à
l'homme est l'activité de l'âme en conformité avec la
vertu ». La femme est comme le monstre créé par
Frankenstein. Elle est le mal. Mais Dieu, dans sa grande
bonté, lui a donné le moyen de reconnaître son absence de
nature, avec la sainte, la divine pudeur : « l'Etre suprême
a voulu faire en tout honneur à l'espèce humaine :... en
livrant la femme à des désirs illimités, il joint à ces désirs
la pudeur pour les contenir ». La pudeur, qui est la honte,
et qui ne naît, disait le père d'Emile au livre IV, « qu'avec
le sentiment du mal ». « Quiconque rougit est déjà
coupable, la vraie innocence n'a honte de rien », conti-
nuait-il. Le sentiment du mal ? Celui qu'a la femme, de sa
négativité. Au demeurant, avec une incohérence qui n'est

pas sans habileté, Rousseau affirmait également que « le sexe » s'était vu « armer » par la nature de « la honte » « pour asservir le fort ». De la honte, c'est-à-dire du sentiment de son indignité, de sa bassesse. Comme c'est bien, comme c'est pratique alors de dire à la femme : prends conscience de ton abjection et tu seras la plus forte... Toute forme subtile d'asservissement de l'autre ne passe-t-elle par une telle nécessité de la reconnaissance de son ignominie, qu'il s'agisse de la confession chrétienne ou de l'autocritique communiste ?

La honte vient à la femme avec la passivité et la faiblesse, avec la timidité et la modestie. Propriétés qui résultent de la nature de son sexe, animal et reproductif, et que l'on tient à tort, selon notre pédagogue, pour des défauts, car s'ils constituent des manques pour les hommes, ils sont des qualités pour les femelles. D'ailleurs, poursuit-il finement, « tout irait moins bien si elles ne les avaient pas. Empêchez ces prétendus défauts de dégénérer, mais gardez-vous de les détruire ». On le croit volontiers. L'acceptation résignée de la négativité féminine, par la femme elle-même comme par l'homme, est sans aucun doute un facteur d'équilibre social... et d'harmonie, un gage d'immobilisme organisé... Par conséquent, il faut accepter, en remerciant l'Auteur des Choses de sa grande sagesse, les manques féminins et les dons et mérites innombrables de l'homme comme l'expression inaltérable de la condition humaine (c'est étonnant d'ailleurs comme cette expression veut généralement dire : la condition du mâle). Philosophie de l'inégalité que celle-là, et qui ne gêne en rien le philosophe qui la justifie par une décision naturelle qui échappe à l'humain et que le sexe reflète : « La rigidité des devoirs relatifs des deux sexes n'est ni ne peut être la même. Quand la femme se plaint là-dessus de l'injuste inégalité qu'y met l'homme, elle a tort ; cette inégalité n'est point une institution humaine. » Et quand Rousseau ajoute « elle n'est point l'ouvrage du

préjugé mais de la raison », il boucle en quelque sorte le
cercle de son raisonnement, puisque la raison est donnée à
l'homme, que la femme n'en a pas (on condescend à lui
donner du bon sens), et que, puisque tout ce qui est
différent entre eux est du sexe, c'est-à-dire de la nature et
de l'essence, la raison tient donc du sexe. On ne s'étendra
pas sur le fait que l'inégalité sexuelle étant l'œuvre de la
raison, et la raison étant attribut de l'homme et exclusivement de lui, c'est de l'homme, sans aucun doute, que
provient une conception aussi éminemment pratique pour
lui de l'inégalité entre les sexes.

Parlons clair. Si « tout ce qu'ils ont de commun est de
l'espèce, et tout ce qu'ils ont de différent est du sexe »,
l'homme est fort et est le maître parce qu'il a un phallus. Il
a la « primauté » parce qu'il a un phallus. Sa raison,
faculté qui sert d'arbitre et redresse les préjugés et que la
femme donc n'a point, est phallique. Il crée, il compose, il
écrit avec son phallus, puisque tout cela est dénié à la
femme. D'ailleurs ce phallus divin n'a pas qu'une existence symbolique : le petit mâle ne récupère son essence,
ne rentre véritablement dans le cycle de l'humain qu'au
moment de la puberté : « Jusqu'à l'âge nubile, les enfants
des deux sexes n'ont rien d'apparent qui les distingue »
(IV). Cette essence, vers laquelle il se retourne, cette
nature, qui le guide et le pousse, qui lui donne raison,
sagesse, courage et activité, est phallique. C'est au
moment où les signes secondaires de sa sexualité apparaissent que l'enfant mâle peut commencer à discerner en lui,
grâce à sa faculté de raisonner, ce qu'il y a de naturel, et
ce qu'il y a d'habitudes mauvaises. Peu à peu, il pourra
devenir un homme naturel. Pendant ce temps-là, la fille
entrera, inéluctablement, dans le monde de l'habitude. Et
cependant, que de choses gênantes, chez les filles, comme
par exemple cette précocité, cette intelligence qui, bizarrement, se développe plus tôt que chez les garçons
(« l'intelligence dans les filles est plus précoce que dans

les garçons »). Cela n'empêche toutefois pas le philosophe de poursuivre : l'intelligence ne serait au fond que l'aptitude à déterminer ce qui est utile pour soi. Celle de la fille consistera à prendre conscience qu'en écrivant elle est sans grâce (*sic*), elle jettera donc sa plume et ne fera plus de O. Elle a ainsi compris que ce qui est « utile » pour elle, et correspond à sa fonction, est d'être gracieuse et charmante pour plaire à l'homme. En vérité, il lui faut être vaine. Dès que l'on sait cela, on sait la prendre : pour l'obliger à écrire de nouveau, on utilisera non seulement sa vanité mais également l'égoïsme dont elle est heureusement doté. Elle reprendra son apprentissage de l'écriture pour marquer son linge par peur que ses sœurs ne s'en servent. Charmante nature ! Telle est la femme... ne l'en blâmons pas, car la lâcheté, la vanité et la sottise, ce sont ses qualités, à elle. Pendant ce temps, le petit garçon, lui non plus, ne veut pas rester assis des heures à écrire des lettres, mais c'est pour une tout autre raison (ne nous avait-on pas dit cependant que jusqu'à l'âge nubile les enfants des deux sexes n'avaient rien *d'apparent* qui les distinguait ?) Eh bien, nous dit Rousseau, le frère de cette adorable petite fille « n'aimait pas plus à écrire qu'elle ; mais ce qui le fâchait était la gêne, et non pas l'air qu'elle lui donnait ». En d'autres termes, la position qu'il devait prendre pour écrire lui était insupportable physiquement, l'empêchait d'exercer cette *activité* « naturelle », supérieure, essentielle et respectable du mâle. Pour la fille, c'est son apparence qui la touche. Nous voilà, dès cet âge, dans la transcendance et dans la contingence. Le mâle est essentiel. La femelle vaine. Tous les défauts, tous les manques des petites filles sont ainsi parfaitement légitimés, par exemple, elles « apprennent avec répugnance à lire et à écrire », par contre elles « aiment tenir l'aiguille ». C'est que, être de l'apparence et du social, elles pensent tout de suite à leur parure. Tout cela est normal. C'est là un penchant qui vient naturellement de leur absence de nature. Il est bien entendu que lorsqu'elles veulent être libres et vagabonder, là, c'est de la perversion. En effet, puisqu'il est décidé une fois pour toutes qu'elles sont naturellement négatives, passives, timides et par conséquent brimées et emmurées, un tel comportement actif, de mâle, ne peut être qu'une aberration à mettre au compte d'un mauvais exemple ou d'une éducation fautive. Et là, QUI est responsable ?... mais la femme encore : la mère : « depuis quand sont-ce les hommes qui se mêlent de l'éducation des filles ? Qu'est-ce qui empêche les mères de les élever comme il leur plaît ? » Tâche qui est de les faire à leur image, de faire de la petite fille une petite mère puis une mère véritable, en lui faisant comprendre que le seul but de son existence est de plaire à l'homme qui l'engrossera et la fera mère à son tour.

Mère pour élever le petit mâle, le petit roi. Car c'est là la fonction « sainte » de la femme, et la seule raison pour laquelle — avec celle de plaire davantage au géniteur — on ne la laisse pas totalement en friche intellectuellement.

Ce qui est tout à fait étonnant à la lecture de l'*Emile* c'est de s'apercevoir à quel point les mots, pour Rousseau, n'ont plus le même sens, qu'il parle des hommes ou des femmes. On s'en est déjà rendu compte avec « sexe », qui signifie « impulsion naturelle », « mouvement inné » de l'homme, et « fonction de reproduction » chez la femme. Avec « nature », qui signifie « disposition fondamentale qui précède l'éducation » pour l'homme, et... « absence de disposition fondamentale » pour la femme. Pourquoi ? Parce que l'un serait actif dans l'acte sexuel et l'autre ne le serait pas, l'un le désirerait sans cesse et l'autre en aurait peur ? Il faut bien avouer que dans sa misogynie effrontée et un peu terrifiée Rousseau perd tout sens commun.

Terrifiée ? Sans doute. Non pas que réellement il croie que les femmes gouvernent les hommes, parce que ceux-ci les désirent et se rangent pour leur plaire à leurs caprices, comme il feint de le répéter sans arrêt. C'est là pur exercice de mauvaise foi, et Rousseau on le sait est assez maître dans cet art. Mais lorsqu'il répète d'abord que les femmes revendiquent leur égalité, qu'elles se plaignent du traitement qu'on leur inflige, ensuite que les hommes doivent se garder, pour respecter la vérité de leur nature qui en fait des maîtres, de laisser la femme prendre le dessus parce que tout de même il y a des signes qui dénotent qu'elle en serait bien capable, là, on peut sentir comme une espèce d'inquiétude. Certainement les femmes revendiquent. Certainement elles ne pouvaient, alors, se laisser berner par ces fadaises prétendument philosophiques. Mais, lorsque Rousseau affirme : « la laisser au-dessus de nous, dans les qualités propres à son sexe, et la rendre notre égale dans tout le reste, qu'est-ce autre chose que transporter à la femme la *primauté* que la nature donne au mari ? », il y a là une vue prémonitoire de la conception de la création qui va se faire jour, *précisément,* chez Rousseau, dans *Les Rêveries,* et sur laquelle se fonderont la jalousie à l'égard de la femme, et le mimétisme féminin au XIXᵉ et au XXᵉ siècle chez les créateurs. Car qu'est-ce que ces « qualités propres au sexe » ? L'enfantement qui donne à la femme le mystérieux pouvoir de la création. L'enfantement qui fait alors d'elle la maîtresse du monde. Tout dans *Sophie ou la femme* indique que c'est précisément parce qu'elle enfante qu'il faut rabaisser la femme, la médiocriser, l'empêcher d'être, lui découvrir la honte de son sexe et la primauté nécessaire, naturelle, indubitable, inquestionnable et divine du mâle. Là se résolvent toutes les contradictions évidentes de la pensée de Rousseau en la matière. Ce qu'il faut donc c'est asservir la femme à sa fonction, l'assujettir à son enfantement. Voilà pourquoi elle n'est que sexe. Si elle n'était pas que sexe, elle serait maîtresse de l'univers. Ainsi tous les actes de sa vie, toutes les intentions de son esprit, tout le maniement de sa pudeur n'auront d'autre horizon que l'enfantement. Voilà le système définitivement construit : l'homme dans sa

vérité naturelle est bon, car il est nécessaire et son
existence est absolue. Il possède réellement une essence à
laquelle il peut retourner. Lorsque la femme est engagée
dans l'existence, elle ne peut plus revenir à quelque état
antérieur. Elle n'en possède pas et n'a pas de nature. Elle
n'est dans sa vérité d'être inessentiel que dans l'enfantement, et sa fonction, qui donc n'existe pas *en soi*, ne peut se
définir que par rapport à l'homme. Elle est constamment
dépendante de lui. Rejetée dans la contingence, la femme
n'aura d'autres préoccupations que celles de son existence
située, c'est-à-dire celles qui la mettent dans un certain
lieu, une certaine société, une certaine époque. Elle est
l'être du relatif et du non-nécessaire. Ainsi ne peut-
elle pas « remonter aux principes », alors que
l'homme en a l'aptitude, puisqu'il peut se retourner vers
une antériorité. Ainsi a-t-elle l' « esprit de détails », qui
dénote une impuissance à insérer l'événement dans un
ensemble et à établir des rapports entre les choses que
seule une connaissance des principes peut permettre.
Ainsi ne peut-elle voir les événements que dans leur
succession avec une sorte d'étonnement (étonnement bien
caractéristique des héroïnes rousseauistes par exemple, ou
de celles de Bernardin de Saint-Pierre et de Chateaubriand). Ainsi n'apprend-elle jamais ou avec beaucoup de
difficulté et est-elle en état quasi permanent d'enfance
(début du livre V). Rousseau ne s'inquiète pas au
demeurant de l'humeur étrange de cette Nature-Etre
Suprême qui a donné à l'homme la raison (c'est-à-dire la
faculté de discernement et de réflexion), et ceci pour qu'il
reste libre et capable de lutter contre l'emprise du groupe,
et à la femme, en équivalent, la pudeur, c'est-à-dire la
honte du mal qu'elle personnifie, le sentiment de son
abaissement. L'homme ainsi a des « passions », et la
femme des « désirs » c'est-à-dire que, s'il subit comme un
mal — inévitable ? — l'atteinte de la déchéance sociale,
s'il souffre de la réduction et de la dégénérescence de sa

nature, la femme, elle, va au-devant de cette dégradation, l'appelle et ne peut donc être ramenée à l'humain que par la prise de conscience de sa négativité. D'ailleurs sa situation, qui fait d'elle un être incapable d'aller aux principes (et par conséquent de se connaître jamais), ignorant l'antériorité, la prédispose à ces « désirs » qui sont projection vers le futur, par impuissance à englober l'acquis, à en tirer les conclusions, à s'en servir comme d'un nouveau fondement, qui constituera l'antériorité de l'étape suivante. Non, la passion est noble car elle implique la souffrance, la lutte, et enfin parce que la raison est là pour permettre de distinguer ce qui est « naturel » de ce qui ne l'est pas, mais les désirs... Pourquoi la femme n'a-t-elle pas de raison ? Bien évidemment parce qu'elle n'en a pas besoin. Qu'en ferait-elle ? Elle n'a rien à distinguer, elle n'est qu'animalité. Ici la « simplicité » de la femme apparaît, quand se fait jour, nettement, la double nature de l'homme. A la fois humain et animal, de temps en temps reproducteur, et toujours doué de raison. En la privant de cette raison, en ne lui laissant pour toute défense que la pudeur, Jean-Jacques alors dénie à la femme toute possibilité de vérité naturelle. Ainsi le créateur (ou l'Etre suprême) a fait le grand cadeau à l'homme de lui donner une servante, un souffre-douleur, uniquement destiné à lui permettre de se reproduire. Et sur quoi tout cela est-il fondé ? Sur le fait que dans l'acte sexuel l'homme serait plus actif, sur le fait de cette « différence de manière » dans la copulation qui, non explicitée d'ailleurs, se traduirait par une différence « morale » faisant de l'un un maître de l'autre un esclave ? On peut, à juste titre s'étonner, dans ces conditions, de pouvoir lire récemment dans un numéro du *Monde* que la survie littéraire de Rousseau tient au fait qu'il fut le seul des « philosophes » à élaborer un « système ». Déroutant système que celui-là, nous ne le répéterons jamais assez, qui fonde si bien à propos, pour satisfaire sa misogynie,

une pensée qui paraît encore plaire bien fort de nos jours.
Car dans cette suite d'articles, pas une mention de
l'éreintement de la femme qui l'a exclue de la création
pendant près de deux siècles (et qui sait où nous en
sommes). Pas une question, pas un étonnement. Pas un
doute. Or il faut voir les conséquences des prémisses
pseudo-philosophiques élaborées par Rousseau, il faut
mesurer l'étendue du désastre de la femme pour s'apercevoir qu'il y avait là tout simplement la mise en place d'une
volonté d'élimination systématique du femelle, d'un besoin
d'exclusion du sexe dit reproducteur au profit de celui qui,
ayant la parole et se donnant l'initiative, se qualifiera alors
de « créateur ». Il n'est pas nécessaire de rappeler le
rapprochement que Rousseau fait de la femme avec les
boiteux (« Si j'étais souverain je ne permettrais la couture
et les métiers à l'aiguille qu'aux femmes et aux boiteux
ré·luits à s'occuper comme elles »), quoique la notion
d'infirmité soit étrangement révélatrice de la pensée du
philosophe. Le langage d'ailleurs implique par l'affirmation d'une réduction (« réduits à... ») l'abaissement de la
femme comme si, parce qu'elle enfantait (fonction
sublime), elle devait être punie. Mais, lorsqu'il parle des
femmes, Rousseau est toujours entraîné à la contradiction,
comme poussé par une fureur intérieure qui lui ôterait sa
faculté de raisonner, et le voilà évoquant les eunuques,
hommes faits « pour vivre comme les femmes ou avec
elles », « foules... *lâches* » dont « la nature » a « mutilé
le corps ». Qu'il y ait des boiteux et des femmes ne gêne
pas Rousseau, les faibles sont nécessaires à « l'harmonie
sociale », ils sont le contrepoids qui permet au fort
d'établir sans violence sa suprématie.

Diderot quant à lui, placé devant ce qui lui paraissait
une inconséquence naturelle, ne pouvait continuer (*Lettre
sur les aveugles*) à croire en sa nécessité. Mais pour l'auteur
de l'*Emile*, en acceptant ce qui est indiscutablement pour
nous la déraison et l'injustice de la nature, en la rendant,

quoique bonne, responsable de l'infériorité des femmes et de l'existence de monstres, il attachait à ce qu'il continuait d'appeler « le sexe » un poids étrangement comparable à la faute originelle, une véritable condamnation sans appel. Il s'ensuit que pour Rousseau l'ordre naturel s'exprime en termes de rapports de forces. Nous sentons alors combien sa notion même d'égalité entre les hommes devient précaire, et lorsqu'il écrit dans le début de *Sophie* : « Dans l'union des sexes chacun concourt également à l'objet commun, mais non pas de la même manière. De cette diversité naît la première différence assignable entre les rapports moraux de l'un et de l'autre », nous comprenons que toute la subtilité du système tient à la *différence.* Ce qu'il appelle diversité lui permet de justifier la diversité des fonctions. Ainsi aurons-nous toujours des maîtres et des esclaves, grâce à la bonne mesure de la nature qui en créant les êtres (hommes et femmes) divers, les prédispose tout naturellement à des fonctions diverses. Il ne reste plus alors qu'à affirmer que toute fonction en vaut une autre (par le biais de son utilité et de sa disposition spécifique) et le tour est joué. Nous arrivons finalement à des aphorismes comme celui-ci : « En ce qu'ils ont de commun [les deux sexes] sont égaux ; en ce qu'ils ont de différent ils ne sont pas comparables. » Le problème est résolu sans plus ample discussion : ils n'ont rien de commun. Ce qui a toujours été soutenu c'est que ce qui est *comparable* peut être comparé. La tautologie est évidente. En fin de compte, le raisonnement est simple et pratique : la tâche de chacun dépend de ses dispositions naturelles, l'éducation doit contribuer à redécouvrir et mettre en valeur ces dispositions qui s'établissent selon une hiérarchie analogique de la sexualité : de l'actif au passif, du créateur au non créateur, du maître à l'esclave. Quant à ces dispositions naturelles — dont les hommes ne sont pas responsables car elles sont hors de leur contrôle —, s'y soumettre est la seule garantie de bonheur. Le

mâle, doué d'une raison, c'est-à-dire d'une aptitude à
reconnaître le bien (*id est* le naturel) peut rechercher en lui
ce qui donc est fondamental ; la femme, que seule la
pudeur peut conduire et qui n'a pas de nature, c'est-à-dire
ni essence ni principe, ne pouvant alors exprimer que le
mal, doit se voir imposer de l'extérieur (et par l'homme
bien entendu) une notion de nature qui ne lui est pas innée
et qu'une éducation par la contrainte l'amènera à accepter.
On s'appliquera donc par voie de conséquence à fustiger la
fille, l'obliger en quelque sorte à se haïr, pendant que,
avec une grande mansuétude, on inspirera au garçon le
plus parfait amour de soi. Et, cependant, n'est-il pas vrai
que les enfants des deux sexes présentent des aspirations
étrangement identiques, et que l'on serait souvent tenté de
considérer naturellement qu'ils *sont* identiques ? Comment
justifier alors qu'il faille soutenir l'un dans son effort, et
gêner l'autre ? Par le sexe et le sexe seul qui est
fondamental — c'est-à-dire premier — chez l'un, *inessentiel* — c'est-à-dire contingent — chez l'autre, *positif* —
d'où porteur d'une essence — chez l'un, *négatif* — d'où
situé donc social — chez l'autre, *transcendance* — le
phallus serait Dieu — chez l'un *impuissance et mal* chez
l'autre. Conclusion ? « La femme a plus d'esprit et
l'homme plus de génie ; la femme observe et l'homme
raisonne » (l'*Emile*), ce qui revient à dire, selon le système
de la diversité qui est celui de Rousseau, que le génie et la
raison constituent l'une des différences essentielles entre
les sexes, et cette différence étant sexuelle, comme nous
l'avons vu, il s'ensuit que génie et raison sont phalliques et
donnés à l'homme parce qu'il possède un phallus. Voilà
donc clairement exprimée une conception phallique de la
création. Il est certain qu'elle exclut la femme —
puisqu'elle n'a pas de phallus. Cette exclusion est une
exclusion *naturelle* tout à fait comparable à l'exclusion
ontologique que nous avions pu analyser au XVIIe siècle.
Elle ne diffère en rien de la précédente et est aussi

inéluctable. Cependant elle procède d'un projet *délibéré* de
l'homme, qui est obligé de mettre en place un véritable
système philosophique destiné à poser en principe l'infériorité sexuelle de la femme. La création par là même n'a plus
pour objet, chez Rousseau, de tendre, par un geste
analogique, à la divinité, mais de récupérer la totalité de
son essence, d'assumer complètement sa virilité. Créer,
c'est se couler à l'intérieur de soi pour retrouver sa nature,
c'est porter vers son antériorité un regard introspectif, et
c'est, très clairement, la prérogative unique du mâle.

Voilà mis en place un dispositif qui, pour l'instant,
diffère assez peu du système d'exclusion par analogie à la
Genèse. Ce n'est plus par un effet direct de la volonté
divine — la fameuse côte — que la femme serait
impuissante à créer, mais par l'intermédiaire de la nature,
c'est-à-dire au fond par le fait d'une différence sexuelle
prédisposant l'un et l'autre sexe à des fonctions différentes. Cependant c'est par une autre analogie que la
supériorité du mâle est posée en principe : l'analogie à
l'acte sexuel. Reste à définir maintenant comment se fera
la création, et nous verrons que c'est Rousseau qui, dans
Les Rêveries, concevra le premier le créateur androgyne. Il
fait de l'acte créateur un acte totalement sexualisé.

III

À L'HOMME NATUREL, LA FEMME
CODIFIÉE. LE MÂLE EST ESSENTIEL,
LA FEMME SECONDE

A partir de cette époque, la littérature va abonder en exemples de femmes par définition incapables de toute forme de création, c'est-à-dire impuissantes à sortir de situations apprises, schématiques, où elles seront comme des espèces de structures sans vie, en vérité de simples êtres codifiés. Tout, dans les romans, va inciter les femmes à se nourrir de l'idée que l'homme, doué d'une nature et d'une essence, est donc capable d'actes inouïs, jamais perpétrés, neufs, quand elles, dépourvues d'essence — parce que secondaires —, ne peuvent être qu'apprises, ne doivent leur droit à survivre qu'à la bonté pédagogique de l'homme qui les forme. La relation élève-maître est alors une relation privilégiée qui immédiatement attire Rousseau dans *La Nouvelle Héloïse*. Mais Saint-Preux est fait jeune, pour que ses illusions sur la femme et ses erreurs servent de leçon aux hommes comme aux femmes qui liront le roman. Car, dans sa naïveté, il se trompe souvent. Quand il écrit dans sa première lettre : « Si jeunes encore, rien n'altère en nous les penchants de la nature, et toutes nos inclinations semblent se rapporter », il prend Julie pour un homme et Rousseau a tôt fait de le détromper. Bien vite le jeune héros va s'apercevoir que s'il est nu, sans appartenance véritable à un milieu quelconque (comme le seront plus tard Ruy Blas, et tant

d'autres), elle est entourée d'une famille, de la religion, de
la morale. Des interdits, des murs, posés autour d'elle
pierre à pierre par des hommes, comme pour combler la
lacune de son sexe, le vide essentiel qui est le sien. La
femme est marquée par le social. C'est à la société qu'elle
doit d'être éduquée, donc d'exister. N'est-il pas étrange
que Julie soit supérieure socialement et Saint-Preux une
sorte de domestique de luxe, mais que cette situation ne
soit pas réellement ressentie comme scandaleuse par le
lecteur ? C'est que même inférieur socialement, l'homme
est supérieur par la nature impérieuse qui le guide et cette
essence qui fait de lui un être qui précède le social. Au
commencement était le phallus. Pour la femme, sa vérité
n'est jamais individuelle, elle n'est qu'un mythe et n'a pas
droit au bénéfice des circonstances. Exemple : par une
convention qui date de plus d'un siècle Saint-Preux la
déclare cruelle. Voilà qui est bien injuste car elle est ou
cruelle ou perdue d'honneur (et l'honneur est un autre
code) et si elle respecte le code, comme elle le doit, elle
est *forcément* cruelle. La mauvaise foi de l'homme, qui
d'un côté l'enferme dans un code social dont elle ne peut
sortir et de l'autre l'accuse de cruauté lorsqu'elle le
respecte, est ici évidente. Mais Julie sait tout cela et
Rousseau aime son héroïne, c'est une « vraie » femme :
elle admet que si elle ne respecte pas le code et se veut
individuelle, elle sera rejetée du corps social. Que
deviendrait-elle alors, elle qui n'est pas, qui n'existe que
comme un élément du groupe, que comme une masse,
passive, dans la masse ? Elle ne peut vivre comme Saint-
Preux, elle le sait. Elle se heurte à lui — d'où sa
souffrance — parce que, mâle, il est un individu, et ce
combat entre le mythe et la personne, le groupe et l'un, la
pudeur et la raison divise tragiquement la jeune fille qui
s'écrie (lettre IV) : « Tel est l'état affreux où je me vois...
tu dois être mon défenseur contre moi. » Expression
extrêmement importante. Elle se sait naturellement portée

au mal et supplie qu'on la « défende » contre l'envahissement de ce qu'elle prend, dans sa première lettre (IV),
pour du désir physique. Bien à tort, certes, car elle n'a
point de sexualité, et nous en sommes rapidement informés
par sa lettre suivante à Saint-Preux. Mais pour l'heure, elle
exprime au jeune homme ce que sa pudeur lui dicte, c'est-
à-dire sa tragique ignorance du bien. Lui, homme, doué de
raison, possède en propre l'aptitude à distinguer le bien du
mal, le naturel de l'acquis. C'est ce bien, qu'aucune
éducation ne peut jamais l'amener, elle, femme, à
distinguer par elle-même, que Julie demande à son
compagnon de lui désigner. C'est là sa grandeur, qui est de
se condamner. Qui est d'affirmer qu'elle est seconde et
sans essence, qui est d'affirmer qu'il n'y a d'autre
possibilité, pour lui éviter la chute qui, naturellement, la
menace, que de la contraindre. Héroïne sadienne avant la
lettre, elle proclame que seule la brimade peut la sauver,
et elle la réclame.

Ainsi se plaint-elle que sa mère ne la surveille pas assez
(lettre VI) et reproche-t-elle à la vieille Chaillot de les
avoir instruites, elle et sa cousine, du manège des amants,
dont, femme et vierge, elle ne devait rien savoir. Aussi
bien, son instinct du mal n'ayant pu être vaincu, cause-
t-elle la mort de sa mère. Punition suprême : contre elle, qui
a tenté d'être un individu, contre la mère, qui ne l'a pas
assez réprimée. Mais le lot de la femme est de se haïr et de
se mépriser, et de le faire aussi parce qu'elle est un
obstacle à l'épanouissement naturel de l'homme : elle doit
toujours se méfier d'elle-même. Les relations qu'elle
entretient avec un homme sont alors codifiées, deviennent
une sorte de « jeu », et lui, en est mutilé. C'est elle encore
qui doit se sentir coupable de cette mutilation et en
demander pardon. Et cependant, sans l'éducation dogmati-
que que constitue le « jeu social » elle n'est rien. Ainsi,
Saint-Preux s'écrie : « la sagesse a beau parler par votre
bouche, la voix de la nature est la plus forte » (et il entend

par là qu'une force est en lui plus authentique que le code
social et que son essence — essence par définition virile
puisqu'il n'y a pas d'essence féminine — s'exprime avec
une force qui vient précisément de ce qu'elle est sa vérité
profonde), à cela Julie ne peut que répondre : « Je pris le
tourment du silence pour l'emportement des désirs... »
(lettre IX). Elle avait cru, un moment, pourtant, et nous
avec elle, que le sexe s'exprimait en elle, quand elle était
bouleversée par la présence de Saint-Preux, par les signes
évidents de son amour pour elle. Elle avait pris pour une
impulsion violente, naturelle, irrépressible, condamnant
les codes et la sagesse d'une éducation de fille, ce qui
n'était que le désir d'être aimée, ou plutôt l'angoisse de ne
pas savoir si elle était aimée. En vérité, elle se trompait.
La femme ne se trompe-t-elle pas toujours sur elle et sur le
monde puisqu'elle n'a pas de raison ? Elle se trompait en
singeant le maître, par mimétisme, pour avoir été mal
éduquée par cette Chaillot qui lui avait parlé de l'amour,
par des livres peut-être ? Voilà pourquoi l'éducation doit
séparer garçon et fille. Où allons-nous si, pour avoir été
trop proche d'Emile, Sophie se prend pour lui, se croit
douée de sexualité et de raison ? D'autant plus que la
victime sera naturellement le jeune mâle. Mais, comme
elle est bien, Julie, elle arrive tout de même à démêler en
elle qu'il n'y a pas de violence « naturelle ». Une fois
l'aveu fait à Saint-Preux, elle est tranquille, calme, sans
désir. Ça n'était pas de la sexualité. Ça n'était que le
besoin de savoir si « elle plaisait », sentiment déterminant
de l'attitude de la femme vis-à-vis de l'homme. Peut-être
même était-ce au fond le désir pervers de résister aux
parents, où se serait exprimée la tentation du mal qui
toujours prend la femelle ? Cependant, la seule voix qui
parle en la femme, c'est la voix du sang. Aussi bien,
qu'est-ce qu'une fille dénaturée (lettre XX) ? Celle qui
oublie ce qu'elle doit à ses géniteurs, qui oublie cet autre
code aussi rigoureux que le code social et qui est le code

familial. Car ce qu'il y a de fondamental chez la femme c'est ce qui l'unit à « l'auteur de ses jours », c'est-à-dire un lien charnel et non pas quelque appel violent qui la pousserait, comme chez Saint-Preux, à retrouver la vérité de l'homme qui est la vérité d'*avant* la société, un retour à une vie libre et non codifiée. La souffrance du jeune homme nous est faite plus touchante, car ce qu'il doit brimer en lui pour plaire à Julie c'est son essence qui le pousse au bien, c'est-à-dire à une vie naturelle. Mais sa souffrance condamne Julie et nous sentons toute l'horreur de cette condamnation quand nous voyons qu'elle a été délibérément décidée par l'homme lui-même et manigancée sur la foi d'une erreur biologique qui ferait de la femme l'être de la création passive et le sexe second. Nous savons aujourd'hui qu'il n'en est rien. La situation de la femme a-t-elle changé pour autant ? Non, car ce sont les systèmes qui continueront à adapter leurs magnificences philosophiques aux capricieuses nécessités de l'écrasement systématique d'un sexe par l'autre.

IV

LA CRÉATION COMME RETOUR
À L'ESSENCE

Une fois établi le principe selon lequel la femme a en
elle cette terrible lacune de l'essence et n'est en vérité
qu'une fonction secondaire de reproduction, toute conception qui fait de la création un retour à l'essence l'en exclut
impitoyablement. Telle était bien déjà l'angoisse de
Mme de Lafayette séparée de Dieu par son sexe, impuissante à être le père de son œuvre, à renouveler le geste
symbolique de la Genèse. Faut-il chercher ailleurs le rejet
de la femme hors de la prêtrise ?

Les Rêveries du promeneur solitaire constituent la première formulation de la nécessité créatrice du retour à
l'essence, de l'œuvre comme la découverte *en soi* d'une
authenticité humaine qui précède toute existence. Rousseau y pousse génialement le cri de la suprématie virile. Il
va là jusqu'à la limite de sa pensée sur la nature. On lit ce
qui constitue un véritable monument à la gloire exclusive
de l'homme et on se dit que dans un monde où la fin
essentielle de l'être est sa connaissance propre, la femme,
à qui, par un décret inique et que cependant on tente de lui
prouver juste, la connaissance de soi est refusée par
essence, n'a rien à faire, et surtout rien à créer. Ce n'est
pas un hasard certes si Rousseau exprime précisément
dans ces *Rêveries* son mépris pour la littérature féminine.
En vertu des prémices que nous avons pu découvrir, toute

forme de création est, bien évidemment, interdite à la
femme. Rêve-t-elle ? Certainement pas... car la rêverie
c'est l'état créatif par excellence au point que le seul
bonheur que l'homme abandonné puisse trouver est à
l'écrire (Première Promenade). Les conditions en sont
d'abord l'absolue solitude : « Me voici donc seul sur la
terre... » Tout lien, tout commerce est rompu entre Jean-
Jacques et les autres. Il est totalement réduit à lui-même,
au plus près de sa vérité originelle. Au vrai celle-ci l'attire.
Il sent le parti qu'il peut tirer de cette solitude. Va-t-il
enfin découvrir son essence ? « Mais moi détaché d'eux et
de tout, que suis-je moi-même ? Voilà ce qui me reste à
chercher. » Or cette vérité de lui-même qu'il cherche il la
veut transcendante au temps, et au corps qui l'anime :
« dans ce désœuvrement du corps mon âme est encore
active, elle produit encore des sentiments, des pensées, et
sa vie interne et morale semble encore s'être accrue par la
mort de tout intérêt terrestre et temporel. Mon corps n'est
plus pour moi qu'un embarras, qu'un obstacle, et je m'en
dégage d'avance autant que je puis ». Dans cette expérience de réduction à l'essence où le corps doit être
annihilé, où l'homme est persuadé que son noyau primitif
est au-delà de ce corps, qu'aurait à faire la femme qui n'est
que corps, qui n'*est* pas sans corps ? Et il ne faut pas
oublier que chaque fois que la femme a tenté de se réduire
et d'anéantir en elle la chair pour atteindre quelque région
ignorée où elle trouverait, l'espérait-elle, une partie d'elle-
même plus éthérée et qui serait essentielle, elle est tout
bonnement morte. Morte Amélie [1], l'amante incestueuse de
René, qui tente sa purification. Morte, Atala [1], qui jeûne
et s'éloigne le plus possible de toute tentation matérielle.
Pourquoi ? Parce qu'elles se sont leurrées, leur dit leur
créateur, si elles ont pu penser une seconde qu'il y avait en
elle quelque chose qui dépasse le corps, quelque transcen-

---

1. Chateaubriand : *René, Atala.*

dance. D'ailleurs c'est avec son corps, au fond, qu'Amélie redonne la paix et le bonheur à son frère, tant il est vrai qu'à mesure que René reprend goût à la vie, Amélie dépérit physiquement : « l'hiver finissait, lorsque je m'aperçus qu'Amélie perdait le repos et la santé qu'elle commençait à me rendre. Elle maigrissait : ses yeux se creusaient ; sa démarche était languissante... » La seule chose que la femme ait à donner est bien sa vie physique, sa chair. Autre nécessité — et nous en découvrirons pas mal d'autres — à la mort des femmes. Voilà donc Rousseau enfermé en lui-même, prêt à cette envolée hors du temps, de l'espace et de la matière, qui le mènera à la Cinquième Promenade. Il est dans les conditions idéales à l'introspection. Homme, il n'a pas besoin des autres, même si leur abandon le chagrine. La femme, elle, faite pour plaire, ne peut exister sans le regard des autres sur elle qui la jugent et qui constituent le carcan du code dans lequel elle est enfermée. Affirmation virile que celle-ci, essentielle pour le propos rousseauiste : « Tout ce qui m'est extérieur m'est étranger désormais », parce qu'elle implique une richesse intérieure individualisante. Comme Dieu le mâle est autonome, et voilà posée la première condition de son aptitude à la création. La Seconde Promenade exprime en terme spécifique l'objet de la recherche qui est celle du promeneur solitaire : « dire, être ce que la nature a voulu », être « pleinement moi ». Or entre en jeu ici l'imagination, définie comme une faculté de projection vers l'avant, par opposition à la réminiscence, plus analytique puisqu'elle ne peut s'appuyer que sur le passé et par conséquent le connu. C'est plonger vraiment dans l'insondé, en un véritable voyage orphique que chercher en soi l'essence, et l'imagination est l'organe essentiel de cet itinéraire de la création : « J'ai bientôt senti que j'avais trop tardé d'exécuter ce projet (*id est* « dire être ce que la nature a voulu »)... il y a plus de réminiscence que de création dans ce que mon imagination

produit désormais, etc. » Il est bien évident alors qu'il faut
à l'homme solitaire une substance intérieure dont il puisse
se nourrir pour survivre, et que c'est par ce retour
permanent à sa nature, *qui est donc source de vie,* qu'il
soutient ses forces : « … ne trouvant plus d'aliments pour
mon cœur sur la terre, je m'accoutumais peu à peu à le
nourrir de sa propre substance et à chercher toute sa pâture
au-dedans de moi ». Symbolique où se dessine la théorie de
la création androgyne et la féminisation du créateur. Au
demeurant, cette « pâture » intérieure est bientôt qualifiée
par Rousseau de « féconde », ce qui enlève toute espèce
de doute sur son analogie symbolique. Cette essence,
source de vie ou vie même, puisqu'elle est véritable
substance énergétique, vie et donc éternelle création,
s'exprime immédiatement et de façon sexuelle (jouissances, extases, ravissements) comme une source de création
permanente et inépuisable. Le mâle posséderait alors en
lui *l'essence de la vie* et cette nature vers laquelle il
chercherait à faire sa conversion, serait alors la création,
c'est-à-dire en quelque sorte l'énergie vitale. Voilà qui
devrait tout de même beaucoup intéresser les femmes, les
êtres de la vie, celles qui *donnent* la vie. Seulement on
s'est arrangé en lui déniant toute sexualité « naturelle »
pour que, cette vie qu'elles donnent, elles ne fassent que
la transmettre et ne la possèdent pas. On voit immédiatement la suprématie du mâle sans lequel il n'est nulle vie
puisque c'est lui qui en est dépositaire et que la femme
n'en est que l' « agent » de passage. Elle propage la vie
sans la posséder, elle ne peut trouver en elle de substance
vitale qui la fasse vivre puisque, lorsqu'elle est réduite à
elle-même, plongée dans la solitude, refusant l'aliment
matériel : elle meurt (Atala, Amélie, Mme de Rênal, Mme de
Clèves qui ne vit pas longtemps, etc.).

On remarquera par contre que Chalcas trouve en lui la
force de vivre jusqu'à plus de soixante-dix ans. Saint-
Preux ne meurt pas, Dominique (Fromentin) est désespéré

mais vit bien vieux, le jeune amant de la dame aux camélias pleure mais survit, etc., etc. Pourquoi, dit Rousseau ? Parce que « la source du vrai bonheur est en nous ». Devant cette évidence, il est clair que la femme n'est en fait qu'une sorte d'épiphénomène, dont le désir alors doit être essentiellement de participer de cette énergie autant qu'elle le peut et avec reconnaissance. Mais, potentielle « suceuse » de vie, toute l'éducation qu'on doit lui donner vise bien évidemment (voir l'*Emile* et *Sophie*) à la séparer de l'homme, l'en éloigner et la maintenir dans un code prudent. Ceci justifie déjà assez bien les manigances de la sacralisation de la création dont les mâles, particulièrement au XIXᵉ et au début du XXᵉ siècle ont entouré leur culte poétique. C'est un véritable hymne à la vie que la création, qui puise en elle-même et qui n'est, en vérité, que l'exclusive manifestation de cette vie. Faut-il chercher autre chose dans Freud, dans Lacan, purs et simples vulgarisateurs de la pensée qui se développe à partir de Rousseau ? Il sera amusant de s'apercevoir que leurs prétendus systèmes ne sont en fait pas des principes mais des conséquences. Ramassant en brassée et sans grande discrimination l'avalanche des phénomènes qui accompagnent ces conceptions créatrices qui ont fait les beaux jours de Baudelaire, Zola, Flaubert, Claudel, Montherlant, etc., etc. et sans voir que ce sont des conséquences, des faits de culture, le résultat d'un affreux bourrage de crâne, et que ce sont précisément les phénomènes d'aliénation de la femme, ils les érigent en principe. On pourrait imaginer un système identique mais inverse. A supposer que par un étrange retour des choses, les femmes passent leur temps, dans leurs écrits, dans leurs discours, à répéter aux hommes que, parce qu'ils possèdent charnellement la puissance de l'érection phalli-que, par une loi compensatoire ils n'ont pas d'imagination (et que l'imagination est comme on sait le fondement de la création), si elles ajoutaient d'autre part que, par principe,

plus on est musculairement fort, moins on a d'aptitude
créatrice (vérité postbaudelairienne actuellement consa-
crée parmi les hommes), on n'a pas besoin d'imaginer qu'il
faille plus d'un siècle pour en faire des abrutis débiles,
aptes seulement à manier la truelle. Pourquoi faut-il qu'on
croie toujours au conditionnement des hommes et jamais à
celui des femmes ? Serait-ce que, paradoxalement, on les
croit moins charnelles, moins matérielles ?

Le moment de la création pour Rousseau, c'est-à-dire
celui où il touche à la source de la vie, est « exquis ». Tel
un phénix renaissant de ses cendres (mythe cher à
Apollinaire), il éprouve la force primitive de la vie dans
toute sa plénitude, qui n'est plus limitée par des rapports
psychologiques avec le monde, qui en affadiraient la
portée. Après l'accident de la Seconde Promenade qui lui
fait perdre connaissance, le moment de retour à la
conscience est privilégié entre tous, car seul y surnage le
sentiment de la vie en soi, toute identité même, c'est-à-
dire toute implication sociale, ayant une seconde disparu :
« Je naissais dans cet instant à la vie... Je n'avais nulle
notion distincte de mon individu... je ne savais ni qui
j'étais ni où j'étais. » Cette ignorance de la contingence
s'accompagne alors d'un ravissement extraordinaire, qui
n'a « rien de comparable dans toute l'activité des plaisirs
connus ». On pense à Proust, et à ce dévoilement de
l'essence qui est, pour ce dernier, dans l'identité et la
totalité reconnue, mais on pense aussi au Vigny de
Chatterton et de *Stello,* à Flaubert, à Mallarmé. Comme
eux, Rousseau nous répète sans fin qu'il a l'aptitude à
l'autonomie absolue car il détient la possibilité de puiser
naturellement à la vie dont il est en quelque sorte
dépositaire, comme mâle, et que seuls les autres, la
société, et l'obligation de se définir par rapport à eux ont
pu masquer. Ainsi la nécessité de la solitude est-elle au
fond peu de chose puisqu'elle est compensée par une
régénérescence continuelle, une sorte d'éternelle jeu-

nesse, qui, plus que l'amour charnel, qui n'en serait alors
que la transposition, le plonge dans le bonheur le plus
total. L'homme n'a pas besoin des autres pour être
heureux ; la femme, si. Et les créateurs romantiques ne se
sont pas fait faute de chanter la supériorité de leur
jouissance. De là à dire l'inaptitude de la femme à jouir, il
n'y a qu'un pas que Freud et Lacan franchissent, pour des
raisons qui paraissent évidemment claires. Création, jouissance et retour à l'essence étant irréversiblement liés, il
suffit de dénier à la femme l'un pour lui ôter les autres.
C'est ce qui sera fait, et différemment, selon les époques.
Pour Rousseau, ayant postulé qu'elle n'a pas d'essence, il
ne s'inquiète guère du reste. D'ailleurs, ce qui caractérise
l'état créatif c'est, nous dit-il dans la Cinquième Promenade, sa plénitude. Expérience du plein qui est mâle par
définition, face au vide utérin de la femelle. Ainsi ne
laisse-t-il dans l'âme « aucun vide qu'elle sente le besoin
de remplir ». Cette totalité, cette perfection dans la
jouissance sont une véritable divinisation du créateur :
« De quoi jouit-on dans une pareille situation ? De rien
d'extérieur à soi, de rien sinon de soi-même et de sa propre
existence, tant que cet état dure on se suffit à soi-même
comme Dieu. » Dialectique du plein et du vide, de
l'absolu et du relatif dont on retrouvera les éléments
schématisés dans *La Nausée* de Sartre.

La Cinquième Promenade révèle assez clairement ce
qu'est pour Rousseau cette vie essentielle, ce noyau
primitif de la vie qu'il touche et le fait total, autonome et
créatif par excellence, puisque puisant à la source même
de l'énergie vitale. La vie dans son essence (ou la nature) y
apparaît comme une réduction abstraite du martèlement
phallique de l'acte sexuel. Mouvements, flux et reflux,
renflement, sens frappés par un bruit continu, précèdent
le plaisir, et le bercement de l'uniformité d'un mouvement
qui se veut continu. Il n'est pas besoin d'insister. *La vie est
clairement phallique*. Mais le mâle, qui la porte « en soi »,

dans une vision toute platonicienne, a l'aptitude à la
répandre dans tous les sens possibles, l'art et la création
poétique étant le plus sublime épanouissement de sa
« nature ». C'est parce qu'il peut, par une expérience qui,
quoique parfaitement abstraite, lui procure l'extase absolue de la création, « fixer ses sens « et « chasser de son
âme toute agitation » qui auraient pu masquer la vérité
essentielle de l'être (car ce ne sont là que des phénomènes
analogiques), qu'il a le pouvoir d'écrire — et le désir,
maintes fois réitéré, de le faire. Ainsi la source de la vie
n'est plus Dieu — comme l'exprimaient très simplement
les créateurs du XVIIᵉ siècle — même si ce Dieu avait,
comme nous l'avons vu, bien des allures de mâle ; ici, la
source de la vie est clairement le phallus et la proposition
selon laquelle « au commencement était le phallus » est
loin d'être une boutade. Or, c'est dans une dualité que la
vie est présentée, toujours dans la Cinquième Promenade,
à la fois activité — d'abord — et ensuite passivité : « le
flux et le reflux de cette eau, son bruit continu mais renflé
par intervalles *frappant sans relâche* mon oreille et mes
yeux... mais bientôt ces impressions légères s'effaçaient
dans l'uniformité du mouvement continu qui me *berçait*, et
qui *sans aucun concours actif* de mon âme... » « Renflé...
frappant », « berçait », l'actif, le passif, deux principes
inhérents à la vie même. Ainsi est-il normal d'affirmer que
si l'homme est actif, la femme est passive (« ce principe
établi, il s'ensuit que... »). Voilà le système logiquement
établi. Que l'homme soit la source de la vie n'a rien
d'étrange quand on se souvient que, récusant tout anthro-
pomorphisme, dans *La Professsion de foi du vicaire
savoyard* (livre IV de l'*Emile*), Jean-Jacques se scandali-
sait que l'on puisse croire l'âme (souffle, vie, essence) et
Dieu de même nature : « Quand j'entends dire que mon
âme est spirituelle et que Dieu est un esprit, je m'indigne
contre cet avilissement de l'essence divine ; comme si Dieu
et mon âme étaient de même nature ; comme si Dieu n'était

pas le seul être absolu, le seul vraiment actif, sentant, pensant, voulant par lui-même, et duquel nous tenons la pensée, le sentiment, l'activité, la volonté, la liberté, l'être. » L'essence de la vie, face à l'activité totale qui est Dieu, est l'activité mêlée à la passivité. C'est cette essence que retrouve le créateur par l'aptitude à être simultanément actif et passif.

V

L'ANDROGYNE

Avec Rousseau naît donc l'androgyne, c'est-à-dire celui qui revendique, avec une double sexualité, la totale autonomie créatrice. Ainsi seront Chalcas, René [1], Paul [2], des hommes isolés de leur famille, tout commerce rompu avec la société. Tel est aussi le héros hugolien, Ruy Blas, sans origine, sans famille, sans mémoire même, qui témoigne, en marquant profondément son entourage, de cette autonomie supérieure du mâle créateur, responsable de l'originalité et de la force qui l'animent. De tels hommes ne sont que par la puissance de leur « nature » qui leur permet de perpétrer des actes « inouïs ». Car c'est là le lien entre les deux schémas : la création cherche toujours à s'exprimer par des actes neufs. L'autonomie du créateur est le gage de sa nécessaire originalité. Mais alors que pour Corneille la création est le défi que l'homme lance à Dieu, le seul biais par lequel il puisse se rapprocher du divin, Rousseau, parce qu'il sépare nettement la substance divine de la substance humaine, conçoit la création non pas comme un retour à Dieu, mais un retour à soi. Le langage en témoigne : « se circonscrire, rentrer en soi-même » sont les mots clefs de l'expérience créatrice. Le

1. Chateaubriand. *Atala, René.*
2. Bernardin de Saint-Pierre : *Paul et Virginie.*

retour à l'essence et la connaissance de cette essence ne sont pas le fait de la découverte des autres, ce ne sont pas les autres qui apprennent au créateur *qui* il est, mais lui-même. Ainsi n'y a-t-il pas de poète sans don de pénétration de soi. Nous reviendrons inlassablement sur l'exclusion inexorable qui découle d'une telle prise de conscience, pour les femmes : en nous les montrant toujours aveugles et incapables de se connaître, le XIXe et le XXe siècle prononceront plus que jamais leur impuissance créatrice. Pas d'essence donc pas de moyen introspectif ; pas de connaissance de soi donc pas d'originalité créatrice.

Découvrant le profond antagonisme qu'il y a entre l'individu et le groupe, qui d'ailleurs de plus en plus se féminisera au XIXe siècle, Jean-Jacques fait l'expérience, dans la Troisième Promenade, que l'incertitude humaine naît de ces contradictions. Il ne faut jamais dépendre des autres pour exister. Le bonheur c'est d'être en soi et de se connaître pour soi. Car la substance intérieure du mâle (*id est* la vie) est infiniment récupérable et il trouve toujours en lui-même l'« aliment » qui le réanime. Ainsi s'oppose-t-il à Montaigne dont le projet est didactique et qui en voulant se connaître pour les autres, ne tire pas un parti créateur de sa découverte. Pour lui, Montaigne est en état de contradiction, puisque la fin individuelle (du créateur) et la fin sociale s'opposent. Elevé pour ses fins propres, le mâle est, par culture et par discipline, dans une situation créatrice. Contrainte par un système qui l'éduque à fins de plaire, c'est-à-dire de correspondre à l'image que les autres se font d'elle, la femme n'a d'autre destin que le destin social, et est, tout naturellement, portée à s'opposer au mâle. Une raison supplémentaire de la brimer. Cependant, dans l'exercice du retour à l'essence, il faut oublier l'existence, ce que Rousseau appelle (Sixième Promenade) s'oublier soi-même : « … je ne rêve jamais délicieusement que quand je m'oublie moi-même ». Son projet : « s'identifier avec la *nature* entière ». N'insistons pas sur l'impuissance de la femme à être non existante puisqu'elle n'est qu'existence ou négativité.

L'androgyne se trouve dans une sorte d'état fœtal. C'est d'abord un asile caché qui le recueille, et environné d'eau protectrice et féconde. Le créateur est, à partir de Rousseau, un être fragile et qui doit, pour mener à bien son entreprise, s'entourer de défenses, se protéger, s'éloigner du mouvement. Car l'état de rêverie est celui de l'équilibre, cette fameuse assiette dont Jean-Jacques parle à plusieurs reprises où la médiation se fait dans un véritable état de transparence dont l'agitation est expulsée, parce qu'elle est d'origine intellectuelle ou psychologique. Or le créateur ne veut pas penser, penser le fatigue et l'ennuie, comme il le dit plus loin, et l'empêche de répondre aux sollicitations du rythme vital que la nature déserte lui insuffle. Seule la vérité essentielle peut effacer la pensée, seule elle dépasse l'analyse. Pour empêcher l'intrusion des sens, sources d'erreurs et d'incertitudes par lesquels le corps et le corps seul s'exprime, il faut les occuper, les distraire en quelque sorte, les fixer sur quelque objet extérieur. Ainsi ils ne viendront pas interposer leur épaisseur charnelle entre l'homme et son essence. A partir de ce moment, tout sentiment de l'espace et du temps disparaît, faisant place à la continuité, l'absolu. L'essence est appréhendée, dans son analogie à l'acte sexuel. Dans cet état, le créateur perçoit le monde comme une femelle qui subit le martèlement phallique, son renflement, son mouvement de flux et de reflux, puis sa passivité dans l'uniformité du plaisir, en même temps que, bercé par ce mouvement d'eau, il est un fœtus enfermé et protégé dans le ventre de sa mère. L'état créatif est celui où, se faisant femme, le mâle devient androgyne. La création, comme acte d'écrire ou de faire une œuvre profondément originale, par le mythe nouveau de l'enfantement et la sexualisation de la création qui fera du créateur la mère de son œuvre, deviendra alors la

réalisation sans équivoque du vieux rêve de l'hermaphrodisme. Mais totalité plus complète encore que celle de
l'androgyne, le créateur, parce que sa vérité est avant lui et
le pousse en quelque sorte, fait, par son retour à l'essence,
une véritable expérience fœtale. Tant il est vrai que plus
l'homme est près de l'enfant, plus il est authentique. Il ne
faut pas aller chercher plus loin l'amour admiratif de
certains pour le jeune mâle, celui de Montherlant par
exemple pour qui l'enfance porte encore en elle quelque
souvenir de la virilité essentielle, que le monde et la
pratique des femmes effacent ensuite à tout jamais, sauf
lorsque, dans le moment privilégié de la création, le poète
retrouve sa vérité première. Les conséquences très importantes de l'expérience de l'androgénéité sont d'abord et
bien entendu que le créateur possède une parfaite autonomie créatrice. Une partie de lui-même féconde l'autre (et il
faut bien entendu dorénavant employer un langage sexuel,
pour une création analogique du sexuel) et le résultat en
est une œuvre, fruit en quelque sorte de cette fécondation
intérieure. Analogie sexuelle, la création est aussi dorénavant une jouissance et Rousseau ne cesse de parler
d'extases, de plaisirs, de ravissements, de cette sensation
enfin particulière et qui vient de son état réceptif de l'actif
aussi bien que du passif. Tel est bien alors l'état créatif qui
est l'accord de l'activité mâle et de la passivité femelle.
Nous en revenons toujours là, c'est-à-dire à l'élaboration
d'un système fondé sur une analogie entre la création et
une conception de l'acte sexuel où la femme n'aurait aucun
autre rôle que celui de réceptacle, de vase, donc d'objet
voué à la passivité de l'objet. Tous ces éléments s'éparpil-
leront ensuite et les créateurs, suivant les époques, n'en
retiendront que des lambeaux épars. Les conséquences
d'un tel système, érigées en principes, serviront de
fondements à telle ou telle exclusion arbitraire de la
femme, qu'elle devra subir, dans le cours du XIXe siècle,
sans autre forme de procès.

VI

L'ENFANTEMENT CRÉATIF DU MÂLE

Comment exclure cependant définitivement la femme de la jouissance hermaphrodite, et s'il est clair que le mâle peut participer de la passivité universelle — se faisant ainsi quasi physiquement femelle — ne peut-on concevoir raisonnablement que la femme puisse, par quelque subtilité, entrer dans le monde actif de l'homme divinisé ? Non, dit Rousseau, car elle n'a pas d'essence. Mais encore ? Elle n'a pas d'essence car elle n'a pas de phallus. Mais cependant sa fonction est bien créatrice, n'enfante-t-elle pas ? Pardon, sa fonction est reproductrice, ce qui n'est pas pareil. C'est ne jamais être autonome, c'est avoir besoin de l'autre pour créer. L'androgyne est circonscrit, en lui-même, il s'autoféconde, ce qu'il crée n'est que lui, est l'expression de sa vérité intérieure et de l'essence virile. Son autonomie s'exprime parce qu'à la fois il engendre et enfante, il féconde, mûrit, nourrit et met bas l'œuvre, dans un processus analogique de l'enfantement féminin. La fonction de la femme étant de reproduire et d'enfanter, que ferait-elle de plus que rester femme, comment atteindrait-elle la totalité androgyne, comment n'ayant pas d'essence pourrait-elle prétendre à l'activité phallique ? Pour l'homme, par l'enfantement créatif, il rentre dans le processus femelle, il participe, par cet enfantement, de la double sexualité.

Voilà, par ce subterfuge, l'homme enfin délivré de son obsession jalouse de la sexualité féminine. Cette primauté que pourrait avoir la femme parce qu'elle enfante, la lui voilà déniée inexorablement par la supériorité que l'homme se donne de pouvoir, lui, enfanter tout seul, donc dans une profonde originalité, toujours, bien entendu, déniée à toute femme écrivain ou à toute femme chercheur. Son rôle étant de reproduire, dans tous les sens du terme, elle reproduira utilement la réalité, ou sera habilement dirigée vers la compilation.

Dès *les Confessions,* Rousseau exprime nettement cette symbolique de l'enfantement qui, après lui, deviendra l'expérience quotidienne du poète. « Je travaillais ce discours d'une façon bien singulière, et que j'ai presque toujours suivie dans mes autres ouvrages. Je lui consacrais les insomnies de mes nuits. Je méditais dans mon lit à yeux fermés, et je tournais et retournais mes périodes dans ma tête avec des peines incroyables ; puis quand j'étais parvenu à en être content, je les déposais dans ma mémoire jusqu'à ce que je pusse les mettre sur le papier... » (Livre VIII). Voilà qui est sans ambiguïté. Outre que le temps choisi de la préparation est la nuit et que le lit est le lieu idéal de l'autofécondation, l'accouchement est évoqué par un thème qui deviendra essentiel, celui des « peines incroyables ». Comme la femme, le créateur qui accouche le fait dans les douleurs, en même temps que dans l'insomnie, c'est-à-dire dans un « travail », dans un labeur, qu'accompagne bientôt la souffrance. Rousseau est conscient, ici, de l'originalité de son expérience (« une façon bien singulière ») dont il sent nettement qu'elle sexualise la création. Au demeurant, il est particulièrement prophétique dans ce texte des pratiques les plus agressivement misogynes de la création et préfigure le courant créatif de la fin du XIXe siècle où la mémoire joue un rôle très important dans l'autofécondation. Ainsi chez Apollinaire où ce que l'imagination

phallique du créateur féconde est justement la mémoire.
Ainsi chez Proust où elle remplace, en quelque sorte, la
Muse inspiratrice des poètes romantiques. C'est que
l'imagination, la mémoire… sont des forces intérieures qui
renforcent le sentiment de l'autonomie créatrice du poète.
Ainsi pour que rien d'extérieur ne vienne interrompre ce
processus totalement circonscrit, Rousseau non seulement
choisit le moment où le noir voile tous les objets, mais
encore ferme les yeux. Par là même il anéantit toute
sensation (en tous les cas toute sensation visuelle) qui
gênerait le dévoilement de son essence, que ces phrases
laborieuses expriment. On trouvera chez Baudelaire, par
exemple, ce même besoin de l'abandon poétique au soir, à
la nuit, non seulement parce qu'il y trouve l'apaisement,
mais parce que, l'obscurité voilant les objets et les formes
et la nuit arrêtant les bruits des hommes, le poète peut
faire son retournement intérieur vers sa vérité. Etrange,
sans doute, si celle qui sera, dans la première moitié du
XXe siècle, la représentante la plus féminine de la création
féminine : Colette, se voit dans *La Naissance du jour,*
comme celle qui, quand « le jour point à peine », cherche
à déchiffrer, non pas sa propre vérité mais celle du
monde : « aux aguets sur un monde endormi, éveillée…
avant tous » ? Non pas. La femme peut-elle croire qu'elle
ait quelque vérité essentielle qu'elle doive dévoiler comme
le secret transformateur de l'univers ? Trois siècles de déni
d'une quelconque « vérité » de la femme aboutissent à son
refus de la nuit que revendique le mâle, de Musset à
Céline. Quant à la sensation, que Rousseau rejette comme
un mur entre l'homme et son essence, elle reste à la femme
son seul hiéroglyphe, l'os qu'on lui jette avec mépris et
qu'elle ramasse avec reconnaissance. Monde de la femme
où l'on souffre avec son corps, on sent, on accouche, on
décrit. En se défendant de toute idée préconçue, dans un
article récent du *Monde* (21 avril 1978), Bertrand Poirot-
Delpech suggérait à Marie Cardinal d'éviter le romanes-

que, c'est-à-dire le créatif, en rappelant les qualités bien
féminines *Des Mots pour le dire* (autobiographie, confession) : « On donnerait toutes les angoisses reconstruites de
Mary pour la seule crainte de Simone devant la perte de sa
virginité, la description, superbe, des seins de sa grand-
mère, ou le récit de son premier accouchement. » On croit
rêver. Tout y est. Le schéma entier de l'impuissance
créatrice de la femme est repris pour l'encercler ici, pour
la démoraliser tout en lui donnant le sentiment, qu'elle
recevra de façon inconsciente, que ce n'est pas de sa faute
tout cela, qu'elle n'a pas à croire à son démérite, tant il est
vrai que lorsqu'elle respecte sa nature, qui est de n'avoir à
parler que de la sensation, alors là, elle peut même, qui
sait, en remontrer au mâle. Ceci nous amène à revenir une
fois de plus sur l'ambiguïté gênante de la notion de nature
qui est retour à l'essence pour le mâle, lorsque cette
essence, comme chez Rousseau est une transcendance,
lorsqu'elle constitue un principe qui dépasse et précède
l'existence et le corps, alors que pour la femme elle est
vérité fixe et une fois pour toute fixée, et génétiquement
transmise, de ce corps, et uniquement de ce corps.

Dans l'enfantement créatif du mâle, nous retrouverons
toujours nettement le rejet de la femme hors de l'essence,
la circonscription du créateur qui s'autoféconde, la jouissance hermaphrodite, le laborieux accouchement de l'œuvre et sa lente et difficile gestation à l'intérieur du poète
ainsi que ce retour à la vérité essentielle du mâle qui
contient le ferment de toute originalité car il lui faut, pour
ce faire, crever la couche codifiée de la société, de la
sensation, du corps et, nous le verrons surtout, de la
femme qui est tout ce qui est opaque, et dur et gluant, et
enlisant, etc.

L'AUTOFÉCONDATION ANDROGYNE

Deux principes animent le poète, ceux que Rousseau dans la Cinquième Promenade dévoile comme actif et passif, l'un participant de la vie et l'autre la recevant. Plus ou moins transposés en aspiration au bien et aspiration au mal, présence fécondante de la Beauté, copulation mythique avec la mémoire, etc., ils constituent, de Rousseau à nos jours, le subterfuge viril qui permet l'autofécondation du mâle créateur. En effet, l'analogie symbolique à l'enfantement femelle se présente, surtout au début du XIXe siècle, de façon étonnamment complète : copulation avec soi-même (je est un autre, etc.), fécondation, gestation, accouchement.

Le principe passif.

La Muse :

Certes, « je » est l'autre, ou un autre, mais cet autre est aussi « je ». Le dialogue avec la Muse, cher aux Romantiques, est à cet égard parfaitement révélateur. Les femmes se sont si longtemps bercées de l'illusion (soigneusement entretenue) que si elles ne créaient pas, au moins elles étaient inspiratrices... Or, la Muse n'est pas femme. Elle est, en fait, la passivité du poète, l'aspect féminin de son hermaphrodisme, qui peut être fécondé par la puissance phallique de son imagination. Il n'est pas nécessaire d'attendre les violentes déclarations misogynes de Baudelaire et ses insultes à l'égard de la femme infâme, charnelle et castratrice, pour se convaincre que la Muse n'est femme que dans sa représentation symbolique d'un

principe sexuel nécessaire à l'exercice créateur. Ainsi
dans *La Nuit d'août* Musset se voit prendre à partie par sa
Muse qui lui crie :

« Hélas, mon bien-aimé, vous n'êtes plus poète.
Rien ne réveille plus votre lyre muette ;
Vous vous noyez le cœur dans un rêve inconstant,
Et vous ne savez pas que l'amour de la femme
Change et dissipe en pleurs les trésors de votre âme... » ›
Car la Muse et la femme sont ennemies irréconciliables. A
celui qui s'adonne à la chair on promet l'impuissance :
« Que fais-tu loin de moi quand j'attends jusqu'au jour ? /
... Il ne te restera de tes plaisirs du monde / Qu'un
impuissant mépris pour notre honnête amour. » On
essayera de dire à la femme que dans le système créateur
du mâle, elle entre pour une certaine part : celle de la
Muse inspiratrice ? La femme n'inspire au poète que
hargne, dégoût et horreur. Principe « autre » et désincarné, La Muse est une vision « essentielle » de la
féminitude, elle peut faire penser à cet espoir impossible
exprimé par Chateaubriand, à travers René, de se voir
donner une compagne « tirée de lui ». Aspiration ici toute
créatrice où René ressent, non pas sa solitude, mais son
angoisse créatrice, sa peur de ne pouvoir réussir sa
révolution androgyne. Car le poète a le sentiment que cet
« autre », différent de ce qui est sa virilité, et qu'il doit
posséder à l'intérieur de lui-même, est la condition
indispensable à l'expérience transformatrice qu'est la
création, à cette véritable alchimie qu'elle implique. Tous
les poètes seront alors obsédés par le thème de la
transformation alchimique plus ou moins explicitement
indiqué : Rimbaud, Musset, Valéry, Apollinaire... Cependant cette alchimie créatrice sera toujours une alchimie
intérieure, et toute intrusion extérieure (qui serait alors
celle de la femme) arrêterait irrémédiablement le processus créateur, le poète cessant d'être autonome. Ainsi est-
ce une véritable entreprise de destruction consciente de

son génie que celle de Musset répondant à sa Muse :
« J'aime et je veux pâlir ; j'aime et je veux souffrir ; /
J'aime, et pour un baiser je donne mon génie. » Il est en
train de sacrifier son œuvre, la femme ne peut être
inspiratrice, malgré le désir qu'elle en a, il lui faut
disparaître si elle veut laisser à l'homme la puissance
créatrice et celui-ci ne peut écrire que pur, jeune,
vertueux, vierge. L'androgyne est chaste. S'il cesse de
l'être il retourne à un principe sexué, et, cessant de se
circonscrire, abandonne son androgénéité. Ainsi s'explique la formule ambiguë de Baudelaire « Goût invincible
de la prostitution dans le cœur de l'homme, d'où naît son
horreur de la solitude. Il veut être *deux*. L'homme de génie
veut être *un*, donc solitaire. La gloire, c'est rester *un*, et se
prostituer d'une manière particulière. » Manière particulière certes, qui consiste à s'autoféconder. Là est l'unité
réclamée, qui est en fait l'autonomie supérieure, l'absolu
créé par la réunion en un des deux principes reconnus
comme fondamentaux (et qui sont pour Baudelaire le Bien
et le Mal). La solitude alors est la solitude physique qui
tend à s'opposer à la plénitude intérieure de la jouissance
créatrice. Mais la jouissance créatrice est-elle toujours
atteinte ? Lorsqu'elle ne l'est pas, on peut d'ores et déjà
parier que la grande faute en incombera naturellement à la
femme. Baudelaire est d'ailleurs, avec Musset et Vigny,
celui des poètes de son époque qui a présenté avec le plus
de netteté l'exercice créateur comme une autofécondation
d'où la femme doit, pour le succès de l'entreprise, être
exclue. En vérité il est même *nécessaire,* afin qu'elle ne se
fasse aucune illusion là-dessus, qu'on lui rabâche sans
arrêt à quel point, non seulement elle n'entre en rien dans
l'alchimie créatrice — et qu'elle n'aille pas s'imaginer
encore une fois qu'elle en serait l'inspiratrice — mais
encore à quel point elle en est l'opposé. Pourquoi ? Parce
que l'homme qui féconde la femme n'est que mâle dans
une fonction unique du mâle : « Foutre, c'est aspirer à

entrer dans un autre et l'artiste ne sort jamais de lui-
même » (Baudelaire, *Fusées,* XXXIX.) Voilà ce qu'exprime de façon moins littérale mais aussi claire la Muse de
Musset lorsque dans *La Nuit d'août* elle le supplie de
rentrer en lui-même : « O ciel, qui t'aidera ? Que ferai-je
moi-même, / Quand celui qui peut tout défendra que je
t'aime, / Et quand mes ailes d'or, frémissant malgré moi /
M'emporteront à lui pour me sauver de toi ? » Il apparaît
ici clairement que le principe de l'androgénéité est
essentiel, se trouve dans la vie même, dans une force quasi
divine (« celui qui peut tout ») qui dépasse l'humain et qui
est un don (la grâce ?) que le fou seul peut refuser car c'est
la vie (ce que le poète appelle plus loin « le génie »). Ce
retournement possible vers l'essence qu'elle favorise fait
de la Muse l'anti-femme et ainsi faut-il bien comprendre
que lorsqu'il se déclare androgyne le poète ne se veut pas
femme. Toute son énergie est déployée justement à briser
sa féminité, à prouver qu'il n'y a en lui rien de femme et
que Muse, Beauté, Mémoire ne sont que ces autres lui-
même, intérieurs à lui-même, analogiquement comparables à la femme dans l'acte de chair, mais en tout point
dissemblables d'elle dans l'acte créatif. L'homme qui
bande ne crée pas, dit Baudelaire (« La foutrerie est le
lyrisme du peuple. ») L'homme qui aime perd son génie,
dit Musset. La préoccupation de la femme amène à
l'impuissance littéraire, dit Montherlant (voir son héros des
Jeunes Filles : Costals), etc., etc. Mais la réconciliation de
l'un et du multiple (deux aspirations en un, androgyne) ne
peut, par un décret qui la fait « simpliste », jamais se
faire, à l'intérieur de la femme : « la femme ne sait pas
séparer l'âme du corps. Elle est simpliste, comme les
animaux. Un satirique dirait que c'est parce qu'elle n'a que
le corps » (*Fusées,* XXVII). Mutilation qui l'empêche
d'être jamais androgyne et fait de la femme celle qui attire
l'homme médiocre vers sa déchéance : en voulant la
foutre, il n'exprime que sa réduction animale au viril :

« Plus l'homme cultive les arts, moins il bande » (*Fusées,*
XXXIX). Ainsi c'est par un subterfuge grossier que la
femme peut passer pour l'inspiratrice du langage poétique.
L'exemple de Mme Sabatier est flagrant et au demeurant, on
peut considérer comme une véritable insulte cette désin-
carnation quasi mystique (ou mystifiée, ou mystifiante)
d'une femme dont tout le monde savait qu'elle n'était pas
une vertu. Même processus ici que chez Musset : c'est la
féminitude essentielle en lui qui est source de sa puissance
créatrice. Quant à la femme, elle est féminine, c'est-à-
dire, comme dit Baudelaire, « naturelle, donc infâme »,
« une latrine » (à propos de George Sand). Lorsqu'elle
l'inspire c'est une partie d'elle-même qui n'en est qu'une
image, sorte d'idole désincarnée qui renvoie à la passivité
intérieure du poète : parfum (XXII)[1], chevelure (XXIII)[1] ;
mais lorsque la femme réapparaît dans ce qu'elle a
d'entièrement femme et non plus de symboliquement
femme, elle est violemment mise en cause, annihilée,
voire assassinée : elle est un cadavre (XXIV)[1], une
charogne, une bête implacable et cruelle. Car, en ôtant à
la femme son humanité, en en faisant une chienne, une
bête, un démon sans pitié, Baudelaire non seulement la
réduit, mais encore l'extermine. Dans ce monde déshuma-
nisé l'homme, le créateur, reste le seul individu, et il
s'offre le luxe de souffrir de la hautaine solitude dans
laquelle, comme Don Juan, il s'est volontairement
enfermé. Mais lorsque la femme est cadavre, charogne,
lorsqu'elle est morte, le poète s'en est débarrassé. Elle
n'existe plus à l'extérieur de lui comme une tentation
d'animalité non créatrice, comme une atteinte à la jouissance solitaire de son autofécondation poétique. Prétendre, dans ces conditions, que Baudelaire voue une
aspiration désespérée et toujours déçue à la Femme
dégagée de ses scories, ou que Musset, Vigny et les autres

1. Les *Fleurs du Mal (Spleen et Idéal).*

s'adressent à une femme idéalisée vers laquelle monte-
raient toutes leurs aspirations, est bien sujet à caution.
C'est eux-mêmes qu'ils adorent, tous ces hommes. En tant
qu'elle est femme et qu'elle existe femme, la femelle est
déchue et rejetée par eux tous. C'est à leur propre gloire
que va l'hymne à la pureté d'un principe antiviril qui
pourrait être passif, et qui n'est pur que parce qu'il est
principe. Y a-t-il rien de plus clair que ce poème de
Baudelaire *A une Madone. Ex voto dans le goût espagnol*
(LVII) où s'exprime à la fois l'auto-adoration et la
voluptueuse souffrance masochiste de l'androgyne ? La
haine de la virilité s'y reconnaît comme principe du Mal
quand le Bien y est son secret hermaphrodite, cette
Madone dont il faut cependant réprimer les désirs féminins. Comme il est tentant pour la femme de se voir là
divinisée : Madone, pureté, principe femelle. Ici apparaît
d'ailleurs la suprême traîtrise chrétienne qui ne fait de la
femme une Madone que lorsqu'elle consent à ne pas être
femme, que lorsqu'elle est le principe opposé à l'homme.
N'est-il pas étrange que les femmes s'y soient si longtemps
laissé prendre ?

La Beauté :

Si la Muse est sans ambiguïté le dialogue avec soi-
même, ou plutôt la passivité intérieure — ce que Diderot
appelle « l'étendue » — qui est chez Rousseau la continuité, la lissité du temps et de l'espace que n'appréhen-
dent plus les sens, la Beauté est un écueil à la prétention
de la femme à participer de près ou de loin à l'alchimie
créatrice, infiniment plus perfide. Car la Beauté est,
surtout chez les Romantiques, associée à la femme.

Or ce qui frappe, à s'interroger sur ce Beau romantique,
c'est qu'il semble associer perpétuellement la femme et la
mort, ou plutôt la femme marquée par la mort. On en veut
pour exemple ce que Baudelaire dit de « son Beau » dans
Fusées (X). « Un visage de femme, lorsqu'il est beau,

est fait de « tristesse… mélancolie… lassitude…
satiété ». C'est, ajoute-t-il, « l'objet le plus intéressant
dans la société ». Objet, matière, chair, cette beauté est
destinée à périr. Les femmes l'ont en partage, mais comme
le signe de leur contingence. Beauté qui doit disparaître
comme toute passivité, et c'est tellement simple qu'elle
soit d'emblée atteinte… « Je ne conçois guères (mon
cerveau serait-il un miroir ensorcelé), un type de Beauté
où il n'y ait du *Malheur* ». Reste l'origine de cette Beauté :
« Viens-tu du ciel profond… ? » Reste son mystère : « le
mystère, le regret sont aussi des caractères du Beau ».
Regret de la vie dont la beauté éloigne, volupté de porter
en soi la passivité fécondable : voilà la femme, quand elle
peut servir. Autrement si elle résiste, son compte est bon
et elle jonche les charniers amers de la poésie. Seulement
avec Baudelaire elle y pourrit, elle y moisit, elle s'y
décompose avec des puanteurs, des vers, des fermenta-
tions qui font de cette mort une punition sauvage.
Seulement pour lui, lorsqu'il n'arrive pas à créer (« l'étude
du Beau est un duel où l'artiste crie de frayeur avant d'être
vaincu » *in* le *Confiteor* de l'artiste), il sait que c'est la
part de la femme qu'il porte en lui qui l'en empêche, qu'il
hait et cherche à détruire. Le passif, ce qui ne se
renouvelle jamais, fait avorter la création, lorsque sa
puissance léthargique est telle qu'on ne peut la briser :
« Et maintenant la profondeur du ciel me consterne ; sa
limpidité m'exaspère. L'insensibilité de la mer, l'immuabilité du spectacle me révoltent… Ah, faut-il éternellement
souffrir, ou fuir éternellement le beau ? » (*Le Spleen de
Paris*, III). Et cependant, quelques secondes auparavant le
plaisir était là, dans le non-être, dans le retour languide à
l'état fœtal : « Grand délice que celui de noyer son regard
dans l'immensité du ciel et de la mer. » Ce glissement
dans la passivité c'était l'expérience de Rousseau dans la
Cinquième Promenade, à peine transposée. Il y a toujours
chez Baudelaire ce goût de se fondre dans le passif, ce

« goût du néant », ce désir de la chair féminine gigantesque, cette aspiration à n'être qu'un, à se perdre dans
l'étendue, dans l'absence. Au fond, il cherche à éviter
l'exercice de l'autofécondation, car c'est quand l'intensité,
l'énergie, la force positive se manifestent, qu'alors le
charme est brisé, que la souffrance naît, car la virilisation
est la déchéance du féminin, du languide et du tendre, au
profit de la violence mâle : « Toutefois ces pensées,
qu'elles sortent de moi ou s'élancent des choses, deviennent bientôt trop intenses. L'énergie dans la volupté crée
un malaise et une souffrance positive. Mes nerfs trop
tendus ne donnent plus que des vibrations criardes et
douloureuses. » C'est l'intrusion du principe viril fécondateur qui est cause de la souffrance. Le mâle en lui est sans
pitié pour la femelle qui cherche la solitude et le silence et
c'est cette mélancolie de la beauté perdue qu'il chante,
incessamment, à la fois dans le regret et dans la haine.
Pourquoi la haine ? Parce qu'il se sait très femme, parce
qu'il sent, sur lui, l'emprise de la tentation femelle à
s'anéantir ; et aussi parce que la femme est responsable de
la mort, c'est ce qu'il y a de féminin en lui qui périt et qui
souffre et qu'alors il rejette en le martyrisant, en le
dépréciant. Cette « immensité » devient « insensibilité »,
« immuabilité » « révoltante », et le poème XXXVI[1]
(*Le désir de peindre*) est à cet égard extraordinairement révélateur. Alors que dans le *Confiteor* de l'artiste[2],
c'est la lutte entre la pensée (pénétrante, phallique) et
l'étendue (passive, féminine) qui se révèle dans ce qu'elle
a de violent et de presque insoluble, où l'Idée fait de
l'étendue une force antagoniste, transforme la mère en
marâtre, « le désir de peindre », c'est l'appel de la mort,
où la féminitude recouvre le néant de la chair. Le principe
féminin est celui de la nuit et du mystère, avec toujours

1. Baudelaire : *Petits poèmes en prose.*
2. *Ibid.* (III).

l'espoir d'une création possible, d'une fécondation donnant alors « une superbe fleur éclose dans un terrain volcanique ». Cette femme, par opposition aux autres femmes qu'il veut vaincre ou dont il veut jouir, est l'émanation de sa propre féminité : belle, surprenante, un soleil noir ; elle est la volupté de cette grande « bouche, rouge et blanche, et délicieuse », et la mort : « celle-ci donne le désir de mourir lentement sous son regard ». Mais elle est appel vers la mort, aspiration à s'anéantir, sans que jamais le créateur puisse y parvenir tout à fait, parce que la beauté, la femme, la passivité se refusent, et parce que le mouvement, l'énergie, la violence semblent toujours, immanquablement, prendre le dessus. Ainsi est *Déjà* (XXXIV) où en vue de la terre, avec « ses bruits, ses passions, ses commodités, ses fêtes », le poète se sent « triste, inconcevablement triste » de la fin du voyage et de quitter la mer. « En disant adieu à cette incomparable beauté, je me sentais abattu jusqu'à la mort. » Il apparaît donc *toujours* que c'est le principe féminin qui est responsable de la mort, soit parce qu'on le quitte et avec lui la douceur maternelle, soit parce qu'il vous aspire vers ses « profondeurs », vers sa nuit comme vers l'anéantissement total. Or quelque chose en lui rêve de s'anéantir (la femme) et quelque chose le hait, en éprouve une horreur innommable (le mâle) et la matière féminine porte alors en elle la grandeur du désir et la violence de la haine de l'homme. Voilà pourquoi la Beauté est ambiguë, pour Baudelaire. Voilà pourquoi la femme est double, pour lui. Voilà pourquoi elle est explosion et ténèbre, soleil noir, lune révoltée. Car elle est à la fois la passivité du néant que l'on désire et du néant que l'on hait : rire et éclosion, profondeur et mystère. Elle est à la fois étendue inerte et possibilité de vie. Ainsi trouve-t-on à la lecture de cette œuvre quelque chose de parfaitement incohérent à l'égard de la femme : elle se sent dans son principe à la fois désirée et honnie, refuge et déesse de la mort. Sa beauté

est un piège car il est un masque de mort et son regard tue.
Mais elle est aussi cette beauté que l'on désire et ce sans
quoi il n'y a pas de création. Alors, vengeance suprême du
mâle qui consent à sa souffrance pour la féconder, l'acte
phallique est un assassinat : « … et comme un jongleur
insensible, / Prenant le plus profond de ton amour pour
cible, / Je les (les sept Couteaux) planterai tous dans ton
Cœur pantelant, / Dans ton Cœur sanglotant, dans ton
Cœur ruisselant ! » (*A une Madone*, LVII) [1]. Résolution
violente : le créateur peut adorer en lui le principe féminin
qui l'attire vers la mort (« Je veux bâtir pour toi, Madone,
ma maîtresse, / Un autel souterrain… ») et qui foule aux
pieds le mal viril qui l'anime, mais il l'assassinera ensuite,
bourreau de sa passivité femelle. Seul reste alors le mâle
triomphant, mais il est seul. L'autofécondation tourne ici
au meurtre rituel et la jouissance androgyne clairement
perçue se dérobe. Une horreur profonde pour la sexualité
s'exprime alors à travers l'œuvre de Baudelaire. Le désir
d'être « un », c'est donc, plus que le désir d'arriver à
l'unité de la dualité, qui ne peut jamais se faire sans
souffrance, ou sans fiasco, celui d'anéantir en lui la
femelle qu'il hait : « un cœur tendre qui hait le néant vaste
et noir ». Etre homme et uniquement homme, n'avoir en
soi qu'un principe unique, tel est le rêve inlassable,
puisque la femme c'est la mort et qu'il est mortel justement
parce qu'il possède en lui cette parcelle féminine qui
œuvre contre lui. La Muse de Musset pouvait en toute
quiétude s'opposer à la femme et donner au poète
l'acceptation admirative de sa nature mi-féminine parce
qu'elle ne restait femme que comme principe transformateur, la Beauté baudelairienne n'arrive pas à se désincarner tout à fait. L'horreur de la sexualité est qu'elle est
contagieuse, qu'elle s'infiltre et le désir de la beauté est là
comme un appel schématique à la fécondation, comme une

---

1. Les *Fleurs du Mal* (*Spleen et Idéal*).

acceptation désespérée du mythe de la création analogique du sexe, pendant que la haine de la beauté est la haine de la mort, du néant, de la chair décomposée. Telle est l'horreur de la création baudelairienne, qu'elle soit la mort, et en même temps inévitable, voire désirable. La femme, rejetée chez Musset seulement dans sa chair, se voit chez Baudelaire honnie dans son principe même qui le voue à périr, malgré la tentation qu'il en a parfois. Elle est donc malfaisante dans son existence, dans sa peau, comme dans son symbole et l'œuvre est le désir du Bien. S'élever, monter, sont les aspirations créatrices baudelairiennes, les aspirations du mâle (*Elévation*[1] : « ... une indicible et mâle volupté ») qui lutte ainsi toujours — parfois vaincu, parfois vainqueur — contre la femme et le principe femelle, « postulat vers Satan », animalité. Cependant, merveilleuse compensation à l'horreur meurtrière de l'enfantement, le Beau *créé* reste l'idéal pur et achevé du mythe antique. Minerve est engendrée et enfantée mais elle n'enfante pas. Ainsi, lorsque Baudelaire fait s'écrier à la Beauté : « Je suis belle, ô mortel, comme un rêve de pierre », donne-t-il à la création une perfection en quelque sorte solidifiée. Sortie du chaos, il la rend au silence, celui de l'unité, celui de l'essence. Alors, il tire de cette perfection une certitude rassurante, celle que lui donne son immatérialité, son éloignement de la matière, où sa propre création le rejette, lui le créateur : « Toute forme créée, même par l'homme, est immortelle. Car la forme est indépendante de la matière, et ce ne sont pas les molécules qui constituent la forme » (*Mon cœur mis à nu*, XLIII). Voilà pourquoi la création dépasse la nature, voilà pourquoi si le créateur n'arrive pas à se diviniser, lui, quand il crée, cependant il crée une œuvre divine, immortelle. Alors que la femme « naturelle donc infâme » n'enfante que matière organique décomposable, l'enfante-

1. Les *Fleurs du Mal* (*Spleen et Idéal*, III).

ment sublimé du mâle donne naissance à ce qui est « pure lumière » (*Bénédiction*[1]. Ainsi cette beauté achevée, sur laquelle se meurtrit le désir du poète, est-elle différente de la beauté organique, ou de la beauté féminine, qui est la beauté où le corps et l'âme ne sont pas dissociés : « quelque chose d'ardent et de triste, quelque chose d'un peu vague laissant carrière à la conjecture ». (*Fusées*, X). Le beau qui inspire, c'est-à-dire l'étendue inerte et passive dans laquelle se coule son être femme, est suggestif de sentiments contraires, il porte en lui (Hymne à la Beauté)[2] les aspirations opposées au Bien (mâle) et au Mal (femelle) qui permettront peut-être la fécondation intérieure. Par opposition, le Beau créé par le travail poétique, « phare »[3], « clartés éternelles »[4], est fixé dans l'éternité comme seul recours à la certitude : sa contemplation est source de joie, « divin opium »[5], parce qu'elle a résolu, enfin, l'ignoble conflit du sexe. La chose créée est totalement asexuée : ainsi est-elle sphinx, azur, immobilité, éternité. Antinaturelle, elle n'est pas femme, elle est totalement déshumanisée, c'est la beauté virile du Satan de Milton[4], qui éternise le mâle, qui le fait, recréé, échapper à la mort. Alors pour Baudelaire, et cela est très intéressant, contrairement à ce que pensait Malraux par exemple qui voyait dans l'œuvre créée la source de toutes les créations nouvelles, l'œuvre est terminée, elle est l'absolu et le divin, qui ne sont plus fécondables. Telle est la grandeur mais en même temps l'abomination de l'être humain : qu'il puisse créer ; l'absolu ne crée rien. La Beauté-œuvre est immortelle et non créatrice. Ainsi n'y a-t-il aucun antagonisme entre les deux poèmes des *Fleurs du Mal* à la beauté

1. *Les fleurs du mal* (spleen et idéal, I).
2. *Ibid.* (Spleen et Idéal, XXI).
3. 5. *Ibid.* (Spleen et Idéal, VI. *Les Phares*).
4. *Ibid.* (Spleen et Idéal, XVII. *La Beauté*).
6. *Fusées* (X).

(XVII et XXI) dont l'un s'adresse à la beauté inspiratrice, naturelle, humaine, et l'autre à la beauté de l'œuvre faite, absolue et immortelle, fixée pour jamais et asexuée. Il est vrai que, dans l'horreur consciente où la femme le plonge, horreur qui lui fait désirer que toute chair soit annihilée, Baudelaire paie son tribut à la sexualité en sentant la pulsion des contraires (*Hymne à la beauté*), l'attraction double vers le Bien et vers le Mal investis du caractère mâle et femelle et livre son âme au travail de fécondation : « Rythme, parfum, lueur » (XXI), mais c'est avec l'espoir d'en être à jamais délivré dans l'œuvre (XVII) enfin libérée de son humanité. Cette dualité androgyne — qui le fait différent mais souffrant —, il cherche à en briser l'aspect léthargique et tend à l'unité, soit qu'il féconde par son principe mâle la partie de lui-même qui est femelle, soit qu'il tue en lui ce principe femelle. Ainsi peut-il créer. La femme, qui n'est jamais deux, en est incapable. « Simpliste », elle est fécondable. Elle est « faite » pour être fécondée. L'homme, non. Et c'est pourquoi, comme Dieu, il œuvre. Son fruit, la Beauté terminée, résultat de l'expérience créatrice, est pour jamais figé dans l'immobilité, comme lui, le mâle solitaire et inimprégnable. Étonnant poème à la Beauté (XVII), où les femmes ont pu avoir la folie de croire que c'était là l'image idéalisée de leur sexe, quand, en faisant de l'œuvre un absolu mâle et de la beauté créée une perfection non fécondable, Baudelaire y prononçait leur exclusion de la création.

Le rêve :

Ce qui constitue sans doute l'élément passif le plus net, celui où l'activité se réduit totalement, parce qu'on le conçoit généralement comme involontaire, comme dépourvu d'ordre, et surtout comme une entrave à l'action, c'est *le rêve*. Certes, il ne s'agit pas ici de la géniale rêverie rousseauiste, qui comprend, comme nous l'avons vu, une part importante de passivité, mais qui implique aussi

l'activité supérieure du mâle qui découvre son essence en
même temps que la jouissance de cette découverte. Non,
ce que le créateur possède, c'est ce sens de l'inaction
sociale, ou de l'inaptitude à participer, qui doit être
combattue ensuite par la violence active de l'imagination
ou du désir, forces particulières à l'énergie virile. Voilà
Baudelaire se moquant des hommes politiques, voilà
Vigny, à travers Chatterton, chantant les mérites du
marginalisme social (ce qui ne l'empêchera pas de tenter,
lui, une carrière politique). Voilà Julien Sorel, toujours
lisant, inapte, apparemment, à l'effort physique (si bien
que ses duels, ses courses à cheval seront de véritables
actes d'héroïsme viril, de contrôle de sa passivité). Le
poète romantique ne peut et ne veut être un manuel, un
actif. Il y a en lui une part de léthargie féminine qui le
marque, dès l'abord, pour la débilité physique, l'inaction,
le loisir et le rêve. Mais ce qui caractérise le rêve du
créateur c'est qu'il est combattu, violenté, fécondé par sa
volonté imaginative et son énergie phallique. Lorsque c'est
la femme qui se laisse entièrement aller à cette tentation
féminine de l'enlisement, de l'inactivité, cette rêvasserie
inféconde alors l'amène à sa conséquence naturelle,
l'anéantissement de soi et la mort : Emma Bovary. Et
certes Flaubert a écrit là le roman le plus cruel et le plus
définitivement dévastateur de l'impuissance créatrice
féminine. Car ce goût du rêve, qui est inaction, simple
transposition d'un réel impossible, illusoire, irrationnel, ce
rêve qui est affirmation d'une inaptitude à vivre le réel,
parce que ce réel est laid, insatisfaisant, médiocre, sale et
infécond, ce goût du rêve qui est donc refus d'adhérer à la
réalité et qui est le premier symptôme du génie poétique où
se retrouvent les amoureux des nuages ou les lunatiques
baudelairiens, précisément parce qu'ils ont, eux, la
possibilité phallique de le féconder ou l'énergie de le
violenter, le refuser, pour aller au-delà et créer, Emma
Bovary, elle, meurt de ce rêve. Preuve qu'elle n'avait

rien en elle pour devenir créatrice. Et cependant Flaubert
ne la fait pas sotte. Au pensionnat, elle « comprenait bien
le catéchisme, et c'est elle qui répondait toujours à M. le
vicaire, dans les questions difficiles ». C'est perfidie
incroyable de la part de Flaubert que d'affirmer qu'elle
n'est pas complètement idiote. Ça revient à dire : la rêverie
qui rend les hommes géniaux, rend les femmes stupides.
Car le rêve, tentation léthargique, doit être combattu chez
les femmes, selon le bon précepte rousseauiste. Ainsi nous
voyons de plus en plus que tout ce qui n'a pas de contrepartie est néfaste. La femme qui n'en a pas en elle — elle
n'est jamais androgyne — c'est par l'éducation qu'on doit y
pourvoir.

Cette vue des choses apporte une lumière intéressante
sur le caractère de Mathilde de la Mole (Stendhal : *Le
Rouge et le Noir*). Car tout, dans ce personnage apparemment androgyne, tient de l'éducation, est façonné par
l'exemple, vient des relations qu'elle entretient, noble et
consciente de l'être, avec ses ancêtres. Ses « bizarre-
ries », qui sont ses actions, c'est-à-dire des attitudes
viriles (soit qu'elle porte le deuil d'un ancêtre glorieux, ou
qu'elle prenne le nom d'une femme de ménage pour venir
voir son amant en prison, ou encore qu'elle devienne sa
maîtresse avec une décision inhabituelle à cette époque
qui lui donne plus ou moins le rôle traditionnel de
l'homme), tout cela, elle le fait pour correspondre à une
image de la race qui lui a été inculquée par éducation.
Ainsi, et nous reviendrons là-dessus, lorsqu'elle fait un
extraordinaire effort de contrôle sur soi pour être virile,
c'est toujours pour arriver à se comparer à telle ou tel héros
ou héroïne de sa glorieuse lignée, et jamais, comme c'est
le cas de Julien, pour atteindre la virilité, une limite
absolue de soi-même où il soit vraiment au fait de son
secret de mâle. Il y a un aspect théâtral dans le caractère
de Mathilde qu'il n'y a pas dans celui de Julien. On
remarquera d'ailleurs combien la femme actrice domine la

scène littéraire du XIXe siècle, de Marie Dorval à Jenny
Colon. Il semble que, actrice, la femme soit pleinement
dans sa fonction, qui est alors de se mouler sur un autre,
mais qu'elle n'aurait pas formé elle-même, qu'elle n'aurait
pas créé, et qui, au contraire, aurait été façonné par un
autre. L'actrice, c'est celle qui consent à être totalement
faite, complètement éduquée, et les Romantiques pardon-
nent admirablement aux femmes d'être théâtrales, c'est-à-
dire d'agir comme des poupées, de rentrer dans des
attitudes... de s'affirmer dans une facticité de mauvais
aloi. C'est être femme. Et bien longtemps, certes, on a
confondu femme et actrice. N'attend-on pas de la Diva, de
la Prima donna une théâtralité, des caprices, qui impliquent que, femme, elle est la passivité même, soumise au
moment, et surtout, trouvant sa seule authenticité dans les
personnages qu'elle incarne, car, d'authenticité, elle n'en
a point ?

Ainsi, ce qui est grand et fécond dans la rêverie
poétique, c'est qu'elle n'est qu'un aspect contradictoire de
l'énergie nécessaire à l'action créatrice. Emma Bovary ne
possède pas cette énergie. Elle n'a ni l'imagination, ni le
désir. Elle n'a que la réminiscence, qui, elle, est passive.
Elle accumule en elle des images qui lui viennent de ses
lectures, et cette accumulation l'alourdit, l'enlise,
l'amène, de plus en plus passive, jusqu'à l'étouffement
total. Sans doute eût-il mieux valu qu'elle fasse la cuisine,
le ménage, ou la traite des vaches. Activité physique
nécessaire à la passivité de la femme. Car, sans l'activité
de l'esprit (qu'elle n'a pas), la passivité féminine est,
comme toute passivité, atteinte, douleur corporelle. Le
mâle peut, lui, compenser cette passivité par l'énergie
abstraite qu'il possède, ayant une essence. La femme ne
peut arriver à un équilibre, qui la délivre de l'anéantissement, que par l'activité physique. Ainsi voyons-nous les
femmes de la campagne être traditionnellement très
actives et les femmes du monde, non moins traditionnelle-

ment se livrer à une activité factice, soit par la parole
(caquetage, etc.), soit par leur mobilité (sorties, opéra,
théâtre), que les hommes, qui cependant les y ont
forcées par le système dans lequel ils les ont enfermées,
leur reprochent amèrement. Ils se moquent de cette
fébrilité au point qu'ils accusent de féminité les hommes
qui se croient obligés d'en faire autant. Il est frappant de
voir alors que beaucoup d'homosexuels qui miment la
femme font un grand nombre de gestes et prononcent un
grand nombre de paroles, dénotant, de la même façon, une
recherche, censément féminine, d'une activité physique
artificielle.

De plus en plus alors nous nous apercevrons que les
éléments du passif et de l'actif correspondent sans
ambiguïté à l'antithèse du Bien et du Mal. Le Mal, c'est le
passif, le léthargique. Ce qui accumule, étouffe et l'être
meurt de cet étouffement. Que l'étouffement soit de
connaissance, de lectures, de rêves, ce qui est véritablement passif est une atteinte à la vitalité, le doigt de la
mort. Pour que la femme survive : il faut l'amener à
acquérir une contrepartie quelconque, qui ne peut être
pour elle, que physique. Pour le mâle, il possède, mâle,
l'essence, la vie, l'énergie. Il peut survivre sans éducation
— mieux, il peut créer. Ainsi voyons-nous la pauvre
Emma Bovary manquer d'éducateur. Personne pour faire
de contrepartie. Et ce n'est pas ce malheureux Charles,
qui, lui, est stupide (circonstance qu'il faut noter et qui le
décharge, tout de même, en tant que mâle), qui peut faire
quoi que ce soit pour elle, nous entendons : la brutaliser
un peu. On dira ensuite que la littérature n'est pas
truquée ? Tout d'abord, première circonstance, le rêve
d'Emma n'a pas pour origine un désir intérieur, la
nostalgie d'une vie qu'elle aurait pu connaître et qui donc
l'aurait précédée, ou tout autre arrêt momentané ou
obsessif de l'imagination sur des images qui viendraient de
son subconscient, à elle. Non. Elle a besoin d'un support.

Son rêve ne s'élève pas, comme le rêve créateur, il est totalement passif car il dépend d'autres images : « Elle avait lu *Paul et Virginie* et elle avait rêvé la maisonnette de bambous, le nègre Domingo, le chien Fidèle, mais surtout l'amitié douce de quelque bon petit frère, qui va chercher pour vous des fruits rouges... » Ainsi s'établit-elle dans des images convenues, qui, au lieu de la libérer, l'emprisonnent, dans ce que Simone de Beauvoir appellera si justement « les belles images ». Ce monde, qui lui est donné par ses lectures, par les « assiettes peintes qui représentaient l'histoire de Mademoiselle de la Vallière », glorifiant « la religion, la délicatesse de cœur et les pompes de la cour », devient un rideau opaque entre elle et la réalité, et elle se trouve littéralement enfermée dans un univers d'emprunt. Or nous dirons : mais le créateur, justement, est celui qui se circonscrit, qui s'enferme en soi-même. Sans doute même, peut-il « rêver » à partir d'un monde autre que le sien et être cependant créateur, comme Julien Sorel, vivant dans l'ombre de son héros Napoléon. Mais Julien Sorel transforme, adapte le texte napoléonien, par l'analyse qu'il en fait, par la transposition que le pouvoir alchimique de son esprit fait subir au système qui lui est donné. Circonstance importante : il tient compte de l'histoire, quand Emma, elle, s'enferme dans un univers totalement aboli : le sentimentalisme du XVIIIe siècle, ou le temps de Louis XIV. Son rêve n'est donc pas une pulsion, il est sans contrepartie, il se contente de lui donner un comportement qu'elle n'a pas à inventer, des situations toutes jouées, toutes faites. La différence entre elle et Mathilde de la Mole, c'est que cette dernière, par son rang, par sa position sociale, a la possibilité de jouer, comme sur une scène de théâtre, son rêve. Justement parce que le temps et l'histoire se sont arrêtés pour les aristocrates, justement — et c'est une grande finesse psychologique de Stendhal que ce personnage de Mathilde — parce qu'ils ne participent plus à l'Histoire, qui désormais se fait sans eux. Mais pour Emma, misérable petite femme du peuple, ce rêve qu'elle ne peut jouer — quelquefois cependant, comme au bal — et qui l'étouffe, et qui s'accumule en elle, ne peut l'amener qu'à la passivité physique totale, et puis, par le même chemin, à la mort. Son apathie en est la conséquence normale, et nous la voyons apparaître dès les premières atteintes du rêve léthargique : « Elle jouait fort peu durant les récréations… elle s'assoupit doucement à la langueur mystique qui s'exhale des parfums de l'autel. » L'homme qui rêve bande (Hugo), il est le voyant, il crée. La femme qui rêve, dort, tout simplement. Ou bien elle est totalement assoupie (Emma), ou bien, comme une somnanbule, elle joue son rêve (Mathilde). Mais elle ne se projette pas dans l'incréé. Elle exécute un scénario déjà pensé, et seul, le passé littéraire ou historique lui ser' de support : Walter Scott ou les « châtelaines au long corsage » et les cavaliers à « plume blanche » qui galopent sur un cheval noir, pour Emma. Ses ancêtres glorieux, pour Mathilde. C'est là qu'elles découvrent les images, les situations, les comportements, les sentiments. Rien ne leur vient d'elles-mêmes. Elles sont factices et endormies. Jusqu'au bout elles le restent, qu'elles meurent ou qu'elles continuent à jouer, et ce jusqu'au bout atteste leur impuissance à être autre chose que des êtres larvaires, empêtrées dans une apathie que seul l'acte d'enfanter vient bouleverser.

Le principe actif.

L'imagination :

Dans l'étendue passive et inerte de la Beauté, de la Mémoire, de la Muse, du rêve, le mâle créateur s'enfonce dans une « féminitude » nécessaire. Là le poète « observe », comme le dit Balzac (préface à *La Peau de*

chagrin). Mais même si cette observation du mâle
« s'étend, selon Diderot, par une appréhension intuitive
directe, sans étudier », il faut créer, et l'inertie ne crée
rien, elle ne donne que la connaissance et l'extase de la
connaissance, l'intimité et la profondeur universelles. Ici
entre alors en jeu l'imagination, définie d'emblée comme
mâle, comme projection phallique. « L'imagination
emporte ses facultés vers le ciel aussi irrésistiblement que
le ballon enlève la nacelle. Au moindre choc elle part, au
plus petit souffle, elle vole... » (Vigny, préface de
Chatterton). Voilà le rêve phallique de l'Icare exprimé en
une mythologie profondément sexuelle. Loriot, albatros,
aigle, l'oiseau symbolique allie l'étendue (son envergure) à
la puissance de sa projection onirique, que ce soit chez
Apollinaire, Vigny ou Hugo, il est l'oiseau mâle par
excellence. « Roi du feu qui féconde et du feu qui
dévore » (V. Hugo : *La lyre et la harpe*) il est toujours allié
au feu, force virile. Chez Apollinaire, l'aigle est le
symbole monstrueusement phallique de la guerre, déchaînement purificateur et créatif, révolution qui, par l'ambiguïté de ses spasmes convulsivement sexuels et mythique-
ment rénovateurs, à la manière du phénix renaissant de ses
cendres, préfigure indiscutablement l'explosion de la
libération du sexe que se veut le surréalisme. La grande
force est, pour lui, le désir, parce que, identique à
l'imagination, elle permet l'éclosion de ce que Diderot
appelait le Génie, c'est-à-dire l'art qu'a l'inspiré « de lever
un pan de voile, et de montrer aux hommes un coin ignoré,
ou plutôt oublié du monde qu'ils habitent ». Le désir ou
l'imagination sont alors comme une lunette grossissante
qui font du créateur le voyant, celui dont la force
intérieure virile peut percer la croûte de l'oubli, le voile de
la réalité pour aller aux causes, dont il revient illuminé.
Voyage orphique que seule la puissance phallique peut lui
permettre d'entreprendre et qui fait de lui un être ayant
contemplé l'essence de la vie (ou de la mort, ce qui est la

même chose), mais en porte à faux dans le monde, prophète dont on se détourne avec horreur parce qu'il est différent. Ainsi est Chatterton : « Dès lors, plus de rapport avec les hommes qui ne soient altérés et rompus sur quelques points... De la sorte il se tait, s'éloigne, se retourne sur lui-même et s'y enferme comme en un cachot » (Préface). Voilà déterminées les conditions de l'autofécondation, solitude, encerclement, abandon à la nuit, à ce que Hugo appellera « La faculté de forcer, éveillé, les portes de l'inconnu ». Certes, dans cette érection qui brise le mur de l'ignorance et de l'oubli, qui fait du poète le Voyant, Hugo est celui des Romantiques qui a donné à l'imagination et au désir, avant les Surréalistes, la forme la plus clairement phallique. On s'étonne peu d'ailleurs, à voir ce déploiement de sexualité onirique, que Freud ait pu, tout naturellement, lier le sexuel et le rêve. Car il est clair que lorsque le voyant hugolien rêve, il bande, l'activité onirique et l'activité phallique de l'imaginaire alors confondues. « Et pendant qu'il rêvait, immobile, voyant / L'inouï, l'ignoré, le trouble, l'ondoyant / Les visions, l'azur indicible, feux, nimbes... » (*Voix*, VII). Cette vision, au vrai, « inouïe, ignorée, trouble et ondoyante » d'une ambiguïté tout aussi troublante, est ce « point fatal, suprême, / Terrible, surprenant, caché sous le linceul, / Sombre, où tous les secrets se fondent en un seul » qu'est semble-t-il l'essence. Textes révélateurs où l'on craint de reconnaître dans ces formes ondoyantes, ignorées, cachées, le membre tabou, l'organe mâle lui-même, siège de tous les secrets, générateur de vie et de mort. La création serait alors l'éternelle contemplation phallique, le poète prêtre serait celui qui découvrirait le secret de la puissance du mâle. Les vers suivants s'éclairent finalement d'une signification étonnante où le voyant, perçant de sa force virile le mur de l'inconnu, découvre que l'essence et que la vie sont ce phallus qu'il porte, l'être, l'absolu, avec lequel il entre-

tient, élu parce que mâle, une « intimité formidable » :
« Et cette intimité formidable avec l'être / Faisait de ce
songeur farouche, plus qu'un prêtre / Plus qu'un augure,
plus qu'un pontife ; un esprit... Et c'est de là que vient
cette auguste puissance / Faite d'immensité, d'épouvante,
d'essence, / Qu'a le poète saint et qu'on sent dans ses
vers. » Le phallus est alors lui et un autre, part de lui et
hors de lui, sorte d'être dans l'être, auquel ainsi il
s'adresse, comme le fait l'amant de Lady Chatterley à
Master Dick. Le mâle en est cependant incertain et
inquiet. Il ne lui obéit pas, le dépasse, le phallus, entité
volontaire et terrible sans laquelle rien n'est. On ne peut
pas plus le nommer qu'on ne doit nommer Dieu ; ainsi se
cache-t-il et s'affirme-t-il source d'épouvante : épouvante
du peuple saint de la Bible pour le Dieu viril, épouvante de
la femme, de la vierge face au membre mystique. La
littérature est clairement pleine de cette peur qu'elle
propage : peur et adoration de Lady Chatterley devant son
amant dénudé, terreur de Mme de Rênal face à Julien, de
Solange Dandillot livrée à la violence de Costals (Montherlant) que cependant elle désire. On nous peint toujours
l'épouvante de la femme cherchant à échapper à la marque
phallique (que ce soit le pénis ou l'imagination créatrice)
comme si elle ne pouvait en supporter la puissance et ce
qu'elle représente d'absolu, parce que cet absolu, c'est la
vérité à laquelle elle ne peut accéder. Or le phallus doit
inspirer une crainte religieuse, et lorsqu'il se dresse, tout
comme au moment de l'élévation à la messe (geste
d'érection si révélateur), la femme doit baisser les yeux.
Ainsi la peur de la vierge est-elle traditionnelle dans la
littérature. Si elle n'a pas peur, en fait, quelque chose
d'anormal se passe : perversion de la femme qui en sera
châtiée, inqualifiable libéralisme, voire impuissance de
l'homme qui risque d'en mourir.

Il faut alors faire sentir dans les textes la formidable
puissance des mondes phalliques et montrer la terreur

qu'ils inspirent à la femme, établir combien cette terreur est à la fois naturelle et nécessaire parce qu'elle permet au mâle d'exercer seul, sans qu'on cherche à y faire intrusion, la totalité de ses pouvoirs virils. Or, il arrive que la femelle, justement, ne respecte pas cet impératif. Il arrive que, mal éduquée, dotée d'une nature perverse, elle mette ainsi en jeu l'équilibre précaire du système créatif. Il faut qu'elle sache que ce sacrilège, elle doit le payer, quand il est physique, de la mort de l'homme (mort par castration) ; quand il est symbolique (véritable faute contre la divinité créatrice), de sa propre mort. On ne badine pas dans la littérature avec les femmes de ce genre, et, en écrivant les *Mémoires de deux jeunes mariées*, Balzac fait, à cet égard, un roman *exemplaire*. C'est l'histoire de la femme jalouse de la force réelle et symbolique de l'homme, voleuse, éternellement tentée par l'androgénéité, et qui croit, en cherchant à se rendre maîtresse d'hommes androgynes, qu'elle arrivera, elle aussi, à la dualité sacrée. Halte-là, lui dit Balzac sans ménagement, la femme ne doit jamais convoiter la virilité, sous peine de cataclysme, et s'il est vrai que le mâle doit, pour créer, avoir en lui, par « nature », un développement quasi anormal et inquiétant de sa féminité, la femme ne peut vivre la contre-partie car les caractères du mâle qu'elle pourrait prendre en elle et acquérir par mimétisme ne pourraient en être que les caractères secondaires, l'apparence. Cela ferait d'elle un monstre. Or c'est un monstre que la belle Louise de Chaulieu. Un monstre ? Certes... Une femme qui, parce qu'elle a voulu se viriliser, est frappée de stérilité, marquée dans sa chair, par la volonté de son créateur, de l'impuissance terrible à être réellement femme. Ainsi Balzac est-il clair : ou tu seras femme, soumise, seconde, et ne désireras rien du mâle, et alors ta récompense sera d'être mère (cinquante pages exaltées sur la grandeur, gloire, passion de la maternité). Ou bien tu te révolteras et ta punition sera d'être un monstre, c'est-à-dire une femme inféconde, une femme qui comprendra, d'elle-même, qu'elle ne peut pas continuer à vivre, tant elle est anormale. Voilà pour le suicide. Mais il est certain que dans toute cette affaire, l'homme porte aussi une part de responsabilité. Balzac, qui donne une leçon à la femme, en donne une aussi à l'homme, le met en garde contre le danger de trop se féminiser au contact de la femme jalouse, voleuse, castratrice. Celui qu'il met en garde, c'est réellement son frère, le poète, le génie, le mâle dont le caractère féminin est considérablement développé. Pour l'homme ordinaire, comme l'Estorade, il ne risque pas grand-chose. Et cependant, nous dit perfidement Balzac, si cet homme ordinaire a la chance d'avoir près de lui une « *vraie* » femme, il risque de devenir un « grand homme ». La vraie femme n'est-elle pas celle qui veut aider son mari à « s'élever », c'est-à-dire à développer en lui jusqu'au raffinement la totalité de ses aptitudes phalliques ? Comme elle est bien, Renée de l'Estorade ! D'autant plus qu'elle est Balzac lui-même, cette troisième voix dans le roman qui sermonne, tire les conclusions, amène la lectrice, tout tranquillement, à comprendre ce qu'elle doit comprendre, d'autant mieux qu'elle lui fait confiance, c'est une femme, une sœur, elle s'identifie à elle. Voilà tout le secret de ces romans de femmes, écrits par des hommes, et dont d'autres hommes ont dit, avec une si apparente naïveté, qu'ils *les* connaissaient si bien. Si bien connaître le cœur des femmes ? Certes non. Mais plutôt leur indiquer la voie, le chemin de la vraie féminité, en s'exprimant à travers des héroïnes femmes, dont les femmes alors se méfient trop peu. Perfidie et truquage. Perfidie, parce que, l'homme de génie, ayant pris pour modèle créatif l'acte sexuel, est dans une situation dangereuse vis-à-vis de la femme. Il attaque. Il est menacé. La femme lui dit constamment, c'est moi qui enfante, et je réclame ma part, mon droit à la création. Cette menace est une source d'angoisse pour le créateur,

nisementningfort

précisément parce qu'il est obligé de se féminiser, d'appartenir au clan femme. Ne doit-il pas être partiellement passif ? La femme est donc toujours son ennemie, sauf lorsque c'est Renée de l'Estorade, c'est-à-dire la femme qui consent à son infériorité naturelle, qui a compris qu'en fait, les caractères féminins qu'elle recèle sont des caractères secondaires et que la seule vérité de la féminité est la maternité. Ainsi, si elle ne craint pas totalement l'homme, respecte-t-elle le mâle, tient-elle à ce qu'il se sente supérieur, par le seul fait qu'il est mâle. Et Renée condamne ainsi Louise : « D'abord, ma mignonne, tu n'aimes pas [ton mari]... Non, il ne t'impose pas, tu n'as pas pour lui ce profond respect, cette tendresse pleine de crainte qu'une véritable amante a pour celui en qui elle voit un dieu ». C'est aller loin. Mais c'est qu'il est nécessaire que Felipe, le mari de Louise, soit protégé : homme « de génie », sa vulnérabilité est extrême, son hermaphrodisme en fait un être double, et il lui faut lutter sans cesse pour ne pas être transformé en femme. « L'homme de génie est le seul qui se rapproche de nos délicatesses, écrivait Louise à Renée au début du roman, il entend, devine, comprend la femme... » Il est alors celui qui sait aimer, par essence, car il aime en la femme cette partie de lui-même qui l'entraîne à sa perte, mais le fait créateur quand il a la volonté de s'en rendre maître. Ou bien lorsque la femme par sa soumission l'y aide. Voilà les deux nécessités en présence : la volonté de l'homme et la soumission de la femme. Or que se passe-t-il ici ? La femme émascule l'homme de sa volonté, parce que sa puissance phallique ne lui inspire pas de crainte ; ou plutôt parce qu'elle la désire ; elle n'a pas l'intelligence de sa soumission. Il faudrait à Felipe l'énergie de dominer sa femme et de faire plier en lui sa propre féminité. Cette énergie lui fait défaut. La femme s'empare de sa volonté et le castre. Pour ne pas être cette femme destructrice qui, finalement, tue son mari, il aurait fallu qu'elle ait en elle

cette fameuse terreur sacrée de l'homme… Et c'est bien là
tout le sujet de la première partie de ce roman en deux
volets analogiques : la bonne vieille peur nécessaire que la
femelle doit avoir de l'homme ou risquer de tout perdre.
Mais Louise, c'est la femme qui se veut la rivale de
l'homme et la rivale heureuse ! : « Je fais baisser les yeux
au plus hardi jeune homme », écrit-elle à Renée, dès le
début du roman. Or quand on sait — et on le découvre par
la suite — l'importance phallique que Balzac donne au
regard du mâle, on comprend que c'est là une lettre où le
caractère de Louise s'exprime de façon mortellement
décisive. Elle veut dire en clair : quand je vois un homme
je veux le castrer. Tout simplement. Cette incroyable
perversion l'amène à écrire des choses où Balzac signifie à
la femme moderne émancipée (?!) toute sa réprobation :
« Je ne me sens pas le moindre respect pour quelque
homme que ce soit, fût-ce un roi. Je trouve que nous
valons mieux que tous les hommes, même les plus
justement illustres. Oh, comme j'aurais dominé Napoléon,
comme je lui aurais fait sentir, s'il m'eût aimé, qu'il était à
ma discrétion. » A quoi Balzac-Renée répondra, quelques
lettres plus loin : « L'homme subjugué par sa femme est
justement couvert de ridicule. » Et si ce n'était que le
ridicule ! Cependant, malgré ces dispositions à la violence,
Louise ne peut pas, lorsque le mâle se montre dans sa
virilité triomphante, se défendre de la « terreur » qui doit,
alors, être la marque de son sexe. Quelque chose, en elle,
répond, encore, à une telle nécessité, parle le langage
immédiat de la femelle. Quand elle rencontre Felipe, ce
grand d'Espagne déchu, cet ancien Premier ministre qui
en est réduit, en cachant sa véritable identité, à donner des
leçons d'espagnol pour vivre, elle est subjuguée par la
puissance de son regard : « Quand je me suis permis de
l'appeler [don Hénarez], il y a quelques jours, cet homme
a relevé sur moi ses yeux… et m'a lancé *deux éclairs* qui
m'ont interdite. » Voilà la belle Louise domptée, aphasi-

que, brusquement dominée par un homme que cependant
elle croit socialement inférieur. Mais il a dévoilé brutalement sa virilité, et là, il y a quelque chose qui dépasse le
social, parce que tout homme, porteur de phallus, est
toujours supérieur à n'importe quelle femme. Au cours du
même entretien, il arrive même à lui faire « baisser les
yeux », elle qui se vante de ne les baisse~ jamais devant
un homme. L'inquiétude, d'ailleurs, s'accroît en elle,
devant ce regard qui transperce et qui sait : « ... ces yeux
me troublent, ils me produisent une sensation que je ne
puis comparer qu'à celle d'une *terreur profonde*... »
Quelques jours plus tard, elle note pour son amie : « ...
son regard m'a véritablement *épouvantée* ».

Or pourquoi cette insistance de Balzac sur la terreur
quasi mystique de Louise chaque fois qu'elle rencontre le
regard symboliquement phallique de Felipe ? C'est que
Louise n'a jamais eu peur de rien, ni de personne. C'est
qu'elle s'est définie elle-même comme la femme qui se
veut toujours victorieuse du mâle. Alors, si elle éprouve
une telle épouvante, c'est que là, là réellement, *est* le
pouvoir. Et ce pouvoir-là, il sera dans son caractère de le
vouloir. D'ailleurs, Felipe n'a pas la force de résister, il ne
tire pas avantage de la fulgurance de son regard. La femme
domine en lui, et Louise peut dire : « C'est lui qui a de la
coquetterie. C'est moi qui ai de la hardiesse. » Il est vrai
qu'elle n'a pas, elle, la faiblesse qui l'habite, lui, le mâle
androgyne dont la vulnérabilité est extrême. Il n'a que ce
phallus anxieux qu'elle veut lui ravir et elle y parvient. Il
lui faut s'approprier la volonté de l'homme, qu'il plie à son
désir, à ses caprices, neutraliser ce regard qui lui a fait si
peur, se rendre maîtresse de cette force qui l'a remplie de
terreur. Devenir homme. Nous assistons à l'hallali.

Tout d'abord, elle le prive de son cheval. Il a un beau
cheval arabe dont il est fier. Elle lui fait entendre que cette
fatuité lui déplaît. Il le vend. Première castration, ô
combien symbolique, et nous n'insistons pas sur la valeur

profondément sexuelle du cheval, que Balzac, d'ailleurs,
ne se fait pas faute de suggérer. Première victoire que
Louise célèbre en indiquant nettement quel est son
propos : « Il n'y a que les hommes supérieurs qui nous
comprennent bien et *sur lesquels nous puissions agir.* »
Puis, l'exercice destructeur continue. Louise maintient
Felipe dans l'ignorance de l'amour qu'elle ressent pour lui.
Elle ne le fait pas par pudeur. Elle n'a pas de pudeur et
l'invite à la rejoindre la nuit dans le parc. Non, elle le fait
pour une raison qu'elle ne veut pas analyser clairement
mais qualifie elle-même « d'infâme » et de « mystérieuse ». Elle veut en réalité le pousser au désespoir,
l'annihiler, lui faire perdre toute confiance en lui-même.
Elle l'écrit sans ambage : « s'il faisait ce que je désire, je
le foudroierais de mon mépris ». Elle se veut pour lui le
destin, une fatalité négative, le principe même de son
existence. Véritable sacrilège, elle veut être pour lui ce
que lui doit être pour lui-même : « Je tiens dans ma main
le fil qui tient sa pensée ». Comme par hasard, maintenant
qu'elle l'a castré, réduit, dompté, il ne lui fait plus peur, et
elle avoue à Louise : « je comprends ta curiosité avec
Louis... Le bonheur que Felipe a d'être à moi, son amour à
distance... m'impatientent ». Cette impatience du sexe
révèle la neutralité acquise de Felipe. Il ne peut plus lui
faire de mal. Il est devenu une nullité. Voilà ce que dira
bientôt Renée à Louise : « Un homme nul est quelque
chose d'effroyable ; mais il y a quelque chose de pire, c'est
un homme annulé. » Perspicace, d'ailleurs, cette chère
Renée, quand elle s'écrie : « On dirait que tu veux te
venger de sa supériorité. » Tout est dit. Louise, c'est la
voleuse de pénis, le monstre virilisé qui n'entend pas les
remontrances de son amie, la femme parfaitement femme,
et ne comprend pas ce qu'elle veut dire quand elle
l'exhorte à faire « surgir le lion caché dans cet homme
vraiment supérieur ». Toujours le terme, si hugolien, du
dieu caché, secret, du phallus puissant et léonin dont le

« surgissement » terrible donne l'image à peine voilée de
l'érection créatrice. Mais pour Felipe, c'est fini. Devenu
l'esclave de sa femme, il n'est plus un homme. Conséquence : il n'a pas d'enfant. Louise reste stérile. La
castration qu'elle a fait subir à son mari est bel et bien
réelle. C'est un grand malheur qu'il paiera de sa vie. Le
premier châtiment de la femme castratrice, de celle qui a
voulu s'approprier le principe de l'homme, c'est la mort de
celui qu'elle a dépouillé de lui-même et qui, sa vie et son
principe vital absorbés par l'autre, son rôle de géniteur
annulé, ne peut que mourir. La femme alors châtre
l'homme sans en tirer d'autre bénéfice que la mort de celui
qu'elle aime et sa propre stérilité. Et pourtant, elle s'est
crue un moment victorieuse. Immédiatement après son
mariage, elle écrit à Renée : « Felipe est un ange. Je puis
penser tout haut avec lui. Sans figure de rhétorique, il est
un autre moi... Je suis pour lui la plus belle partie de lui-
même... Je suis dans le ciel... je suis dans la sphère
divine... » Or cette profonde identité de l'homme avec la
femme, identité qu'elle a voulue, qui est son fait, est
précisément l'annonce de la déchéance du mâle. La
différence, naturelle et nécessaire, n'existe plus entre eux,
manquera à leur fertilité. Felipe est un objet, et ce qui ne
choque pas quand il s'agit de la femme, scandalise
visiblement — et à juste titre certes — Balzac, qui répond
d'ailleurs à la grande revendication de la femme qui veut
faire subir à l'homme ce qu'il lui fait subir, le dominer
comme il la domine, l'annihiler comme il l'annihile, en
affirmant que c'est une folie. Voilà un exemple d'homme qui
s'est laissé ravir sa puissance virile : où va alors l'humanité
puisque le monde devient stérile ? La femme virilisée n'a
point de semence à donner à l'homme qui, même s'il est
féminisé, ne peut porter l'enfant. Tout revient là, avec
Balzac. « Nous aurons beau faire, écrit Renée, notre sexe
ne sera jamais doué des qualités qui distinguent
l'homme. » La mort de Felipe est alors exemplaire. Et les

termes qu'emploie Louise qui, soudain, se fustige, sont
profondément révélateurs. Oui, elle le sait bien, au fond,
qu'elle s'est livrée à une appropriation honteuse, qu'elle a
voulu prendre le principe viril de l'homme qu'elle prétendait aimer : « Non je n'ai pas mérité son amour… *je l'ai
volé*. Le bonheur, je l'ai *étouffé* dans mes étreintes
insensées. » Car il meurt de rien. Pas une maladie. Pas un
symptôme. Pas un raclement de gorge. Comme M. de
Clèves, il meurt de sa femme. Mais lui c'est par castration,
par vol, par étouffement. Et ce qui est important c'est que
Louise le sait, qu'elle ne s'interroge pas sur les raisons de
cette disparition prématurée d'un homme jeune et en
bonne santé. Pas du tout. Son sentiment de culpabilité est
si fort qu'on ne s'interroge pas non plus, que l'on accepte
tout. Cela est inadmissible, non scientifique, et cependant, on le prend pour tel. Mme de Clèves aussi se sentait
coupable de la mort de son mari. C'est dans l'invraisemblance que se manifeste l'adresse suprême des romanciers.
Ces morts sont absurdes donc édifiantes. Dans le cas
présent, Balzac est particulièrement habile : c'est la
femme *elle-même* qui tire les conclusions de ses erreurs :
« Le sentiment de mes fautes m'accable… Je l'ai tué par
mes exigences, par mes jalousies hors de propos, par mes
continuelles tracasseries. Mon amour était d'autant plus
terrible que… Tu ne saurais imaginer jusqu'où ce cher
esclave poussait l'obéissance… » Mort-punition, et double
punition : celle de l'homme, pour sa faiblesse, celle de sa
femme, pour sa violence dominatrice. Qu'on nous dise
après cela que la littérature n'est pas truquée… et que ce
n'est pas nous, en fait, qui sommes les esclaves de ces
manipulateurs de génie que sont les romanciers. Car nous
nous demandons comment une feinte si maladroite, si peu
objective, si improbable que cette mort, a pu passer sans
déchaîner les rires. Mais c'est là qu'est la ruse du système
dont l'efficacité la plus grande vient de ce que la leçon est
tirée par les femmes, que les hommes ne prêchent jamais,

qu'ils passent pour d'innocentes victimes et que c'est la femelle elle-même qui découvre la *vérité* après avoir commis l'erreur, fatale et destructrice. Comme cette erreur est suivie d'un effet *physique* : la mort, on y croit. Absurdité mythique où le créateur manifeste sa présence comme celle d'une justice immanente que nous recevons en avertissement : ainsi disparaissent ceux qui n'ont pas été capables d'imposer la loi phallique à la femelle.

Il faut admettre cependant que, si la femme est jugée, et reconnue coupable, elle est tout de même victorieuse ici, car c'est l'homme qui meurt. Etat de chose qui ne pouvait satisfaire Balzac qui entend que la femme paye, elle aussi, de façon exemplaire. Elle mourra, certes. Mais elle mourra deux fois coupable. Elle mourra au moment où elle allait faire subir à son second mari le même sort qu'au premier. Mais le romancier veillait, et celui-là, Marie Gaston, était trop cher à son cœur pour qu'il l'abandonnât au triste sort du mâle castré. La passion du pouvoir avait, la première fois, égaré Louise de Chaulieu au point de lui faire désirer le principe viril de l'homme, et avec lui son comportement, sa violence, son expression physique. Mais Gaston, lui, n'est pas seulement un homme supérieur, un homme qui aurait pu être un poète, c'est un poète. Chez lui, l'érection phallique s'exprime symboliquement par l'imagination créatrice. Et Louise recommence. Une fois domptée avec Felipe sa première peur instinctive du membre viril, plus rien ne l'arrête. La force du génie ne l'impressionne pas : « Oh, il a du génie et de l'esprit, du cœur et de la fierté ; les femmes s'effrayent toujours de ces grandeurs complètes. » Elle, non : « Je me suis sentie éprise de lui sympathiquement à la première vue. » Que fait-elle alors ? Elle veut détourner à son profit le flot créateur de son amant. Elle le séquestre, construit pour lui une sorte de paradis rousseauiste, à la campagne, qui, en fait, est une « cage », une prison. Bientôt nous découvrons sous sa plume que ce à quoi elle se livre est l'erreur fatale,

impardonnable. Croyant garder pour elle la force créatrice
de son amant, elle le détourne de son but qui est de
s'exprimer vers le monde, à la manière du pélican qui
s'offre en pâture mystique au siècle qui l'entoure. Elle
s'oppose à sa création, parce qu'elle fait intrusion dans le
circuit fermé, inviolable, nécessaire de l'autofécondation :
« Je suis le collaborateur de mon Gaston et ne le quitte
jamais, *pas même quand il voyage dans les vastes champs
de l'imagination.* » Voilà l'irréparable accompli. En
vérité, la femme qui devrait être épouvantée, cherche ici à
s'immiscer dans la création. Une fois de plus, elle se
comporte en voleuse, en femme jalouse de la puissance
créatrice du mâle dont elle tente de pénétrer le secret.

Nous sommes ici au cœur du mystère même de la
virilité, et Balzac fait de Louise la perpétuelle profanatrice
du culte. Déjà, avec Felipe il était clair qu'elle voulait
pénétrer l'intimité de cette force étrange, inexpliquée,
paradoxale chez un homme par ailleurs si docile, si passif.
Cet homme était, disait-elle « une énigme indéchiffra-
ble ». Elle s'était donnée la tâche impie de la déchiffrer,
de la voler et de l'exploiter. Pauvre malheureuse, nous dit
Balzac, elle ne peut pas exploiter cette force, puisqu'elle
n'en a pas la source. Elle a simplement tari cette source.
C'est tout. Or nous nous apercevons qu'elle fait avec Marie
Gaston la même chose. Parce qu'elle lui dénie cette
solitude nécessaire à l'autofécondation, elle épuise la
source phallique de son imagination créatrice. Il devient
dilettante et ne crée plus. Renée lui écrit : « tu aimes
Gaston bien plus pour toi que pour lui-même »... Plus
loin, elle parle de son « égoïsme féroce ». Elle veut dire
que son mari est pour Louise un terrain d'expérience.
Chacun des deux hommes qu'elle a aimés avait une
puissance dont elle voulait découvrir le secret, et c'est
pour cela qu'elle voulait les posséder. Elle veut dire aussi,
la parfaite Renée, que Louise a refusé de jouer son rôle de
femme, qui est de se « sacrifier ». Sacrifice, sacrifice,

c'était le mot qui revenait le plus souvent sous sa plume quand elle parlait à son amie de son propre mariage. Sacrifice de son identité au profit de l'homme, mais sacrifice qui comportait sa récompense : la maternité. Louise y a failli. Elle ne sera jamais mère. Nous pourrions en rester là, et cependant Balzac clarifie encore son propos en rendant à Marie Gaston l'aptitude à créer. Précisément au moment où il retrouve la solitude, où il expulse — par un stratagème tout à fait invraisemblable du romancier — la femelle hors du système où elle avait pris pied pour l'empêcher d'être. Encore une fois, c'est par l'invraisemblable que Balzac s'affirme comme le dieu vengeur, comme le romancier qui rétablit l'ordre nécessaire des choses. Car il est invraisemblable qu'aimant sa femme comme il l'aime, Marie Gaston, dont, de plus, les raisons sont très louables, lui cache les motifs réels de sa conduite : brusques départs pour Paris, travail solitaire à des pièces de théâtre, etc., tout cela rejetant brutalement Louise hors de son cercle créatif, et lui permettant naturellement à lui, non seulement de faire une œuvre, mais une œuvre à succès. Certes c'est invraisemblable, mais justement c'est pour cela que c'est important. D'ailleurs il faut encore plus d'invraisemblance pour arriver à tuer cette pauvre Louise, il faut une véritable conspiration de sottise et de maladresse autour d'elle qui va jusqu'au retard de la poste pour qu'elle apprenne trop tard la vérité. Mais Balzac tient à ce que la jalousie la tue et surtout à ce que ce soit une jalousie fondée sur une erreur. Il faut que l'envie, qui a été la cause de tous ces malheurs — envie de la virilité, envie de l'imagination créatrice du mâle — se révèle comme une véritable névrose, une sorte de perversion. Chez Louise, la jalousie n'est jamais motivée, qu'elle soit jalouse de son amie Renée quand elle lui rend visite avec Felipe, ou de la belle-sœur de Marie Gaston qu'elle prend follement pour sa maîtresse. Car puisque la jalousie que la femme peut

avoir pour le pouvoir de l'homme est sacrilège, immorale,
il faut la frapper d'absurdité, et montrer que ses conséquences sont la destruction de l'humanité. Voilà pourquoi
Louise reste stérile. Le monde meurt si le mâle ne peut en
toute quiétude exprimer la totalité de sa mystérieuse
puissance phallique.

Après cela, Freud avait la partie belle. Il est tout de
même assez injuste de lui attribuer la paternité de ce qui,
en fait, revient aux créateurs postrousseauistes. Balzac,
sûrement, a apporté par ses romans une contribution
considérable. La critique, là-dessus, qui a propagé l'idée
de l'extrême vérité psychologique de tous ses personnages,
a, bien entendu, accrédité le sentiment qu'il y avait là :
observation et non création. La simple prise de conscience
que ce roman, par exemple, comporte au moins deux
absurdités, deux invraisemblances criantes, celle des deux
morts, permet tout de même de douter de la bonne foi de
ceux qui ont vu en Balzac un merveilleux observateur de la
« nature » humaine. On rétorquera que le XXᵉ siècle a fait
justice de ce genre d'idées. Certes. Nous ne parlons plus
maintenant de l'étonnante vérité des personnages balza-
ciens. Mais les contemporains, eux, y ont cru. Et c'est
assez. Aragon n'a-t-il pas cru à l'étonnante vérité des
personnages de Sollers dans *Une Curieuse solitude ?* Et
pourtant... Au fond le système est simple : le créateur
rêve, élucubre, puis affirme la réalité tangible de son
œuvre et modèle les consciences. Ce qui compte, c'est le
rêve du moment. Celui qui est passé, il n'a plus guère
d'importance, il est caduc. L'influence phénoménale
qu'ont pu avoir des romanciers comme Balzac et Flaubert,
nous ne pouvons la mesurer qu'à ce qu'ils ont enfanté :
Freud, Lacan et les autres. C'est-à-dire, au fond, d'excel-
lents critiques, des gens qui, dans la littérature, ont vu
parfaitement ce qui s'y trouvait : le rêve de la suprématie
du mâle. Et certes, si on lit les *Mémoires de deux jeunes
mariées* comme un roman d'entomologiste, si l'on pense

que Louise de Chaulieu est une femme de chair, parfaitement susceptible d'avoir une réalité, alors « l'envie du
pénis », ça existe. Si au contraire on veut bien prendre
conscience de l'invraisemblance du texte, et de l'absurdité
des propos tenus, on s'aperçoit que l' « envie du pénis »,
c'est la hantise terrifiée des mâles, que le schéma créatif
sexualisé a rendus d'une vulnérabilité extrême. Rien ne
prouve en réalité qu'il y ait eu chez les femmes une telle
« envie du pénis ». Mais les hommes, dans leur fatuité,
parce qu'ils étaient persuadés du trésor inestimable, et de
la puissance phénoménale qu'ils portaient, y ont cru... Ils
l'ont propagé dans leur littérature, et les psychanalystes
n'ont eu alors qu'à se baisser pour ramasser les informations qui leur étaient ainsi données. Mais ce ne sont pas
des informations réelles. Ce sont des élucubrations poétiques. C'est tout. Quand Lacan parle de ce désir de la
femelle d'un phallus sublimé et symbolique, Louise de
Chaulieu lui donne raison. Mais si c'était justement de là
qu'il avait tiré cette idée, si c'était justement dans toute
cette littérature ? Car on se demande un peu pourquoi tout
désir de sublimation serait forcément un désir phallique.
Et si c'était en fait le désir secret de la maternité qui était
réel ? Si toute cette histoire était montée de toute pièce par
les mâles désireux de maquiller leur formidable envie
d'enfanter ? Nous pouvons répondre que cette idée n'est
certainement pas plus absurde, et que l'obsession de
l'enfantement est un élément indiscutable du schéma
créatif sexualisé. Il est même vraisemblable que là se
situent toutes les motivations créatrices du mâle. Et ainsi
nous voyons qu'il se méfie. Car s'il est vrai que l'être veut
créer pour devenir androgyne — c'est-à-dire posséder
l'essence des caractères mâles et femelles qui sont
l'érection et la maternité — l'homme, lui, s'en est donné à
cœur joie, depuis Rousseau et Goethe. La femme, à qui on
disait systématiquement que tout désir de posséder une
érection phallique réelle ou symbolique était voué à

l'échec, immoral, dangereux, fatal pour elle comme pour
l'homme, a été, dans un tel système, totalement privée de
ses motivations créatives. La maternité un point c'est tout,
quand ce qu'il faut c'est être androgyne, c'est la castration
créatrice de la femme. On commence alors à éprouver de
l'inquiétude vis-à-vis des bons apôtres qui insistent auprès
de la femelle pour qu'elle s'accepte. Ce serait là, selon
eux, l'essence du bonheur féminin. Peut-être, mais alors,
pour qu'elle arrive à créer, il faudrait que le schéma
change. Et sans doute, tout est-il une question de schéma.
On se demande en fait ce qui arriverait à la superbe virile,
si on commençait à traiter les hommes en leur promettant
l'apaisement heureux dans la prise de conscience que,
non, ils ne peuvent pas enfanter, non, quoi qu'ils en aient
l'organe de l'enfantement leur manque. On réussirait, très
probablement, dans l'état actuel des choses, à les priver
considérablement de leurs motivations créatrices. Ils
deviendraient stériles. Ceci n'impliquant pas d'ailleurs la
nécessité de l'androgénéité créatrice, mais simplement le
fait que, dans l'état actuel de notre conscience de la
création, tout effort créateur semble tendre vers le rêve —
possible ou impossible — de la totalité. Briser ce rêve,
c'est briser l'aptitude créatrice. Dire à l'homme, tu ne
seras qu'homme, et à la femme, tu ne seras que femme.
    C'est précisément cela que Balzac fait à Louise de
Chaulieu. Il se sert de Renée de l'Estorade pour persuader
la femme jalouse et ambitieuse que la tension, le gonfle-
ment, la violence, non seulement sont invivables pour la
femme, mais surtout que tout effort de masculinisation est
destructeur. Elle devient un mode sans emploi, perverti,
contre nature, lorsqu'elle veut gagner la dominante mâle.
Renée s'oppose alors à Louise, elle-même, en ce qu'elle
est mère, en ce qu'elle croit et affirme que la féminité c'est
la douceur, l'altruisme, l'abnégation, la générosité et le
sacrifice. Ainsi Balzac oppose-t-il à l'imagination vaste et
glorieuse, la maternité triomphante : deux principes qui se

répondent. La femme fait des enfants, et l'homme fait des œuvres, se livre à la création symbolique. L'envol phallique de l'imagination en est l'élément fécondant. Mais cet envol s'il est phallique, l'est symboliquement, puisque l'érection véritable gêne le fonctionnement créateur (« le poète ne bande pas »). Il semble alors qu'en demandant trop d'attention, trop de soin, trop de « foutrerie » en un mot, la femme se fasse le bourreau de l'homme, lui volant sa substance, s'attaquant aux sources mêmes de sa vie et de sa création. Quand c'est une atteinte physique le mâle meurt. Quand cette attaque est symbolique, il cesse de créer, à moins que la femme ne disparaisse dans quelque châtiment exemplaire. Le premier cas, c'est Raphaël, le héros de *La Peau de chagrin,* dévoré et anéanti par la femme qu'il aime et le désir qu'elle lui inspire. Le second cas foisonne dans toute la littérature romantique, dont il est la véritable obsession, c'est Charlotte de *Werther,* Eva de *La Maison du berger,* c'est Mme de Rênal ou Louise de Chaulieu.

L'imagination est donc toujours un mouvement vigoureux qui projette un élément fécondant, « cette espèce d'énergie qui jaillit de l'ennui et de la rêverie », comme le dit Baudelaire dans *Le Mauvais vitrier* (Poème IX)[1] où il retrouve tout naturellement le surgissement étrange du phallus. Une fois de plus d'ailleurs, ici, le désir brutal s'inscrit dans l'étendue et l'inertie de l'ennui et du rêve, alliant la monotonie et l'onirisme à la passivité femelle que vient soudainement déranger cette « énergie » jaillissante. Ce qui la caractérise, cette énergie, c'est son côté « inopiné », inattendu, quasi involontaire. Aussi involontaire que la rêverie, dont nous avons déjà noté que pour Vigny elle semble habiter, de façon presque autonome, le mâle féminin. Ainsi pourrait-on dire que le poète fait par moments, comme poussé par quelque force intérieure dont

1. Baudelaire. *Petits poèmes en prose* (IX).

il ne sait exactement ce qu'elle est, n'importe quoi. Cette
imagination incontrôlée, involontaire, spontanée, il l'appelle l' « esprit de mystification » dont « le mauvais
vitrier » est un exemple parfait. Sa description, imperti-
nente, voire arrogante, par Baudelaire, nous permet de
retrouver, comme par hasard, les éléments constants qui
accompagnent l'énergie phallique créatrice. « Observez,
je vous prie, que l'esprit de mystification qui, chez
certaines personnes » (entendez les poètes) « n'est pas le
résultat d'un travail ou d'une combinaison, mais d'une
inspiration fortuite, participe beaucoup, ne fût-ce que par
l'ardeur du désir, de cette humeur, hystérique selon les
médecins, satanique selon ceux qui pensent un peu mieux
que les médecins, qui nous pousse sans résistance vers
une foule d'actions dangereuses ou inconvenantes. » Ainsi
l'imagination (ou esprit de mystification terme ici plus
sociologique) est-elle fortuite, c'est-à-dire qu'elle semble
n'obéir à aucune règle de la biologie ou de la société, elle
est l'effet du hasard et ne peut avoir été enseignée. Déjà de
bonnes raisons pour prétendre hâtivement que la femme en
est dépourvue, elle qui est le contraire du fortuit, et qui ne
peut être que formée, construite en quelque sorte, éduquée. Son mouvement, que ne contrôle aucun calcul
rationnel, aucun effet de l'intelligence ou du besoin lucide,
est un désir ardent, il allie la projection et le feu, c'est-à-
dire qu'il est une violence créatrice et purificatrice. Ainsi
parlait Vigny qui voyait dans l'effort de l'imagination la
surchauffe qui permet l'allègement de la matière et
précède l'envol de la nacelle ou la violence du volcan en
éruption : « Le feu couve sourdement et lentement dans ce
cratère et laisse échapper ses laves harmonieuses » (préface de *Chatterton*). Mais est-ce vraiment n'importe quoi
que ce hasard miraculeux pousse alors le poète à accomplir ? Certes non. Il est vrai que le « mauvais vitrier » est
une histoire moralement fort scandaleuse : car enfin que
penser de ce poète qui, par une envie subite et incontrôla-

ble, détruit le matériel d'un pauvre vitrier qui n'y peut
mais, lui fait perdre de l'argent et du travail, le ridiculise,
le fatigue en l'obligeant à monter pour rien et chargé de sa
verrerie son escalier étroit ? Rien de bon apparemment.
Mais ce n'importe quoi a un sens qui dépasse, nous dit le
poète, le petit préjudice commis à un être misérable, car il
est l'intuition brutale d'une vérité essentielle qui est celle
de la transposition poétique sans laquelle l'âme s'étiole et
ne peut résister. « La vie en beau, la vie en beau » est
l'expression de la cause profonde de l'horreur de la vie qui
est sa laideur et la laideur de la mort. Le poète est alors
celui qui transfigure le réel et le rend vivable, le seul qui,
reconnaissant d'instinct les causes, peut en découvrir le
remède essentiel. Nous comprenons en fait que lorsque le
poète fait n'importe quoi, il exerce en réalité la totalité de
son pouvoir orphique qui est, par l'érection de l'imagination, de briser le mur de l'oubli des vérités pour retrouver,
comme par un hasard inexplicable, une cause essentielle
dont la perversion humaine avait fait perdre le souvenir.
Voilà qui dépasse de beaucoup le problème de la morale,
et qui fait du poète celui qui ignore l'opacité terrifiante de
cette morale, qui n'est que la censure du réel *véritable.* La
conclusion est que la force phallique transposée, devenue
mythique, place le mâle créateur au-dessus des lois. Alors
que l'étendue et l'inertie féminines font de lui l'être qui
conserve et se souvient, qui jouit et connaît, la puissance
virile du phallus est celle qui dénonce et prend
conscience, découvre brutalement les causes enfouies,
exerce sur le réel une pression qui le délivre de la censure
et de l'amnésie. Voilà en quelque sorte, tirée au clair, la
définition un peu sybilline que donne du génie Balzac dans
la préface à *La Peau de chagrin :* « Il va, en esprit, à
travers les espaces, aussi facilement que les choses, jadis
observées, renaissent fidèlement en lui, belles de la grâce
ou terribles de l'horreur primitive qui l'avaient saisi. »
Cependant, l'énergie phallique de l'imagination est une

violence créatrice à la fois de vie et de mort. Elle crée,
mais elle épuise la vie, semble la détruire, tout comme le
temps qui anéantit l'individu. Le mâle ici se sent menacé
par la perte de sa force séminale, par l'horrible déperdition
de son énergie que constitue l'érection constante, affaiblis-
sante, épuisante même, de son imagination : « L'imagination nous vieillit, et souvent il semble qu'on ait vu plus de
temps en rêvant que dans la vie. Des empires détruits, des
femmes désirées, aimées, des passions usées, des talents
acquis et perdus, des familles oubliées. Ah combien j'ai
vécu. N'y a-t-il pas deux cents ans que cela est ainsi ? »
(Vigny, *Journal d'un poète*, à la date de 1824). Ce n'est pas
hasard certes si l'imagination se voit tout naturellement
liée à l'amour, à la sexualité des femmes désirées et
aimées, des passions usées, car elle est, comme l'érection
et le coït, ce don fou que le mâle croit faire de lui-même et
qui lui fait peur. Ainsi le mythe du pélican est-il celui de
l'imagination qui en s'offrant comme source de vie à
l'humanité, consent à sa propre perte, au sacrifice sublime
de sa vitalité. L'imagination apparaît au mâle créateur
toujours comme un miracle, identique au miracle phallique, mais un miracle qui met en jeu sa vie, qui lui coûte
son sang, son âme. Il en est donc à la fois terrifié et
enorgueilli, et ne comprend pas que cette liqueur de lui-
même qu'il va finalement répandre sur le monde ne soit
pas accueillie comme le prodige de la vie et de la mort qu'il
est, en réalité, pour lui. L'homme donne la vie en se
donnant la mort. Tel est le sens de la création qui, chez
Apollinaire, par exemple, en quelque sorte culmine et se
schématise en devenant l'énorme entreprise mythique du
Phénix mourant et renaissant, éternel cycle de la vie et de
la mort. Mais le mâle, parce que c'est lui qui perd quelque
chose (liqueur séminale, souvenir, imagination, etc.), se
croit seul auteur d'une création qui se présente alors
comme un constant système de compensation : en vérité
seul celui qui perd quelque chose gagne. Le poète est donc

généreux. N'a-t-on pas assisté d'ailleurs à une espèce de grossissement romantique étrange du personnage de Don Juan, transposé à l'échelle mythique et devenant « le poète », c'est-à-dire celui qui dispense sans compter sa semence au détriment de sa propre existence et qui, parce qu'il veut donner à la femme la vie, a un si souverain mépris de soi-même qu'il consent à s'en vider ? Le poète est généreux comme Moïse, comme Samson (Vigny), comme Rolla (Musset). Cela est logique, évident, clair et cependant... Y a-t-il entreprise plus résolument égocentrique, plus violemment misogyne, plus désespérément égoïste au fond que celle du poète qui, non content de partir de lui-même et de ce phallus divinisé, de trouver en ce même phallus l'absolu convoité, en sorte que son autofécondation, son retournement sur soi est pure contemplation de soi-même, de son membre divin, va encore avoir besoin de sacrifier la femelle pour accomplir la totalité de la tâche qu'il s'est assignée, et même de l'amener au sacrifice volontaire, à l'immolation spontanée d'elle-même ? Etrange entreprise de mystification que celle-là qui fait appeler généreux, puis libre, le mouvement le plus sanguinaire et le plus aliénant du monde passé et présent.

Le souvenir :

Le souvenir, dans son surgissement, est donc, comme l'imagination dont il est peut-être le négatif, ou plutôt l'expression dans le passé, la forme généreuse que prend l'érection prête à féconder ainsi l'inertie de la mémoire. Il est intéressant de noter que Vigny semble indiquer que le Jugement en est l'aspect parallèle. Il est assez certain que Proust, à cet égard, n'aurait sans doute pas été d'accord. Le souvenir, pour ce dernier, c'est le sentiment du connu qui apparaît dans le marais de l'ignoré, de l'oublié. Mais cette prise de conscience d'un connu est d'une fragilité extrême. Un rien peut l'annihiler ou l'empêcher de se

produire dans ce qu'elle a d'essentiel et de fécondateur,
c'est-à-dire en ce qu'elle porte en elle le passé que le
temps écoulé n'aurait pas modifié, d'où le temps, en fait,
serait absent. Ce retour du souvenir, comme des « statues
grecques », c'est une transcendance, une apparition qui
projette l'être dans son être, qui le libère de sa contingence. Mais c'est un exercice difficile, hasardeux et, nous
dit Proust dans *Le Temps retrouvé* : « Si j'avais encore le
François le Champi que Maman sortit un soir du paquet de
livres…, je ne le regarderai jamais, j'aurais trop peur d'y
insérer peu à peu mes impressions d'aujourd'hui, de le voir
devenir à ce point une chose du présent que, quand je lui
demanderais de susciter une fois encore l'enfant qui
déchiffra son titre dans la petite chambre de Combray,
l'enfant, ne reconnaissant pas son accent, ne répondît pas
à son appel et restât pour toujours enterré dans l'oubli. »
La matière inerte, passive et féminine de l'oubli est comme
la chair baudelairienne, l'horrible puissance de la mort. Le
souvenir seul est l'expression de la vie et Proust retrouve
très clairement le sens de la vie phallique dévoilé par
Rousseau dans sa Cinquième Promenade. Le souvenir est
actif, il suscite, il appelle, il dresse des images, il est cette
expression de la virilité orphique qui plonge, par son
érection, dans l'être, qui retrouve la vérité, à travers les
différents murs que le temps, la société, le monde dont
l'expérience n'est que mensonge, maquillage, ont dressé
entre l'homme et ce qui, en lui, est sa nature, nature qui le
précède et dont l'enfance constitue le seul témoignage…
Ainsi questionne-t-il inlassablement cette enfance. Mais
lorsque l'homme adulte la regarde avec ses yeux que la
vapeur de l'oubli, la matière opaque du monde, de la
société, obscurcissent, ce n'est que ce mensonge qu'il peut
apercevoir. Quand il est passif et abandonné à sa
passivité, c'est-à-dire à l'inertie de *la mémoire* qui n'est
qu'accumulation, réserve, réceptacle du temps, femelle en
un mot, alors rien ne peut arriver, aucune vérité ne peut

être perçue. Par contre, *le souvenir* surgit, avec cette violence inattendue de l'érection, accompagnée de tout son cortège de sensations érotiques, de plaisirs. C'est là que se situe d'ailleurs l'ambiguïté de l'expérience proustienne, car au moment du jaillissement du souvenir il se dit, se décrit, se sent passif. En vérité, il est passif comme l'homme abandonné à sa puissance phallique : c'est précisément quand sa volonté a cessé de s'exercer, quand il a laissé l'espoir de trouver cette parcelle de sa vérité qui colle encore au temps sans pouvoir s'en détacher et dont il pressent l'importance, que le miracle se produit. Miracle rare, d'ailleurs, et qui n'arrive, dans toute *la Recherche,* que quatre ou cinq fois. Miracle involontaire. Miracle qui fait penser à l'imagination créatrice romantique, c'est-à-dire à cette inspiration étrange et que rien ne laisse prévoir, que quelque hasard quasi divin semble amener, comme un don ou une récompense, et à cet autre miracle où le mâle, subjugué par lui-même, retrouve sa puissance phallique, rare, incertaine, hasardeuse et divine.

Nous nous apercevons alors que ce qui déjà au XVIII⁰ siècle caractérise le désir ou l'imagination (et Diderot donne à l'imagination un sens différent) c'est son caractère involontaire, c'est que son émotion, tout comme l'érection du mâle, a cet aspect fabuleux et mythique qui fait du créateur, comme de l'homme, un être dominé par une force dont le jaillissement le dépasse. De là à croire cette force d'origine divine, il n'y a qu'un pas et certes l'érection phallique, étrange et capricieuse, fit glorifier le membre viril, au point qu'au XVII⁰ siècle encore on le qualifiait de divin. Ce qui cause l'extase proustienne au surgissement du souvenir fertilisant et générateur de l'essence, c'est qu'il est involontaire, qu'il porte en lui la marque symbolique de la puissance phallique. Et dans l'étendue inerte et passive de la mémoire, le souvenir jaillit, maquillé en fée et en adolescente, comme le sperme générateur de vie, comme l'érection troublante et imprévue

du phallus divin. Cértes Proust le compare, ce souvenir, à
une adolescente ravissante, mais si son apparition, dans
La Prisonnière, semble féminine, sa description est suffisamment ambiguë pour qu'un doute surgisse. Perdu dans
l'inertie où le tient sa mémoire amorphe, le narrateur
écoute, sans joie, un peu perdu, le début d'une œuvre
nouvelle de Vinteuil. Soudain la petite phrase apparaît,
familière, « apparition magique » : « et plus merveilleuse
qu'une adolescente, la petite phrase, enveloppée, harna-
chée d'argent, toute ruisselante de sonorités brillantes,
légères et douces comme des écharpes, vint à moi,
reconnaissable sous ses parures nouvelles ». Ce ruisselle-
ment fécondateur, brillant, de l'apparition, fait penser à la
vision solaire, également lumineuse qui accompagne dans
l'expérience du pain grillé, ou dans celle de la petite
madeleine, la survie du moi enfoui (*Contre Sainte-Beuve*).
La passivité qu'il décrit n'est pas abandon à la matière,
mais ascèse destinée à l'éloigner, de façon à ce que le
souvenir, brutalement surgi, au moment où le mâle bande
symboliquement, puisse immédiatement recréer l'être fondamental. L'enfant alors apparaît, avec, intact, le sentiment en lui de la vie et la découverte absolument fraîche
du monde, quand le temps passé, c'est-à-dire l'expérience,
n'existe pas. Ainsi Rousseau indiquait-il nettement la
fixation des sens annihilés par le battement régulier de la
marée et qui ne le rendait pas dépendant de la sensation,
mais apte à capter la vie même. La créativité du poète,
c'est cet instinct « religieusement écouté au milieu du
silence imposé à tout le reste » (Proust, *Le Temps
retrouvé*), instinct qui est une mystique de la vie dont seul
le phallus ouvre en fait la porte. Et ce silence fait
étrangement penser à celui dans lequel vivait Chatterton
quand retentit le coup de pistolet du suicide de Werther.
Suicide terriblement symbolique de la force virile outragée
et qui se venge en se détruisant parce qu'elle est victime de
la femme castratrice : « Eh, n'entendez-vous pas le bruit

des pistolets solitaires ? Leur explosion est bien plus éloquente que ma faible voix. » (Vigny, *Chatterton*, Préface). En vérité, tout doit être soumis à cette force, tout le reste, nous dit Proust, n'est que « verbiage superficiel et critères changeants ». Or quel nom prend cette force, que ce soit pour Vigny ou pour Proust (étrangement proches à beaucoup d'égards) ? Littérature, poésie. « La grandeur de l'art véritable... c'était de retrouver, de ressaisir, de nous faire connaître cette réalité loin de laquelle nous vivons, de laquelle nous nous écartons de plus en plus au fur et à mesure que prend plus d'épaisseur et d'imperméabilité la connaissance conventionnelle que nous lui substituons, cette réalité que nous risquerions fort de mourir sans avoir connue, et qui est tout simplement notre vie. La vraie vie, la vie enfin découverte et éclaircie, la seule vie par conséquent réellement vécue, c'est la littérature ; cette vie qui, en un sens, habite à chaque instant chez tous les hommes aussi bien que chez l'artiste. » (*Le Temps retrouvé*). Admirable déclaration qui ne doit pas nous faire oublier l'équation : littérature égale vie, vie égale phallus (dans son essence), donc littérature égale érection phallique qui déchire l'inconnu, l'inerte, l'accumulé improductif, l'oublié... Pour s'en convaincre, il n'est qu'à reprendre la fameuse « expérience de la petite madeleine », la première remontée du souvenir involontaire dont Proust décrit de façon si étonnante le surgissement dans *Du Côté de chez Swann* : « Mais sentant mon esprit qui se fatigue sans réussir, je le force au contraire à prendre cette distraction que je lui refusais, à penser à autre chose, à se refaire avant une tentative suprême. Puis une deuxième fois, je fais le vide devant lui, je remets en face de lui la saveur encore récente de cette première gorgée et je sens tressaillir en moi quelque chose qui se déplace, voudrait s'élever, quelque chose qu'on aurait désancré, à une grande profondeur ; je ne sais ce que c'est mais cela monte lentement ; j'éprouve la résistance et j'entends la rumeur des distances traversées.

« Certes, ce qui palpite ainsi au fond de moi, ce doit être l'image, le souvenir visuel, qui, lié à cette saveur, tente de la suivre jusqu'à moi... Arrivera-t-il jusqu'à la surface de ma claire conscience, ce souvenir... ? Je ne sais. Maintenant je ne sens plus rien, il est arrêté, redescendu peut-être ; qui sait s'il remontera jamais de sa nuit ? Dix fois il me fait recommencer, me pencher vers lui... Et tout d'un coup le souvenir m'est apparu... » Ainsi cette disponibilité qui précède l'apparition du souvenir n'est pas abandon à la matière mais prise de conscience de l'impuissance où est le mâle à contrôler son surgissement (ici décrit comme purement magique). L'élan du souvenir, comme celui de l'imagination, est mystérieusement fortuit, le succès de la création de l'image n'est jamais assuré et son inspiration est alors décrite (la petite madeleine) dans une forme étonnamment érotique comme : « ce petit coquillage de pâtisserie, si grassement sensuel sous son plissage sévère et dévôt ». Il n'est certes pas nécessaire d'insister sur l'aspect phallique du surgissement du souvenir : montée, poussée qui brise l'accumulation du temps et le masque de la vie et qui est brusque pénétration de l'être ou plus exactement qui permet la saisie de l' « être » : « Un plaisir délicieux m'avait envahi, isolé, sans la notion de sa cause. Il m'avait aussitôt rendu les vicissitudes de la vie indifférentes, ses désastres inoffensifs, sa brièveté illusoire, de la même façon qu'opère l'amour, en me remplissant d'une essence précieuse : ou plutôt cette essence n'était pas en moi, elle était moi. J'avais cessé de me sentir médiocre, contingent, mortel. » Tous ces textes font étrangement penser à telle description du « puissant » plaisir créatif de l'érotisme phallique chez Miller (*Sexus*), Mailer (*An American Dream*) ou D. H. Lawrence (*The plumed Serpent* ou *Lady Chatterley's Lover*).

En bref, on peut dire que le principe actif apparaît très nettement — imagination ou souvenir — comme ce qui serait spécifiquement mâle, c'est-à-dire en clair comme l'expression symbolique de l'érection phallique précédant l'éjaculation créatrice. Nous voyons d'ailleurs que la littérature du XIXe siècle, et également celle du XXe siècle qui en est directement issue, s'ingénie à prouver, par les situations où sont placées les femmes, par le comportement qu'on leur donne dans les romans, qu'elles manquent précisément de ces deux principes nécessaires à la création androgyne, l'imagination, et l'aptitude à se souvenir. Ce qui apparaît alors, c'est le désir constamment exacerbé de l'individu mâle de se désengager de l'inertie du temps accumulé qui le prive de lui-même, le coupe de sa vérité, de ce secret qu'il porte en lui et qui le fait mâle et différent, et que seul le voyage orphique de la montée du phallus crevant les territoires oubliés et les temps passés où l'être s'est peu à peu égaré, enlisé, peut permettre. D'emblée, la recherche de la connaissance de soi, si nécessaire, à l'expression créatrice de l'homme, se présente comme une entreprise qui doit se faire et ne peut se faire qu'en violentant la passivité, qu'en s'exprimant contre l'inertie accumulatrice. En bref l'acte de création du mâle, s'il a besoin de l'imagination, du souvenir, est immédiatement un acte qui se fait contre la femme, et ne peut se faire que contre la femme. Restera alors à justifier cet antiféminisme. C'est ce qui constituera l'entreprise essentielle de la quasi-totalité de la production du XIXe et du XXe siècle. Car l'homme, en divinisant l'impétueuse incertitude de l'acte phallique, en a fait le modèle de l'acte du génie poétique, qui est de toujours être neuf devant un tel miracle, ou de toujours prétendre à sa nouveauté. « Je voyage en moi comme dans un pays inconnu », écrit Flaubert à Louise Colet en 1846. Face à une originalité si profonde et qui vient justement de la puissance phallique, la femme est d'emblée totalement connue. Cette corres-

pondance d'un jeune homme de vingt-cinq ans avec une
femme qui en a trente-six serait profondément grotesque si
elle n'était affligeante et ne constituait pas pour nous une
mine de renseignements sur le sentiment créateur des
hommes du XIXe siècle.

En effet, à propos des femmes, ce ne sont qu'aphorismes : « elles aiment bien, elles aiment peut-être mieux
que nous, plus fort mais pas si avant... » (12 août 46)...
« Elles écrivent pour se satisfaire le cœur... » ... « Le
cynisme qui est l'ironie du vice, leur manque » (24 avril
1852)... La courtisane est un mythe. Jamais une femme
n'a inventé une débauche... » On peut évidemment citer
des centaines de ces vérités d'évidence qui impliquent que
la femme est, pour l'homme, une zone connue. En fait rien
de la femelle n'échappe à la perspicacité du mâle car la
femme est simple, toujours identique à elle-même, elle
n'est pas dépendante, elle, d'un organe magique, qui serait
autonome par rapport à elle, et qui s'exprimerait de façon
imprévue, souvent gratuite, mystérieuse, comme un mouvement intéressé à la prolifération de l'espèce, c'est-à-dire
puissamment vital, créatif et donc essentiel. Cette transposition de l'acte phallique est clairement perceptible dans
toute forme de création, où la femme ne peut évidemment
jamais qu'être mêlée au morne marécage du connu : elle
compile et elle décrit, mais ne crée pas. Ainsi l'expérience, loin d'être source de créativité, lorsqu'elle est
sociale, n'est en fait que le lot de la femme qui ne peut s'en
servir que pour l'intrigue. Elle est accumulative, cette
expérience, et deviendra de plus en plus, pour arriver à
Proust, ce voile de l'oubli, ou ce masque de la convention
qui fige les êtres dans le mensonge. Par contre le mâle
poète, qui plonge par à-coups d'érections géniales dans
l'essence de la vie et dans l'être, celui-là connaît,
d'instinct, d'intuition tout ce qu'il y a à connaître. A vingt
ans, comme Chatterton, il est un vieillard, à vingt ans,
comme Vigny, il connaît tout du monde et ce passage d'une

lettre de Flaubert à Louise Colet, datée du jeudi 6 août 1846, illustre bien la relation étroite qui existe entre cette connaissance et l'exercice répété de l'érection phallique. Le poète ici parle, et aussi le jeune homme, qui bien que de onze ans plus jeune, et s'adressant à une femme pas particulièrement vertueuse, s'en fait le maître — dans le plaisir comme dans la création, qu'il lie immédiatement de cette façon —, lui la connaissant, elle n'arrivant jamais à percer le mur de l'apparence qui entoure son amant. « Si tu savais toutes les forces internes qui m'ont épuisé, toutes les folies qui m'ont passé par la tête, tout ce que j'ai essayé et expérimenté en fait de sentiments et de passions, tu verrais que je ne suis pas si jeune. C'est toi qui es enfant, c'est toi qui es fraîche et neuve, toi dont la candeur me fait rougir. » Echo de Rolla, écho de Lucien de Rubempré, face aux prostituées auxquelles ils se sont attachés et devant lesquelles, ils se sentent, toujours, malgré leur jeunesse, plus expérimentés. Il est extraordinaire de remarquer ici, une fois de plus, que l'enfance éternelle de la femme n'est pas une enfance créatrice. Alors que le mâle enfant est celui vers lequel se retourne le créateur pour y déchiffrer la vérité non masquée de l'être, pour y retrouver son essence, il est clair que c'est par une impuissance à connaître et savoir que la femme-adulte reste infantile. Un film récent d'ailleurs, de Louis Malle, *Pretty Baby*, retrouvait une fois de plus ce thème éternel de l'activité triomphante du mâle, qui, se voyant, lui, doué d'une essence, d'une nature montre toujours chez le petit garçon l'apparition éventuelle d'un signe naturel, et le dénie rageusement à la fillette. Certes on dira que cette prostituée, élevée dans la prostitution, entièrement perver-tie dès son enfance, est une victime de l'abomination sociale. Pourtant le spectateur n'éprouve pas de pitié pour elle. Pourquoi ? Parce qu'elle ne peut jamais revenir à des sentiments d'humanité. Elle est une marionnette humaine que seule la prostitution commande, la prostitution qui est

l'enseignement qu'on lui a donné. En vérité, elle ne peut
être que ce qu'on lui a inculqué et le désintéressement ne
la touche pas. Face à cet homme, émouvant, lui, qui la
sauve, la rachète, l'épouse, elle ne peut qu'agir en
prostituée, et lorsque sa mère revient la chercher, accompagnée de l'homme riche qui pourra lui faire un père plus
intéressant, plus avantageux que son pauvre photographe
de mari, elle quitte ce dernier sans regret, presque sans
aucune hésitation. Il n'y avait rien d'autre en elle. Par-delà
l'énorme maquillage du monde faux dans lequel elle a été
élevée et qui l'a fait vivre depuis sa naissance, il n'y a
aucune vérité essentielle, transcendante à cette condition
acquise, et qui serait humaine par exemple, lui donnant
une étincelle « d'humanité », un mouvement autre que
celui de la prostituée vers laquelle elle puisse se retourner.
Par contre son camarade de jeu, le petit garçon roux qui vit
dans la même maison, en contact permanent avec la même
déchéance sexuelle, est étonnamment naïf, candide et
préservé. Surtout, l'esprit de la prostitution ne l'a pas
atteint. A travers ses offres de services futurs à la petite
prostituée de douze ans, il témoigne de générosité,
d'altruisme. Dans ce monde où seul le gain compte, où tout
se monnaye, lui ne s'intéresse pas au gain. Il est comme
couvert, protégé. L'éducation, l'exemple ne peuvent pas
entièrement le pervertir. Il est un garçon. Rien ne peut
atteindre ce noyau essentiel qui est en lui, mâle, et qui
transcende sa condition présente, l'enseignement qu'il
reçoit. Il est réformable. Elle est condamnée. Perdue.
Nous savons qu'aucune force au monde ne peut plus rien
pour elle. La fille est ce qu'on lui dit d'être, et définitivement. Bilan affreux où la non-créativité congénitale,
naturelle de la fille apparaît comme une sorte de faute qui
l'entraîne vers une chute inexorable, chute qui sera aussi
celle de l'homme assez imprudent pour vouloir aimer cet
être entièrement conditionné, robot sans âme. Cas limite
de conditionnement ici, certes, mais dont le traitement par

le cinéaste implique une misogynie si tenace, si incroya-
blement anachronique qu'elle explique sans doute la gêne
que la plupart des critiques ressentent devant un film par
ailleurs d'une grande beauté plastique. Dangereuse beauté
qui, une fois de plus, fait passer le reste et qui empêche
les gens de se demander pourquoi, à notre époque
matérialiste, où l'on croit au conditionnement total de
l'individu, on persiste à trouver en l'homme une inexplicable transcendance que l'on refuse à la femme, pour qui
cependant on n'a pas de pitié, alors qu'elle devient de ce
fait le prolétaire par excellence, l'être manipulé, déshuma-
nisé, totalement spolié de sa liberté. Car on la hait, cette
« pretty baby », plus qu'on ne la plaint, et il faut
beaucoup de réflexion pour lui trouver des circonstances
atténuantes. A la première vision, le réflexe est immédiat :
l'horreur, le dégoût. C'est la même horreur et le même
dégoût qui soulèvent Montherlant-Costals devant la femme
infantile qu'il connaît, expose, devine, met à nu en une
seconde. Là encore, la différence entre l'enfance — qui
est toujours celle du mâle — et l'infantilisme — qui est
toujours celui de la femelle adulte — éclate très clairement en rendant perceptible l'essence tangible du mâle qui
le fait différent, original, et la codification de la femelle,
qui la fait convenue, lisible sans difficulté à qui simplement connaît le code. Ainsi Costals a-t-il pour son fils un
respect et une admiration, mêlés d'amour véritable, qui
expriment toute la tendresse pédérastique de Montherlant.
Par contre, avec Solange Dandillot, pas de « voyage dans
l'inconnu ». Machine femelle, elle est telle qu'elle a été
formée. Très vite, elle ennuie prodigieusement l'écrivain,
qui n'a plus qu'une envie c'est de la faire souffrir et
finalement l'immoler. Cependant le créateur se donne le
luxe de feindre d'oublier que l'infantilisme de la femme
n'est pas l'enfance, pour que sa déception nous paraisse
bien cruelle, bien navrante, et bien touchante sa bonne
volonté à croire la femme capable de créativité. Puisque la

créativité s'exprime, depuis Rousseau, par un retour aux
sources, retour à l'essence, c'est-à-dire, dans l'ordre
phallique de la sexualité mâle, par le mouvement de
l'érection de l'imagination ou du souvenir (modes différents d'une même fonction) nous avons chez Montherlant
une extraordinaire schématisation du système que Costals
retrouve dans son expérience créatrice grossièrement
calquée sur une caricature de la Genèse, et où nous
retrouvons à la fois l'aspiration des créateurs du XVIIᵉ siècle à être Dieu, en même temps que le besoin d'affirmer
l'ordre mâle du discours littéraire comme un sacrifice
violent de la femme. En vérité Costals n'enrobe même plus
le rituel phallique de la création d'un terme analogique qui
serait l'imagination ou le souvenir, il s'écrie tout bonnement, au moment de commencer à écrire : « Je les enc...
tous » (*Le Démon du bien*). Tout comme Gide, il considère
que lorsqu'il écrit, il bande, et d'ailleurs c'est à une
femme, Andrée Hacquebaut, que Montherlant fait dire en
termes moins crus ce que contient le : « je les enc...
tous... » : « Quand j'ai commencé à comprendre que l'art
était presque exclusivement mâle, et *la plus haute forme de
l'activité masculine,* j'ai éprouvé une stupeur dont je ne
suis pas encore revenue » (Lettre du 28 janvier 1928. *Les
Lépreuses*).

   Or, après ce cri qui expose crûment le projet de
l'écrivain dans sa transposition non voilée de l'acte
masculin, Costals est Dieu : « Il écrivit neuf jours de
suite... Il écrivit ensuite quatre jours... Et ensuite il prit
du repos : il chassa la femme durant trois jours, et il eut
deux aventures. » Cette caricature de la Genèse implique
que l'acte viril symbolique, projection sur le monde de ce
qui ne s'appelle même plus imagination ou souvenir, mais
s'accompagne, comme chez Rimbaud, de phénomènes de
dégorgements digestifs (« il la dégorgeait... il se vidait...
etc. »), est une appréhension directe de l'authentique, du
vrai : « Et il rentra dans sa probité. » Le thème du

vomissement, que l'on retrouve dans le *Bateau ivre*, est
toujours celui de la perte de quelque substance qui le vide
et le ramène, ou le réduit à un noyau primitif (qu'on
pourrait dire d'ailleurs, comme Baudelaire, « puisé au
foyer saint »), noyau qui fait penser au simple philosophal
de la transformation alchimique. Ce qui apparaît également, et clairement, c'est que le rejet de cette matière, le
vomissement de cette femme inerte, passive, convenue,
sociale, est la violente expulsion, hors de lui, de cette
étendue féminine, et que l'acte de création, qui est pour
lui de devenir Dieu, c'est-à-dire ici l'être non androgyne,
l'être, qui, comme chez Baudelaire, atteint la virilité
absolue, *est* en ce qu'il est mâle, ne peut se faire que *contre*
la femme. Ainsi le terme « Chasser la femme » est-il
parfaitement révélateur. Montherlant dévoile et expose le
schéma qui n'est, en général, chez les créateurs du XIXᵉ
siècle, que transposé de façon plus ou moins claire. Tant il
est vrai que le XXᵉ siècle est le point de dévoilement des
systèmes cachés, le moment de la crise où les vérités
s'exposent de façon souvent caricaturale. Ce qui se déduit
chez Baudelaire, se libère chez Saint-John Perse, ce qui se
pressent chez Musset s'étale chez Claudel. Notre époque,
parce qu'elle voit l'accession de tous au savoir est à la
simplification pédagogique, à l'exposition pure et simple
des névroses créatrices. Ainsi, chez Montherlant, contrairement à ce qui se passe chez Baudelaire ou chez Musset,
la création s'accompagne d'une crise de sexualité pure
« ... et il eut deux aventures... ». C'est que pour lui, l'acte
phallique et l'acte créatif ne sont plus analogiques mais
identiques, voire confondus. Le rejet de la femme de la
création y est extraordinairement simplifié par le fait qu'il
est tout bonnement physiologique. Plus aucun maquillage.
Ça n'est pas parce qu'elle n'a pas d'imagination que la
femme ne crée pas (imagination qui est bien évidemment
une transposition de l'érection phallique), mais parce

qu'elle n'a pas de phallus, un point c'est tout. Voir Lacan
et autres.

L'autofécondation androgyne est finalement un processus très complexe, qui met en jeu une dualité fondamentale du mâle, une nature, à la fois féminine donc passive,
où s'inscrivent la Muse, la Beauté, le rêve, et masculine
donc active, expression non ambiguë de la virilité
sexuelle : l'imagination comme le souvenir ont les caractères incertains, spontanés, miraculeux mais aussi autodes-
tructeurs du mécanisme phallique. Pour que le cycle
sexualisé soit complet, il reste au créateur à trouver la
semence fertile. Et c'est l'Idée.

L'Idée-sperme :

C'est en lui-même que l'hermaphrodite créateur trouve
la semence nécessaire à la création-procréation de l'œuvre. Ce sperme fécond, issu de l'être actif mâle, c'est ce
que Vigny appelle l'Idée, ou Baudelaire La Pensée. C'est
ce qui résulte de la confrontation de l'androgyne avec le
monde, avec lui-même et la beauté ou la laideur qui
l'inspire. Il y a là un échange entre le mâle et le monde
indispensable au développement de l'idée, et qui justifie
le rapport nécessaire de l'homme avec l'extérieur, le
voyage, l'aventure, toute la découverte du savoir dont la
femme est exclue, parce qu'on n'en voit pas pour elle la
nécessité. A quoi lui servirait l'idée et le savoir, puisqu'elle n'a pas l'organe — au propre comme au figuré —
pour le répandre ? Vigny écrivait dans *Le Journal d'un
poète,* en 1842 : « Lorsqu'une idée neuve, juste, poétique,
est tombée de je ne sais où dans mon âme, rien ne peut l'en
arracher ; elle y germe comme le grain dans une terre
labourée sans cesse par l'imagination. En vain je parle,
j'agis, j'écris, je pense même sur d'autres choses : je la
sens pousser en moi, l'épi mûrit et s'élève, et bientôt il faut
que je moissonne ce froment et que j'en forme, autant que
je puis, un pain salutaire. » L'analogie de la pensée à la

semence indique que, semen, germe, levain, élément
originel de la procréation, étape première, elle procède du
mâle. L'idée est sperme. Ainsi, puisqu'elle fait office de
liqueur séminale et procède donc du mâle, elle va, comme
élément masculin, être tout naturellement, on peut presque dire génétiquement, refusée à la femme.

Même conception de la pensée chez Hugo où les germes
puissants sont associés à l'élan phallique des « *rayons*
divins » qui *pénètrent* les cœurs purs. Or, du moment qu'il
a été fécondé par l'idée ou la pensée spermique, dès lors
qu'il porte en lui le fruit futur, le poète hugolien connaît un
état de grâce particulier, il possède la formidable puissance de la perception et de l'intelligence du monde. Pour
Vigny, il est « le roi de la pensée dans le roi des
langages » (*Journal,* 1843). Puissance. Puissance qui est
si grande, ajoute Vigny un peu plus loin, que les rois
veulent se faire écrivains. Puissance dont la femme est
exclue puisqu'elle est rejetée hors de l'Idée, hors de la
pensée, hors de Dieu. Est-ce vraiment fatalité de sa
nature, quand on montre après cela la femelle incapable
de connaître le monde, de concevoir l'abstrait, de penser
Dieu et surtout de s'analyser soi-même ? Fatalité si l'on
veut, car c'est l'homme qui ainsi inflige à la femme le pré-
tendu destin de ne se jamais connaître vraiment et
d'ignorer les aspirations des hommes qui l'entourent. Car
l'intimité avec Dieu, qui est l'intimité avec l'Idée phallique
et qui permet au poète hugolien de percer la croûte de
l'apparence, à laquelle inexorablement la femme se
heurte, donne au « voyant », au mage, l'intelligence des
« tronçons » innombrables de l'Etre, la découverte des
grands secrets que seule la contemplation intérieure du
sperme de toute chose, du semen divin, de L'Idée, peut
apporter. C'est bien ce qu'implique Mme de Staël lorsqu'elle remarque (*De l'Allemagne,* XI) que les poètes ont
« une existence toute intérieure ». La poésie, quand elle
est « ce qu'il y a d'intime dans tout », c'est-à-dire

l'intimité « formidable » que le poète entretient avec la
divinité de son mystère phallique, préfigure la profondeur
de l'intériorité reconnue, et revendiquée du créateur
surréaliste pour qui la vérité n'est pas comme chez les
Romantiques et les Symbolistes une vérité objective,
définitive, absolue et éternelle (à laquelle le poète seul a
pouvoir de participer) mais une vérité entièrement définie
dans son rapport avec le créateur, exprimant des relations
subconscientes avec l'histoire, le psychisme collectif, etc.
Ainsi y a-t-il, chez les créateurs contemporains, une vision
de l'expérience poétique qui fait d'eux des êtres encore
plus foncièrement hermaphrodites. Un tel effort d'autonomie porte d'ailleurs, lorsqu'il devient conscient au plus
haut degré (comme ce fut le cas au début du XXᵉ siècle),
son arrêt de mort interne. Enfermé en lui le créateur ne
peut bientôt plus trouver que lui-même et son insistance
maladroite à affirmer qu'il est un témoin, un porte-parole
ou un sauveur de l'humanité se heurte à cette « intimité »
absolue avec son propre principe créatif, à cet encerclement autour de soi — qui rendent son langage totalement
intérieur et incommunicable. Contradiction inexorable qui
fut celle des Surréalistes, entre des aspirations qui vont
jusqu'au collectivisme politique, et une forme d'hermétisme — dont ils se défendent — mais qui est total. Car
arrivé au terme de son cercle égotiste, le créateur découvre
de plus en plus que la vérité est contingente et que
l'hermaphrodite ne peut que reproduire éternellement un
schéma identique ou les autres vainement cherchent à se
retrouver, lorsqu'ils n'appartiennent pas à la même Histoire. Fasciné par Vinteuil, qui toujours, lorsqu'il « crée »
reproduit un élément de sa « petite phrase », Proust, dans
La Prisonnière, indique comme une constante de la
création ce retour habituel à soi : « ... alors Vinteuil,
cherchant puissamment à être nouveau, s'interrogeait lui-
même, de toute la puissance de son effort créateur
atteignait sa propre essence à ces profondeurs où, quelque

question qu'on lui pose, c'est du même accent, le sien propre, qu'il répond. » Nous voyons alors l'origine du sacro-saint principe de l'originalité, qui est devenu, depuis le début du XIXe siècle, le critère presque unique de la « qualité » artistique. Dans la mesure où la conception de l'œuvre se fait par le recours à un principe fécondateur intérieur au poète, dans la mesure où ce principe échappe de plus en plus à son contrôle, parce que sa source est celle du rêve ou du subconscient, descente à l'intérieur de soi, l'œuvre est de plus en plus l'appréhension d'une vérité individuelle, de plus en plus contingente à l'individu et à l'histoire, de moins en moins investie de caractères objectifs. Qu'importait à Racine l'originalité de sa conception quand il cherchait à retrouver une vérité atemporelle de l'Homme ? Il puisait son inspiration hors de lui-même, dans des modèles grecs ou antiques, et peu lui importait — comme à Corneille d'ailleurs — que souvent le démarquage littéraire fût évident. Il ne s'en cachait pas. Sa création était faite avant d'être conçue, elle n'était pas, pour *lui*, tributaire d'un langage, d'une imagination, d'un fécondateur. Chez lui, le principe analytique étant souverain, l'œuvre était la démonstration de ce principe, le résultat d'une manipulation logique.

C'est Rousseau qui, envisageant la création comme un enfantement, concevant la nécessité de l'encerclement et de l'autonomie du créateur, dressant comme impératifs à toute conception ceux de la rêverie et de la solitude, est responsable de l'éclosion, devenue de nos jours absurde, et déjà dénoncée par Mallarmé, de l'originalité à tout prix.

Mais c'est là aussi qu'il écrasait la femelle. Certaine qu'elle n'a aucune intimité d'elle-même à communiquer puisqu'elle ne participe pas de l'Idée, convaincue que son monde intérieur est celui de l'habitude, de l'éducation fastidieuse et de la répétition monotone et domestique, n'a-t-elle pas toutes les raisons du monde de se penser incapable d'originalité ? Corneille, lui, n'avait pas besoin

de prouver l'aptitude créatrice de l'homme par la connaissance, l'originalité ou l'imagination. Son monde était
simple : la supériorité créatrice de l'homme était « donnée ». Dieu avait tout fait, c'était lui qui avait créé deux
êtres dont l'un était fort et puissant, l'autre faible et
second. Pour Rousseau, cela n'était pas si simple. Que de
manigances ne lui faut-il pas pour persuader l'humanité
que la suprématie du mâle est justifiée par la sexualité !
Que de difficultés à convaincre que « le sexe » est
fondamental ! Car enfin, si le sexuel n'est pas l'expression
la plus directe de la Nature, toute la théorie rousseauiste
tombe à l'eau ! Voilà pourquoi il est à l'origine d'une
littérature de justification, de raisonnement, d'analyse où
une logique perverse est nécessaire pour bâtir, sur des
prémisses scandaleuses, l'exercice destructeur d'un système misogyne. Ainsi, s'il est vrai que la connaissance de
l'absolu est donnée au mâle créateur parce qu'il est
fécondé par le rayon spermique de la Pensée-Dieu,
divinité intérieure qui est par conséquent d'appartenance à
l'ordre du mâle, il est parfaitement logique que la femme
ne soit qu'ignorance. Qu'elle n'ait également « rien à dire
à Dieu » n'est nullement étonnant, puisqu'elle n'en procède point. Si bien que le mâle, porteur en lui du principe
de la connaissance de l'essence, investi de l'élément divin,
proclame sa création comme un perpétuel dialogue entre
lui et son phallus divinisé.

Voilà donc le créateur jetant sa semence. Mais l'œuvre
n'est pas encore. Il faut qu'elle mûrisse, qu'elle croisse,
qu'elle se développe. Gestation du Poète : « Je ne fais pas
un livre, *il se fait*. Il mûrit et croît dans ma tête comme un
fruit. » (Vigny, *Journal d'un poète*). On n'est pas plus
clair. Il se nourrit de la substance de son créateur, ce livre-
fœtus, il retrouve le mystérieux processus de la naissance.
« Je sens pourtant, mais confusément, quelque chose
s'agiter en moi... », écrit Flaubert à Ernest Chevalier le 24
février 1839. Il reste maintenant au mâle divinisé et

essentiel à terminer le cycle de la création androgyne et mettre bas l'œuvre. Il est ainsi détenteur absolu de la vie dont il reproduit symboliquement l'éternel mouvement. Et détenteur unique. Son autonomie créatrice est totale. Voilà pourquoi il est Dieu. Le créateur du XVIIe créait *ex nihilo*. Lui, crée à partir de sa propre substance précisément parce qu'elle est essentielle et germe de toute vie. Le poète prend alors la place laissée vacante de Dieu. Il s'immortalise et fait de la femme sa créature, contingente, matérielle, mortelle. Elle n'a plus qu'à se modeler sur lui qui s'est pourtant modelé sur elle. La maternité sublimée est alors le grand dessein de l'homme. Accouchons, accouchons, crient donc les poètes romantiques, dans une frénésie de l'œuvre à faire.

LE CRÉATEUR EST LA MÈRE DE SON ŒUVRE

Que la création soit un accouchement, ce n'est guère douteux. Il y a un vocabulaire de la création, étonnant, et dont cependant on ne s'étonne pas car il est banal, et qui tourne autour de l'accouchement, de l'expulsion verbale, qu'accompagne — ombre du groupe, de la femme castratrice, du monde qui ne comprend pas son dessein — la souffrance du poète qui est celle de la maternité. On pense d'ailleurs au terme même de « Poète », que nous employons la plupart du temps au sens élargi de « créateur », et qui, en grec, s'emploie à travers le verbe faire, créer, à la fois pour l'œuvre que l'on fait et l'enfant dont on accouche. Ainsi, de Damas où il lui écrivait le 4 septembre 1850, Flaubert disait à Louis Bouilhet : « Qu'importe l'enfant dont accouchera la Muse, le plus pur plaisir n'est-il pas dans ses baisers ? » Sous la plume de Flaubert, et dans le contexte, l'expression est particulièrement révéla-

trice, car c'est l'écrivain goguenard qui s'exprime ici, c'est
l'homme du *Dictionnaire des idées reçues,* et il est certes
significatif pour nous que ce soit là une idée reçue.
L'œuvre, comme l'enfant, mûrit à l'intérieur du créateur
qui lui donne vie, qui la nourrit de sa substance. Elle se
développe comme une véritable gestation, autre terme
convenu du langage créatif. A cet égard, la symbolique du
pélican exprimée par Musset dans *La Nuit de mai* est
d'autant plus claire que l'aspect jupitérien de la grossesse,
qui est généralement choisi par la plupart des créateurs,
est remplacé par une véritable métaphore utérine : ce n'est
plus de la tête, organe de la pensée, que sort l'œuvre, toute
casquée et achevée, toute prête à se séparer immédiatement du poète, comme Minerve du chef de Jupiter, mais
c'est du ventre, centre de la vie organique, que vient la
création. Le poète est alors à la fois la mère de son œuvre
et le père de l'humanité : à ces petits qui se pressent
autour de lui, et qui représentent la foule innombrable des
vivants à nourrir, le poète pélican offre sa substance, ses
viscères, cette œuvre qui est en même temps son enfant et
sa vie. Certes il est père, mais de sa « sanglante
mamelle » coule la source de vie qui les nourrit maternel-
lement. D'ailleurs, les poètes romantiques ont un tel
sentiment de la vérité quasi évidente, même organique de
ce schéma qu'ils envisagent cet accouchement et ce travail
de parturiente comme une fonction du créateur. Lorsque
Musset écrit, en 1838, *Dupont et Durand,* il fait dire à
Durand qui raconte justement à Dupont ses expériences
littéraires : « J'accouchai lentement d'un poème effroyable. » Car le vulgaire le voit ainsi, et ce que satirise
Musset, ça n'est pas l'idée de cet accouchement monstrueux, mais la prétention du grotesque à être un véritable
poète puisqu'il accoucherait d'une œuvre. Or cette fonction maternelle du créateur est sacrée, et lui est réservée
exclusivement. Sentiment que le père (ou la mère) de
« Rolla » exprime dans le poème *Sur la paresse* dédié

à Buloz, et où, évoquant ce qu'il appelle « les poussives chimères de son siècle », les vices modernes du journalisme, du parlementarisme, il vitupère contre l'impuissance créatrice qui résulte de telles faiblesses. Que crée-t-on alors : que des livres « mort-nés » ? Chez Hugo, chez Vigny, même symbolique de l'enfantement. Ainsi Vigny note-t-il dans son *Journal* à propos d'*Eloa* (publié en 1823) : « J'écrivis une partie d'*Eloa* à Strasbourg. Elle traversa avec moi la France, tandis qu'étant un jeune capitaine blond je marchais à la tête de ma compagnie, et je *la portais en moi,* ne sachant où poser ma tête pour l'ouvrir, et en faire sortir cette petite déesse tout armée dont la vue intérieure me ravissait. » Etrange petite déesse, en effet. Prétexte à l'un des poèmes les plus cruels qu'on ait écrit sur le mythe de la femme. Quant à Balzac, et en cela ce génie est extraordinairement utile, on peut être sûr que ce qui aurait pu être sous-jacent jusqu'à lui, non exprimé, ou seulement transposé, lui, l'aura déterré, clarifié, exposé dans sa nudité, voire sa crudité schématique. Dans *La Cousine Bette* il expose tout uniment l'accouchement organique du mâle, et en célèbre la grandeur : « Celui qui peut dessiner son plan par la parole passe déjà pour un homme extraordinaire. Cette faculté, tous les artistes et les écrivains la possèdent. Mais produire, mais accoucher, mais élever laborieusement l'enfant, le coucher gorgé de lait tous les soirs, l'embrasser tous les matins avec le cœur inépuisé de la mère, le lécher sale, le vêtir cent fois des plus belles jaquettes qu'il déchire incessamment... Cette habitude de la création, cet amour infatigable de la maternité qui fait la mère..., enfin cette maternité cérébrale si difficile à conquérir, se perd avec une facilité prodigieuse... » Balzac ne recule devant rien et va jusqu'au bout du système qu'il démonte, le laissant à nu, dans son outrance ridicule. « Vos enfants à vous, ce sont vos groupes, vos statues, vos chefs-d'œuvre », fait-il s'écrier à Bette lorsqu'elle veut, par vengeance, détacher l'artiste de sa femme, Hortense. Ce qui est important pour Balzac, c'est ce travail de la mère, cet effort incessant pour que l'enfant soit beau, et qui fait de la maternité une fonction qui ne peut s'accommoder de rien autre. On est mère et c'est tout. De même, on est créateur, et toute l'énergie de l'être est concentrée sur cette création, qui est un effort, une violence de chaque instant. Le poète ne peut faire rien autre qu'être poète, comme la femme, une fois mère, ne peut avoir d'autre activité que cette activité maternelle. N'est-il pas étrange de constater qu'à notre époque où si peu, et de moins en moins, de créateurs vivent de leur génie, de leur création, et sont agents des postes ou diplomates, il y ait aussi de moins en moins de femmes qui se contentent de la seule fonction de la maternité, et de plus en plus de mères qui désirent travailler ? Cependant, ce que le poète sent comme une déchéance, la femme le conçoit comme une promotion, et sans doute peut-on penser que c'est la nouvelle prise de conscience des mères et leur désir de s'insérer dans la société, qui a fait basculer l'équilibre dans lequel se tenaient les poètes, êtres oisifs et se définissant comme tels, demandant aux systèmes politiques de les récompenser de faire leur devoir civique, en mettant au monde, comme le font les femmes, leurs créations intérieures. Mais comme nous l'avons précédemment remarqué, cet encerclement de plus en plus accusé à l'intérieur de soi, rend le fruit poétique de plus en plus obscur, de moins en moins civique ou destiné à la masse. Car nous assistons à une exaspération (dont il serait intéressant de déterminer la cause) du schéma, qui, en France en particulier, pays où l'on cultive encore la misogynie, est responsable d'une glorification sans nuance de l'activité intérieure propre, et exclusivement propre au créateur. Ce que l'on demande à un metteur en scène, et il est très intéressant à cet égard de lire les articles de Michel Cournot dans *Le Monde*, c'est qu'il exprime ce que l'on baptisera immédiatement

génie, et génie viril, en exposant les méandres, parfaitement subjectifs de sa « possible » autonomie créatrice. En un mot, il faut qu'il arrive à faire preuve d'une
« originalité » susceptible de dévoiler le secret intérieur
— et reconnu de lui — de sa virilité. Ainsi tout est bon. Il
suffit d'être, homme ou femme, en total état de réceptivité
du schéma, c'est-à-dire apparemment capable d'exposer
un monde intérieur, et tout va bien. C'est le critère banal
de la critique théâtrale moderne — dominée par des
hommes — comme la sincérité fut celle des critiques de
littérature qui ont abouti à Lagarde et Michard. Si l'on
voulait être sans nuance, on pourrait dire que toute
obscurité voulue du système créatif, tout désir d'exposer,
comme une nécessité intérieure relevant d'un dépassement
de soi visant à la virilité absolue, une vision qui ne serait
qu'intérieure, est une expression flagrante de la phallocratie. Rentrer en soi, et ne vouloir rendre de compte à
personne ; mettre au monde, dans de grandes douleurs,
une œuvre purement subjective, exposer sans fin des
visions intérieures sans rapport avec le texte ou la réalité,
c'est affirmer violemment que la création est le fait
exclusif de l'homme. C'est également faire de tout créateur
un abominable parasite. Mais l'impuissance du créateur
romantique à sortir de sa fonction maternelle était telle
que, et nous le voyons avec Chatterton, il aimait mieux
mourir que faire quoi que ce soit d'autre. Car, aurait-on
offert au poète quelque situation honorable que ce soit,
nous savons bien qu'il n'aurait pas pu résister, et que de
toute façon, par un suicide ou naturellement, il serait
mort. Lui offrir une place de valet de chambre simplifiait
le problème, c'est tout. C'est en cela, une fois de plus, que
l'on peut dire que la littérature est truquée.

L'ensemble du schéma : conception, gestation, accouchement, est, finalement, très bien représenté par Vigny,
dans *La Bouteille à la mer* (1853). Lorsqu'il s'écrie :

> « *Le vrai Dieu, le Dieu fort est le Dieu des idées.*
> *Sur nos fronts où le germe est jeté par le sort,*
> *Répandons le savoir en fécondes ondées ;*
> *Puis, recueillant le fruit tel que de l'âme il sort,*
> *Tout empreint du parfum des saintes solitudes*
> *Jetons l'œuvre à la mer, la mer des multitudes :*
> *— Dieu la prendra du doigt pour la conduire au port.* »
>
> (Strophe XXVI)

sa référence à un dieu extérieur n'est, en vérité, que figure de style. Dans d'autres passages, Vigny est clair sur ce dieu qui s'appelle une fois de plus : phallus. L'Idée, sperme, germe, est au mâle, et elle est divine, comme chez Hugo, car elle symbolise la spécificité procréatrice de la pensée abstraite, c'est-à-dire non matérielle, énergétique et non léthargique, et procédant de l'Etre et de l'essence. Donc phallique. Donc virile. Le germe de l'Idée est répandu, continue Vigny, sur le front du poète par le sort, sort qui l'a fait androgyne, fatalité qui lui a donné la puissance de se mutiler, de se vouloir dieu, de s'arracher à sa propre léthargie. Il n'est pas inutile de remarquer qu'au début du système productif, lorsque le germe est jeté, que le poète appelle « le savoir » (et quel est-il ?), il parle « du front » du créateur, partie du corps noble certes, siège du cerveau, mais partie du corps tout de même. Lorsqu'elle est faite, l'œuvre, ce n'est plus de quelque partie du corps que ce soit, qu'elle sort. C'est de « l'âme », éminemment virile. Ame sans mélange où n'entre aucune trace de passivité féminine. Après quoi voilà « les saintes solitudes », celles où le poète a banni tout envahissement de la léthargie, et, par la même occasion, toute présence féminine. Tout s'enchaîne. L'œuvre est maintenant terminée. Elle appartient à la multitude. Mais aussi, elle porte son venin antiféminin : car vision transposée du propre acte créateur du Poète, elle affirme, dans son tissu même, que la création, analogique d'un système reproduc-

tif androgyne, appartient au mâle, et ne peut, constituelle-
ment, être œuvre de femme. Or, ce qui est toujours
étonnant, c'est le peu d'inquiétude avec laquelle le
créateur se compare à une femme qui accouche ou une
poule qui pond. Ainsi la fonction du poète, explique
V. Hugo (*Fonction du poète, in Les Rayons et les Ombres*)
est de *couver* les « puissants germes » des rayons divins.
Image étonnante, et extrêmement organique qui indique
clairement l'appartenance phallique du germe, ce rayon
« puissant », « droit », etc., qui, Idée, inspiration, est ce
grain sans lequel il ne peut y avoir d'œuvre, ce premier
« ferment ». Le poète, pour Hugo, est alors la matrice
indispensable au développement de la pensée, et le
créateur « sacré, échevelé, sublime » doit, pour lui
comme pour Vigny, « répandre son âme sur les cimes ».
Fonction doublement mâle. Telle l'eau, symbole de vérité
des prophètes et des évangélistes, l'écrivain inspiré — par
la puissance intérieure de son imagination divino-phalli-
que — nourrit le monde et fertilise l'avenir : sa parole
devient, à son tour, sperme :

> « *Si vous avez en vous, vivantes et pressées,*
> *Un monde intérieur d'images, de pensées,*
> *De sentiments, d'amour, d'ardentes passions*
> *Pour féconder le monde, échangez-le sans cesse*
> *Avec l'autre univers visible qui nous presse* »
> Pan. *Les Feuilles d'automne.*

Voilà le cercle poétique parfaitement refermé : c'est *en lui*
(monde intérieur) que le créateur trouve l'aliment initial à
la transformation qu'est la création. *En lui* que se fait
également la gestation de l'œuvre, qui, résultat et fruit de
sa vision intérieure, fruit de son effort de virilisation, est à
lui comme l'enfant est à la mère qui l'a accouché. Le Poète
est à la fois la genèse de la création (ces idées qui naissent
en lui et qui sont lui), l'organe qui contient, porte et nourrit

l'œuvre, et la mère qui accouche. Il engendre, aussi bien qu'il enfante. Il est une entité créatrice, le siège d'un système reproducteur autonome et complet. De plus en plus d'ailleurs, le « de même que... de même », impliquant une relation métaphorique entre la fonction maternelle et la fonction du poète, disparaît. Le poète cesse de se comparer à une femme qui accouche, il *est* une femme qui accouche. Nous l'avons vu chez Balzac et chez Musset. Cela est aussi parfaitement clair chez Hugo. Tous trois, d'ailleurs, ont magnifié la maternité. Ainsi, le poète devient lourd d'un fruit qui, pour Vigny par exemple, reste assez abstrait, mais pour Hugo, cet enfant du génie est une sorte de mutant androgyne lui-même qui symbolise le Bien, la perfection humaine et sociale : tant il est vrai que le fruit poétique ne peut avoir qu'un caractère universel : « Le poète en des jours impies / Vient préparer des jours meilleurs. / Il est l'homme des utopies. » Mais la féminisation du poète est ici totale et non équivoque. C'est le ventre qui parle où bouge et « vibre » cette fœtale utopie. Et puis, tout comme Balzac qui voyait le développement progressif de l'enfant créé qui se forme pour devenir adulte, Hugo voit se faire toute une société, une société « meilleure » dont il n'a créé, avec ce nouveau-né, que le berceau, dernière image (au sens visuel du terme) qui implique plus qu'une analogie, une totale identité de fonction. Voilà le Poète : mâle quand il engendre l'Idée ; mère quand il accouche de l'œuvre, et Hugo conclut de l'androgyne recréé, mais dans l'essentiel de la fonction mâle et de la fonction femelle : « Homme, il est doux comme une femme » (*Fonction du poète*). Le monde du poétique se caractérise, alors, par une succession d'enfantements : ce sont ses naissances successives qui donnent à l'œuvre son inexorable caractère de vie, de violence. Bien plus, la création, parce qu'elle se sexualise ouvertement chez certains créateurs modernes, ceux qui perpétuent la tradition romantique, donne forme à une extrême multiplicité d'éléments organiques et vivants. Pris par un véritable délire aphrodisiaque, Octavio Paz, dans l'*Arc et la Lyre* voit se peupler l'univers de ces naissances innombrables : « Journellement, les mots s'affrontent et, de leur choc, jaillit la lumière, se forment des couples phosphorescents. Le ciel de la parole se peuple sans cesse d'astres nouveaux. Chaque jour affleurent à la surface de la langue, comme des bêtes marines, des mots et des phrases tout luisants encore d'humidité et de silence. Au même instant d'autres disparaissent. Subitement les déserts d'une langue épuisée se couvrent d'imprévisibles fleurs verbales. Des créatures lumineuses habitent l'épaisseur de la parole. Des créatures voraces. Au sein du langage se livre une lutte sans merci... Enorme masse toujours en mouvement, s'engendrant sans cesse, ivre de soi. » Abandonnant la symbolique jupitérienne, trop abstraite et trop signifiante, Octavio Paz, justement parce qu'il retrouve, pour rêver l'univers de la création, le langage « fécond » et sexué du poème, évoque certes l'engendrement premier, la part du mâle, primordiale puisque originelle, mais également la naissance « humide », riche encore du plasma de la gestation symbolique qui rendra à son tour le mot fécond en le « sexualisant », naissance qui est ici non ambiguë, puisqu'elle est suivie de morts et d'autres naissances. Le poème, « voie d'accès au temps pur », « immersion dans les eaux originelles de l'existence », comme le dit encore Octavio Paz, espoir de la virilité (la création) et fantasme fœtal (l'avant) transforme la matière première, le chaos du silence prometteur de formes infinies, où le poète est non seulement le père et la mère de la création, mais le dieu biblique, investi du pouvoir de créer des êtres et des œuvres capables de produire et féconder à leur tour. Minerve pour lui, comme pour le créateur postrousseauiste, est rejetée qui reste infertile, œuvre froide, asexuée et lancée dans le monde pour l'émouvoir, le violenter et exercer sur lui le contrôle

invincible de sa raison qui est d'être sans qu'on puisse
jamais la rejeter dans le néant. Au contraire, comme le
petit de l'homme créé par la femme, le poème est ici
fécond, mouvant. Les mots portent en eux la puissance du
désir, ce désir dont Apollinaire, et après lui les penseurs
mâles les plus contemporains, feront l'origine première de
tout développement créatif. Sexualisation, qui éloigne le
poétique de l'idéal pacifique de l'ordre minervien, rejette
constamment la création dans un chaos nouveau et la
soumet à la violence, au discontinu, la rend plus perméa-
ble à la critique, à l'exégèse, au métalangage. Sexualisation qui est cause de l'incertitude actuelle où se noient,
depuis Apollinaire, nos grands poètes : René Char, Pierre
Emmanuel, etc. Chez ce dernier d'ailleurs l'engendrement
prend des allures sauvages, l'enfantement est celui,
perpétuellement renouvelé, d'une immense copulation. Ce
qui paraît remarquable, dans ces textes, c'est la « normali-
sation » en quelque sorte de l'analogie à la mise au monde
naturelle. A l'intérieur du créateur, il y a de véritables
accouplements et il se sent de plus en plus, semble-t-il,
dépassé par leur fatalité qui l'habite et l'obsède. Paz,
cependant, se refuse à l'analogie de la création à la
procréation. Ce qui transparaît dans son langage, il le
récuse dans son analyse. Inconsciemment, sans doute, en
est-il gêné. Il n'est pas difficile de se moquer des théories
qui font de la poésie une sublimation de la sexualité, ou de
la religion une névrose sexuelle (voir La révélation
poétique in *L'Arc et la Lyre*). Mais est-ce bien là la
question ? Ce qui compte c'est le schéma. Or Paz, de façon
très révélatrice, continue son analyse en affirmant que,
dépassant le sexuel, la poésie révèle « la nostalgie d'un
état antérieur ». Nous sommes bien d'accord avec lui.
C'est là l'état mythique, désiré, antérieur, de l'androgyne
absolu, débarrassé de toute improductivité, véritable
« simple » comportant en lui à la fois l'essence du mâle,

qui est énergie, vie et création, et du femelle, qui est enfantement de cette vie, mise au monde pure.

Ainsi la femme accouche, certes, mais le créateur, lui aussi, met au monde une création symbolique, et, parce qu'il s'approprie l'acte de l'enfantement, ce secret féminin de l'enfant porté, nourri de soi et mis au monde, le Poète prétend annoblir la maternité : l'enfantement est la grande aventure humaine, organique pour la femme, symbolique pour l'homme. Lorsqu'elle enfante, la femelle s'élève, elle est réellement femme comme l'androgyne est femme au moment qu'il enfante. Le reste est, chez elle, comportement passif d'être second, fabriqué par l'homme.

La mère est alors adulée, comme jamais elle ne le fut, dans la littérature du XIXe siècle. Si bien que la femme peut toujours ignorer l'exclusion qui est formulée contre elle : n'est-elle pas magnifiée dans la maternité ? Elle ne se rend pas compte qu'on la coupe en deux, et que c'est pour mieux renier la femme qu'on exalte la mère. Car la mère n'est mère que lorsqu'elle rejette sa féminité, lorsqu'elle sacrifie son désir et son corps. Souffrante, mutilée, concentrant tout son devoir sur l'enfant, consacrant ses forces entières à son bien-être et à sa survie, oublieuse de sa propre santé et de sa vie, elle est sublime. La maternité est la plus belle image dans laquelle elle soit enfermée et d'où découlent toutes les autres. C'est une maternité qui, dans les termes du schéma, « la castre ». Et cependant, ô injustice, c'est cette maternité qui ouvre les portes de la survie au mâle bienheureux. Mise au monde de l'enfant, elle relève, en fait, de l'activité, de l'énergie. Elle est ce par quoi le passif se rachète. Le mâle créateur androgyne, après son autofécondation, s'approprie la puissance toute mythique de l'enfantement, calque sa mise au monde symbolique sur celle de l'accouchement. Il se fait mère, et non pas femme. Il prend les caractères de la maternité et non ceux de la féminité que sa nature cependant, double, l'incline à retrouver. C'est lui qui, pour exclure la femme de son entreprise créatrice, établit cette séparation entre la femme et la mère qui lui permet de s'approprier la mise au monde symbolique de l'œuvre en restant le mâle. Il était donc important pour lui de distinguer la femme de la mère, seule la mère, pouvant, en quelque sorte, racheter l'abomination de la femme. Les femmes chez qui la mère domine, celles-là peuvent même aller jusqu'à être admirables. Mais lorsque la femme gagne sur la mère, c'est la déchéance totale et rien ne peut relever Emma Bovary que même la naissance de son enfant ne tire pas de ses abîmes léthargiques. La femme est mauvaise, elle incarne le mal. Elle n'a qu'une fonction sublime, c'est la fonction maternelle. Lorsque ce n'est pas pour materner son enfant, ou son mari (comme c'est le cas d'Adeline Hulot, véritable mère du vieil homme libertin qu'est le baron Hulot), l'activité qu'elle peut déployer est toujours néfaste (*Cousine Bette, Interdiction*, etc.). Imagine-t-on Mme de Mortsauf sans enfants ? Elle est le « lys dans la vallée » précisément par la sainteté de sa maternité. Elle correspond à Julien Sorel en ce qu'elle est la femme soumise à la double tentation de la féminité et de la maternité. Elle va de l'une à l'autre : sainte lorsqu'elle traite Vandenesse en mère, maudite lorsqu'elle le regarde en femme, et payant alors, par la douleur, la souffrance de la jalousie, de la violence charnelle, puis par la mort, sa chute dans la féminité. Car, après avoir connu la jalousie qui est possession violente, elle tombe dans la démence du paroxysme du désir sexuel, pour être foudroyée par son créateur, Balzac, punie d'avoir oublié la mère, sainte, pour la fille, vile, « au-dessous des animaux ». A la dernière minute tout rentre dans l'ordre, car pour la bonne marche du monde, il est indispensable qu'elle s'aperçoive elle-même de sa faute, qu'elle s'en accuse et s'en repente. Et il y a peu de femmes dans la littérature à qui les hommes aient pardonné d'avoir commis une telle faute. N'est-ce pas celle d'Anna Karénine, elle aussi sacrifiée par son

créateur, acculée au suicide comme Emma Bovary ? Et
pourtant, elle a agi, elle. Elle a vaincu le préjugé social.
Preuve que ce n'est pas cela le grand problème. Preuve
que l'impuissance à être femme, qui constitue l'horreur de
la condition féminine, est dans la chair même de la
femme. Car Anna Karénine est victime d'elle-même. Une
fois mutilée en elle la mère, que pouvait-il lui rester ?
Comme Mme de Mortsauf elle tombe inéluctablement sous
l'emprise de la jalousie, de la possessivité maladive, du
désir féminin de l'accumulation (de temps que son amant
doit lui donner, de présence, de soin). La chair est
toujours triste, elle est toujours souffrante, malheureuse et
désespérée. Soumis à la tentation de la passivité, nous
avons vu que le créateur souffre toujours. Alors Anna
Karénine n'échappe pas à la règle. Voilà une femme
sacrifiée, car elle a rejeté la fonction sacrée de la mère
pour adopter la honteuse vie de la femme, si près toujours
de la « fille ». Quelle femme lisant ce roman, admirable,
bouleversant, où Tolstoï semble si apparemment attaché à
son héroïne, ne ressentira pas vivement dans sa chair, ne
verra pas s'inscrire de façon indélébile dans son subconscient l'impossibilité de la création féminine ? Si elle avait
choisi la maternité, Anna aurait vécu, soutenue sans doute
par la difficulté de l'épreuve qu'elle se serait imposée.
S'inscrire en faux contre la société n'a rien changé : le
problème n'est ni historique ni social, il tient à la condition
même de la femme fustigée dans son sexe, honnie dans sa
sexualité. La femme aussi a son combat, qui est celui de la
femme et de la mère, de l'acceptation du sexe ou de la
sublimation du sexe. Voilà ce que lui dit toute la littérature
admirable qu'on lui assène, et qui est une condamnation
permanente de sa féminité. Quant au créateur : quel être !
Comment, voilà le mâle, c'est-à-dire le Bien, l'énergie,
l'action, et la créativité, doublé de la mère, c'est-à-dire,
nous le verrons de façon plus nette encore, de la femme
ayant eu une chance de se débarrasser de sa féminité

factice. C'est évidemment le roi de la création, et son orgueil trouve, sous sa propre plume, et grâce au schéma qu'il s'est généreusement créé, une justification parfaite. Reste à voir la façon dont la femme est mutilée. Reste à voir la subtilité avec laquelle, après l'avoir convaincue de son ignominie, elle sera tout doucement amenée à haïr en elle cette féminité de léthargie et d'abaissement, à vouloir l'abolir, à consentir à le faire et enfin à devenir une martyre volontaire pour la plus grande gloire et le plus grand bénéfice du mâle manipulateur, le Poète.

VII

LA FÉMINITÉ MUTILÉE

Ce qu'il y a de plus dévastateur pour la femme dans le schéma intériorisé de la création poétique, c'est qu'on lui donne d'elle-même une image de passivité, de léthargie, d'impuissance, c'est qu'on l'assimile à des termes dont, pour créer, il faudra se défaire. Mais, dira-t-on, l'androgyne ne possède-t-il pas une part de féminité indispensable à la création ? L'inspiration, la beauté, le rêve, la mémoire ne sont-ils pas les émanations mystérieuses de sa double nature sans laquelle il n'est point d'œuvre ? Certes, mais c'est là une féminité essentielle où la femme n'entre pas. Car elle n'est jamais, de près ou de loin, liée à l'inertie créatrice. Chez elle, le rêve et la beauté sont la mort. La mémoire retient à jamais le souvenir, qui chez le mâle jaillit, puissant. Elle n'inspire rien ; c'est le poète qui *s'inspire.* Ce qui est passivité de la femme est apparence de cette passivité, dont elle se voit réduire aux caractères purement secondaires : mollesse, paresse, émotivité, emportement, colère, caprices. Ce sont précisément ces termes-là que le poète doit, pour créer, amputer de lui-même, c'est cette féminité apparente qu'il se donne ordre d'annihiler. Ainsi, non seulement on dit à la femme qu'elle est passive et que sa passivité — secondaire — est non créatrice, par une décision sexuelle et naturelle totalement injustifiable, mais encore on lui affirme que le Poète doit, pour créer, arracher de lui-même tout ce qui ressemble à ce qu'elle représente. La femme apprend alors par une leçon qui se fixe habilement dans son inconscient, par tout un jeu d'images, qu'elle est un principe honni. Tout ce qu'il y a en elle de femme, hors la maternité, est à mépriser, à rejeter, à immoler. La création devient en fait l'autel saint érigé à la gloire virile sur lequel le mâle sacrifie rituellement et systématiquement la femme et l'apparence qu'elle recouvre. Double sacrifice. Celui qu'il fait sur lui. Celui qu'il fait sur elle. L'un est la mutilation de la féminité intérieure qui est celle de l'androgyne. La féminité secondaire, bien entendu. L'autre est l'exclusion pure et simple de la femme elle-même. Ce deuxième sacrifice cependant est moins tragique que le premier. Il se voit. On peut le dénoncer. Le premier est une monstruosité. Il est camouflé. L'homme qui s'en rend coupable s'en glorifie comme d'une ascèse : c'est Julien Sorel qui se mate, se domine, s'offre à l'admiration des foules. D'ailleurs il est admirable, et c'est le schéma qui rend son entreprise scandaleuse : pourquoi faut-il toujours que ce contre quoi il faut lutter, en soi comme à l'extérieur de soi, soit présenté comme une tare féminine, par un assemblage allégorique qui n'est que trop transparent, par une véritable conjuration de métaphores qui ne cherche même pas à cacher son propos ? La femme peut-elle ne pas ressentir la mutilation féminine du Poète ascétique comme un véritable anéantissement d'elle-même ? N'est-ce pas dire que tout ce qui est féminin doit être maîtrisé, brisé ? Qu'est-ce qui reste de la femme lorsque son principe même — aussi contingent soit-il — est aboli ? Peut-on alors parler sans dérision d'une création féminine possible ? Certes non. Et c'est bien ce que l'on fait comprendre à la femelle déjà abattue quand on lui montre la voie du Poète comme celle de la difficile conquête de sa virilité.

C'est comme une fatalité que, bien souvent, le Poète sent en lui la marque de la double sexualité. Le romanti-

que s'en plaint — ou feint de s'en plaindre — et porte sa
divinité créatrice comme une croix de martyr. Car le mâle
a le sentiment de cette dualité qui est en lui comme une
permanente contradiction. C'est cette double aspiration,
dont parle Baudelaire, qui permet l'autofécondation créatrice, qui fait du créateur le siège de mouvements opposés
générateurs de souffrance. Ainsi, pour créer, l'être chute-
t-il dans l'enfer, connaît-il obligatoirement l'horreur d'un
déchirement continuel. Certes, la société, la femme, c'est-
à-dire toujours ce qu'il y a de passif, l'entravent, s'opposent à l'expression de sa créativité triomphante parce
qu'elles sont un enlisement, un obscurcissement, une
amnésie ou un mensonge, mais il est vrai que le poète
véritable se veut souffrant d'un mal obscur, qu'il définit
mal, qui lui est intérieur, et que l'on a si souvent cherché à
découvrir dans quelque mystérieux mal du siècle. Mais ce
mal, que Baudelaire, Musset, Flaubert, ou Maupassant
s'emploient à cerner dans un dégoût du peuple, de la
démocratie ou de la politique, dans la haine de la
médiocrité bourgeoise, dans l'horreur de la femme, tient à
la condition même que s'impose inconsciemment le poète
que la passivité habite, que la femme enchaîne, que la
mémoire accumulative ensevelit et qui doit se relever de
toutes ces chutes, de toutes ces marques honteuses par la
seule force de sa virilité, par la seule volonté de son sexe.
Car l'hermaphrodite tend à l'absolu hermaphrodite, c'est-
à-dire à l'essence du mâle et du femelle, et s'il se targue
d'une nature féminine, c'est pour la subjuguer dans ce
qu'elle a d'inessentiel, de social, c'est pour affirmer plus
totalement la puissance du mâle capable, seul, d'animer
cette matière. Sa souffrance est un effort continu sur soi-
même pour ne pas tomber dans ce qu'il y a en lui de
femme, tentation intérieure qu'il expose sans fin dans ses
œuvres, transposée sur le plan psychologique. Werther,
Rubempré, Raphaël : des victimes de la femme, des mâles
qui n'ont pu faire en eux triompher la virilité. Cet effort

permanent pour vaincre la passivité qu'ils attribuent
d'emblée à la femme a fait des créateurs du XIXe siècle et
de ceux qui ont marché directement dans leur trace (on
peut dire alors la quasi-totalité des poètes du XXe) des
ennemis irréductibles de la femme, et des êtres à qui une
nature féminine semblait être donnée précisément pour
qu'ils la sacrifient en eux, pour qu'ils se livrent, constamment, à sa mutilation. Le passif est ainsi nécessaire à la
création en ce qu'il doit être sacrifié, en ce que son
holocauste seul permet à l'œuvre de voir le jour. L'hermaphrodite, ainsi, nous le comprenons donc, ne peut pas être
femelle. Son effort unique tend à retrouver dans la femme
le seul acte essentiel : la maternité. Comme créer est
anéantir en soi la passivité pour que surgissent l'être,
l'essence, la vérité, le souvenir, la femme créant ne
pourrait alors que s'anéantir et l'on sent combien la
tentation de George Sand de se faire *physiquement* homme
fut poignante, puisqu'elle exprimait la terreur inconsciente
d'être foudroyée, de tenter une aventure qui ne pouvait
amener que sa fatale destruction. Ainsi chercha-t-elle à
biaiser avec la création, ainsi voulut-elle en écrivant
démontrer son utilité, faire des romans sociaux qui, à ses
propres yeux justifiaient son œuvre, sans en faire une
véritable création, car la création, retrouvant l'être, projetant le créateur dans l'essence, n'a jamais besoin d'être
expliquée ou justifiée, ce qui fait crier à Baudelaire (*Mon
cœur mis à nu*) son horreur de l'utile, ou à Leconte de Lisle
son dégoût des vils « tréteaux », ou encore à Rimbaud son
mépris des vaisseaux porteurs de « cotons anglais ». La
création, par essence, *est*, puisqu'elle est essentielle. Mais
elle est essentielle parce qu'elle est phallique. Voilà où la
femme s'enlise. Voilà où elle se sait rejetée. Que répondre
quand on est femme à ce « martyre perpétuel » et « cette
perpétuelle immolation du poète » (Vigny, *Le Journal d'un
poète*) sinon ce que répond Kitty Bell, assurée de toute
éternité de son insignifiance de femme : « Je ne suis

qu'une pauvre femme. Je ne sais rien que mes devoirs de chrétienne ? » Kitty souffre, mais sa souffrance ne sert à rien. Elle ne change rien en elle, n'est d'aucune utilité — au contraire même semble-t-il — à Chatterton, c'est une souffrance imbécile, celle de l'ignorance, celle de l'animal. La souffrance de l'hermaphrodite par contre, que l'on conçoit d'emblée comme une souffrance métaphysique, est celle du mâle qui porte en lui des caractères passifs et qui connaît le tourment de ne jamais être sûr de pouvoir faire en lui triompher la virilité. C'est Satan de l'*Eloa* de Vigny, l'être double, ayant au visage la marque de cette incertitude (« Son front est inquiet » vers 371), dont la féminité est une mollesse, un air de volupté, une douceur de la voix, la blancheur, la pâleur, la délicatesse. Sa passivité apparaît au premier regard, dans une métaphore liquide : « Comme un cygne endormi qui, seul, loin de la rive / Livre son aile blanche à l'onde fugitive. » Le même désir d'être emporté que celui que l'on pouvait trouver chez le René de Chateaubriand qui s'écriait : « Levez-vous vite orages désirés... » se révèle chez ce Satan vaporeux, chargé d'opales, de diamants et d'or, ayant aux poignets, aux mains et aux pieds les marques de la servitude féminine : bracelets, anneaux, bagues. L'incertitude phallique du poète est là, tout de suite en lui, comme s'il craignait d'être englué à jamais dans cette apparence : « Et craignant que ses vœux ne s'accomplissent pas/D'un geste impatient accuse tous ses pas... / ». Ses yeux ont « des rayons encore mal assurés », et sa voix est comme « le vent du matin » « incertaine ». Mollesse, faiblesse et grâce certes, mais dans cette incertitude, le mâle apparaît que Vigny évoque, comme toujours, par l'aspect immédiatement phallique de son regard : « rayons » à la fois « caressants » et « mal assurés » mais pleins de cette « flamme » qui évoque la puissance, l'inspiration, l'imagination et la métamorphose virile. Ses yeux qui ont de la « force » : il est double et le sait. Bientôt nous voyons la

puissance de ce regard capable de briser la résistance de la
vierge inquiète qui veut fuir, de la mater : « Sous l'éclair
d'un regard sa force fut brisée. / » Puis le mâle se révèle
tout à fait dans la brutalité dernière de l'enlèvement, du
sarcasme, de la dérision finale quand Satan enfin attire à
lui sa victime, son esclave. La création est une chute, et le
mâle créateur est celui qui accepte et assume le Mal. La
tentation de la féminité, qui est celle que représente Eloa,
c'est-à-dire celle de se couper de la force, de la flamme,
de la violence virile, pour faire triompher la douceur de la
passivité universelle, est un leurre, et réveillé à temps par
la sottise de l'autre passif, devant l'inintelligence de ce qui
est femme, Satan se reprend, et replonge dans l'éternel
brasier de la création, qui représente alors l'immolation
éternelle de la féminité. *Eloa* est probablement un des
poèmes les plus clairs qui aient été écrits par les
romantiques sur le schéma créatif. La douceur y apparaît
comme une prison, la sérénité comme un esclavage, la
virginité comme une imbécillité. Eloa est stupide. Le
créateur hermaphrodite, soumis à l'éternelle tentation de la
féminité et de la virilité qu'il possède en lui, est aussi
éternellement l'objet d'une lutte sauvage qu'il doit mener
pour que ce qu'il y a en lui de liquide, ou de lourd, ou de
mou, n'étouffe pas la flamme virile qui est la vie. Poème
d'une misogynie inoubliable, où la condamnation de la
femme est prononcée, sans rémission possible. Car il lui
aurait suffi de comprendre, et elle n'a pas compris. Ce
faisant, elle a replongé le monde dans l'enfer, mais aussi
dans la création et cela, il ne faut pas l'oublier. Elle est
condamnée, certes, Eloa, mais elle est nécessaire (on
pense à Claudel), et voilà pourquoi, elle sera tout le temps
désirée, haïe, et finalement immolée. Cependant, replongé
dans l'enfer, de nouveau maître de sa flamme et de sa
création, Satan est triste, « plus triste que jamais ». Est-il
rien de plus clair, que cette transposition de l'incertitude
phallique du mâle sur la création, tant il est vrai que si elle

est la victoire de l'homme, elle est obligatoirement aussi sa
damnation. Tout schéma sexuel de la création est pour
l'homme celui de l'inquiétude et de la tristesse. Pouvoir ou
ne pas pouvoir créer, cri qui de Shakespeare à Mallarmé, à
Proust ou Desnos est le salaire que doit payer le mâle pour
avoir fait la littérature à l'image exclusive de sa sexualité.
Face à cette angoisse, les femmes écrivains ont, malgré
tout, affiché une certaine sérénité, ou tranquillité d'âme.
Tranquillité qui les a fait accuser de médiocrité et qui
faisait dire à Baudelaire que si « la femme Sand » ne
croyait pas à l'enfer, c'est « qu'elle avait de bonnes raisons
pour vouloir le supprimer » (*Mon cœur mis à nu*, XVI,
1280). Et pour cause. Pourquoi, femme, aurait-elle cru à
cet enfer phallique ?

Satan, par essence l'être double, est le modèle romantique de l'hermaphrodite créateur. La tentation du ciel c'est
alors la tentation de la féminité, et la sexualisation de la
création, de même qu'elle amènera le créateur à être, non
plus le père, mais la mère de son œuvre, étant un effort du
mâle pour récupérer en lui la vie, dont depuis Rousseau il
se sent dépositaire par son essence, sera sentie comme une
chute, comme un rejet hors de la passivité éternelle. Alors
que, au XVIIᵉ siècle, le mâle qui écrit est Dieu, ou tend à
être Dieu, parce que son effort est analogique de la geste
de la Genèse, lorsque la création devient une transposition
de l'acte sexuel, elle en prend aussi les caractères
symboliquement honteux : toute sexualité est une chute.
Satan est alors le mâle par excellence, celui qui choisit la
vie : « Sur l'homme j'ai fondé mon empire de flamme »
(*Eloa*), face à l'éternité qui est le contraire de la vie,
l'absence de mouvement. En créant, en vérité, le mâle se
crée lui-même, il se sort, par son effort viril, du chaos
amorphe qui l'entoure et l'étreint, et refuse alors à la
femme le fait de l'avoir mis au monde. Elle n'a fait là que
le condamner à la mort. Cette volonté de se recréer par ses
œuvres, et de condamner du même coup la femelle qui l'a

enfanté, est claire chez Baudelaire, par exemple. Mère et femme, dans *Bénédiction*, l'immolent, et ce faisant le condamnent à la création, qui est cet effort pour s'ÉLEVER, par la puissance de l'imagination phallique « Pardelà le soleil, par-delà les éthers / Par-delà les confins des sphères étoilées » pour se mouvoir dans l'onde et la dominer, c'est-à-dire pour les rejeter, elles, les femmes, ou, comme le ferait Rimbaud, les vomir, afin d'atteindre « la mâle volupté ». Symbolique fort claire. L'effort soutenu, le voyage accompli, c'est la solitude, celle de *Don Juan aux enfers,* qui est précisément celle du mâle qui s'est purgé de sa féminité (et de quelle manière !) par l'effort créateur. « Sentiment de *solitude* dès mon enfance », écrit Baudelaire dans *Mon cœur mis à nu.* « Malgré la famille — et au milieu des camarades, surtout, — sentiment de destinée éternellement solitaire. Cependant goût très vif de la vie et du plaisir. » Voilà le poète. La solitude, c'est le degré absolu de la virilité. Le goût de la vie, c'est la recherche éternelle du créateur. Ainsi peut-on lier création, perversion et satanisme, aspirations créatrices qui culminent avec le très viril Surréalisme, essentiellement parce que la perversion, tenant également du besoin de l'originalité, est la réaction du créateur à la mort de Dieu et à la perte du père : « Dieu est mort, le ciel est vide... / Pleurez, enfants, vous n'avez plus de père... » (Jean-Paul). Cet abandon du Père, c'est l'horreur — insupportable pour le mâle — de l'ignorance de l'avant. Il la rejette sur la femme : c'est elle qui, privée d'antécédent, porte sur elle toujours la hantise de la mort qu'a le créateur. Elle en est responsable puisqu'elle l'a mis au monde. Ainsi est-elle tronquée, mutilée dès le début, privée d'une façon subtile et naturelle du germe créatif. Pour prendre un exemple il est frappant de remarquer l'analogie entre le romantique Satan de l'*Eloa* de Vigny et « la femme sans cœur », Fœdora, de *La Peau de Chagrin* de Balzac. Leur aspect, leur forme sont identiques. Voilà

Lucifer : « Le jeune homme inconnu mollement s'appuyait / Sur ce lit de vapeur qui sous ses bras fuyait. » Son aile est blanche (comme un cygne), il est plein de grâce, etc. Voilà Fœdora : « vêtue de blanc, entourée d'un cercle d'hommes, mollement couchée sur une ottomane, et tenant à la main un écran de plumes ». Mais, la différence entre les deux, c'est que la mollesse, la blancheur de l'homme sont authentiques et celles de la femme convenues. Satan est le créateur ; Fœdora l'anticréateur. Tout, chez elle est façade, convention, fabrication pure. Lorsqu'il se cache pour la voir à découvert, seule, réellement elle-même, Raphaël découvre qu'elle porte « un masque » : elle est flétrie, fatiguée, terre-à-terre, et surtout, surtout, monstrueuse et perverse : elle ne veut pas avoir d'enfants, « quelle épouvantable scène pour un amant. Cette femme solitaire, sans parents, sans amis, athée en amour, ne croyant à aucun sentiment... J'en eus pitié ». En vérité, elle n'est que dans les objets qui l'entourent, elle n'est que dans la mode qui court et passe, et lorsque le jeune homme croit saisir un mystère dans le « Ah mon Dieu » qu'elle soupire avant de s'endormir, elle ne faisait que penser à son agent de change : elle n'est qu'une pure fabrication du temps. Au moment où l'homme a décidé que la virginité était grave, la femme est gravement virginale ; quand ce qu'il faut, c'est avoir des meubles dorés, elle en a : quand l'agent de change régit le monde social, elle ne pense qu'à lui. Par contre les sentiments profonds se succèdent en Satan : étonnement, tendresse, incertitude, tentation du bien, haine et violence, tout cela part, en lui, d'un magma qui n'est autre que lui-même, il est totalement responsable de ce qu'il est. Mais, comme Raphaël, comme tous les jeunes héros romantiques, il se trompe sur la femme. Sincère, il est aussi généreux. Il prend sa compagne pour un être identique à lui-même, comme le faisait Rodrigue exhortant Chimène à lui ressembler, ou Horace et Polyeucte. Comme Werther, comme Octave, il se trompe.

Le créateur se démarque alors violemment de la société, se désolidarise du reste des hommes responsables d'avoir éduqué si mal la femme. Tel est l'Octave de Musset[1] poussant des soupirs à fendre l'âme devant l'erreur pédagogique des hommes à qui la tâche sacrée avait été donnée d'instruire la femme dans le Bien et qui y ont failli. En vérité, c'est un professeur, un réformateur de la perversion féminine, que veut souvent être le héros pour la femme qu'il désire manipuler. Autre raison pour laquelle celle-ci, quel que soit son âge, est toujours une enfant pour le jeune mâle. Elle est manque et vice, c'est « l'essentiel » qu'elle peut, espère-t-il, apprendre de lui. Attitude qui est celle du colonisateur face au colonisé (à qui il manque la culture), du fabricateur (Raphaël avait absolument créé Fœdora dans son imagination, la voulant conforme à ses désirs) face à son objet (à qui il manque l'âme). Tous deux se veulent également détenteurs de la culture et du savoir, et si Raphaël admet l'intelligence de la comtesse Fœdora, intelligence qui est celle que Rousseau accordait à Sophie, c'est-à-dire perception de l'utile, s'il lui concède « de la finesse d'esprit », lui, il a l'Intelligence des causes qu'elle ne peut — sans âme — évidemment posséder : « Je détruisis ses raisonnements de femme par un mot ou en attirant son attention sur un fait journalier dans la vie, vulgaire *en apparence,* mais au fond plein de problèmes insolubles pour le savant. » Avec toute cette belle intuition du fondamental, Raphaël devrait alors connaître Fœdora en un éclair. Or il se trompe. Et cependant, il s'affirme femme, à plusieurs reprises. Féminité qui ne l'aide en aucune manière à concevoir le comportement féminin. Une constante dans la littérature… Tous ces poètes androgynes sont étonnamment peu intuitifs des femmes : elles les trompent, les font souffrir, ne répondent que rarement à leur attente. Et Raphaël s'écrie :

---

1. *La confession d'un enfant du siècle.*

« Méconnu des femmes, je me souviens de les avoir observées avec toute la sagacité de l'amour dédaigné. Maintenant, j'en suis certain, la sincérité de mon caractère a dû leur déplaire. Peut-être veulent-elles un peu d'hypocrisie ?... Mais moi qui suis tour à tour dans la même heure : enfant, homme, savant, futile, penseur, sans préjugés et plein de superstitions, femme comme elles, n'ont-elles pas dû prendre ma naïveté pour du cynisme, la pureté même de la pensée pour du libertinage ? » On est frappé par l'intelligence du choix des termes réservés à l'androgyne Raphaël par lui-même : naïveté, pureté. Cet état de l'être à la naissance, cette vision première du monde, l'homme en est capable, ainsi que de la pureté, qui est absence de mélange, appréhension de l'absolu. Pour la femme, pas de nature, donc pas de naïveté. Quant à la pureté... Si bien que femme, le Poète ne comprend pas les femmes. Les femmes le méconnaissent. Pourquoi ? Parce que les femmes ne sont pas femmes. Cette féminité d'apparence, fabriquée, *insincère,* est une véritable perversion. Seul l'homme androgyne est une femme, car seul il a les caractères de la féminité essentielle. Voilà pourquoi il est sincère. Voilà pourquoi Fœdora est une image, et d'ailleurs se conduit comme telle. A la manière de l'idole antique baudelairienne, elle veut se faire adorer, elle n'est rien d'autre qu'une divinité païenne. On s'est étonné parfois que le grand critère de la critique littéraire romantique et postromantique ait été « la sincérité ». Ronsard serait plus sincère que Du Bellay, Stendhal que Balzac ou vice versa. Sans doute trouvons-nous ici une raison à cette mode qui a encore cours. La sincérité, c'est la marque profonde de la transcendance. Insincère, la femme n'en a pas (de transcendance). La sincérité, cela est vrai, implique l'existence d'une vérité en soi, « naïve », non fabriquée, profonde, liée à l'authenticité de l'être, et que la femme, donc, seconde, objet, ne possède pas. Etre sincère c'est être sujet, c'est être premier. Sur ce plan, l'un

des personnages les plus androgynes, avec sa tentation du
rouge et du noir, est certainement Julien Sorel, sincère et
violent, même dans sa dissimulation, lorsqu'il agit en
mâle, terriblement femelle par son aspect physique, sa
délicatesse, sa sensibilité, sa susceptibilité, qu'on quali-
fierait traditionnellement de « maladive », lorsqu'il se
laisse envahir par la mollesse passive de son tempérament.
Or nous le voyons devenir satanique à la manière du satan
de Vigny, ou à la manière qui aurait pu être celle de
Raphaël de Valentin, en brisant sa « nature féminine »,
source de son malheur, puisqu'elle est à la fois méconnue
par le médiocre qui l'ignore, et par la femme qui n'en est
qu'un reflet déformé. C'est de la femme en lui, qui lui
donne des rougissements et des allures de fille, que Julien
a honte. Sa féminité, il la porte comme une tare, comme
une fatalité mauvaise. Tel est aussi le héros de *La
Confession d'un enfant du siècle* à qui il faut tant et tant de
pages, tant d'aventures, de voyages, pour se débarrasser
de cette féminité honteuse et dont cependant il sent bien
qu'elle est la raison de sa grandeur. Lorsque Julien Sorel
se donne la tâche affreuse pour lui de séduire Mme de
Rênal, de lui saisir la main, de lui toucher le pied de sa
botte, c'est parce qu'il est terrifié de l'envahissement de la
sensibilité féminine qu'il sent en lui, particulièrement au
contact d'une femme pleine de mollesse, de douceur et de
passivité. Face à son père, une brute stupide, il n'a pas
peur d'exposer son goût pour la lecture — il n'a peur que
des coups : ainsi ne fait-il pas d'effort pour cacher les
larmes qui trahissent sa sensibilité, il en est fier. Mais
Stendhal ne veut pas que l'on se trompe au début sur son
personnage : d'emblée, il est le type de l'androgyne, un
hermaphrodite quasi parfait. Il a la féminité physique
certes : « cette figure de jeune fille, si pâle et si douce »
mais il a aussi « la résolution inébranlable », le feu, la
flamme et la violence qui caractérisent l'imagination virile,
avec l'aptitude à désirer qui est l'ambition ; enfin il a le

satanisme, que son créateur nomme « hypocrisie » et qui est la volonté farouche de faire triompher le mâle en lui, par tous les moyens, c'est-à-dire de faire triompher le désir et l'ambition. Sa création est justement, comme celle de tous les créateurs, une création de soi. C'est cet effort de violence pour que la passivité et l'emportement n'écrasent pas la forme active de soi-même. Le premier exemple étonnant donné par Stendhal est celui de ce dîner avec le curé Chélan et des prêtres du voisinage, où, s'oubliant, c'est-à-dire cédant passivement à son goût, on pourrait même dire à son idolâtrie, pour Napoléon, il se surprend à parler de l'Empereur « avec fureur ». C'était là un acte non contrôlé, donc passif. Nous voyons d'ailleurs toujours les femmes céder à cet entraînement de l'instant et du goût, que ce soit Mme Hulot, dans *La Cousine Bette*, Mathilde de la Mole ou Mme de Rênal. Sur cette attitude féminine, qui est celle de l'emportement, nous reviendrons. C'est cela, pour Julien, la lâcheté, et cette mollesse de caractère lui fait honte. Aussi s'en punit-il : « Il se lia le bras droit contre la poitrine, prétendit s'être disloqué le bras en remuant un tronc de sapin, et le porta pendant deux mois dans cette position gênante. Après cette peine afflictive, il se pardonna ». Toute sa vie est un effort pour s'arracher à l'enlisement du femelle, aussi, malgré son chagrin, lorsqu'il doit quitter Mme de Rênal, ne songe-t-il bientôt plus qu'au « bonheur de voir une capitale, une grande ville de guerre comme Besançon ». Certes, trois jours après, lorsqu'il revoit sa maîtresse, et pour la dernière fois, il est repris par sa sensibilité. Cependant, lorsqu'il arrive à Besançon, il se sent la violence (timide) d'un conquérant et s'approche de la « jolie fille du comptoir » « comme il eût marché à l'ennemi ». On pense, ici, aux extrêmes variations de sensations et de pensées qui prennent le Satan d'*Eloa*, tour à tour séducteur, inquiet, séduit, naïf, tendre, et puis hypocritement cruel. On pense à Raphaël de Valentin se définissant

comme tour à tour enfant, homme, savant, naïf ou femme.
Ces variations de climats sont celles de l'hermaphrodite,
tantôt homme, tantôt femme, tantôt actif, tantôt passif,
mais toujours authentique, c'est-à-dire sincère. Ainsi
lorsque Satan, dégoûté par la sottise féminine, décide de
faire d'Eloa sa victime et son esclave, et emploie pour cela
les ressources de l'hypocrisie, est-il cependant sincère, car
c'est là l'effort du mâle pour rejeter hors de lui la tentation
de la passivité — qui serait de rentrer dans le sein de Dieu
— afin d'assumer orgueilleusement sa « nature de
mâle » : « Loin de ce que j'étais, quoi, j'ai fait tant de pas
/ Et de moi-même à moi si grande est la distance / » (*Eloa*).
Voilà sans doute une définition parfaite du satanisme qui
implique l'effort créateur comme la mise en place d'une
véritable architecture intérieure, sorte de parabole permanente de l'ivraie et du bon grain où le Poète se constitue
être neuf lorsqu'il s'est totalement débarrassé de la scorie
du féminin. Dans les moments où Satan est femelle, que
ressent-il ? La peur (« l'archange s'en effraie »), l'éblouissement, c'est-à-dire l'impuissance à voir, à discerner la
vérité, le besoin brutal du refuge. Quand il est femelle, il a
un maître et craint d'être brisé, de nouveau il redoute la
souffrance : « Il se rappelle aussi tout ce qu'il a souffert /
Après avoir tenté Jésus dans le désert. / Il tremble... (vers
641, 642, 643) ». Or la souffrance est la « meilleure et la
plus pure essence / Qui prépare les forts aux saintes
voluptés » (Baudelaire, *Bénédiction*). Le fort, c'est le mâle
absolu, celui qui a lutté pour atteindre la virilité, sainte car
elle a demandé la douleur et l'effort, sainte car le mâle est
Dieu. Il s'est « dérobé » à l'horreur de la femme, qui,
parce que cette femme est sa mère et sa propre femme,
répond métaphoriquement à sa propre féminité, transmise
et acquise, contre laquelle le mâle doit « s'imposer ».
Ainsi dans cette lutte, l'homme doit-il vaincre pour être
créateur, pour être Dieu, pour atteindre à la « volupté »
qui suit tout acte créateur, dans l'analogie de la procréa-

tion. Lorsqu'il a vaincu, le poète « est serein » (Baudelaire). Lorsqu'il est soumis à la tentation, Satan tremble et
veut fuir : « ... sur son cœur où l'Enfer recommence /
Comme un sombre manteau jette son aile immense / Et
veut fuir. La terrreur réveillait tous ses maux / » (*Eloa*).
Cette mystique de la souffrance, également nécessaire et
également chantée par tous les romantiques (« Rien ne
nous rend si grands qu'une grande douleur » Musset, *La
Nuit de Mai*), souffrance recherchée par les forts, redoutée
par les faibles, exprime la grande volonté créatrice du
mâle comme une mutilation intérieure où, la femme
rejetée, en même temps que la passivité profonde de l'être,
la douleur est réellement « une épure » et l'image de
l'épée, employée par Musset dans *La Nuit de Mai* est alors
sans équivoque : « Poète c'est ainsi que font les grands
poètes /... Leurs déclamations sont comme des épées : /
Elles tracent dans l'air un cercle éblouissant, / Mais il y
pend toujours quelque goutte de sang. / » Ainsi lorsque
Satan veut se dérober à la douleur, entre-t-il dans le champ
de la vierge, est-il tenté de renier sa force virile,
succombe-t-il, une seconde, à la féminité. Honte. Et sans
doute cela sera-t-il toujours compté en mal à la femme,
d'être, ou de pouvoir être, cette tentation. Ainsi, *Les Nuits*
de Musset, sont-elles une longue exhortation à la souffrance, à la mutilation créatrice, au rejet de la passivité,
car l'accomplissement de l'œuvre est sacrifice de soi.
Lorsqu'il hésite ou succombe, le créateur connaît la honte,
mal femelle, pudeur, qui, comme le dit Vigny, est celle de
la chute : « D'où venez-vous, Pudeur... / ... l'arbre
défendu vous a donné naissance... » (*Eloa*), et le rouge de
la dégradation lui monte au visage : « Il rougit d'avoir pu
douter... » L'apprentissage de la création est alors une
longue éducation mutilante, où le mâle tour à tour chute et
se relève, selon que la femme est forte ou faible en lui
(« L'homme est un apprenti... » *Nuit d'Octobre*). Tel est *Le
Rouge et le Noir :* l'histoire d'une éducation de soi qui finit

mal : au moment d'arriver à la maîtrise intérieure, qui est la qualité dernière de la virilité *conquise,* Julien succombe à l'entraînement et à la passion irréfléchie, et blesse Mme de Rênal parce qu'il perd totalement le contrôle de lui-même. Revenu à lui, il s'en punira comme à chaque fois, mais définitivement, par la mort, qu'il revendique. Aveu d'une totale défaite. Julien a tenté de tailler en lui-même à grands coups d'épée, mais son effort est inabouti. Sa mort est une punition. La punition de son impureté. Car la pureté primitive, la pureté du mâle, la pureté du Poète (qu'ils lient naturellement à l'innocence et à la jeunesse) et dont parlent tous les romantiques, c'est la virilité sans mélange, enfin conquise, cette « pure lumière, puisée au foyer saint des rayons primitifs », virilité essentielle qui est Dieu.

Tant que le mâle est vainqueur, tant qu'il réussit à mutiler, à arracher de lui la femelle qui l'habite, il crée. Parfois il succombe à la passivité : c'est la création avortée, où l'être retombe dans un mélange fortement teinté de féminité : la médiocrité. Tel est Laurent, le peintre manqué de *Thérèse Raquin.* Tel est Wenceslas Steinbock, le sculpteur malheureux de *La Cousine Bette.* Dans les trois chapitres LV, LVI, LVII de son roman, Balzac écrit un texte clé sur la création et qui mérite qu'on l'analyse de près. Quand on l'a compris, il ne reste rien de la femme. La féminité en même temps que son influence exécrable ont eu raison du mâle, réduit à l'état de débris inutilisable. Elle a voulu s'immiscer dans la création. Elle a voulu faire triompher sa passivité. Elle a gagné et le monde a perdu un artiste. Mais Balzac ne la laissera pas s'en tirer à si bon compte, et elle paiera, de la perte de son bonheur et de son mari, sa folle inconséquence, cette sottise, qui aurait aussi annihilé Satan, s'il n'avait pas précisément été Satan, c'est-à-dire le Mâle essentiel. Voyons le texte. « Le travail moral, la chasse dans les hautes régions de l'intelligence, est un des grands efforts de l'homme. » Ces hautes régions de l'intelligence, c'est l'appel de la Muse de Musset à la compréhension universelle à laquelle la femme s'oppose, c'est l'appel à la solitude (« Ami je suis la Solitude ») qui est l'aspiration à être UN, comme le dit Baudelaire, le désir d'atteindre la pureté virile, l'appel à la mutilation et la souffrance, c'est-à-dire à la compréhension de l'essence de la création. Ces hautes sphères, pour Vigny comme pour Baudelaire, sont celles de la maîtrise. Qu'attendre de grand de la femme, si tourmentée de sa culpabilité, si peu maîtresse d'elle-même que, pour Vigny, elle s'évanouit quand son chien la voit nue ! (*Journal d'un poète*, « Pudeur ».) « Tous les crimes et les vices viennent de la faiblesse », ajoutait-il plus loin. « Ce qui doit mériter la gloire dans l'art », continue alors Balzac, dans *La Cousine Bette* « ... c'est surtout le courage, un courage dont le vulgaire ne se doute pas, et qui peut-être est expliqué pour la première fois ici.

« Poussé par la terrible pression de la misère, maintenu par Bette dans la situation de ces chevaux à qui l'on met des œillères pour les empêcher de voir à droite et à gauche du chemin, fouetté par cette dure fille, image de la Nécessité, cette espèce de Destin subalterne, Wenceslas, né poète et rêveur, avait passé de la conception à l'exécution, en franchissant sans les mesurer les abîmes qui séparent ces deux hémisphères de l'art ». Tel fut Raphaël, dans *La Peau de chagrin* : pauvre, il créa, il fut pur car il put arracher de lui la matérialité qui enlise, qui, par la jouissance physique, rend passif. Pauvre, loin de l'abondance et des femmes — qu'il faut payer, qui sont des objets, qui s'achètent — il fut Poète. Bette, sur Steinbock, agit comme l'épée mutilatrice. Parce qu'elle n'a en elle rien de féminin, parce qu'elle est active, devant travailler pour vivre, parce qu'il ne l'aime pas et reste donc seul et sexuellement autonome : il crée, il est un grand artiste. Il en a d'ailleurs l'apparence : maigreur, incertitude et féminité. Il est né androgyne : « Quoique Steinbock eût vingt-

neuf ans, il paraissait, comme certains blonds, avoir cinq ou
six ans de moins ; et, à voir cette jeunesse dont la fraîcheur
avait cédé sous les fatigues et les misères de l'exil, unie
à cette figure sèche et dure, on aurait pensé que la nature s'était trompée en leur donnant leurs sexes. » Ainsi
a-t-il « l'habitude d'être rudoyé ». Julien Sorel était, de la
même façon, maltraité par son père et ses frères, qui se
comportaient « en hommes » et le traitaient « en fille »
qu'il est donc *légitime* de prendre pour souffre-douleur.
Par conséquent la féminité est ressentie comme une
fatalité : elle amène les autres à désirer brutaliser et faire
souffrir l'androgyne qui en est affligé. Baudelaire voit le
Poète comme celui sur qui « s'enhardissant de sa tranquillité / » les hommes « cherchent à qui saura lui tirer une
plainte / Et font sur lui l'essai de leur férocité » (*Bénédiction*). Chatterton subit l'humiliation de l'offre d'une place
de valet de chambre. Sa pureté — celle de l'enfance — est
cause que chacun lui fait la leçon, veut le médiocriser. A
lui de résister pour créer. Il n'y parvient pas toujours.
Voilà pourquoi Bette est si utile à Steinbock : femelle
pervertie en qui se dessinent beaucoup de caractères actifs
— volonté, travail, obstination —, elle maintient l'artiste
parce qu'elle lui fait éprouver plus violemment encore sa
solitude, dans la surchauffe de souffrance de la mutilation
qu'elle lui fait subir et qui est nécessaire à la création. En
cela, elle est la Nécessité, ou une sorte de Destin : elle
pourvoit à sa nourriture, et castre en lui la femelle, dont
elle se moque impitoyablement : « ... Allez-vous recommencer vos bêtises sur la poésie, sur les arts et faire
craquer vos doigts, vous étirer les bras en parlant du beau
idéal, de vos folies du Nord ? Le beau ne vaut pas le solide
et le solide c'est moi. Vous avez des idées dans la
cervelle ? La belle affaire... et moi aussi j'ai des idées... A
quoi sert ce qu'on a dans l'âme si l'on n'en tire aucun
parti ?... Au lieu de penser à vos rêveries, il faut travailler.
Qu'avez-vous fait depuis que je suis partie ?... »

Voilà où est la force de Wenceslas, voilà où est sa perte
également. Car au lieu que ce raisonnement soit parti de
lui-même et que, comme Musset, dialoguant avec sa Muse,
il s'exhorte à l'œuvre, et soit, lui-même, le siège d'un
combat intérieur entre son moi féminin et son moi
masculin, au lieu qu'il se passe, en lui, le phénomène
créateur de l'autofécondation, il laisse à Bette le soin
d'être le mâle et ne crée alors que soumis à sa force. Aussi
bien le sait-il puisqu'il s'écrie : « Vous ne m'avez pas
seulement nourri, logé, soigné dans la misère ; mais encore
vous m'avez donné la force. Vous m'avez créé ce que je suis,
vous avez été souvent dure, vous m'avez fait souffrir... »
Voilà qui le condamne, car cette force, c'est en lui qu'elle
devrait être, et, androgyne certes, Steinbock est un
androgyne à dominante femelle et par là même demeurera
inabouti. Privé de Bette, nous le verrons retomber inéluctablement dans sa féminité non productive : « Wenceslas,
nature rêveuse, avait dépensé tant d'énergie à produire, à
s'instruire, à travailler sous la direction despotique de
Lisbeth, que l'amour et le bonheur amenèrent une réaction. Le vrai caractère reparut. La paresse et la noncha-
lance, la mollesse du Sarmate, revinrent occuper dans son
âme les sillons complaisants d'où la verge du maître
d'école les avait chassées. » (chapitre LV). En fait,
Wenceslas n'est véritablement androgyne que lorsqu'il est
avec Bette. La nature, le faisant femme, a oublié de lui
donner le caractère d'homme nécessaire à son automutilation. C'est une autre qui doit violenter la femelle en lui, et
cela fait de lui ce que Baudelaire dit du médiocre, à savoir
qu'il aspire à être deux.

Cependant, avant de passer à cette horreur féminine
qu'est Hortense Steinbock-Hulot, digne sœur castratrice
de Louise de Chaulieu (*Mémoires de deux jeunes mariées*)
dont nous avons déjà parlé, il n'est pas inutile sans doute
de voir dès maintenant l'effet désastreux que l'impuissance
créatrice de l'homme qui ne peut *que* rester femme, peut

avoir sur la femme qui lit un tel ouvrage. Car si Steinbock, délivré de Bette, pouvait créer, alors la femme serait sauvée. Mais il n'en est rien. Non, la passivité, la mollesse, et cela est normal, ne sont pas créatrices. Ce sont des émanations de la mort, contraire à la création, contraire à la vie. Mais pourquoi faut-il toujours lier la passivité à la féminité ? Et pourquoi le faire avec une insistance telle que les expressions : « énergie femelle » et « faiblesse masculine » sont saisies comme « une espèce de contresens » ? Tant il est évident pour Balzac qu'énergie signifie virilité et faiblesse féminité. Abandonné à la faiblesse et à la léthargie, c'est-à-dire à la mort, qui dominent en lui, Steinbock est livré à l'impuissance et livre, avec lui, à la stérilité, toutes les femmes qu'un tel raisonnement ne peut que bouleverser par son évidence. Peut-on attendre quelque création du néant ? Or, lorsqu'on le lui dit, la femme se rebelle, mais lorsqu'on le lui montre ? Tout le système est mis en place, tous les instruments d'analogie et de logique sont aiguisés et clairs : à la femme de tirer elle-même les conclusions de sa mutilation. Car si créer, c'est atteindre la virilité pure, unique et absolue, de quelle virilité la femme est-elle capable, elle qui ne la possède pas en propre, puisqu'elle ne possède même pas en propre les caractères féminins que seul le mâle détient, ayant une essence, une nature, quelque chose qui le précède et le renvoie à lui-même ? Elle ne peut prendre de l'homme que son apparence, en fumant ses cigares ou portant sa culotte. Elle ne peut qu'entrevoir une virilité apprise, masquée, pervertie, et sa création ne peut être qu'un simulacre de création, une singerie grotesque. Pour les hommes qui ont accepté d'accorder à la femme quelque privilège créatif, ils l'ont fait en la virilisant, en considérant donc qu'elle n'était pas une femme, mais une erreur de la nature. Telle était bien George Sand pour Balzac. Telle fut bien sans doute George Sand, pour elle-même. Car la femme, nous l'avons déjà

remarqué, est l'ennemie de la création. A toute femme qui
crée, il faut obligatoirement une certaine dose de maso-
chisme, et la femme « créateur » est celle qui se hait et
veut annihiler le féminin en soi. Que lui reste-t-il alors ?
La mort, l'anéantissement total, car elle a tout perdu, elle
n'est même plus femme. Hortense Steinbock, elle, est une
« vraie » femme. Elle voit dans la sculpture, dans l'art de
son mari, une féminité réelle qu'elle semble haïr, d'instinct possessif de femelle castratrice : « Hortense fut alors
la première à dispenser Wenceslas de tout travail, orgueilleuse de triompher ainsi de sa rivale, la sculpture. » Il
serait plus juste sans doute de dire que c'est l'homme qui
est son rival, puisqu'il se veut créateur de l'œuvre
exactement comme elle procrée, puisqu'il veut, lui,
s'immiscer dans son œuvre charnelle, la copier et se
l'approprier. La création, en vérité, n'est rivale de la
femme que dans la mesure où elle est un enfantement. Et
cela, Balzac le sait bien, qui écrit sarcastiquement : « En
deux ans et demi, Steinbock fit une statue et un enfant.
L'enfant était sublime de beauté, la statue fut détesta-
ble ». Tant il est vrai, comme le dit Baudelaire, que « la
foutrerie est le lyrisme du peuple » et que l'artiste « ne
bande pas ». Car quand il délivre l'œuvre, lui, débarrassé
de la féminité encombrante, lui, mâle pur, est cependant
femme : miracle étrange de l'hermaphrodite, qui, cependant, lutte pour atteindre la virilité absolue, connaît alors
par essence l'essence de la féminité. Mais pour Steinbock,
il n'y aura pas de mise au monde analogique : le petit
Wenceslas en tiendra lieu. C'est que l'artiste s'est lié à la
femme et la femme a pris en lui la dominante : « les
caresses d'une femme d'ailleurs font évanouir la Muse, et
fléchir la féroce, la brutale fermeté du travailleur » (voir
Musset et *Les Nuits*). Il se passe ici exactement ce qui se
passera pour Thérèse Raquin : une exaltation de la
féminité est stérile, car elle est léthargique, et l'androgyne
créateur est le mâle absolu qui enfante. Steinbock est

devenu paresseux, ou plutôt retourné à sa paresse, or, nous dit Balzac, « le travail constant est la loi de l'art comme celle de la vie ; car l'art, c'est la création idéalisée ». Nous dirions sexualisée. Ainsi, faute d'avoir pu être satanique, c'est-à-dire faute d'avoir pu soumettre à la fois sa féminité et sa femme, Wenceslas est un artiste manqué, car il n'a pu atteindre la pureté virile. La responsabilité de sa femme Hortense est terrible : elle l'a réduit à rien par sa mollesse et la contagion de sa féminité passive. Or cela est un crime puisque nous savons que l'homme était capable de créer, qu'il avait en lui les signes certains de l'androgénéité fertile. Le coupant de son imagination, c'est-à-dire de son inspiration, qui est l'exploitation de sa puissance phallique, Hortense l'a tout simplement castré et l'a rendu à sa triste matérialité : celle qui engendre la chair. Ce n'est pas que, comme Louise de Chaulieu, elle se soit immiscée dans sa création, l'ait détourné d'une autofécondation dont nous le savions déjà incapable, mais elle l'a détourné de sa vérité virile, c'est-à-dire des « hautes sphères de l'intelligence », du goût et de la recherche de la souffrance, de l'obsession de la divinité. Louise, elle, s'était faufilée indûment dans un processus parfaitement réussi d'autofécondation androgyne. Ce faisant, elle l'avait fait cesser. Il semble donc que le satanisme soit absolument nécessaire à la création comme une protection du mâle contre l'envahissement de la passivité et de la léthargie femelle. Soit qu'il s'en défende contre soi, soit qu'il s'en défende contre la femme réelle. En vérité, s'il n'enfante pas, l'ordre femelle est profondément nuisible. Inverse de la vie essentielle que détient le mâle, il représente la mort. Lorsqu'il est soumis à la tentation d'Eloa, Satan chancelle. Cependant le mâle triomphe en lui, non pas par quelque inspiration irrationnelle, mais, et cela est très important, parce que cette féminité, intérieure et extérieure à lui-même, lui apparaît comme une dégradation (« D'où venez-nous Pudeur... ») morale et intellectuelle (« Ah, si dans ce moment la vierge eût pu l'entendre… »). La féminité est comme une espèce de mirage que la raison rejette sans peine. Choisir la virilité, et choisir la chute, c'est choisir la grandeur et Satan n'hésite pas longtemps. Mais quelle lutte pour y parvenir. Lucien de Rubempré, par exemple, c'est un autre Steinbock, mais plus malchanceux encore, plus faible, plus inconstant. Livré aux femmes, il échoue, car elles exaltent sa féminité et il n'a en lui nulle virilité pour s'automutiler. Celui que Balzac appelle « cet homme à moitié femme » (*Splendeurs et misères des courtisanes* est toujours prêt à succomber. Il est tenu par une ambition vaniteuse, quasi charnelle, qui est le contraire de celle du dandy baudelairien se définissant, lui, comme « un saint et un héros pour soi-même », c'est-à-dire comme le type même de l'androgyne mâle toujours se mutilant de sa féminité, souffrant de se castrer d'une part de soi dans une perpétuelle autofécondation. Au contraire, le goût de la jouissance physique, du succès mondain, de l'approbation d'une société elle-même passive et léthargique, fait de Lucien de Rubempré un homme femelle. Celui qui jouera auprès de lui le rôle que la masculine Bette joue auprès de Steinbock, c'est Vautrin. Il le tient, le pousse, l'oblige à travailler, compense et dépasse sa féminité par une virilité, non pas satanique, mais diabolique, c'est-à-dire amorale, oublieuse d'une société toute féminine.

Mais Lucien succombe à la féminité, féminité exaltée qui ne peut, ici, qu'amener au suicide. Car il est bien tombé dans le piège d'Eloa. Il s'en accuse et le reconnaît : face au juge Camusot qui l'interroge adroitement, il livre tout, lui-même et le faux prêtre Carlos Herrera à qui il doit sa fortune : « Lucien resta morne, pâle, il se voyait au fond du précipice où l'avait fait rouler le juge d'instruction à la bonhomie de qui, lui, poète, il s'était laissé prendre. Il venait de trahir non pas son bienfaiteur, mais son complice, qui, lui, avait défendu leur position avec un courage de lion, avec une habileté tout d'une pièce. Là où

Jacques Collin avait tout sauvé par son audace, Lucien,
l'homme d'esprit, avait tout perdu *par son inintelligence et
par son défaut de réflexion* ». Rubempré-Chardon ne
navigue pas dans les « hautes sphères de l'intelligence ».
Il ne sera jamais ce que Balzac lui-même dit du génie
(Préface à *La Peau de chagrin*), c'est-à-dire celui qui
possède « cette sorte de seconde vue qui leur permet de
deviner la vérité dans toutes les situations possibles », où
nous retrouvons la puissance phallique de l'imagination
qui va « droit aux causes » essentielles. La seconde vue
est la qualité du « mâle » qui prévoit, qui, capable de
retourner à l'essence, rentre dans la vérité, par la force de
l'imagination, du désir, du souvenir, de tout ce qui figure
la levée symbolique du phallus. En vérité, Lucien,
définitivement pris par la femme, est revenu à l'animalité :
il était là « semblable à l'animal que le billot de l'abattoir a
manqué ». Ainsi, en se donnant la mort « cette âme de
femme, de poète et de Méridional, sans consistance ni
volonté » rentre dans le sein de la passivité qui est son lot,
assume, par une sottise ultime, sa léthargique féminité.
C'est bien ce qu'indique Balzac en montrant à quel point
ce suicide ne sauve rien de lui, à quel point il est mal à
propos, inutile et lâche. Une seconde de plus, et tout était
sauvé. Mais cette seconde demandait une énergie que,
privé de Vautrin, Rubempré ne peut trouver ne lui. Il
s'abandonne donc à la mort, et Balzac l'abandonne en
même temps, avec un mépris non dissimulé. Car il se
suicide comme une grue, et meurt comme il a vécu, c'est-
à-dire comme une « petite femme ». Voilà pour le
créateur. Voilà pour la femme qui veut créer. Il lui faut un
Vautrin ou une Bette. N'a-t-on pas toujours voulu voir se
profiler, aux côtés de Mme de Lafayette, l'ombre de La
Rochefoucauld ? Or ce suicide est terrible, car il implique
que la féminité est inexorablement liée au néant. Il signifie
que le mâle seul détient la vie, et que, privé de la force de
l'homme, la femme n'a qu'à mourir, en même temps que,

privé de l'imagination et de l'intelligence virile, l'androgyne créateur sombre dans l'improductivité. Ce qui est
plus pénible encore, c'est à quel point ce schéma est
inéluctable. Zola, par exemple, voulant cependant donner
dans *Thérèse Raquin* un point de vue tout différent, y
tombe, irrésistiblement. Certes, il veut indiquer que le
remords, l'angoisse, aux degrés extrêmes où ils sont
arrivés, rendent toute vie impossible aux deux héros qui
n'ont plus d'autre choix que de désirer la mort, victimes
qu'ils sont de leurs nerfs. Mais ce sont des êtres femmes
entendons que, comme par hasard, ces êtres réduits ne
sont pas des êtres virils. Nous verrons Laurent, en
retombant dans son obsession, se livrer pieds et poings liés
à l'inertie, incapable d'énergie, de décision, d'action.
Néantisés en quelque sorte, classiquement objets menés
au gré de la passion qui les domine, seconds, choses
animées du remords, la féminité traditionnelle les a
totalement envahis, et ainsi ils mourront : sort des êtres
qui ne sont pas capables de lutter pour vivre. Julien Sorel a
cette supériorité sur eux tous, qu'il connaît sa défaite, et
qu'il a connu bien des victoires. Viril avec l'être passif
(Mme de Rênal), passif avec l'être viril (Mlle de la Mole),
nous savons depuis le début qu'il n'arrivera pas à la
création puisqu'il n'est pas autonome. Mais il a l'aptitude à
la complémentarité : parce qu'il est à la fois homme et
femme, il peut jouer l'un et l'autre rôle. Cependant, seul,
il n'est rien car il y a en lui trop de prise donnée à l'élan
incontrôlé de la sympathie (qui est passivité, puisqu'elle
consiste à se laisser entraîner par l'autre), trop de
mouvement de la sensibilité (qui est manque de contrôle).
Julien est inabouti parce qu'il est trop femme, et dans sa
déclaration finale où il se dit la victime de forces sociales
qu'il n'a pu ébranler, il indique bien que sa position fut
celle du faible, et que c'est à cette faiblesse qu'il cède. Or
son héros, Napoléon, n'y avait pas cédé. Mais Julien est
d'une autre trempe que les Rubempré ou les Steinbock, et

devant cette défaite qui lui paraît définitive, cette fois, il va se donner un châtiment exemplaire, avec l'espoir que ce châtiment puisse servir : celui de la mort. Il se blesse ainsi par où il a péché : par l'improductivité, et la passivité. Sans doute peut-on penser qu'en vérité Stendhal se châtie là lui aussi, ou plutôt qu'il se remette en mémoire qu'un créateur qui donne prise à la passivité, qui se rend impuissant à atteindre la virilité pure, est frappé d'infertilité, et devient ce « rien » que symbolise la mort. Tout héros romantique doit être satanique pour être un hermaphrodite parfait, c'est-à-dire atteindre l'essence de la virilité (qui est la connaissance essentielle du mâle *et* du femelle réduit à la pure fonction de l'enfantement). Mais cette nécessité est odieuse. Elle implique la mort de la mère, de la sœur, de la femme, la mutilation de la féminité sociale intérieure au créateur, et peu semblent en être capables. Sans doute peut-on voir là une des raisons de la mélancolie permanente, et qu'il prétend sans cause, du romantique désespéré qui pleure une mutilation qu'il se fait à lui-même, qu'il croit nécessaire et que, bien souvent, il ne peut perpétrer. Quand il est au bout de son impuissance, il se suicide : tel est, entre autres Chatterton. N'est-il pas étrange en effet, qu'il se tue précisément au moment où il a trouvé une âme féminine douce, compatissante, passible et léthargique ? N'est-ce pas étrange également, que nous le voyions frappé de stérilité précisément à ce moment-là ? Il a pourtant été capable, auparavant, d'écrire pour vivre. Maintenant il ne le peut pas. La femme est comme une maladie contagieuse. Elle infeste le créateur. Elle l'annihile. Devant le dernier coup qui le frappe, celui de l'offre humiliante d'une place de laquais, il n'a plus l'énergie de résister. Et pourtant, il a déjà reçu bien des camouflets. La preuve est qu'il s'est sauvé, qu'il s'est détourné du monde. Alors ? Kitty Bell a une bien plus grande responsabilité que l'on croit dans le suicide de Chatterton. En fait, elle l'a provoqué, et c'est si vrai qu'elle en meurt, frappée elle aussi par le poète qui la punit de sa passivité, et d'avoir contaminé le créateur. Ce qu'elle a fait, c'est qu'elle a fait basculer, dans sa douceur et sa féminité, l'édifice de complémentarité à dominante virile dans lequel vivait Chatterton, provoquant ainsi sa perte définitive. Il le sait. Son suicide a beaucoup à voir avec celui de Julien Sorel. Il est aussi un écho de celui de Werther dont nous parlerons longuement.

Mais la mutilation de la féminité par l'être satanique atteint son apogée avec Julien Sorel. Chez Baudelaire, par exemple, elle est tout simplement l'appel de la mort, la tentative de se laisser prendre par la passivité universelle « Car je cherche le vide, et le noir et le nu » (*Obsession*, LXXIX), et c'est une séduction. Le goût du néant, qui est de se laisser aller à sa nature léthargique, est le cri de l'hermaphrodite chez qui la virilité est masquée par le temps « qui ronge », par la vie et la médiocrité, par l'invocation à l'animalité où le poète voit le Mal, la chair, la mort : « Avalanche, veux-tu m'emporter dans ta chute ? » (LXXX, 72). Lorsque la mort l'emporte, l'être souffre : il est la proie de l'obsession, du spleen, de la douleur. Le sentiment du morne engloutissement n'est pas ici, comme chez Chateaubriand par exemple, la tentation de la passion (« Levez-vous vite orages désirés... ») où le créateur reconnaît sa victoire future et son retour prochain à l'activité. Chez Baudelaire, lorsque la femelle gagne, c'est comme si le mâle était à jamais perdu, oublié : « Résigne-toi, mon cœur ; dors ton sommeil de brute. » Cependant, il sait bien que c'est dans ce jeu de va-et-vient, dans ces variations sexuelles où il s'approprie tour à tour l'activité et la passivité universelles qu'il est condamné, Poète, à vivre : « Je suis la plaie et le couteau / Je suis le soufflet et la joue / Je suis les membres et la roue / Et la victime et le bourreau / Je suis de mon cœur le vampire / »(*L'Heautontimoroumenos*). Coexistence de la vie et de la mort, du mâle et du femelle, où cependant le

créateur ne connaît la sérénité, la totalité et la joie que
lorsque, dépouillé du passif, il trouve en lui la force vitale
de l'énergie virile : *Bénédiction, Elévation, Don Juan aux
enfers, le Voyage.* Entre ces deux extrêmes : extrême
souffrance de l'être femelle, exaltation et orgueil de l'être
mâle, il y a la lutte pour conquérir cette virilité, en
arrachant de soi la femelle, en mutilant — mais avec
quelle douleur — l'être qu'on croit passif : horreur de la
femme : *Sed non satiata, Une charogne,* « une nuit que
j'étais près d'une affreuse juive », etc. Ainsi le femelle
s'enlise et le mâle se transcende : « Le dandy doit aspirer
à être sublime sans interruption… » (*Mon cœur mis
à nu*). Pour ne pas se laisser enfoncer dans l'épaisseur
de la féminité, dont le désir est cependant violent
(« J'eusse aimé vivre auprès d'une jeune géante /…
Dormir nonchalamment à l'ombre de ses seins »), la seule
solution est de s'en mutiler. Il est frappant à cet égard de
lire dans les *Fusées* (XI), sous le titre *Self-purification and
anti-humanity.* « Il y a dans l'acte de l'amour une grande
ressemblance avec la torture ou avec une opération
chirurgicale. » Aphorisme qui est assez révélateur, par
analogie, du sentiment de la création chez Beaudelaire.
Car l'opération chirurgicale, qui est celle de l'amputation
de son moi féminin, lui fait souvent horreur. La passivité
est pour lui une poignante tentation. Or, ça n'est jamais le
cas pour Julien Sorel. Parce que sa féminité, qu'il hait, lui
est toujours — preuve qu'elle est ignoble — rappelée par
une défaillance physique. Il rougit, il s'évanouit, il se
trouble. Signe d'une affectivité nerveuse qui le place sous
la domination de la chair. Il tend ainsi à être emporté par
des mouvements du sang, des organes, qui le rendent
momentanément passif, puisque soumis à leur violence.
Voilà bien comme on présente toujours la femme dans la
littérature romantique, et Stendhal n'en est certes pas
dupe. Il se moque de la grossièreté stupide de M. de Rênal
qui, chaque fois que sa femme se tire d'embarras en

prétextant quelque malaise, quelque mal de tête, s'exclame avec vulgarité qu'il y a toujours « quelque chose de détraqué dans ces machines-là ». Or nous lecteurs savons à quoi nous en tenir sur cette soi-disant faiblesse, qui, si elle est faiblesse, puisqu'elle est le seul recours de la victime contre son maître et seigneur, sa seule ruse, n'est cependant pas une faiblesse physique. D'ailleurs Stendhal a su créer en Lamiel un personnage féminin exempt de ces passivités léthargiques, et cependant sensible et intelligent. Malgré tout, dans ses romans, les femmes ou les hommes-femmes s'évanouissent, ont des vapeurs, rougissent, se troublent, etc., et lorsqu'elle revoit après plusieurs mois Julien dans la cathédrale de Besançon, Mme de Rênal perd connaissance. Si bien que sans être dupe de la prétendue faiblesse féminine, Stendhal cependant y recourt. Soit que la caractérisation en soit simple. Soit que cela réponde chez lui, comme chez tous les autres, à un schéma inconscient dont il ne peut (ni ne veut sans doute) se débarrasser : celui de la création. L'être passif, c'est clairement celui qui est à la merci des autres, ou à la merci des éléments. L'être actif, celui qui les domine. Il n'y a pas de caractérisation plus simple alors pour l'être passif que son trouble ou sa perte de conscience, qui fait de lui immédiatement une victime, un personnage dominé, à la merci des autres. C'est bien là certes la position sociale de la femme. Lui donner de tels caractères psychologiques, est rendre cette position immédiatement perceptible. Si bien que Julien Sorel est un héros extraordinairement déroutant, et en même temps parfaitement schématique : tour à tour dominant et dominé, passif et actif, à la merci des autres ou les tenant à sa merci. Mais Julien tend à la domination, il veut, en permanence, se dépasser, atteindre une vérité de lui-même qui serait au-delà et résiderait dans la domination absolue : de soi, et du monde. Il vise donc à la création. Ainsi ne peut-il accepter sans honte (c'est-à-dire sans l'impression de déchoir, d'être tiré vers le bas)

ses défaillances physiques et ses élans du cœur qui le
livrent aux autres. Au cours d'une querelle de cabaret avec
un inconnu, il se met dans un tel état qu'il en éprouve
aussitôt une cuisante humiliation : « Julien se trouva
baigné de sueur. Ainsi il est au pouvoir du dernier des
hommes de m'émouvoir à ce point, se disait-il avec rage.
Comment tuer cette sensibilité si humiliante ? ». Mais ce
qui est clair, c'est que c'est précisément parce qu'il a ces
attaques de sensibilité, qu'il est une âme d'homme dans un
corps de femme et que, pareil à un personnage de Zola,
son tempérament nerveux l'entraîne, que Sorel est un héros
créateur. Car chaque fois qu'il s'est ainsi fait atteindre, il
réagit et agit. A peine a-t-il senti cette sueur incontrôlée
qu'il n'a qu'un désir : se battre. A peine se souvient-il qu'il
a cédé aux injonctions d'Amanda Binet, à Besançon, et n'a
pas — comme son honneur de mâle l'y incitait — corrigé
le maraud qui l'insultait au cabaret, qu'il décide qu'il y
aura duel. Or cette décision — prise pour contrebalancer
deux accès de passivité — est très importante. Elle va lui
faire rencontrer le chevalier de Beauvoisis, et déterminer
le marquis de la Mole à lui offrir ce fameux habit bleu si
nécessaire à son orgueil. Ces relations nouvelles avec
l'arrogant marquis contribueront à lui donner l'assurance
essentielle à son entreprise si clairevoyante de séduction
de la blonde Mathilde. Cependant, c'est aussi, très
souvent, par une tendance à l'erreur : une mauvaise
appréciation visuelle ou psychologique, que s'exprime,
chez Julien, la passivité féminine. Il y a là un manque
d'objectivité, c'est-à-dire une tendance — considérée
comme fait de femme — à s'enliser dans soi-même, à ne
pouvoir sortir de ce qui constitue la préoccupation du
moment. Ainsi, au moment d'aller pour la première fois
chez M. de Rênal pour y être précepteur, le jeune homme
inquiet se rend à l'église. Là, il sombre brutalement dans
la terreur et interprète tout ce qu'il voit comme des signes
maléfiques. Tout d'abord, il est frappé par le récit

(tronqué, et donc plus inquiétant) de l'exécution à Besançon de Louis Jenrel, et il pense : « son nom finit comme le mien ». « En sortant, Julien crut voir du sang près du bénitier, c'est de l'eau bénite qu'on avait répandue : le reflet des rideaux rouges qui couvraient les fenêtres la faisait paraître du sang. » Le héros stendhalien est ici « impressionné », c'est-à-dire qu'il se laisse dominer par des sensations négatives, qu'il interprète comme des prémonitions (en l'occurrence d'ailleurs, il a raison, et pour Stendhal c'est précisément ce qui fait qu'il est créateur). C'est dire qu'il ne peut plus être objectif et qu'une force inconsciente — qui lui ferait désirer ne pas agir, ne pas aller au château — a pris possession de lui. Ainsi disait-on que les femmes étaient possédées. Cette incapacité à contrôler ce qui nous apparaît comme un avertissement de son subconscient, il la ressent immédiatement comme une chose honteuse, comme un entraînement à la léthargie : « Enfin, Julien eut honte de sa terreur secrète. — Serais-je un lâche ? se dit-il. *Aux armes* ». Voilà encore brisée en lui une enveloppe féminine, et c'est en luttant contre son emprise que le jeune héros fait le pas décisif qui l'amène chez les Rênal. Il est intéressant de noter d'autre part que lorsque Julien se trouve brutalement hors de contrôle, il rougit. Par contre, on remarque à plusieurs reprises que lorsqu'il se trouve dans son effort de mutilation, lorsqu'il « se fait violence » pour atteindre le contrôle et la virilité supérieure, Stendhal indique qu'il est fort pâle, voire blanc. « La violence que se faisait Julien le rendit de nouveau fort pâle ». La pâleur est la marque du mâle qui se conquiert : Chatterton, Raphaël de Valentin, Steinbock lorsqu'il crée, sont pâles. Sans doute peut-on voir là l'effet de cette tendance à la caractérisation psychologique et physiologique schématisante dont nous avons déjà parlé. La rougeur, c'est une couleur charnelle, qui évoque le sang et l'activité physique. Lorsqu'il est pâle l'être se désincarne, atteint l'immatérialité de l'essence.

Ainsi la femme rougit-elle beaucoup, même l'altière Mathilde de la Mole qui cependant cultive la pâleur aristocratique et la virilité.

Ce que l'on peut dire alors de la féminité mutilée par l'androgyne créateur, c'est d'abord qu'elle n'est féminine que par une arbitraire décision qui fait, que, par une analogie sexuelle, le féminin est lié à la passivité qui reçoit, enferme, retient, tire vers le bas, alourdit, embrume, etc. Les caractères du passif, qui sont ceux de la mollesse léthargique, de l'évanescence liquide, sont représentés par le trouble physique, le malaise, l'inquiétude, la perte de conscience, bref tout un aspect quasi maladif qui fait que ce qui n'est pas actif est charnel, voué aux soubresauts des nerfs, des « humeurs » corporelles. Ces mouvements d'ailleurs peuvent être des mouvements généreux. Lorsque Julien Sorel se met brusquement à pleurer parce que M. Valenod a fait taire les prisonniers qui chantaient, ou bien parce que quelqu'un, dans un salon, a dit une infamie sur un de nos grands poètes, ses larmes expriment la grandeur de son caractère. Elles sont cependant des mouvements incontrôlés et mal venus (au milieu d'un dîner, dans une conversation de salon) et dont il sait qu'elles constituent une faiblesse. Chaque fois, ces larmes sont suivies d'un moment de refus de l'action, soit qu'il se réfugie dans le rêve du fantasme napoléonien, ou qu'il se mette à philosopher sur la stupidité de son entreprise ambitieuse : il se méprise. Certes, c'est là que Stendhal l'aime ; c'est là qu'il le suit avec le plus de sympathie. Cette sympathie cependant ne va pas jusqu'à lui faire rejeter le schéma de l'acte créatif et, tout en affirmant hautement qu'il n'est pas dupe (« j'avoue que la faiblesse, dont Julien fait preuve dans ce monologue, me donne une pauvre opinion de lui. Il serait digne d'être le collègue de ces conspirateurs en gants jaunes, qui prétendent changer toute la manière d'être d'un grand pays, et ne veulent pas avoir à se reprocher la plus petite égratignure », etc.) tout en se moquant de son lecteur à qui il laisse à entendre son affection pour son héros, affection déguisée en réprimande grossièrement ficelée, comme n'importe quel bourgeois stupide pourrait en faire au jeune homme, cependant, il montre bien que c'est là la faiblesse — sympathique certes, mais faiblesse tout de même — qui perd Sorel. En vérité, apparente victime de la société, celui-ci est en réalité victime de lui-même, et cela est bien plus grave. Car alors l'univers, les lois universelles, les systèmes et les sociétés, tout se ligue contre ce qui est généralement représenté sous les traits du féminin. L'extrême originalité de Stendhal est d'avoir l'air, au fond, de ne pas être d'accord. Nous disons bien : avoir l'air. Car en analysant la façon dont, dans son roman, la femme est dépeinte, nous verrons bien qu'en fait, chez lui, le schéma est irrésistiblement respecté. Ainsi la passivité c'est le corps, ce tyran de l'âme virile, et nous retrouvons une fois de plus l'éternel dualisme classique si ancré dans notre culture qu'il survit même chez ceux qui se pensent matérialistes, si bien que nous voyons Zola lui-même présenter l'effort créateur comme une lutte contre ce qu'il y a dans le mâle de plus charnel, et donc de plus léthargique : « Auparavant, il *étouffait* sous le *poids lourd* de son sang, il restait *aveuglé* par *l'épaisse* vapeur de santé qui l'entourait » (*Thérèse Raquin*). La chair, la graisse, le sang : autant d'écrans entre l'artiste et l'œuvre, autant d'éléments d'impuissance. La féminité, c'est ce qui est transmis par la chair, et c'est aussi la naissance, c'est au passif du mâle et non à son actif, expression que nous voyons étonnamment révélatrice. Il apparaît très clairement alors que, si la féminité passive du mâle est la violence que lui fait son corps, ce qui va, toujours, définir la femme, être son élément, et déterminer sa fonction, ce sera justement ce corps. Et tout l'esthétisme du monde n'empêchera qu'en fait ce corps ne soit maudit, ce corps, obstacle entre l'homme et sa virilité essentielle. Car ce qui est créatif, et donc virilement actif, est maigre et sec, et immatériel, et sans chair. Ne peut-on trouver extraordinaire, qu'au moment où la misogynie créatrice s'exprime de la façon la plus férocement visible, au XIXe siècle, les femmes soient, par les peintres, montrées dans leurs nudités les plus charnelles, les plus grasses, les plus lourdes ? Quand le corps du créateur, sa face sont toujours décrits dans la littérature comme secs, la femme est adipeuse, cellulitique, dotée d'un poids énorme. Femmes nues de Renoir aux cuisses monstrueuses et au regard vide. «[La femme] est simpliste comme les animaux. Un satirique dirait que c'est parce qu'elle n'a que le corps », Baudelaire, *Mon cœur mis à nu*, XXVII.

VIII

LA VIRILITÉ CONQUISE

C'est d'ailleurs Baudelaire qui, en décrivant « l'état merveilleux » de la création, « cet état charmant et singulier », dans « le goût de l'Infini » (*Le Poème du Haschisch*) exprime, de façon magistrale, et dans un texte transparent, l'idéal achevé, abouti de l'androgyne lorsque, réduit à l'unicité essentielle de la virilité totale, il a rejeté hors de lui la passivité qui le damne. « Cet état charmant et singulier, où toutes les forces s'équilibrent, où l'imagination, quoique merveilleusement puissante, n'entraîne pas à sa suite le sens moral dans de périlleuses aventures, où une sensibilité exquise n'est plus torturée par des nerfs malades, ces conseillers ordinaires du crime et du désespoir, cet état merveilleux, dis-je, n'a pas de symptôme avant-coureur. Il est aussi imprévu que le fantôme. » État phallique donc par excellence, portant en lui l'imprévisibilité de l'érection imaginative, où l'équilibre n'est pas, comme nous le voyons par la suite du texte, le point où l'actif et le léthargique, cessant de se combattre, se neutralisent, mais bien le moment où « par l'exercice journalier de sa volonté » le poète a pu triompher de « l'esprit du Mal », c'est-à-dire de l'horreur de la chute, de la maladie nerveuse, du spleen, signe de l'emprise momentanée de la féminité. Or l'état parfait de la création, celui de la virilité profonde, est si rare et si merveilleux

qu'on cherche à le créer artificiellement, par la drogue,
par l'opium, le haschisch. Enivré, l'être est Dieu. Tel
Jean-Jacques il se croit l'homme le plus vertueux et le plus
sensible de la terre. Le monde a été créé pour lui, il en est
le centre, et une « pensée finale, suprême », jaillit du
« cerveau du rêveur : « Je suis devenu Dieu. ». Voilà le
poète, et le créateur, arrivé à la perfection de la virilité, au
point que « il se voit *contraint* de s'admirer soi-même ».
Elément essentiel à la formation du dandy (*Fusées*, XI,
« auto-idolâtrie »). Car sous l'effet de la drogue l'imagination bouillonne, devient d'une extrême richesse, elle prend
appui sur une réalité qu'elle transforme. Bien plus,
l'hallucination a une « énergie, une vivacité vraiment
parlante ». Pendant ce temps, elle semble annihiler le
corps qui devient, lorsque la première hilarité est passée,
extraordinairement froid, même glacé, en même temps
qu'il peut arriver que le corps des autres disparaisse, au
point qu'ils deviennent des lilliputiens. C'est la « fantas-
magorie intérieure » qui reçoit toute la vie et toute
l'énergie de l'halluciné, c'est-à-dire qu'enfin son monde
peut s'imposer à lui, sans que rien d'extérieur ne vienne en
gêner le déroulement, il peut contempler son essence,
ayant fui, « ne serait-ce que pour quelques heures, son
habitacle de fange ». Or tout cela ne nous intéresserait que
comme une confirmation de ce que nous avons déjà
remarqué de l'acte créateur du mâle si Baudelaire, dans la
troisième partie de son *Poème du haschisch,* nommée « Le
Théâtre de Séraphin », ne s'avisait traîtreusement de faire
parler une femme et, en présentant sa confession de
mangeuse d'opium occasionnelle, n'en profitait pour montrer son inaptitude à atteindre l'état créatif. En effet, voilà
ce texte « transcrit littéralement » : « Quelque bizarres et
nouvelles que soient les sensations que j'ai tirées de ma
folie de douze heures (douze ou vingt ? en vérité je n'en
sais rien), je n'y reviendrai plus. L'excitation spirituelle
est trop vive, la fatigue qui en résulte trop grande ; et pour

tout dire, je trouve dans cet enfantillage, quelque chose de criminel. » Voilà un début qui n'est pas mal. C'est une femme qui parle, ne l'oublions pas. Elle trouve le moyen, en deux phrases, et parce que, clairement, l'expérience la dépasse, de se rejeter définitivement dans le monde du corps, et nous remarquerons une fois de plus, que le misogyne s'y prend toujours de la même façon pour affirmer la nullité de la femme, son manque d'essence, son inaptitude à l'analyse, etc., il le lui fait dire *elle-même,* si bien que dans sa sotte naïveté c'est la malheureuse *elle-même* qui prononce la sentence qui l'exclut des « hautes sphères de l'Intelligence ». Tout d'abord, elle appelle « fou » et « criminel » l'état parfait de l'androgyne, ou du dandy, état que tous les créateurs recherchent, parce que, nous dit Baudelaire avec insistance, il est un accroissement de la « partie déjà dominante de lui-même » et qu'il y trouve donc la puissance de l'imagination, qui, le faisant dieu, le fait totalement autonome, c'est-à-dire ne dépendant d'aucun jugement extérieur, d'aucune norme étrangère à soi-même. Voilà un état que l'on ne peut juger ni ridicule ni criminel, à moins de n'avoir pu l'éprouver, ou à moins de ne pouvoir le supporter. Or ce que la femme n'a pu supporter, c'est, en quelque sorte, l'accroissement de sa nullité, d'où le sentiment de vacuité et d'inutilité qui la prend le lendemain, parce que également, comme le note Baudelaire plus loin, elle n'a pas l'aptitude à l'analyse, ni la force, toute phallique, nous le savons, de se souvenir correctement de ce qu'elle a vécu, et qu'alors cette absence de nécessité lui paraît « enfantillage ». C'est bien d'un être borné, il faut l'avouer, de traiter d'enfantillage un état où l'homme découvre sa divinité. N'aurait-elle pas de sensibilité à l'infini ? Voyons plutôt : « Avant tout je dois vous dire que ce maudit haschisch est une substance bien perfide ; on se croit quelquefois débarrassé de l'ivresse, mais ce n'est qu'un calme menteur. Il y a des repos, et puis des reprises. Ainsi, vers dix heures du soir, je me trouvai

dans un de ces états momentanés ; je me croyais délivrée
de cette surabondance de vie qui m'avait causé tant de
jouissances, il est vrai, mais qui n'était pas sans inquiétude et sans peur. » Texte évidemment transparent. On
notera tout de suite le vocabulaire employé, où la femme
indique que cette expérience ne lui a pas été plaisante :
« maudit haschisch, calme menteur, débarrassé de
l'ivresse, délivrée de cette surabondance de vie, inquiétude et peur ». Voilà qui est clair : la femme ne peut
supporter l'état créatif. Et pourquoi ? La réponse s'impose
immédiatement : tout simplement parce que c'est un état
d'homme, qu'elle n'est pas faite pour, qu'il lui fait peur,
comme la virilité fait peur à la vierge, parce qu'il y entre
une puissance et surtout une vie essentielle qu'elle, être
fabriqué, second, ne peut supporter. La peur de la
surabondance de vie indique, bien sûr, l'impuissance
créatrice de la femme, puisque c'est justement cela, la
création. L'état d'ivresse lui est importun, car il demande
l'existence d'un monde intérieur, particulier à l'être, et
qu'elle n'a pas, puisque son hallucination ne part que du
concret, et est une rêverie (rusé Baudelaire !) sur l'état
social et philosophique de la femme : la tapisserie de sa
chambre devient des barreaux ; dehors le monde s'est
extraordinairement accru, ouvert, étendu, et cependant
elle est enfermée, sans pour autant en éprouver vraiment
de chagrin. Voilà qui fait dire à Baudelaire que son
expérience est « d'un genre bâtard ». L'inquiétude et la
peur qui naissent en elle, face à cette surabondance de
vie, impliquent également le sentiment de la perversion
qu'elle vit, en faisant l'expérience du monde de l'homme.
Le mâle, quant à lui, pris du sentiment irrésistible qu'il est
« devenu dieu » n'en éprouve aucune crainte. Bien au
contraire il en jouit, fort du sentiment de sa divinité
possible. Exemple capital donné par le poète : certains
hommes ont pu jouir de cette divinité sans être drogués :
témoin Jean-Jacques qui, plein de l'idée « superlative de

sa valeur morale », « s'était enivré sans haschisch ». Or voilà ce qui manque à la femme, l'idée superlative de sa valeur morale, puisqu'elle ne peut jamais se sentir autonome. En vérité son rêve est plein « d'expiation », de « claustration », de « fautes anciennes », de « péchés », de « condamnations ». Terrible inaptitude à sortir de soi-même, son hallucination est remplie des questions morales de sa vie antérieure. Elle est toujours soumise au jugement de l'homme, « prisonnière », « condamnée », consciente de sa chute et de son impureté. Ce qu'elle retrouve en elle, au profond d'elle-même, quand l'homme, lui, y trouve jouissance, essence, divinité, auto-adoration, autonomie et pureté, c'est le sentiment accru de son impuissance (ces barreaux, cette claustration), de sa limitation à elle-même, de sa dégradation morale, et de sa condamnation définitive par Dieu : « je pouvais cependant compter sur une bonté supérieure, qui, tout en me condamnant à la prudence, m'offrirait des plaisirs plus graves que les plaisirs de poupée qui remplissent notre jeunesse ». Affreuse déri-sion de ce rappel à l'ordre que Baudelaire donne à la femme, qu'il condamne à une médiocrité embellie et qu'il rejette impitoyablement de l'ordre créateur : « On dit que l'enthousiasme des poètes et des créateurs ressemble à ce que j'ai éprouvé, bien que je me sois toujours figuré que les gens chargés de nous émouvoir dussent être doués d'un tempérament très calme; mais si le délire poétique ressemble à celui que m'a procuré une petite cuillerée de confiture, je pense que les plaisirs du public coûtent bien cher aux poètes, et ce n'est pas sans un certain bien-être, une satisfaction prosaïque, que je me suis enfin sentie chez moi, dans mon chez-moi intellectuel, je veux dire dans la vie réelle. » Et voilà. Après avoir fait montre de cette mentalité de boutiquier dont elle prend le langage, il ne reste à la femme qu'à rentrer dans la banalité quotidienne qui est son lot. Pourquoi ce « coûtent bien cher » ? C'est que, n'ayant que le corps, la femme ne veut

pas hasarder sa seule richesse, sa seule possession. Le
prix à payer, celui des lendemains d'épuisement, est trop
élevé pour elle. Elle n'a rien d'autre à mettre en jeu. Pour
l'homme, le corps n'est que ce qui l'entrave et le condamne
à la tentation honteuse de la léthargie. Sa vie de créateur
se passe à le mutiler, le mater, le violenter. Il n'en a pas de
soin. Il le hait. C'est par la force imaginative de la vie
essentielle qu'il existe. Alors il se réjouit de toute
altération charnelle qui lui permet de sentir enfin battre en
lui cette vie qu'il recherche. C'est cela la jouissance. C'est
cela que la femme ne peut éprouver, car la peur et
l'inquiétude qui l'accompagnent indiquent que cette jouissance est toute physique, et qu'il y entre tout de suite le
refus du corps bafoué que l'esprit ne peut dominer de sa
force affective, puisque l'esprit est absent. Pour l'homme,
le corps peut bien chercher à se rebeller, à tendre même
vers une certaine souffrance, comme lorsqu'il est envahi
par un froid glacial, l'esprit commande de jouir du
nouveau, de l'inhabituel, que ce soit « un caveau de
ténèbres glacées » ou des « magnificences de lumières » :
« … Enfer ou Ciel, qu'importe ? / Au fond de l'Inconnu
pour trouver du nouveau » (*Le Voyage*). La femme ne peut
supporter le nouveau. Elle est heureuse, et le dit, de
réintégrer son moi confortable et habituel dont nous savons
pourtant qu'il est une prison, une immobilité, puisque c'est
cela qui s'est accru dans son rêve. Ce désir de la vie réelle,
qui pour Baudelaire est fausse et tronquée, en contradiction avec le goût du voyage et de l'absolu, celui des
« nuages… [des] nuages qui passent… là-bas… là-bas…
[des] merveilleux nuages » du créateur, fait, de celui-ci et
de la femme, des êtres contradictoires, irréductibles, et
qui, jamais, ne peuvent se rencontrer. D'autant plus que la
malheureuse fait montre ici d'une inaptitude essentielle à
comprendre. Elle se trompe, et qu'est-ce que « ces gens
chargés de nous émouvoir » qui, selon elle, doivent être
« doués d'un tempérament très calme » ? Ce que c'est ? Il

faut bien l'admettre : une nouvelle monstrueuse sottise.
Est-ce qu'une pareille sottise est courante, chez la femme ?
Non sans doute et cependant, voilà le portrait qu'on lui
donne d'elle-même, perfidement, et sur lequel elle n'a
plus, tristement, qu'à se modeler : un être faible, n'ayant
rien d'autre à offrir ou mettre en jeu que son corps,
incapable de supporter l'excès, fuyant l'absolu, en même
temps que l' « acuité » de la sensation parce qu'il n'y a en
elle rien d'essentiel, parce qu'elle n'est que corps, et pour
finir jugeant le monde comme une aveugle, sans jamais le
voir dans ce qu'il a de profond et de véritablement réel.
Beau tableau qui justifie toutes les haines. Ce que le mâle
découvre dans l'ivresse et dans la création, c'est son
aptitude à être dieu, qualité essentielle et bouleversante de
la virilité, où l'homme, totalement réduit à lui-même,
entièrement circonscrit, connaissant l'autonomie suprême,
est oublieux de toute morale, c'est-à-dire de toute relation
qu'il aurait pu avoir auparavant avec le monde extérieur.
Aucune norme ne lui est plus imposée. Il est dieu, car
centre de toute chose, toute chose dépend de lui et lui
d'aucune, toute nécessité ne peut lui être qu'intérieure,
toute relation ne peut être qu'avec lui-même. Il est la vie
permanente, et qui, par sa puissance intérieure, se
renouvelle sans cesse. Plusieurs fois, Baudelaire fait
remarquer combien cet état efface le remords, combien il
crée d'optimisme, signe qu'il n'y a plus de « rapport
avec », de « relation avec ». La femme est un être soumis
qui ne peut éviter ce remords. Quelques pages plus loin,
d'ailleurs, dans l'homme-dieu, l'auteur des *Fleurs du mal*
écrit : « Dans ses *Confessions,* de Quincey affirme avec
raison que l'opium, au lieu d'endormir l'homme, l'excite,
mais qu'il ne l'excite que dans sa voie naturelle, et,
qu'ainsi, pour juger les merveilles de l'opium, il serait
absurde d'en référer à un marchand de bœufs ; car celui-ci
ne rêvera que bœufs et pâturages. » Voilà bien la
malheureuse femme comparée à un marchand de bœufs.

Sa confession n'a guère plus d'intérêt, et cette phrase méchante est écrite pour elle qui, dans son hallucination, n'a vu que barreaux, Belle au bois dormant, dieu vengeur quoique momentanément bon, claustration et sentiment du péché. Nous découvrons en elle de l'immaturité et de l'infantilisme, avec ce sentiment constant qu'elle fait le mal et qu'elle sera punie, sentiment qui n'est, lorsqu'il se trouve chez l'homme, que la tristesse d'avoir mal employé son temps, et le désir de le vivre, à l'avenir, de façon plus riche et plus profonde.

Ce qui frappe alors, dans ces textes, c'est l'emploi répété des mots « activité » et « énergie » (« l'énergie, la vivacité vraiment parlante de l'hallucination ; les couleurs prendront une énergie inaccoutumée », etc.). L'état créatif de l'ivresse est l'état de l'activité absolue. Etat « en soi », où l'homme découvre la nudité de la virilité, quand le haschisch l'a débarrassé de l'autre partie de lui-même, qui est son moi féminin et passif. « Des soupirs rauques et profonds s'échappent de votre poitrine, comme si votre *ancien* corps ne pouvait pas supporter les désirs et l'activité de votre âme nouvelle ». Voici le corps d'un côté, et puis de l'autre : l'âme, avec ses désirs et son activité, signes tangibles de la domination totale de l'actif dans l'être. Le corps ancien vaincu, l'être vit par la seule puissance de l'activité essentielle de l'âme qui est pure énergie. Le corps, pris dans sa léthargie constitutionnelle, est *incapable* de supporter l'excès de l'énergie (« comme si votre ancien corps ne pouvait pas supporter »). Il faut le vaincre ou l'annihiler pour cela. Voilà d'où vient la peur de la femme : se droguer, pour elle, c'est vouloir mourir. Pour l'homme, c'est vouloir vivre. Continuons : créer, pour elle, c'est vouloir mourir. Pour l'homme, c'est vouloir vivre. A-t-elle, dans ces conditions, un choix ? Ne peut-on penser qu'il a fallu à la femme, au XIXᵉ siècle, lorsque cependant elle a eu le front de créer une œuvre, un courage vraiment fabuleux, tenant des grands courages mythiques, pour aller contre ce risque effroyable de l'anéantissement qu'elle ne pouvait pas ne pas avoir inconsciemment en elle ? On peut se demander avec horreur si Virginia Woolf pouvait ne pas se suicider (elle, un créateur dans le vrai sens du terme viril) pour payer le prix de son arrogance et surtout pour correspondre enfin à ce qu'elle aurait dû être, à son image littéraire de femme, et rentrer dans la paix. Et le poète conclut : cet état d'ivresse provoqué par une drogue, c'est l'état du créateur, qui, lui, n'a pas besoin de drogue. Cette virilité nue, il y arrive par le travail, le jeûne, la prière, la contemplation. Travail et jeûne qui abîment le corps, prière et contemplation qui sont une transcendance de l'esprit. La virilité se mérite par l'exercice « assidu » de la volonté, qui est mutilation courageuse et continue de la passivité, mauvaise graine qu'il faut, pour le poète, arracher sans relâche. Ainsi, dit Baudelaire, « nous avons créé à notre usage un jardin de vraie beauté » (387).

La récompense ultime de cette conquête, c'est la jouissance.

IX

LA JOUISSANCE
DU MÂLE CRÉATEUR

« Je me sentis délivré *des liens de la pesanteur,* et je
retrouvai par le souvenir l'extraordinaire *volupté* qui
circule dans les *lieux hauts...* Ensuite je me peignis
involontairement l'état délicieux d'un homme en proie à
une grande rêverie dans une solitude absolue, mais une
solitude avec *un immense horizon* et une *large lumière
diffuse; l'immensité* sans autre décor qu'elle-même. Bientôt j'éprouvai la sensation d'une *clarté* plus vive, *d'une
intensité de lumière* croissant avec une telle rapidité, que
les nuances fournies par le dictionnaire ne suffiraient pas
à exprimer ce *surcroît toujours renaissant d'ardeur et de
blancheur.* Alors je conçus pleinement l'idée d'une âme se
mouvant dans un milieu lumineux, d'une extase *faite de
volupté et de connaissance,* et planant au-dessus et bien
loin du monde naturel. » Ainsi s'exprime Baudelaire, dans
Richard Wagner et Tannhäuser et son analyse de la
jouissance musicale et créatrice que lui inspire Wagner
révèle beaucoup trop d'éléments caractéristiques pour que
ce ne soit qu'une série de hasards. Tout d'abord, il faut
noter que les passages soulignés le sont par Baudelaire lui-
même qui veut mettre en évidence les relations qu'il y a
entre sa rêverie, le texte de Wagner exposant ses intentions, et le sentiment de Liszt face à l'Ouverture de
Tannhäuser. La première jouissance, si commune à

Baudelaire, Vigny et Hugo, pour ne citer qu'eux, est donc une immolation du corps, un dépassement des lois physiques contraignantes. La femme en est reclue, qui est corps, et inapte à sortir de ce corps. D'ailleurs, le romantique voit, dans son besoin de transcendance, l'aptitude extraordinaire du Poète à la jouissance. Lucien de Rubempré (Balzac : *Splendeurs et misères des courtisanes*) aime, même la Torpille, avec une puissance de félicité qu'ignore le mortel commun : « Devant à un caprice de la génération intellectuelle la faculté rare d'exprimer la nature par des images où il empreint à la fois le sentiment et l'idée, il donne à son amour les ailes de son esprit : il sent et il peint, il agit et médite, il multiplie ses sensations par la pensée, il triple la félicité présente par l'aspiration de l'avenir et par les souvenances du passé : il y mêle les exquises jouissances d'âme qui le rendent le prince des artistes. La passion d'un poète devient alors un grand poème où souvent les proportions humaines sont dépassées. Le poète ne met-il pas alors sa maîtresse *beaucoup plus haut que les femmes ne veulent être logées ?* » Les femmes ont toujours peur de la hauteur. On se souvient que la jeune vierge de *Séraphita* (Balzac), transportée par celui qu'elle croit Séraphitus et qu'elle aime, au sommet d'une montagne, que le jeune androgyne (extraordinaire prodige) escalade sans peur, et avec une adresse tenant de la magie, est prise de terribles vertiges. C'est qu'elle est entraînée par son corps, qu'elle en subit la dictature, et que les « hautes sphères » lui sont interdites : son poids l'encombre, et elle s'essoufle à suivre le mâle dans son ascension permanente, dans son besoin de découvrir, par le dépassement de son corps, les limites de son âme et sa possible divinité. La femme cependant peut découvrir un semblant de la volupté des hauteurs. C'est quand elle est amoureuse, et amoureuse d'un de ces hommes capables de la tirer vers les hautes sphères que lui-même fréquente, auxquelles il aspire comme Esther et Lucien de Rubempré. « D'où vient cette flamme qui rayonne autour d'une femme amoureuse ? D'où vient cette légèreté de sylphide qui semble changer les lois de la pesanteur ? Est-ce l'âme qui s'échappe ? Le bonheur a-t-il des vertus physiques ? » (*Splendeurs et misères*. Balzac.) Mais le mâle joue ici encore le rôle du maître : il entraîne à lui la femme qui devient son ombre, et la dernière question est bien la plus perfide : c'est à ces vertus physiques du bonheur, auxquelles Balzac fait allusion, que la femme doit son illusoire légèreté. Quand elle est reconnue par la foule qui rit d'elle, Esther a les genoux qui fléchissent, et doit, toute sa félicité enfuie, être soutenue par Lucien. Elle a retrouvé la honte qui alourdit, la pudeur qui angoisse. Sa légèreté n'était que passagère. Sa jouissance n'était pas une vraie jouissance. Mais, l'homme est sa transcendance : elle tend à lui, comme lui tend à Dieu. Ainsi met-elle Dieu, et l'homme qu'elle aime sur le même plan : « Lucien et Dieu remplissent mon cœur... » « Il dit qu'il est poète, moi je dis qu'il est dieu... » Aussi le mâle est orgueilleux et la femme qui aime humble (que ce soit Mme de Rênal, Esther Gobseck ou Mathilde de la Mole dans ses crises), parce que l'amour lui fait toucher du doigt, avec la grandeur de l'homme, la faiblesse toute terrienne, toute charnelle qui est la sienne : « Il était triste d'aimer une fille comme vous », s'écrie Carlos Herrera, devant Esther prosternée. « Hélas, il devait l'être, reprit-elle avec une humilité profonde, je suis la créature la plus méprisable de mon sexe, et je ne pouvais trouver grâce à ses yeux que par la force de mon amour ». Cet amour est un désir de dépassement, ou plus exactement l'angoisse d'être comme la veut, comme l'idéalise son amant. Or elle est marquée dans son corps. La virginité nouvelle de son âme, son effort d'honnêteté, n'intéressent personne. Et elle ne le sait que trop. C'est son corps qui porte les stigmates de la prostitution : « Ah, s'il était possible de verser ici tout mon sang et d'en prendre un nouveau... », s'écrie-t-elle parce

qu'elle sait qu'elle a vendu sa seule richesse. Faites de
mon corps ce que vous voudrez, dit orgueilleusement le
créateur romantique, j'ai mon âme et mon âme est source
de jouissance. Voilà ce que ne se dit jamais Esther. Elle
ne se pardonne pas complaisamment, elle. Elle regarde sa
chair outragée, et sait qu'il n'y a pas de remède. Et si
pourtant ? Et si cependant ? Nous le croyons une seconde.
La Torpille, au couvent, étonne et charme. Elle s'est,
semble-t-il, refait une virginité. On va pouvoir passer
l'éponge. Aurait-elle une âme ? C'est-à-dire, y aurait-il
quelque chose en elle qui puisse revivre de cette mort ?
Pourrait-elle, après avoir détruit son passé, découvrir la
source même de la vie, et rebâtir sur ces cendres ? Alors,
elle serait sauvée, et peut-être les femmes, avec elle,
croiraient qu'elles peuvent posséder la vie, et non seulement la transmettre, comme le leur disent si durement
Rousseau et ceux qui le suivent. Car Balzac, brusquement,
va loin : « Esther eut bientôt pris les manières, la douceur
de voix, le port et les attitudes de ces filles si distinguées ;
enfin elle retrouva sa nature première. » Enfin, la femme
va pouvoir sortir de l'enfer (comme dirait Balzac) dans
lequel elle a été enfermée. Enfin, elle ne sera plus
uniquement une pure fabrication de l'éducation. Enfin,
elle trouvera en elle la force vitale d'une reconversion
totale vers ce qui serait une nature capable de précéder
cette éducation. Nous en avons fini avec Atala et les
malheureuses de sa suite. Mais non. Qu'on ne s'y trompe
pas surtout. Ça n'est pas de « cette nature-là » que parle le
romancier. C'était si évident, qu'il n'était nul besoin de
donner des précisions inutiles. Le lecteur sait à quoi s'en
tenir. Ce qui suit n'est pas illogique. Car de quelle
« nature » parle ici le créateur de Lucien de Rubempré ?
Mais de la « nature physique » bien sûr. Et de quelle autre
pourrait-on parler pour une femme ? ce qu'elle a récupéré,
c'est le maintien, c'est le physique, génétiquement distin-
gué que ses parents, et particulièrement sa mère juive, lui

ont donné. Elle est noble d'aspect, d'une noblesse native.
Elle a de la race. C'est tout. Car pour le reste, elle est
toujours une prostituée. Aux deux pages suaves sur la
noblesse physique, avec comparaisons innombrables
(madones de Raphaël et duchesse de Berri), succèdent
deux pages cruelles sur l'absence de nature, sur l'illusion
qu'il y a à vouloir faire sortir de la femme ce qui est son
éducation première. Etre sans vie, elle n'est jamais
récupérée. Mais elle en souffre. Car la féminité, l'impuissance, la léthargie sont toujours des souffrances :
« Implantée dans la corruption, elle s'y était développée.
Sa patrie infernale exerçait encore son empire, malgré les
ordres souverains d'une volonté absolue... chez elle, le
corps contrariait l'âme à tout moment... » Or sa volonté ne
peut la sauver. La lutte qui est en elle, et qui vient de son
désir désespéré de naître à une autre vie, le sentiment
qu'elle a de son impuissance, la torturent au point que le
médecin la condamne. Esther va mourir, rongée par ce
corps qu'elle ne peut discipliner, car il n'y a pas en elle de
force abstraite qui puisse le dompter. Mais ce qui plus
encore fait souffrir Esther, c'est l'ignorance où elle est des
causes exactes de son malaise, c'est qu'elle n'est pas
capable de démêler si sa vie passée lui manque, avec ses
débauches, ou seulement la présence de Lucien, ou les
deux ensemble, mêlés. Totalement inapte à l'analyse,
comme toutes les créatures femelles que nous avons pu
rencontrer dans la littérature, deux éléments du corps
dominent en elle : la force de sa première éducation de
grue fille de grue, et la puissance de l'attrait érotique et
sexuel qui la pousse vers Lucien. Le reste, elle l'éprouve
sans que cela puisse altérer en rien la dictature que son
corps lui inflige. La seule grandeur qu'on puisse lui
trouver alors c'est qu'elle en ait conscience et qu'elle en
souffre. Mais cette souffrance c'est une épreuve physique.
Esther risque tout simplement d'en mourir. Si bien que : à
quoi servent ce grand repentir, cette piété, cette éducation

nouvelle ? A rien, tout simplement, à rien. Car plus rien ne peut changer Esther. Elle n'a de bonheur qu'en la présence de l'homme qu'elle aime. Sa jouissance ne peut être que physique, et par conséquent limitée, puisqu'il n'y entre aucun agrandissement de la sensation par la pensée, par ce que Balzac appelle « l'aspiration de l'avenir » et « les souvenances du passé ». Esther vit du moment présent qu'elle ne peut dépasser, avec l'extrême mobilité qui caractérise, en littérature, les femmes et le caractère des femmes. D'où aussi leur légèreté. Ainsi Stendhal note-t-il que Mme de Rênal, après « s'être donnée » à Julien, est tellement sous l'emprise de sa sensation nouvelle, qu'elle n'éprouve absolument aucun remords à l'égard de son mari. Il faut que son enfant tombe malade, et qu'elle soit alors sous l'influence d'un sentiment plus fort encore, selon les romanciers, car plus naturel, son angoisse maternelle, pour que ce remords se déclenche, et que, contre toute raison, faisant une véritable crise d'hystérie, elle s'accuse d'être responsable de ce qui atteint son fils. C'est là un effet direct de la passivité de la femme, passivité source de son imprévisibilité, de ses caprices, que d'être soumise aux coups qui lui viennent du monde extérieur ou qui lui sont imposés par ses fantasmes nerveux. Elle est donc dépendante par nature, et dépendante d'elle-même. Créature terrestre, humiliée, elle ignore « la volupté » des « lieux hauts ». Car, selon Musset (*Namouna*) « le poète est au ciel ». Il a des ailes d'albatros, et c'est sa puissance phallique imaginative, volontaire qui fait de lui l'Icare, celui qui vole, c'est-à-dire celui qui n'a plus de corps. Clairement la sexualité féminine encombre et alourdit : elle est poids et chair, elle porte et accumule. La sexualité masculine, par contre, est dépassement, allègement : c'est perdre quelque chose pour créer, et la métaphore de la nacelle, employée par Vigny, est à cet égard extrêmement caractéristique : en se dépouillant l'être s'élève, le don de soi rend plus léger, permet l'envol. Après la « volupté », qui est le premier effort de l'imagination, ou, comme c'est le cas dans le texte de Baudelaire précédemment cité du « souvenir », la jouissance créatrice se manifeste par « un état délicieux », de rêverie, de solitude, d'espace et de lumière diffuse. Ce sont là des expériences de plus en plus abstraites où le poète découvre « l'immensité sans autre décor qu'elle-même » c'est-à-dire l'immensité en soi. Il est dans le monde des idées, et sa rêverie, comme celle de Rousseau, est créative par excellence. La solitude y est bien celle de l'androgyne arrivé à la virilité pure, sans laquelle il n'y a pas d'Icare possible, et cet état *délicieux* est, parce qu'il est solitaire, celui du mâle, et rien que le sien. Aussi bien savons-nous que pour Baudelaire la volupté est mâle (*Elévation*, vers 8). La lumière violente qui le surprend ensuite dans sa surabondance est finalement la vie même, qu'il appréhende dans son essence, en ce qu'elle est toujours renaissante. Elle possède à la fois la blancheur de l'immatérialité qui est la conquête volontaire de l'homme sur la léthargie, et l'ardeur, c'est-à-dire la flamme qui purifie, brûle et recrée. Symbole de l'existence, elle mêle intimement, et de façon profondément créatrice, la vie et la mort. Puisque toute création consiste, par une analogie procréatrice, à perdre, à tuer en soi quelque parcelle de vie, une énergie, pour qu'un être neuf, une création nouvelle, originale puisse exister. Une fois encore, le créateur fait ici l'expérience de l'autonomie souveraine du mâle, trouvant dans les images mêmes qui viennent de lui, la source toujours renaissante de la vie. Voilà ce que la malheureuse fumeuse d'opium, elle, ne pouvait pas trouver. A quoi lui servait donc son expérience ? A rien, sinon à souffrir, à éprouver du déplaisir, à se sentir criminelle, humiliée, car si elle prononçait le mot de jouissances, ce mot était-il volontairement (nous le savons par une variante) mis au pluriel, évoquant ainsi une succession d'états de plaisir, mais non pas l'expérience de la jouissance absolue, qui, elle, devient abstraite. Car la jouissance c'est « l'enlèvement de l'esprit » c'est « les mondes intérieurs » (Baudelaire, *Les Paradis artificiels*, p. 410) et cela évoque pour nous : imagination phallique et autofécondation créatrice de l'androgyne. La volupté créatrice est sainte : elle est le lieu idéal de l'esprit, elle accompagne et suit l'effort violent d'épure et la souffrance de la mutilation. Quant à la lumière, énergie vitale, elle retrouve la symbolique phallique du soleil, elle est source d'extase et fin (on pense au poème de Hugo *Lux*, et à toute la symbolique fantastique chez lui de la lumière). Baudelaire ne conçoit l'extase, c'est-à-dire la jouissance absolue, sans mélange, que libérée de tout sentiment d'impuissance, ou réminiscence de faiblesse, dépouillée de l'appel de la chair, de la sensibilité, de la léthargie, autrement dit toute féminité expurgée : une dissociation totale de l'âme et du corps. Lorsque la virilité est atteinte, l'âme, qui plane, dans la puissance imaginative et idéale de l'érection phallique, découvrant l'en-soi, retrouve son essence. Nous avons en effet une gradation qui amène progressivement, avec la clarté de plus en plus vive et la conscience de la blancheur, l'abstrait. « Je me sentis délivré des liens », est, d'abord, une sensation physique, celle de l'allègement, celle de la libération du poids charnel. L'être éprouve sa soudaine légèreté, en une première phase, qui est celle de l'élévation. Puis la réminiscence, première plongée dans l'abstrait, le saisit. C'est l'intelligence de la vie antérieure, la certitude qu'avec ce retour à une perfection passée, à un paradis perdu (volupté), l'homme porte en lui cet avant de l'essence, que, parce qu'il s'est enfin défait du corps, il va pouvoir appréhender. Ce qui est essentiel à saisir ici, c'est que, inspiré par une émotion musicale, ce retour à l'essence est cependant le résultat d'un effort intérieur qui implique que l'inspiration n'est pas une réponse involontaire de la sensibilité ou de l'intelligence à une impression artistique, mais n'est en fait

qu'un prétexte, ou plus exactement un soutien à cette
rentrée en soi-même, à cette intériorisation que constitue
l'acte créateur. C'est ici se circonscrire, et l'extase
obtenue, est, en fait, un phénomène volontaire, car, par
l'intériorisation, et l'encerclement sur soi, le Poète a
retrouvé l'autonomie qui lui paraît indispensable à la
création. En effet, la conscience de l'immensité absolue,
qui précède chez lui l'accroissement de la notion de
lumière, se fait dans une ambiguïté très révélatrice : « je
me peignis involontairement l'état délicieux... » Il y a
d'abord là : « je me peignis », un acte dont le créateur est
sujet. C'est-à-dire qu'il ne le subit pas, mais le suscite.
Par là même, il se distingue de ce qui l'inspire, s'en
empare en quelque sorte : rentrée en soi, dans « la
solitude », fermeture au monde, après en avoir pris une
petite parcelle pour la transformer, en l'intégrant à soi, en
la fécondant par la puissance de l'imagination créatrice.
Mais il rentre dans ce phénomène la part nécessaire de
« l'involontaire ». Le poète interprète l'indispensable
intrusion (on pourrait dire misogyne) de l'analogie à
l'imprévisibilité phallique, comme fait du sort, on pourrait
dire de la divinité qui l'expose (comme le mâle) à être
marqué par une force qui le dépasse, dont il est le
spectateur plein d'admiration. Il entre toujours dans l'acte
créatif cet aspect involontaire, fatal, qui fait que l'homme
regarde la femme, qui, elle, n'a pas cette imprévisibilité
charnelle, et, avec un haussement d'épaule, semble lui
dire : « qu'y puis-je ? C'est comme ça. » Après cette
volonté de fermeture sur soi, d'encerclement intérieur, en
même temps que cet envol « involontaire dans l'état de
rêverie et de solitude », il y a avancée progressive vers
l'abstrait, de : « j'éprouvais la sensation d'une clarté » à
« je conçus pleinement l'idée ». La connaissance qui
accompagne l'extase, est alors celle de l'en-soi. De tout
cela la femme peut retenir que d'abord, son poids
l'empêche de connaître la volupté des lieux hauts, elle

n'est que chair (comme les animaux, où même, selon
Balzac « en dessous des animaux », lorsqu'elle est « une
fille », voir *Splendeurs et misères*). D'autre part elle n'a pas
d'essence, ne peut donc pas concevoir l'abstrait, et, être
dépendant, ignore l'autonomie. Enfin, l'imagination créatrice, calquée sur l'envol phallique, et qui permet à l'âme
virile de planer dans les hautes sphères, elle serait bien en
peine de l'avoir. Conclusion : elle ne peut créer. Deuxième
conclusion : elle ne connaît pas la jouissance créatrice. Et
c'est bien de cette jouissance-là qu'il est toujours question. Les féministes qui se sont acharnées à prouver que la
femme, malgré les dires des hommes, connaît bien la
jouissance physique, ont en vérité beaucoup amusé les
misogynes. Car, cette connaissance-là ne lui a jamais été
refusée. C'est l'extase abstraite, virile, nue, en soi, de la
connaissance de l'essence que donne l'effort créateur qui
lui a toujours été déniée, et seulement celle-là. Voir
Lacan.

Le roman du XIXᵉ siècle dans lequel apparaît avec le
plus de netteté la jouissance virile de l'androgyne créateur
dégagé de la passivité est certainement *Le Rouge et le Noir*
de Stendhal. Les alternances de passivité et d'énergie qui
constituent la trame de la psychologie de Julien correspondent à des alternances de souffrance et de jouissance.
Lorsqu'il est pris dans le marais de la léthargie, qu'il se
sent dépendre de sa faiblesse nerveuse, ou de la supériorité sociale et hiérarchique des autres : le héros souffre.
Lorsqu'au contraire, il a vaincu cette montée léthargique
par son contrôle de soi, son énergie, sa volonté, son
intelligence et qu'il connaît l'activité pure du mâle : il
connaît également la jouissance et l'extase. Ainsi, la
première fois qu'il se fait un « devoir » (apparition du
sentiment de la virilité) de prendre le soir la main de
Mᵐᵉ de Rênal sans qu'elle la lui retire, la lutte intérieure
dont il est le siège entre la passivité et l'énergie est d'une
extraordinaire violence. D'abord, « préoccupé », c'est-à-

dire soumis à cette obsession et incapable encore d'*agir*,
Sorel est « tremblant et malheureux ». Il est dans une
« mortelle angoisse ». Le cliché est ici révélateur. C'est
bien une angoisse de mort qu'il vit, l'angoisse de tomber
définitivement dans l'anéantissement de la passivité. La
création, comme un effort de chaque instant pour ne pas se
laisser prendre par la mort, est alors révélée clairement.
« L'affreux combat que le devoir livrait à la timidité était
trop pénible pour qu'il fût en état de rien observer hors lui-
même. » Texte étonnant, nous le voyons, où Julien expose
sa puissance d'intériorisation, et qui révèle de façon
remarquable combien la mutilation par le créateur de la
partie de lui-même, passive, qu'il appelle timidité, et qui
le met à la merci des autres par la crainte qu'il en éprouve,
se fait en vase clos, au moment où rien ne peut attaquer
son autonomie. Pendant toute cette épreuve, qui est un
sacrifice de la chair, Julien souffre physiquement de façon
horrible. Les mots de « violence », « excès d'émotion »,
« anxiété », « attente », « affreux combat »... remplissent le texte où le paroxysme est atteint quand dix heures
sonnent, heure qu'il a fixée pour son passage à l'acte :
« Chaque coup de cette cloche fatale retentissait dans sa
poitrine, et y causait *comme un mouvement physique*. » Le
rappel du temps (constant chez Baudelaire par exemple, ou
chez Vigny), c'est la pression dernière de la chair, c'est-à-
dire de la mort, sur l'individu. C'est physiquement qu'il en
sent le poids, car c'est à la chair que le temps s'attaque
(« Hélas, hélas, le temps ronge la vie »). L'enlisement
dans la passivité est donc toujours sentie comme une
torture physique. Par contre, l'extase qui suit l'acte, c'est-
à-dire la conquête violente de la virilité, cette extase est
abstraite. C'est celle de l'esprit : « ... enfin, cette main lui
resta... Son âme fut inondée de bonheur ... sa voix alors
était éclatante et forte... Ces mots confirmèrent le bonheur
de Julien, qui, dans ce moment, était extrême ». Il trouve
l'éloquence, la parole, il devient créateur, poète, il est

brillant… Nous y voilà clairement. Le bonheur succède à
l'accablement physique et au désespoir mortel de l'impuissance à agir qui précédait l'acte. Nous sommes dans la
jouissance créatrice. Et Stendhal ne fait pas l'erreur, en
faisant disparaître la souffrance physique qu'il décrit
minutieusement, de lui faire succéder une volupté *physique* du triomphe. Non. Après avoir affirmé que les coups
de l'horloge entrent dans la chair de son héros comme des
« mouvements physiques », l'acte fait, la virilité
conquise, c'est « *l'âme* » qui est inondée de bonheur. Et la
jouissance s'accompagne du talent. Ceux que Julien Sorel
se découvre alors sont innombrables. Surtout il est écouté,
il plaît, « il parut l'homme le plus aimable aux deux amies
qui l'écoutaient ». Car il est le Poète, le créateur, il en a le
« charme », une sorte d'attrait magique qui est celui du
mâle. Ça n'est sans doute pas un hasard s'il y a là, en face
de lui, deux femmes, et même si Stendhal ne l'a pas voulu
implicitement, cette circonstance confirme le caractère
d'analogie sexuelle de l'acte créateur. Julien a donc vaincu
la mort, et le souvenir même de cette victoire peut, le
lendemain matin, lui apporter le même bonheur : « Rempli de bonheur par ce sentiment, il s'enferma à clef dans sa
chambre, et se livra avec un plaisir tout nouveau à la
lecture des exploits de son héros. » Expérience ici qui
préfigure celle de Proust, où la force créatrice s'exprime
par l'écriture et par la lecture, sous le contrôle de la
mémoire. Jouissance qu'il éprouve également *enfermé* (à
clé dans sa chambre) c'est-à-dire une fois de plus seul,
circonscrit et autonome. Pendant toute cette affaire,
cependant, le trajet de Mme de Rênal est tout autre et tout
aussi exemplaire. Quand Julien ne pense qu'à lui-même et
à atteindre, par lui-même, cet état parfaitement viril
auquel il aspire, Mme de Rênal ne pense qu'à lui. Tout
d'abord, elle a, ce soir-là, une parfaite tranquillité d'esprit
qui se manifeste par la façon affectueuse avec laquelle elle
se promène longuement avec son amie Mme Derville.

Pendant ce temps-là, se sentant inférieur, parce que passif, Julien, circonstance importante pour notre propos, est quasi muet. Mais son trouble ne tarde pas à gagner, sans que d'ailleurs il le veuille, Mme de Rênal. « Bientôt la voix de Mme de Rênal devint tremblante aussi, mais Julien ne s'en aperçut point. » C'est qu'elle subit l'angoisse de l'homme qu'elle aime. Elle dépend de lui comme un organe qui lui serait propre. Mais lui, il ne va s'en servir que pour projeter sur elle cette passivité qui le tue, qui l'humilie, et lui fait honte. Il se fait, en effet, un transfert de dépendance et de passivité de Julien sur Mme de Rênal, et au moment même où son âme est inondée de bonheur parce qu'il a agi, le corps de Mme de Rênal trahit une émotion telle qu'elle est une souffrance presque mortelle. Son amie la croit malade. Et en vérité, elle l'est : « Mme de Rênal, qui se levait déjà, se rassit en disant, d'une voix mourante : — Je me sens à la vérité un peu malade... » Ce transfert de passivité et de dépendance, qui, en permettant au héros d'atteindre le bonheur extrême, lui a donné la puissance de se faire homme et homme exclusivement, et donc créateur — puisque le créateur est justement celui-là —, vaut à la femme d'être brutalement jetée dans une passivité extrême, et, comme être absolument passif et dominé, de souffrir. Mais là où l'homme souffre par nature, parce qu'il est éloigné de son être, là où l'homme se sent humilié et déchu, parce qu'il a décidé que la passivité et l'infériorité n'étaient pas son lot, la femme consent. Après cette émotion qui est si grande qu'elle est un malaise physique, après cette chute — qui fait, de cette femme hiérarchiquement supérieure, un être dépendant — elle accepte immédiatement sa déchéance. Elle se livre à la violence qu'on lui fait comme une chose naturelle, c'est-à-dire dont on s'accommode et qui ne fait pas souffrir. Mais la satisfaction qu'elle éprouve est bien différente de celle de Julien. Pour lui, Stendhal n'a qu'un mot : le bonheur, extrême, dont il est inondé (et on pense à la métaphore de l'eau employée par Hugo lorsqu'il évoque la puissance fertilisante de l'Idée poétique). Pour elle, c'est une satisfaction physique, qui d'ailleurs la met dans un état dans lequel elle ne *pense* plus : « Pour madame de Rênal, la main dans celle de Julien, elle ne pensait à rien ; elle se laissait vivre. » Elle est donc totalement passive, et totalement végétative. Elle est arrivée à l'extrémité, si l'on peut dire, de sa léthargie féminine, et certes il s'agit bien là d'un état naturel puisqu'elle le vit avec sérénité, tranquillité, sans se poser de questions, sans chercher à en sortir, surtout, sans qu'il lui cause le moindre repentir : « transportée du bonheur d'aimer, elle était tellement ignorante, qu'elle ne se faisait presque aucun reproche ». Elle est « transportée », elle écoute « avec délices » les bruits du vent. Une léthargie totale et une jouissance physique, voilà ce qu'est pour elle le bonheur : « Les heures qu'on passa sous ce grand tilleul ... furent pour elle une époque de bonheur. » Plus important encore, son esprit, soit est vacant, soit se porte vers l'extérieur. On pense ici à notre expérience baudelairienne de la mangeuse d'opium. Alors que Julien est tout à la violence de son combat intérieur, ou, que, lorsqu'il a réussi, son énergie se porte à vouloir que sa victoire se confirme ou se prolonge, et qu'ainsi rien de ce qui n'est lui, rien de ce qui est extérieur à lui, ne l'intéresse, Mme de Rênal écoute le gémissement du vent, le bruit « de quelques gouttes rares qui commençaient à tomber sur [les] feuilles les plus basses ». Son esprit se laisse accaparer par des détails matériels, concrets, ignore la concentration sur soi, l'encerclement, l'autonomie créatrice. Elle n'est pas responsable de son bonheur. Elle en est en quelque sorte le receveur, le réceptacle, enfermée encore une fois, femme, dans son unique fonction sexuelle de la maternité. Si bien qu'il est évident que, encore une fois, Baudelaire dirait de son expérience qu'elle est « d'un genre bâtard ». Dira-t-on, après cela, que ce texte n'est pas au fond parfaitement truqué ? Il suffit de faire suivre « mouvements physiques » de « âme inondée de bonheur », il suffit de mettre d'un côté bonheur extrême... « il parla... il parut l'homme le plus aimable » et de l'autre « elle ne pensait à rien ; elle se laissait vivre... elle lui rendit sa main » pour que le schéma soit inexorablement mis en place et la création établie au profit du mâle, sans rémission, sans autre forme de procès. d'autre part, il apparaît clairement, par les deux expériences, et celle de Julien et celle de Mme de Rênal, que lorsque l'être est passif, il ne s'exprime pas. Il n'y a pas de création, donc, dans la dépendance, dans la léthargie. Julien devient éloquent justement lorsqu'il est en contrôle total de la situation, lorsqu'il domine, qu'il est actif. Cela est ici très symbolique, même si ce n'est pas voulu par Stendhal. Car, et nous l'avons déjà remarqué, tout homme, peut-être le plus intelligent et le plus perspicace de la littérature du XIXe siècle, qu'il fût, il n'en reste pas moins susceptible de tomber très souvent, dans le système du schéma créatif. Ainsi, il se moque ouvertement de la symbolique de la montagne, qui, de Rousseau, à Chateaubriand, en passant par Lamartine, a hanté les imaginations romantiques. Son héros, Julien Sorel, escalade une petite montagne, et se trouve « debout sur un roc immense et bien sûr d'être séparé de tous les hommes ». Stendhal ajoute alors, avec humour, et montrant qu'il n'est pas dupe de ce thème éternel de la littérature pastorale : « Cette position physique le fit sourire, elle lui peignait la position qu'il brûlait d'atteindre au moral. » Mais reprenant le rôle du conteur, le romancier continue ainsi : « L'air pur de ces montagnes élevées communiqua la sérénité et même la joie à son âme. » Voilà de nouveau le jeune créateur qui pointe l'oreille : on ne veut pas lui faire prendre la position de René, mais on n'est pas fâché qu'il se trouve dans celle de Vigny ou Baudelaire découvrant la volupté « des hautes sphères », volupté qui est bien entendu conforme, étant celle de l'âme, et non celle du

corps (qu'au fond on pourrait fort bien attendre sous la
plume de Stendhal, puisque c'est le corps qui ressent
vivement les différences de pression, la raréfaction de l'air
ou la pureté de son mélange).

Toute la littérature du XIXᵉ siècle paraît alors obsédée
par la jouissance créatrice, liée à l'ascétisme, à l'automutilation, et par extension à la pauvreté, et à une sorte d'oubli
orgueilleux des plaisirs charnels. Tel est Raphaël de
Valentin dans sa mansarde, tel est Steinbock dans son
grenier, vivant des largesses de Bette. Livré à l'esprit, le
créateur jouit. Abandonné à la chair : il souffre, il cesse
de créer et meurt. Or quelle est la plus grande jouissance
charnelle, si ce n'est la jouissance érotique ? La femme,
alors, est, par là, frappée d'interdit. Soit qu'elle s'immisce
dans l'autofécondation de l'androgyne et le prive de son
autonomie, soit qu'elle l'enlise dans sa propre léthargie,
soit qu'elle l'entraîne à jouir abusivement de ses sens, elle
est le danger essentiel qui risque d'écarter le créateur de
son œuvre. Or, n'ayant pas l'aptitude à la jouissance
créatrice, elle en est jalouse (voir Balzac). Elle ne peut
tolérer que l'homme qu'elle aime se livre à une autre
jouissance qu'à celle qu'elle peut lui procurer. Elle
développe sa haine et son aigreur contre l'œuvre, sa
vindicte contre le poète. Elle est l'antipoète par excellence, l'anticréation. Pour faire son œuvre, le créateur
devra donc à la fois lutter contre la léthargie intérieure qui
est sa propre féminité, et contre la femme qui l'entraîne de
la même façon dans la mort, dans l'anéantissement, dans
une langueur passive dont il ne peut plus jamais sortir. Il a
cependant une compensation extraordinaire à la violence
qu'il se fait, physiquement, subir : une fois l'état créatif
atteint, il jouit d'une extase quasi divine, il découvre la
puissance du bonheur de l'esprit. A ce moment-là rien ne
peut l'atteindre, il est dans une autonomie souveraine :
« Prince des nuées », il est heureux.

L'androgyne, être de contrastes, réunit en lui ce qui crée et ce qui empêche de créer : l'énergie et la passivité. Son acte créateur commence donc par un exercice de violence : il lui faut se dépouiller d'une partie de soi-même, l'arracher de soi dans des douleurs extrêmes, et faire souffrir son corps qui l'enlise dans la mort. Voilà Stello. Voilà les consultations du Docteur Noir. Ces maux de tête. Ces vertiges. Ces évanouissements. La récompense ne vient qu'au bout de la difficile conquête. Et lorsqu'il souffre dans sa chair avant l'épanouissement créatif, il souffre la violence de l'écrasement, de l'écartement, du travail d'expulsion de la mise au monde. Car la fatalité qui pèse sur le créateur, c'est que, androgyne, il a en lui les stigmates de la féminité. Il n'y a pas de Poète qui ne soit marqué par cette lèpre, qui ne coure le risque terrible de la léthargie, de l'enlisement : c'est le petit garçon « incompris » de Baudelaire, qui voit Dieu dans le nuage qui passe, et qui rêve de vivre la vie des saltimbanques, c'est Julien Sorel qui lit et rêve d'être Napoléon, ou qui s'évanouit parce qu'il a été surpris par une figure qui l'impressionne, c'est Wenceslas Steinbock qui, au lieu d'agir, rêve à la gloire de Michel-Ange. Vie passive qui est l'abandon au rêve ; léthargie corporelle, qui est instabilité des nerfs. Son effort pour remonter à la surface de la virilité, pour s'élancer dans la liberté des hautes sphères, est une conquête de tous les instants. Cette conquête de soi, Julien Sorel la jalonne des étapes des victoires napoléoniennes. L'ascension formidable du jeune officier devenu général en un mois hante les cerveaux des poètes romantiques assoiffés de victoires intérieures. Cet accès à la totale maîtrise, par l'exercice de la volonté, fait de Napoléon le mâle par excellence, et, comme le fait remarquer Stendhal, ce qu'il dit des femmes maintient son héros dans sa surchauffe d'activité et d'énergie. La relation

est claire. L'homme qui a vaincu en lui le rêve, l'impuissance et la passivité, ne peut pas être l'ami des femmes.
Elles sont toujours pour lui des objets de conquête, sur lui-
même, sur elles. Car, lorsqu'il a vaincu, il jouit.

X

LA FEMME CONDAMNÉE

Le créateur voit donc deux abîmes se dresser devant lui : sa propre passivité naturelle d'androgyne, amoureux de l'inaction, propre au rêve et à une certaine apathie physique, petit enfant chétif et malingre dont on se moque parce qu'il ne sait ni courir ni se battre mais vit fiévreusement par l'esprit, et puis la passivité qui le regarde, en face de lui, et qui est celle de la femme, partenaire dangereux qui établit sa masse entre lui et ses projets, lui et ses désirs. La mutilation de la passivité intime implique inévitablement celle de la passivité de la femme, c'est-à-dire celle de la femme. Tout ce qui est passif est anticréateur et doit être brimé, jugulé, ou s'il résiste, foudroyé. Par là même ce qui sera légitimement foudroyé — par une légitimité implicite, qui pour le lecteur ne fait jamais aucun doute — sera passif et dangereux. La mobilité, le caprice, une certaine forme de volonté impérieuse, la mauvaise humeur, la violence sont des signes de passivité. Ces volontés, ces caprices, ces violences sont néfastes. Et on ne s'y trompe pas. Cela est certain. Car dans la littérature, la règle du jeu est toujours donnée. Cette règle du jeu, c'est le schéma. Et à quoi sert de voir la femme dressée devant nous pour armer des guerriers (Vigny), si c'est pour l'apercevoir ensuite « mourante » sans raison au bras de l'homme qu'elle aime ? A

quoi sert de voir Mme de Rênal comme une femme
admirable, presque sans aucun des défauts traditionnels
de la femme, si c'est pour la voir ensuite s'opposer de tout
son poids au dessein créateur de son amant et causer sa
chute ? A quoi sert de voir Mathilde de la Mole se dresser
comme une femme « virile » et active, si c'est pour
s'apercevoir qu'elle n'a jamais la vérité de son amant et
que, femme dramatique jouant la comédie pour agir, elle
oblige en quelque sorte l'homme à en faire autant, si bien
qu'il ne lui donne jamais une vérité de lui-même, à
laquelle cependant elle croit aspirer ? Et pas une
n'échappe à cette lèpre, à cette maladie qu'elles ont et
qu'elles propagent, qui est qu'elles sont femmes et
contagieuses. Voilà pourquoi notre littérature est truquée.
Voilà pourquoi il faut y déceler le code qu'on doit
déchiffrer, il faut y percevoir « la faute » de la femme et
la raison de sa condamnation implicite.

CHARLOTTE : LA FEMME-ÉCRAN

(Goethe : *Les Souffrances du jeune Werther*)

Tout le monde s'accorde à dire que la publication de
Werther en 1774 est un événement littéraire plus que
considérable. On ne parle en Europe que de Werther, tout
le monde lit *Werther,* on s'habille et on se suicide à la
Werther. Pourquoi ? Toute la génération des romantiques
français, de Chateaubriand et Lamartine, à Nerval en
passant par Vigny, Musset, Stendhal, V. Hugo, se trouve,
à un moment ou à un autre, violemment commotionnée par
Werther. Pourquoi ? Plus que des œuvres précises, comme
René ou *Oberman, Werther* inspire une attitude poétique,
sollicite une certaine forme de création, initie à un

comportement créatif. Pourquoi ? C'est qu'en 1774, c'est-
à-dire 13 ans après *La Nouvelle Héloïse,* Goethe a présenté
avec *Les Souffrances du jeune Werther* le schéma parfaitement achevé de la création sexualisée. Schéma qui se
trouve d'ailleurs perverti, puisque Werther, c'est la création avortée. Par la faute de la femme. Ainsi commence la
grande vague, de plus en plus explicite, de la misogynie
poétique. Le créateur doit choisir : mutiler la femme ou
voir disparaître à jamais sa puissance créatrice. Pour avoir
été grand, généreux, ignorant du maléfice féminin et
confiant dans la femme la plus dangereuse : celle qui
cache ses méfaits sous une apparence angélique (et qui
ignore d'ailleurs son pouvoir destructeur), Werther est la
première grande victime de la léthargie féminine.

L'adresse de Goethe consiste tout d'abord à nous
montrer son héros avant qu'il ne rencontre Charlotte. Pas
d'erreur possible, c'est bien un poète. Pour lui, la rêverie,
retournement intérieur, est promesse de jouissance créatrice : « La vie humaine est un songe... quand je
considère les bornes étroites dans lesquelles sont circons-
crites les facultés de l'homme... ; quand je vois que nous
épuisons toutes nos forces à satisfaire des besoins... que
notre tranquillité sur certaines questions... n'est qu'une
rêverie résignée... ; tout cela mon ami me rend muet. Je
rentre en moi-même et j'y trouve un monde, mais plutôt en
pressentiments et en sombres désirs qu'en réalités et en
actions ; alors tout vacille devant moi et je souris, et je
m'enfonce plus avant dans l'univers en rêvant toujours. »
Werther est au bord de la grande expérience poétique.
Jeune androgyne encore abîmé dans la léthargie du songe,
il sait cependant que le sentiment de l'étroitesse — qui
peut fort bien figurer la résistance du sexe femelle et son
épaisseur — et de l'épuisement n'amène l'homme qu'à
l'impuissance créatrice : il est muet alors, tout comme la
femme, passive, écrasée et immolée est muette. Mais
lorsqu'il entre en lui, il entrevoit déjà la jouissance

créatrice. Pour lui, un certain nombre des conditions de
l'autofécondation sont remplies. En effet, son imagination
phallique, développée, discipline et féconde ce rêve
accumulatif dans lequel il se trouve, et le voilà découvrant
le moment inouï qui précède la création (lettre du
10 mai) : « Quand les vapeurs de la vallée s'élèvent
devant moi... que couché sur la terre dans les hautes
herbes... je découvre... mille petites plantes inconnues...
que je sens la présence du tout puissant... mon ami, quand
le monde infini commence ainsi à poindre devant mes
yeux... alors je soupire et m'écrie en moi-même : " Ah, si
tu pouvais exprimer ce que tu éprouves... " » Mais la
création avorte. Et Werther poursuit : « ... je sens que je
succombe sous la puissance et la majesté de ces appari-
tions ». Plainte baudelairienne déjà. L'autofécondation
n'est pas couronnée de succès, et pourtant, il s'est
circonscrit, enfermé en soi-même. Il a vu *se dresser,* en lui,
non seulement l'imagination créatrice mais encore le désir
créateur. Pourquoi cet échec ? Parce qu'il recherche la
satisfaction physique : « Je suis si heureux mon ami, si
abîmé dans le sentiment de la tranquille existence, que
mon talent en souffre. » C'est qu'il n'y a pas de création
sans « le martyre perpétuel et la perpétuelle immolation du
poète » (Vigny), qui, nous le savons, est l'automutilation
de sa passivité. Créer, c'est se purifier de la femelle que
l'on porte en soi, et Werther, « abîmé » dans sa « tranquillité », « heureux », succombe et est écrasé. Il se
laisse envahir par la léthargie et l'anéantissement le
guette. Certes, il a déjà compris qu'il faut être seul pour
créer, mais il est encore trop passif, soumis aux atteintes
de la dépendance de la chair : « combien de fois n'ai-je
pas à endormir mon sang qui bouillonne ; car tu n'as rien
vu de si inégal, de si inquiet que mon cœur » (13 mai). Le
voilà passant « de la tristesse à une joie extravagante, de
la douce mélancolie à une passion furieuse » (13 mai).
Comportement attribué à la femme, on l'a vu, et qui

implique une soumission charnelle à l'instant. Il lui faut donc, pour créer — il en est visiblement très près — se débarrasser d'une passivité, d'un infantilisme de dépendance à la sensation, d'une sensibilité trop léthargique qui risquent de faire pencher la balance androgyne, en lui, du côté de la femme. D'instinct, il sait tout cela. Il entreprend de se raidir. Sur le chemin de la maîtrise de soi, de la virilité créatrice, il ne veut plus « être guidé, excité, enflammé ». Il veut calmer son corps en lisant Homère, discipliner sa sensibilité capricieuse. La récompense ne se fait pas attendre. Le 15 mai, il « observe ». Après avoir rejeté le passé, c'est-à-dire l'accumulation de souvenirs qui font du corps et de l'âme de simples réceptacles, il observe le monde, début de la virilisation créatrice. Il se sent approcher de plus en plus de ce à quoi il aspire par dessus tout, la liberté totale, la transcendance (lettre du 22 mai). Et nous savons combien, depuis cette époque, les poètes clament qu'il n'y a pas de création entravée, parce que, libérés de la chaîne qui est passive, ils ne se sentent plus soumis au cortège des horreurs physiques et sociales qui l'accompagne. Dans ces dispositions où il affine en lui le mâle, où il s'éloigne des plaisirs c'est-à-dire où il entreprend sa mutilation femelle, Werther commence à dessiner : « un dessin bien composé, vraiment intéressant » de deux enfants qu'il a rencontrés (26 mai). Premiers fruits. Puis voilà le héros qui, de l'observation passe à l'Idée : réflexions sur l'art, la nature. L'énergie, de plus en plus, prend possession de lui. Il sait qu'il approche du but. Il a la volonté de créer. C'est à ce moment-là que Charlotte apparaît. L'exercice créateur en est immédiatement troublé, puis anéanti. A peine profilée à l'horizon, la femme traîne après elle le long cortège des ignominies sociales, les « bornes étroites » des conventions. Même avant qu'il la connaisse, elle est interdite à Werther. D'emblée elle porte atteinte à la liberté de l'individu qui tend, par son dépassement, à ce que rien ne l'entrave :

« Prenez garde de devenir amoureux… Elle est déjà
promise à un galant homme, que la mort de son père a
obligé de s'absenter pour ses affaires, et qui est allé
solliciter un emploi important. » La jeune fille est déjà
encagée, frappée d'interdiction, dépendante. Etre sans
essence, elle est embarrassée du code social, qui fait d'elle
un obstacle. Et puis, à peine l'a-t-il rencontrée réellement
que Werther, soumis à des impulsions incontrôlables,
retombe dans la passivité qu'il s'efforçait avec peine de
maîtriser. Il essaye de ne pas sortir et bientôt, n'en pouvant
plus, il saute à cheval ; il a un comportement agité, fou.
Bref, il a d'un coup sombré dans la passivité. En un
moment, son esprit, cessant, ce qu'il faisait les jours
précédents, de s'exercer au contrôle de soi et à la volonté
virile, pour permettre ainsi à l'imagination, au désir, à
l'idée de ne plus être masqués par la léthargie de sa
féminité androgyne, est devenu impuissant à guider un
corps qui se perd : « Je n'ai pu résister ; il a fallu aller
chez elle. » La femme ainsi, par sa présence qui est une
contagion léthargique, a fait retomber le Poète dans le
néant. Et pourtant, on ne peut imaginer être plus admirable que Charlotte, et Goethe, en la peignant, s'est
surpassé. Extraordinaire artifice qui sera celui de Musset
avec Mme Pierson, et de Stendhal avec Mme de Rênal : des
femmes irréprochables, des femmes admirables, sans
petitesses, sans ridicules, sans médiocrité. Encore Mme de
Mortsauf chute-t-elle en quelque sorte, elle se laisse aller,
elle, une mère, qui traitait son jeune amant en mère, à
oublier la gloire de sa fonction, et à lui préférer (bien sûr,
peu de temps et en imagination seulement) celui de
maîtresse, donc de femme. Erreur impardonnable. Faute
visible. Mais Charlotte ? Elle semble n'avoir aucune
faiblesse. D'abord, elle est mise simplement, elle ne cède
pas à l'entraînement de la vanité, qui est facticité du
corps, auto-adoration de sa chair. Elle semble ne pas
dépendre de ce corps. Elle hait l'artifice destiné à masquer

le naturel, et en fait profession. Aurait-elle une nature ?
Elle est une mère pour ses frères et sœurs. Serait-elle
naturellement mère ? Aurait-elle déjà vaincu la femme en
elle ? Ce dégoût de l'artifice, son intelligence littéraire qui
lui fait rejeter le songe creux du roman (l'inaction, la
léthargie) pour l'œuvre qui lui permet de retrouver le
monde où elle vit, où est « peint ce qui l'entoure »,
c'est-à-dire où elle pressent la vie, la vie qui est virile,
énergie, création, cette association permanente au pain, ce
pain bis, nourriture fondamentale, principe christique de
transformation qui évoque la vie et le renouveau, tous ces
éléments ne tendent-ils pas à nous donner le sentiment que
Charlotte est, pour Werther, un être supérieur épuré de sa
féminité ? Il lui donne une nature, une vérité, le sens de la
vie, qualités essentielles du mâle. Alors le jeune poète,
fou de joie, croit qu'il a trouvé son égale, cet être
authentique, comme lui-même, et qui va lui permettre de
trouver sa vérité propre, sa virilité pure de mâle créateur.
Il se croit dieu, et tandis qu'il la tient dans ses bras pour
danser il a l'impression de voler, dans une grande extase
icarienne et phallique prometteuse d'absolu et de création : « Jamais je ne me sentis si agile. Je n'étais plus un
homme. Tenir dans ses bras la plus charmante des
créatures. Voler avec elle comme l'orage. » Hélas, Werther se trompe. On ne trouve la virilité créatrice qu'en soi,
jamais dans l'autre ou par l'autre. Il devrait le savoir ; il en
a déjà fait plus ou moins l'expérience. L'exercice de la
création est un voyage initiatique que l'on fait seul. Dans
l'autofécondation, l'autre qui n'est pas soi est exclu. Oser
penser que le miracle créateur pourra se faire avec une
femme, comme cette danse avec Charlotte l'indique
symboliquement, c'est une folie que l'homme paiera cher.
Et pourtant, devant cette jeune vierge admirable, n'a-t-il
pas toutes les raisons du monde de se tromper ? Or, dès le
21 juin (et il a rencontré Charlotte aux alentours du 16), on
peut noter chez Werther un profond changement. Il

s'affirme heureux : « quelque chose qui m'arrive désormais, je ne pourrai pas dire que je n'ai pas connu les joies,
les joies les plus pures de la vie ». A quoi tient donc ce
bonheur ? Tout simplement à une acceptation des limites
mêmes du bonheur, à une sorte de réduction brutale de ses
exigences créatrices, à un abandon de sa recherche
intérieure. A lire ces pages mièvres, où le jeune homme
célèbre les plaisirs antiques du patriarcat, et la gloriole de
vivre pour le « chou » que l'on a planté, on est un peu ému
d'imaginer que des générations ont pu se laisser prendre à
des ficelles si grossières, et pleurer d'attendrissement sur
cette image paisible de la vie bucolique. En vérité,
Werther a déjà signé son arrêt de mort poétique, et il est
hors de doute qu'au-delà d'une certaine convention de
comportement pastoral très à la mode en 1774, le lecteur
de l'époque en reçoit le message implicite. Le héros se
comporte brusquement en imbécile, et se met à rejeter son
état d'esprit de la veille, au nom de sa découverte récente
de l'amour : il avait tort, dit-il, il cherchait bien loin ce qui
était tout près, et cette angoisse d'absolu qu'il ressentait
comme un appel au départ, à la réflexion, à la poésie, la
passion qu'il découvre la satisfait, ou plutôt l'annihile. Il
ne se reconnaît plus : « C'est singulier. Lorsque je vins ici
et que de la colline je contemplai cette belle vallée,
comme je me sentis attiré de toutes parts... Ces collines...
J'y volais, et je revenais sans avoir trouvé ce que je
cherchais. Il en est de l'éloignement comme de l'avenir :
un horizon immense, mystérieux, repose devant notre
âme : le sentiment s'y perd comme notre œil, et nous
aspirons, hélas, à donner notre existence entière pour nous
remplir de tous les délices d'un sentiment unique, grand et
majestueux. Nous courons, nous volons, mais, hélas,
quand nous y sommes, quand le lointain est devenu
proche, rien n'est changé, et nous nous retrouvons avec
notre misère, avec nos étroites limites. » Ainsi ce jeune
homme passionné, en quête d'absolu, avide de dépasse-

ment, se satisfait, maintenant qu'il a rencontré une jeune fille, d'un chou. Et l'expérience qu'il faisait auparavant, et qu'il récuse maintenant en prétendant que « cela est singulier », était essentielle, il y découvrait que l'absolu, c'est-à-dire la totalité appréhendée par l'imagination, est hors du temps et de l'espace extérieurs ; il est dans le temps et l'espace intérieurs : il n'est pas plus donné par une colline que par une belle vallée. Il n'était pas possédé alors, Werther, et il aurait pu ajouter : il n'est jamais donné par l'autre ou par l'amour.

Maintenant, aveuglé, il ne le peut plus. Mais cette lettre nous prévient, nous lecteurs : toutes les merveilleuses qualités de Charlotte sont pour Werther un leurre. En vérité, le sentiment platonicien — qu'il croit découvrir — que l'essence pourrait être dans la rencontre des sexes, est, nous laisse entendre Goethe, aussi absurde que celle de croire que la perfection se trouve dans un autre espace. La prise de conscience, ici, que la possibilité de découvrir l'essence est intérieure au créateur, qu'il porte en lui sa propre jouissance, est, pour l'auteur de Faust, la découverte importante qui exclura, au premier chef, la femme de la création : celle-ci, en fait, n'aura rien en elle que le fœtus de chair, et l'impuissance de Charlotte à être créatrice, c'est-à-dire à atteindre la jouissance — signe net de la création chez Werther — ou à inciter cette création chez l'homme, est la preuve flagrante de sa nature acquise et de sa passivité. Pour sa punition, voilà Werther retombé dans la vie végétative, léthargique, où, erreur baudelairienne, il aspire à être deux. Il a cessé de s'élever, lui qui prétendait (lettre du 26 mai) aux torrents du génie soulevant, par ses flots et ses débordements, les âmes « saisies d'étonnement ». La femme, par sa seule présence, l'a tiré vers le bas, et le voilà bêtifiant devant des pois et un fourneau en pensant aux prétendants de Pénélope heureux de faire rôtir des pourceaux (21 juin). Il aspirait à l'art, à la création, le voilà aspirant... aux

enfants : « Oui, cher Wilhelm, c'est aux enfants que mon
cœur s'intéresse le plus sur la terre » (29 juin). On pense à
Wenceslas Steinbock, le sculpteur malheureux de *La
Cousine Bette*. Le propos devient d'une clarté excessive, il
est un avertissement : il faut choisir, l'œuvre ou les
enfants et le Poète ne peut créer qu'autonome... De toute
façon, erreurs, illusions, jalousies, Werther est tombé
dans le mal. La passivité a pris corps en lui, et il y est
soumis, avec ce que cela comporte de souffrance illusoire.
Et puis c'est la chute. Déjà le 16 juillet lorsqu'il décrit sa
passion naissante à Whilhelm, *Werther ne trouve pas de
mots*, ne sait plus écrire, des points de suspension
remplacent son langage annihilé, il se contente de dire :
« Tu me comprends. » A peine l'a-t-il vue que Charlotte a
déjà limité sa puissance verbale. Surtout, elle lui a
communiqué, par une espèce de contagion, l'impuissance
de la femme à s'analyser. Mais Goethe cependant se veut
naïf, et Werther va prendre Charlotte pour un « flam-
beau », une « lumière, susceptible, espère-t-il, de dissiper les ombres qui, désormais, l'entourent et dont il ne sait
pas encore qu'elles viennent d'elle. Mais, le lendemain du
jour où il affirmait qu'elle était un être de lumière, et en
même temps qu'il dit son bonheur, il note : « et cependant... je ne sais comment m'exprimer... mon *imagination*
est devenue si faible, tout nage et vacille tellement devant
mon âme, que je ne puis saisir un contour ». Il est
condamné. Nous le savons, puisque le grand principe créatif de l'imagination est atteint : la femme l'a immédiatement tué. Il ne lui aura fallu que quelques jours pour
couper Werther de son art, et dans la même lettre il écrit
(24 juillet) : « J'ai commencé déjà trois fois le portrait de
Charlotte, et trois fois je me suis fait honte ; *cela me
chagrine d'autant plus, qu'il y a peu de temps je réussissais
fort bien à saisir la ressemblance.* » Précision essentielle,
bien entendu, puisqu'elle indique une rupture, et une
rupture illogique : c'est la même incompréhension qui

saisit Octave, le héros de la *Confession d'un enfant du siècle,* devant sa propre angoisse, sa propre insatisfaction, son incapacité d'atteindre un état de bonheur et de sérénité. Mais le lecteur, sans se poser de question consciente, reçoit cependant le message, d'autant plus que rien ne justifie l'impuissance créatrice de Werther, rien ne trouble l'amour naissant qu'il éprouve pour Charlotte, pas d'obstacle extérieur : Albert est au loin, Charlotte, il se l'avoue, l'aime. L'obstacle est donc en lui, ou en elle.

Le truquage romanesque se dévoile alors dans la façon dont Goethe oriente le désir de son héros. Ce qui préoccupe Werther, en effet, depuis sa rencontre avec Charlotte, c'est le bonheur. Au milieu de ses débordements affectifs, pleins de grandiloquence et de points de suspension, pleins d'un lyrisme convenu, l'impuissance créatrice, dont cependant il se plaint, et surtout s'étonne, paraît secondaire. Un pur phénomène annexe. Il faut déjà se livrer à une certaine analyse consciente pour se sentir gêné par le caractère dérisoire du bonheur exploré. Ainsi l'élément essentiel, qui répond à l'angoisse profonde de Werther et du mâle qui le lit, et qui est l'arrêt de son processus créateur, est-il traîtreusement masqué par un bonheur, encore plus traîtreusement médiocre. Un bonheur stupide, qui signale à l'inconscient l'erreur du poète qui croit trouver avec l'autre la réunion qui les fera totalité créatrice. Dans les errements du jeune Werther, dont le premier était une forme de paresse, un refus de la souffrance, un abandon à la passivité, celui-ci est infiniment plus tragique. L'aspiration qu'il exprimait dans sa lettre du 10 mai, et qui était de « fixer sur le papier » la vie qui coulait en lui « avec tant d'abondance et de chaleur » peut, encore moins qu'avant, se concrétiser, puisque la réunion des âmes n'a servi qu'à briser l'élan imaginatif du jeune homme.

L'arrivée d'Albert ne change alors rien au problème fondamental. Il ne fait que l'exacerber. Surtout, il permet

à Werther de continuer à se tromper ouvertement d'adver-
saire, et d'attribuer faussement à l'amant en titre la
responsabilité de sa chute. Il n'en est rien puisque c'est le
24 juillet qu'il se plaint du tarissement de son imagination
et qu'Albert arrive le 30. Cependant, les apparences du
système romanesque font bien de ce dernier l'obstacle à
l'épanouissement de Werther, puisque dès qu'il est arrivé,
le héros cesse d'être heureux : « le bonheur que je goûtais
près de Charlotte a disparu ». La véritable coupable,
Charlotte, ne nous est alors révélée que de façon sous-
entendue et subconsciente. Nous voyons donc de mieux en
mieux comment s'organisent les stratifications du roman où
ce qui est exprimé sur le plan psychologique avec une
insistance particulière : la recherche du bonheur, est en
réalité inessentiel, quand l'essentiel : l'expérience créatrice n'apparaît que comme de vagues notations, plus ou
moins destinées à nourrir le texte, à lui donner une
apparence, une épaisseur de vraisemblance en caractéri-
sant le héros comme un peintre, ou un écrivain, enfin, non
pas un homme ordinaire, mais un homme cultivé ayant des
préoccupations artistiques. Il y a en réalité deux histoires
qui se chevauchent. L'une est le roman d'un amour.
Werther aime Charlotte. L'obstacle entre eux s'appelle
Albert. Tant qu'Albert n'est pas là, Werther est heureux.
Son bonheur s'évanouit à l'arrivée d'Albert. L'autre est le
schéma créateur. Werther, dans la solitude de la nature,
est un poète qui déjà accouche de ses premiers fruits. Il
rencontre Charlotte. Sa présence seule suffit à arrêter le
flux poétique. Mais il est très jeune et ne veut pas
l'admettre. La femme, c'est pour lui l'espoir platonicien de
la totalité conquise. Elle doit, avec le bonheur, lui donner
la puissance créatrice. Voilà l'erreur : ce bonheur-là n'est
point la jouissance créatrice. La confusion de Werther lui
sera fatale. Mais voilà, l'homme croit, erreur sublime, que
la femme est identique à lui, son égale. S'il la désire avec
tant de force, n'est-ce pas parce qu'elle lui donnera ce

bonheur qu'il croit lié à l'inspiration créatrice? Puisque l'homme et la femme sont nécessaires à la procréation, le Poète, par analogie, veut justifier, par le rôle qu'elle pourrait jouer dans le processus créateur, l'attirance invincible qu'il ressent pour elle. Attirance qui vient de ce qu'en lui quelque chose est femme. Ce penchant naturel vers la féminité, il l'interprète comme un besoin de connaître l'amour. Son esprit envisage avec plaisir la perspective d'aimer, qu'il voie des jeunes filles à la fontaine, ou qu'il rencontre un valet amoureux de sa maîtresse. Il aime l'amour, car il s'y sent porté, et cette tentation est en fait l'interprétation erronée de sa propre féminité, de son propre penchant à être femme. Mais le jeune héros, parce qu'il est sans expérience, veut croire, devant l'attrait que représente pour lui Charlotte, qu'elle lui est nécessaire. Il oublie qu'il est créateur, et que ce qu'il cherche, en fait, ça n'est pas ce triste bonheur conjugal du chou ou des enfants, mais la jouissance de l'accouchement de l'œuvre. L'oublie-t-il d'ailleurs vraiment? N'est-ce pas plutôt, au-delà de ce bonheur, de la jouissance créatrice qu'il est en quête? Son désespoir, puis sa mort au lieu d'être causés par la perte de son bonheur, ne viennent-ils pas plutôt de l'anéantissement de son pouvoir créateur? Le double cheminement se poursuit alors : le héros continue à se plaindre de la perte de Charlotte et, plus tard, qu'elle lui soit charnellement interdite, tandis que les faits continuent clairement à démentir cette apparence. Revenons à Albert. Il ne faut pas être grand clerc en analyse psychologique pour s'apercevoir qu'il n'est guère un obstacle à l'amour de Werther et de Charlotte. C'est un homme honnête, vigoureux, simple, traditionnel et peu passionné. Ne comprendrait-il pas? Tout, en fait, nous porte à le croire. Certes, s'il était déjà l'époux de Charlotte, l'impossibilité serait réelle, s'il était animé à son égard d'une passion très violente, sa volonté de posséder cette dernière, ainsi que

ses sentiments, empêcheraient Werther de s'approcher
d'elle. Mais ce n'est pas le cas. Combien de fois le héros
ne remarque-t-il pas le calme du fiancé, sa tranquillité
d'âme et de corps près de Charlotte, qu'il n'a aucune
peine, semble-t-il, à se réfréner d'embrasser devant
Werther, ce qui tout de même étonne un peu ce dernier, et
qu'il met sur le compte d'une grande délicatesse de
mœurs. Si bien que l'erreur du héros, qui croit que si cette
réunion d'âmes, entre Charlotte et lui, est un échec, c'est
parce qu'un autre : Albert s'est immiscé dans la formation
abstraite de l'androgyne idéal, nous apparaît dans toute sa
crudité. Mais à ce point du développement de la psychologie de Werther, la subtilité de Goethe est extrême. Pour
que l'obstacle que constitue Albert *apparaisse* plus réel
encore, il fait de Werther et du fiancé de Charlotte des
hommes totalement opposés. Ainsi le rêve qui saisit un
moment le frère de Saint-Preux de voir réussir le ménage à
trois possible où les deux mâles seraient totalement
confondus, identiques, ne formeraient plus qu'un, est-il
anéanti par la distance qui les sépare. Malgré son désir,
Werther ne peut être Albert. Celui-ci s'y refuse. Ils sont
bien trois, et non pas deux. Le pauvre poète peut alors
croire que la perte définitive de son bonheur le frappe de
stérilité créatrice, attribuant faussement à la femme et au
plaisir qu'elle assure par sa présence, l'aptitude créatrice
du mâle. Faussement certes. Un fait nous le prouve
encore. Presque un an plus tard, en juin 1771, Werther
séjourne chez le Prince ***. Là, il se remet à dessiner. Il
reprend ses discussions artistiques avec cet homme qui a
« le sentiment de l'art », même si, dit-il, il ne s'entend pas
avec lui. Loin de Charlotte ou d'une société dominée par
les femmes, il semble immédiatement retrouver son élan
créateur. Il n'en reste pas moins que l'apparence romanesque nous désigne Albert comme le grand coupable. Sans
lui, tout irait bien et Werther n'est-il pas persuadé que
Charlotte l'aime ? D'autant plus que lorsqu'il part, après

cette soirée dramatique du 10 septembre, il sait que c'est pour obéir à un devoir sacré, à la promesse faite à la mère mourante, que Charlotte épouse Albert. Entre Charlotte et son amant se dresse l'ombre de la mère morte qui la frappe d'interdit, comme entre Atala et son amant : la fille, ne l'oublions pas, est avant tout la fille de quelqu'un. Ici, elle devient la fille, ô combien symbolique, de la mort. Et là, nous nous disons : pauvre Charlotte, elle est bien une victime de la fatalité, et de l'oppression maternelle. Seulement, quand on relit le texte de façon précise, une petite circonstance étonne. Jamais on ne nous rapporte de paroles de la mère enjoignant à sa fille d'épouser, pour l'amour d'elle, le brave Albert. C'est par un effet de compréhension tacite que tout cela se fait. Et essentiellement par le fait de l'interprétation de Charlotte. Ainsi, le 10 août, Werther rapporte qu'Albert lui parle de la mère de Charlotte. Il lui raconte comment, en mourant « elle lui recommanda sa fille à lui-même ». Or, dans la soirée du 10 septembre, Charlotte relate les faits exactement. Cette recommandation n'est plus qu'un regard, qu'une pensée en vérité qu'il faut déchiffrer : « comme elle nous regarda l'un et l'autre, dans la consolante pensée que nous serions heureux ». Il lui faut donc interpréter la dernière pensée d'une morte pour en arriver là. Circonstance qui mérite tout de même qu'on la signale et où s'exerce une certaine malignité de Goethe à l'égard de son héroïne. De plus en plus, le sentiment inconscient se fait jour chez le lecteur, que Charlotte, et Charlotte seule, est bien responsable du malheur de Werther, elle qui *choisit* — avec bien sûr des circonstances ambiguës qui la justifient — d'épouser Albert et de rejeter Werther. Comment peut-on faire un tel choix ? N'est-ce pas pour qu'on se pose cette question que Goethe s'est efforcé avec tant de bonheur de montrer la médiocrité et la platitude du malheureux fiancé ? Ne pourrait-on voir là quelque preuve de la sinistre médiocrité féminine ? Préférer un bureaucrate sans âme à un poète...

Un poète qui cependant ne peut plus vivre. Car nous découvrons, bien avant Werther, qu'un poète qui ne crée plus est un poète mort. Le créateur est précisément celui qui ne peut pas supporter la contingence. Le sentiment du temps qui passe et qui ronge, et que les médiocres vivent sans grand tourment, est, pour lui, si destructeur, que s'il ne peut se transcender, « élever », comme il le dit « son âme au-dessus d'elle-même » (18 août), il devient incapable de supporter la vie. Ainsi, en brisant par sa présence castratrice les ailes de son imagination qui transcende, qui dépasse les contingences du temps et de l'espace, Charlotte a voué Werther à la mort : « Devant mon âme s'est élevé comme un rideau, et le spectacle de la vie infinie s'est métamorphosé pour moi en l'abîme du tombeau éternellement ouvert. » Affirmation qui n'est pas une image, où le « rideau » de la chair féminine, en tombant sur ses aspirations à la divinité (« Je me sentais déifié... »), rend le Poète à sa mortalité, à sa contingence, au sentiment physique de sa précarité, au temps enfin : « cette force dévorante qui est cachée dans toute la nature, qui ne détruit rien qui ne détruise ce qui l'environne et se détruise soi-même ». Drame : le créateur androgyne jouit de sa divinité solitaire et crée ; la femme le rend à sa contingence : il cesse de créer et meurt. Il attrape la maladie de la femelle : le temps et la mort. La création est réellement la marque de la divinité : l'être créateur vit, tant qu'il crée, et meurt, dès qu'il ne crée plus. Etrange sentiment, si ancré dans les consciences par la force du schéma, qu'on se prend à se demander pourquoi c'est précisément au moment où son journal n'indiquait plus de projet d'œuvre, au moment où peut-être elle se sentait devenir stérile, que Virginia Woolf, comme pour obéir à un impératif secret et inexorable, s'est donné la mort. C'est bien d'ailleurs ce qui pousse Werther au suicide. Il a, dit-il, terminé sa carrière. Plus d'œuvre à venir. Le retour à la contingence est donc, à la fin de la première partie, la

prémonition de la mort de Werther. Il est happé par la
finitude et ne la quittera plus que pour un court moment de
solitude, chez le Prince de ***. Il est contaminé, au point
qu'il ne peut plus retourner à son ascèse d'automutilation
qui, dans la solitude retrouvée, amènerait, à nouveau, à la
jouissance créatrice.

Il cherche à se « divertir » en acceptant, d'ailleurs un
peu à contrecœur, il faut l'avouer (ses intuitions, preuve de
son génie, sont toujours justes), d'entrer dans le monde.
C'est retomber dans la facticité : il est impuissant,
dépendant, humilié : il souffre tous les tourments du génie
jeté dans les médiocrités de la vie mondaine, une fois de
plus dominée par les femmes. Il n'est pas inutile de
remarquer que ce sont des femmes qui le font exclure du
cercle du comte ***, dont il est cependant le protégé. Or
cette humiliation est grave, car c'est l'humiliation du mâle.
Werther est fier en effet, car il sent en lui cette unicité,
cette supériorité qui est celle du Poète. Il est androgyne : il
a les caprices nerveux de la passivité féminine et l'imagination virile qui élève et féconde. Il a le sens du passé où
émerge le souvenir, personnel, historique, ou mythique
(lettre du 12 mai), et le désir, qui est projection fertilisante
de l'avenir. Il a besoin d'être reconnu. Car cette reconnaissance publique signerait pour lui l'évidence de sa supériorité, lui indiquerait qu'il a fait un pas décisif sur la voie de
la maîtrise créatrice à laquelle il aspire, et qui est ce « je
ne sais quoi… » déjà, qu'il n'arrive à définir que comme
un espoir vague — et si baudelairien — d'autre chose,
d'un autre monde. Mais il n'est pas reconnu. Il est rejeté,
humilié comme un médiocre et renvoyé à une passivité
sociale de serviteur, d'être inférieur. Cela, pas plus que
Chatterton, il ne l'accepte. Dans la société comme vis-à-
vis de la femme, le Poète est dans la même situation : il
attire l'envie, une jalousie dévorante et destructrice.
Werther, qui avait été si près de lui-même, qui avait
pratiquement touché du doigt son secret mâle, qui en avait

été brutalement arraché et rejeté, par contagion de la
femme, dans la passivité, se trouve donc de plus en plus
éloigné de ce noyau d'absolu qu'il avait entrevu. D'abord,
il y a comme un écran entre lui et lui-même, ce qu'il
appelle « un rideau ». Le voilà exilé, loin de sa terre
promise. Maintenant, il erre. Et il s'agit bien d'errement,
physique, mental. « Je ne suis qu'un voyageur, un pèlerin
sur la terre. » Il est en quête, il va d'un point à un
autre jusqu'à ce que sa docilité charnelle le ramène
inéluctablement à Charlotte. Elle agit, par sa simple
existence, comme une sorte d'aimant. Werther, dans une
de ses premières lettres, rappelait d'ailleurs à Whilhelm
cet épisode des Mille et Une Nuits. Cette fois-ci, c'est le
corps qui attire le corps. Plus de liberté pour le poète qui
cependant la réclamait comme le grand signe de la
création. Sa soumission à la chair, sa soumission à la mort,
sont soumission à la femme. Le retour à Charlotte est celui
de l'impuissance due à l'attraction sexuelle. Il découvre
l'obsession du désir qui fait que tout être soumis à la
violence du corps devient un mutilé de l'imagination. Déjà
le 30 août, il s'écriait : « Qu'attends-tu de cette passion
frénétique et sans terme ? Je n'adresse plus de vœux qu'à
elle seule ; mon imagination ne m'offre plus d'autre forme
que la sienne. » Maintenant, il n'a plus qu'un désir
« l'embrasser »… cette félicité… et puis périr pour expier
ce péché. Périr, parce que son contact est mortel. A
mesure que Werther se sent habité, possédé par
« l'image » de Charlotte, il est saisi par le vide : « Hélas,
ce vide, ce vide affreux que je sens dans mon sein. » Mais
ce vide, celui de Charlotte, est celui de l'impuissance
poétique, dont le poète reconnaît, sans fard, qu'il s'allie à
la mort : « Ne suis-je pas le même homme qui nageait
autrefois dans une *intarissable* sensibilité, qui voyait *naître*
un paradis à chaque pas, qui avait un cœur capable
d'embrasser dans son amour un monde entier ? Mais
maintenant ce cœur est mort, il n'en naît plus aucun

ravissement ; mes yeux sont secs ; et mes sens angoissés, que ne soulagent plus des larmes rafraîchissantes, sillonnent mon front de rides. Combien je souffre. *Car j'ai perdu* ce qui faisait toutes les délices de ma vie, *cette force divine avec laquelle je créais des mondes autour de moi.* Elle est passée... » (3 nov.).

Voilà bien la source de l'horreur, du désespoir et de la mort, qui n'est pas, en fait, l'impossibilité de posséder Charlotte, mais qu'elle ait tari l'élan phallique de son imagination créatrice, qu'il ne puisse plus créer, et qu'il ne soit maintenant plus que le siège de son image, qui est vide, stérilité, néant. Au bout du chemin, c'est bien Charlotte qu'il trouve, telle la Parque, avec la séduction morbide de ses yeux noirs ; comme si le vide qu'elle contenait l'aspirait inexorablement : « Comme cette image me poursuit. Que je veille ou que je rêve elle remplit seule mon âme. Ici, quand je ferme à demi les paupières, ici, dans mon front, à l'endroit où se concentre la vision intérieure demeurent ses yeux noirs... Si je ferme les yeux, ils sont encore là ; ils sont là comme une mer, comme un abîme ; ils reposent devant moi, en moi ; ils remplissent les sens de mon front. » A la fin de la première partie, Charlotte s'alliait à la mort. Maintenant, elle *est* la mort et Werther ne résistera pas à son appel. Il ne le peut plus. Elle a tari en lui la vie (et la création), il est tombé dans la passivité totale, elle lui fournira jusqu'aux pistolets que, geste symbolique, elle devra remettre elle-même au valet qui vient les emprunter à Albert. Le reste est anecdote, et Goethe le sait bien, puisqu'il fait terminer là, plus ou moins, la relation directe par Werther de sa propre tragédie. Lui-même prend ensuite, dans « l'éditeur au lecteur », la direction de son texte, comme pour bien montrer que, pour Werther, c'est terminé. Comme un dernier rappel de l'impuissance de son héros, il lui fait découvrir qu'il n'est plus utile à personne, ayant perdu toute force vitale, toute puissance dialectique : c'est en

vain qu'il s'échine à convaincre le bailli de relâcher son
ami, le valet qui vient de commettre un crime passionnel et
d'assassiner son rival. Personne ne l'écoute. Ses raisonnements laissent tout le monde froid. Il ne crée plus. Sa
parole est vaine. Il faut mourir. Aussi écrit-il à Charlotte :
« C'est une chose résolue, Charlotte, je veux mourir… Je
veux mourir… Mille projets, mille idées se combattirent
dans mon âme ; et enfin il n'y resta plus qu'une seule idée,
bien arrêtée, bien inébranlable : Je veux mourir… Je veux
mourir… Ce n'est point désespoir, c'est la certitude que
j'ai fini ma carrière, *et que je me sacrifie pour toi.* » Ainsi
Werther a entendu l'appel à la mort de Charlotte, et il s'y
rend, asservi, enchaîné par elle. Certes l'explication que
donne Goethe est plus terre à terre : « Il faut que l'un de
nous trois disparaisse, et je veux que ce soit moi. » Le
héros penserait avant tout à la tranquillité de la femme
qu'il aime et disparaîtrait ? Il pourrait tout aussi bien
changer de pays et ne jamais revenir. Non. C'est sa mort
qu'elle veut. Il le sait bien. Il la lui donne et notre
sympathie va à Werther. Mais s'il la lui donne c'est
qu'effectivement « sa carrière est finie ». Après avoir agi
comme l'être castrateur de l'imagination du poète,
Charlotte devient finalement la mort, que dans un geste
sublime (mais en fait combien perfide), Werther, finalement, accepte, ce qui la condamne à jamais, elle, la
femme. Ce qui est frappant, c'est que l'inutilité tragique
du geste de Werther est si apparente, que Goethe en
dernier ressort essaye de le justifier par une scène de
passion (dont se souviendra Eugène Fromentin dans
Dominique) où les deux amants ont un moment d'accord
physique. De ce moment de plaisir, le héros alors, se
punirait : « Péché, soit, et je m'en punis. Je l'ai savouré ce
péché… » Quelle étrangeté de la part d'un homme comme
Werther, chez qui nous avons vu que rien n'est convenu,
qu'il a sur le monde, sur la morale vulgaire les idées les
plus révolutionnaires, et en tout adopte résolument un

comportement anticonformiste. Non, ce sursaut de bonne conduite chrétienne noyé dans les délices d'un amour céleste n'est qu'un faux-fuyant, nous le savons bien. La raison du suicide est ailleurs et même si le lecteur ne se le formule avec précision, il est clair que la responsabilité en incombe à Charlotte et que Werther, quant à lui, meurt parce qu'il cherchait désespérément quelque chose qu'il n'a pas trouvé. Or Goethe est bien clair : ce je ne sais quoi, était en lui, et la femme le lui a masqué. Mais, ce qu'il faut encore remarquer, c'est que Charlotte, rideau, étouffement, Parque, est destructrice et apporte la contagion de la mort, dans l'ignorance totale, nous montre Goethe, de ce qu'elle est. Ce n'est pas par une volonté mauvaise qu'elle détruit. Au contraire. On l'a éduquée dans le bien et elle est bien éduquée. Cependant, qu'elle soit d'emblée interdite est révélateur du fait qu'elle ne s'appartient pas, qu'elle ne peut avoir aucun comportement, aucune pensée réellement authentiques, malgré les apparences qui amènent Werther à se méprendre sur son compte et à croire que, comme lui, elle est naturelle parce qu'essentielle. En réalité elle pousse terriblement son amant à s'anéantir. Il y a en elle des signes de coquetterie manifeste : scène du serin, après-midi de musique, amitié très tendre (« Cher Werther »), regards font souvent se demander à Werther si elle sait ce qu'elle fait, si elle ne se rend pas compte qu'elle l'attire à elle violemment. Mais non, elle ne le fait pas consciemment. Goethe le dit assez pour que nous le croyions. Alors ? Eh bien elle est femme, et cette inconscience est pire encore que le reste et signifie que *même la meilleure* n'échappe pas à cette force « néantisante » de la femme, à ce pouvoir *qui est dans sa chair* d'attirer l'homme dans « l'abîme » de ses yeux, qui, comme le dit le héros, sont comme une mer, c'est-à-dire comme la tentation morbide de la noyade, de la disparition. Ces yeux de la femme qui sont le tombeau de l'homme. Femme, elle est funeste, son existence même est

une atteinte à la virilité créatrice et à la vie même du mâle
qu'il lui faut s'approprier. Telle est la terrible leçon des
Souffrances du jeune Werther. Avec ce roman capital,
génial et bouleversant (pour l'homme) la femme est
accablée. Son écrasement est tel qu'elle ne s'en est pas
encore relevée. Le poids du suicide de Werther pèse sur
elle comme une damnation éternelle et Goethe s'est vengé
de Charlotte de la façon la plus cruelle. Nous la retrouverons, la malheureuse, dans toutes les femmes de la
littérature qui suivra. Une bête venimeuse, volontairement
méchante ou inconsciemment destructrice, mais toujours
funeste au créateur parce qu'elle n'est rien et qu'elle veut
entraîner l'autre dans ce rien, parce qu'elle est la mort et
qu'elle l'y appelle, parce qu'elle est la chair, et que sa
chair pourrit et contamine. Il faut remarquer que dans la
comédie des erreurs qu'est la tragédie de la création, le
mâle, au fond, n'est pas, en apparence, mieux servi que sa
partenaire. Elle est un aimant destructeur sans le savoir.
Mais lui ? Ne commet-il pas la faute impardonnable de
croire que grâce à la femme il va devenir Dieu, et
d'imaginer que la passivité soit nécessaire à l'ascèse
créatrice, et une passivité extérieure à lui-même ? N'en a-
t-il pas assez pour son compte, et même trop ? Cependant,
si l'erreur de la femme est une abomination dont elle ne se
relève pas, celle de l'homme est sublime, erreur grandiose,
erreur christique, il croit pouvoir relever cet être qui porte
la déchéance dans son sein. Or la femme ne peut atteindre
la grâce, elle est condamnée. L'erreur de l'homme est
divine, mais enfin c'est une erreur, et le créateur dit à son
frère : cessons de nous tromper sur la femme, et nous
avons *La Colère de Samson*, et nous avons *Eloa*. Ainsi
trouvera-t-on dans la littérature deux formes essentielles
de propos : l'avertissement, où l'exemple tragique du poète
doit servir de leçon, et la vengeance, où la mort de la
femme et sa condamnation mettent fin à toute l'histoire.
Parfois nous avons les deux.

Dans *Werther,* l'avertissement tragique que constitue le suicide du héros est aussi une vengeance. L'arme qu'il emploie représente un phallus qui n'est ici bafoué qu'en apparence. En réalité, son explosion exprime la tension vengeresse de la création triomphante chez l'homme qui se punit d'avoir cédé à la femelle. Qui se punit d'avoir refusé de voir que l'être coupable était la femme, et elle seule. Car tout ce roman, qui est un réquisitoire contre la femme, se présente, en fait, comme un plaidoyer en sa faveur. Elle est irresponsable. Naturellement marquée par le mal, et le vide et le rien. Avant d'en arriver à cette conclusion, il faut bien chercher les vrais responsables. Lorsque Albert n'est pas là, ça doit forcément être Werther. Il porte *en lui* le mal qui le ronge. Voilà ce qu'affirment tous les romantiques et qu'infirment les faits. Eux, les créateurs, mais ils sont très capables d'être heureux, on se trompe quand on les prend pour des êtres souffrant d'on ne sait quoi, portant en eux une plaie profonde parce qu'ils aspirent à un bonheur, un absolu, qu'ils ne peuvent pas atteindre. Pas du tout. En vérité cet absolu, ils l'atteignent très bien. Mais quand ils sont SEULS. La femme les trompe. Elle leur fait entrevoir un bonheur qu'ils prennent pour l'absolu. Elle les attire pour mieux les castrer puis les pousser dans la tombe. Jalouse de leur transcendance, de leur jouissance, elle veut leur communiquer sa mortalité. Telle est l'histoire de Werther, qui cependant devant le charme, la douceur, la pureté, la perfection de Charlotte dit non, tout cela est faux. Le coupable, c'est Albert, ou c'est moi. Les deux hommes alors recueillent notre sympathie, pour leur bonté, pour leur grandiose aveuglement. Parce que tout, dans l'agencement des dates, l'expérience de la jouissance, la découverte de la souffrance, les deux tempéraments d'Albert et de Werther, contredit l'évidence de l'innocence de la femme. Toute cette histoire est montée, et dévoile en fait la coupable cachée : Charlotte. Car enfin fait-elle quelque chose pour

éviter ce malheur impardonnable ? Non pas. Fait-elle un
effort pour parler à Albert, épouser Werther ? Non pas.
Essaye-t-elle, au moins, de l'éloigner définitivement
d'elle ? Encore moins, l'éditeur nous dit, lui-même, qu'elle
veut au contraire le garder. Il la touche. Il la bouleverse.
Elle l'enjôle, elle le cajole, elle lui sert ce qu'il aime, cette
musique, ces airs dans lesquels il se vautre. Et puis,
quand elle l'a amené au bord de la tombe, elle l'y pousse
en donnant, de sa main, les pistolets meurtriers à son
domestique. Mais elle aurait pu crier, dire non, prévenir
Albert, parler, dénoncer, sauver. Or, elle ne le fait pas.
Elle se sait si bien coupable, qu'elle manque d'en mourir.
Werther, lui, a su défendre ce en quoi il croit : quand on
arrête pour meurtre cette autre victime de la femme, ce
malheureux amant qui s'est vu un rival et qui l'a tué, cet
homme doux et passionné dont il nous avait déjà plusieurs
fois parlé, il a su crier, au risque de déplaire, au risque
même de choquer gravement, pour demander l'indulgence,
pour suggérer une évasion. Si bien que Charlotte, cette
femme admirable, n'est tout compte fait pas si admirable,
et toutes les femmes sont comme ça dans ce roman : la
mère qui en mourant enchaîne sa fille et la rend semblable
à la mort, la veuve stupide qui ne voit pas l'amour vrai et
n'a pas le courage, quand elle l'a vu, de le défendre. Non,
Charlotte est coupable, on nous le suggère presque par la
psychologie, mais surtout, cette culpabilité masquée qui la
fait castratrice, anticréatrice, elle nous est assenée par
l'absurdité de la mort de Werther. Et nous n'en avons pas
fini. Combien de malheureux que, pour faire mourir, leur
créateur est obligé d'entraîner dans des aventures aussi
improbables que ridicules : Hernani, Raphaël de Valentin, Werther, etc. Alors, on a pris l'habitude d'accepter,
comme des faits « romanesques », toutes ces étrangetés
voisines de l'absurde. Mais c'est justement elles qui
recèlent le « truc » et qui font l'impression la plus forte
sur l'imagination, la sensibilité, et puis le comportement et

les croyances enracinées du lecteur, et surtout, de la lectrice. Werther, c'est un roman de mise en garde, et sa leçon a été fort bien entendue.

BRIGITTE PIERSON :
LA FEMME-CONTINGENCE

(Musset : *La Confession d'un enfant du siècle*)

Musset se distingue de Goethe en ce qu'il est plus schématique, ou plus exactement en ce que son système se dévoile de façon infiniment plus didactique. Une partie de la leçon de Werther a été chez lui enregistrée et comprise : la femme a un aspect funeste qui est dangereux, contagieux, destructeur. Mais son hypothèse, dans *La Confession d'un enfant du siècle*, se présente à nous comme une feinte d'une suprême perfidie. Car, ceci posé, Musset se demande alors : voyons, allons jusqu'au bout, et s'il existait, tout de même, des femmes qui échappaient à cette règle ? Et si la femme avait été poussée à être castratrice par la société ? Et si, délivrée de cette dépendance sociale, elle était pure et inoffensive ? Et si c'était, en fait, la compagne à laquelle le mâle aspire, son égale, son double ? Et si, au fond, nous étions, nous, les hommes, les grands responsables de cette ignominie féminine ? Cette fois-ci, nous sentons que la réponse va être capitale, car la question est bien posée. Si la femme se tire de cette chausse-trape elle va se retrouver avec une nature, une essence, une chance de changer, de se réformer, d'atteindre, enfin, la grandeur du mâle. Or voyons ce qui se passe. *La Confession,* c'est d'abord l'histoire d'une amputation. On nous le dit de façon claire. L'amputation d'un membre, gangrené, atteint d'un mal affreux. Qui est le malade ? Là,

aucun doute, un chapitre entier nous l'expose en termes
nets : le malade est un mâle. Quel est le cri de révolte qu'il
pousse ? celui du mâle qui voit sombrer dans l'apathie les
forces viriles des hommes, qui sent l'emprise du vide et de
la passivité, qui reconnaît, dans le mal dont souffre sa
génération « la force inactive », le danger d'une société
féminisée. Car l' « esprit du siècle, ange du crépuscule »
est un spectre de femme : « ce squelette enfantin fait
frémir, car ses mains fluettes et livides portent l'anneau
des épousées, et sa tête tombe en poussière au milieu des
fleurs d'oranger ». Or, cet extraordinaire chapitre, toujours cité, grand morceau de bravoure de la littérature
romantique, est un coup de génie : il définit d'emblée
Octave comme le mâle créateur. Ce cri de révolte, qu'il
lance contre l'indolence apathique des jeunes gens de son
temps, est un appel à la virilisation, et ça n'est pas par
hasard qu'il lance contre Goethe son semblant d'anathème
et qu'il lui dit : pourquoi as-tu tant souffert ? Car chez
Goethe, nous l'avons vu, l'homme est bafoué, la femelle
triomphe et son œuvre est un avertissement, un cri
d'alarme contre ce qui est son obsession, à lui. Ça n'est
tout de même pas un hasard si Marguerite, encore, est
l'instrument de Méphistophélès, et si elle trame, sans le
vouloir, mais avec une sûreté de bourreau, la ruine du
créateur. Musset, ici, se rebelle, il refuse le suicide de
Werther, l'anéantissement de Faust, il rappelle le temps
viril où les femmes n'étaient pas femmes mais mères, dans
un texte étonnant, les trois premiers paragraphes du
Chapitre II où le mot « mère » est prononcé deux fois, le
mot « femme » jamais, et le mot « homme » ne s'applique
qu'à l'empereur. C'est avec le chaos et le vide actuels, que
les « femmes » apparaissent, et leurs maris sont « vieux »
et « mutilés ». Hasard ? Quand le monde est viril il serait
plein de mères, quand il est « en ruine », « vide », plein
de « peur » et de « tristesse », alors on y trouverait « des
femmes », bien plus « des filles », des « courtisanes » ?

Non, on ne peut pas imaginer que ce langage soit pur hasard. Il n'est pas voulu ; il est instinctif ; il montre l'importance du schéma chez le créateur. N'est-il pas étrange d'ailleurs qu'on ait pu s'étonner de ce chapitre, le trouver sans rapport avec la suite, y voir une de ces folies du génie de Musset ? Mais que fait-il tout simplement si ce n'est définir immédiatement son propos, comme il en est assez fréquemment d'un premier chapitre ? C'est que ce n'est pas réellement une histoire d'amour que nous raconte Musset, c'est l'histoire d'une amputation, et la leçon est assez claire grâce à ce tonitruant début. Ce qui attend une société privée de sa force lorsque l'être viril a disparu, lorsque le Père a été vaincu par des forces léthargiques, c'est l'anéantissement qui attend le mâle, frappé dans sa création, s'il se laisse envahir par la présence « néantisante » de la femelle. Car les puissances qui viennent à bout du mâle sont étrangement féminines dans ce chapitre transparent, même si c'est l'ange de la mort qui le pousse dans l'Océan, tout au moins profitent-elles de sa chute et s'emparent-elles de l'espace vacant, « vieilles croyances moribondes » qui « se redressèrent sur leurs lits de douleur », tandis que « avançant leurs pattes crochues, *toutes les royales araignées* découpèrent l'Europe, et de la pourpre de César se firent un manteau d'Arlequin ». Disparue l'énergie absolue du Père (qui laisse la France « veuve »), ses « enfants », qu'il a ainsi laissés, se trouvent enveloppés dans cette féminité. Le tableau que Musset nous dresse d'une société de passivité (comprenons donc féminisée, même si les femmes n'y règnent pas de façon apparente) est assez abominable. Nous voyons très bien ici comment se créent ces rapports étroits qui lient femme et société décadente dans toute la littérature romantique et qui sont particulièrement évidents chez Balzac et Stendhal. Comportements identiques ou analogiques, sursauts capricieux des foules dominées, jouissances charnelles, goût de l'argent, sens du drame et surtout

11

horreur de la vérité, impuissance à la supporter, etc. Le
paradis retrouvé est de nouveau celui de la virilité
créatrice, ou existe la mère, puisque c'est la Terre
féconde, où la moisson de la création est riche, où la
liberté de l'homme seul est enfin reformée sous le signe
phallique d'un « soleil pur et sans tache » c'est-à-dire sans
mélange, tout énergie, toute création, qu'aucune faiblesse
passive, songeuse, capricieuse, discordante, en bref féminine, ne viendra tirer d'un absolu enfin conquis. Voilà qui
ne laisse rien présager de bon pour la femme du roman. Il
n'y a pas à s'y tromper, elle sera vaincue. D'une façon ou
d'une autre, c'est elle qui perdra. Car elle a totalement
disparu de cet horizon paradisiaque : on y parle des
hommes, on y parle des pères, ils sont pluriels, eux, ils
sont là. La mère, certes, mais... c'est une abstraction,
c'est la terre, la terre qui parle au travailleur, son enfant.
Et puis, la mère et la femme, nous savons que ça n'est pas
la même chose. La féminité est bel et bien enterrée. C'est
le créateur qui devient la mère, qui travaille, qui œuvre
pour la survie. C'est tout de même un monde curieux que
le monde futur de ces grands hommes, et certes, il a subi
une « amputation » : celle de la femme. Dès à présent il
ne fait guère de doute que, suivant l'analogie de son plan
établi dans ce fameux chapitre II, c'est à ce genre
d'amputation que nous allons assister : Octave va couper
dans le vif ce qu'il y a en lui de féminin et le rejeter hors
de lui. Mais il amputera aussi la femme qui est à
l'extérieur de lui, il l'arrachera de lui-même pour la jeter
hors de son monde. Il aura ainsi conquis sa solitude, et
c'est avec un sourire désabusé maintenant que nous le
voyons se qualifier de « malheureux ». Car enfin il a
gagné « les saintes solitudes », et, encore une fois, c'est
par un artifice qu'il se traite, lui, de malheureux, quand
c'est la femme qui a été sacrifiée, parce qu'elle s'est
révélée castratrice, porteuse d'inaction, d'impuissance, et
surtout de malheur, c'est-à-dire qu'elle a été celle qui

empêche le créateur de jouir et donc de créer. En lui donnant cette puissance néantisante implicite, Octave s'est peut-être, en apparence, sacrifié, mais Musset, lui, c'est elle qu'il a sacrifiée, et condamnée, et amputée du monde humain de l'homme.

Il y a trois moments dans le roman d'Octave. La découverte du Mal et la débauche, où la femme mondaine est un abîme dans lequel vient se perdre le cœur et la sensibilité de l'homme. Elle l'infeste de sa lèpre. Elle lui met à l'âme une syphilis qu'il croit incurable. Elle est l'Eve fatale. Là, survient la mort du Père, et, avec cette mort, la rentrée en soi-même, la découverte, par le Père, de la pureté virile. Enfin l'entrée en scène de la femme non sociale, aussi pure et naturelle que possible, mais tout aussi néfaste et tout aussi traîtresse, amène l'inévitable conclusion de l'amputation. On voit déjà combien ces romans sont admirables, et combien le dessein caché, par un instinct génial, s'expose avec une intelligence absolument démoniaque et sans que le créateur en soit totalement conscient, puisque ce n'est pas le schéma qu'il croit exposer (bien qu'il fasse une œuvre, ici, ouvertement et consciemment misogyne et vengeresse). En effet le moment capital de cette expérience, et qui dans le roman est le plus court, est le second, celui qui suit immédiatement la mort du Père. Ce qui est remarquable alors, et qui constitue une leçon inoubliable pour le créateur, est que la puissance créatrice qu'il découvre en lui à ce moment-là n'a pas été annihilée par la femme ignoble, la société infecte, la débauche dégradante. Ce qui affecte la chair, laisse intacte l'âme. Ainsi la courtisane est-elle moins dangereuse finalement que la femme pure, qui, elle, malgré elle, trompe affreusement le mâle qui l'imagine son double. La prostituée, si chère au cœur des mâles, leur est chère parce qu'elle, au moins, pensent-ils, ne se cache pas, ne masque pas sa vérité féminine qui, exposée, s'en trouve neutralisée. L'homme, qui se garde si aisément de

la séduction de la putain, comment se défendrait-il de
celle qu'il croit parfaite et dont il ne comprend pas qu'elle
porte, en son sein, l'arme redoutable de son anéantissement ? Or, le jeune orphelin découvre la virilité du Père,
qui est pure, sans tache, justement, vierge. Il fait son
retour au Père et il est brusquement accablé par le
sentiment de la vanité de la vie qu'il a menée jusqu'à ce
jour : « J'avais reçu un coup si violent... que j'en étais
resté comme un être purement passif et rien en moi ne
réagissait ». Cependant, ce retour au Père l'amène, par un
effort de virilisation, à élever ses pensées vers la nature, à
raisonner, dans la solitude totale. Bientôt, l'impulsion
d'écrire (un Journal, comme son père) le prend. Le travail,
la réflexion sur soi, le calme, et la régularité de la vie
(circonstance fortement sexualisée) l'amènent enfin à la
jouissance, une jouissance toute créatrice : « il y avait
dans cette exactitude ponctuelle un *charme* infini pour
mon cœur. Je me couchai avec un *bien-être* que ma
tristesse même rendait plus *agréable*... Pour la première
fois de ma vie *j'étais heureux* ». Les causes de ce bonheur
paraissent donc évidentes et on ne les discute pas : la
présence de la nature, le souvenir réconfortant d'un père
vertueux, la pratique de la même vertu, la découverte de la
bienfaisance, une vie à la campagne, loin de la société des
hommes et près de Dieu. Bel idéal de vie pastorale et
rousseauiste. Oui, mais comme par hasard la femme en est
totalement exclue ; oui mais comme par hasard, c'est
toujours lorsqu'il est seul que l'homme connaît une pareille
jouissance ; oui, mais comme par hasard, c'est toujours
quand il jouit de cette façon qu'il se rapproche de Dieu,
pense à Dieu et parle de vertu. Pourquoi ? Parce qu'en
vérité, il se sent divinisé (voir Werther). Mais justement,
cette divinité, elle ne lui apparaît pas quand la femme est
présente, dans la société (qui est la société des femmes),
ou dans les « délices », toujours insatisfaisantes de
l'amour charnel. Alors ? Encore une fois, la chose n'est pas

dite, mais elle est claire : le mâle possède en lui tout ce
qu'il faut pour être Dieu et pour être heureux. La seule
condition, c'est que personne ne s'immisce dans son
système, qu'il reste autonome et seul. La conclusion
s'impose. Que faire de la femelle ? Eh bien, mais... s'en
débarrasser... Or justement, la voilà : Brigitte Pierson.
Elle est tout ce que l'on peut rêver quand on vient de faire
une pareille expérience créatrice : elle vit à la campagne,
elle aime la nature, elle est seule, elle est près de Dieu :
en son nom elle fait la charité, elle vit vertueusement. Le
mot d' « ange » revient plusieurs fois sous la plume
d'Octave. Elle est aussi, croit-il, très vivante : elle aime
courir, elle aime danser (on pense à Charlotte), elle
apparaît comme un être actif, énergique. Elle lui semble
posséder l'intelligence « essentielle » et naviguer dans les
« hautes sphères » de la vertu. Ce quelque chose de viril
qu'elle semble posséder, c'est ce qui cause la jouissance.
Donc Octave le veut et la veut. Enfin l'amour, qui est en
fait dépendance à la chair, donc aliénation de son énergie,
parce que Brigitte lui paraît détenir la vie — à cause de sa
mobilité physique, de son goût pour la danse, pour la
course —, et qu'il se figure qu'elle est la vie, il le désire
comme on désire l'absolu. Et le malheureux s'écrie :
« Vivre, oui, sentir fortement, profondément qu'on existe,
qu'on est homme, créé par Dieu, voilà le premier, le plus
grand bienfait de l'amour. » C'est la reprise ici de la
grande tirade de Perdican (*On ne badine pas avec l'amour*),
qui, tout jeune homme lui aussi, voit dans l'amour la force
androgyne, le dépassement. Et pourtant, il a déjà été giflé,
Octave. Il a connu la contingence de la femme, c'est-à-dire
sa dépendance au temps. Sa maîtresse passée un jour (ou
une nuit) voulait se donner à lui, le lendemain ne le voulait
plus. Desgenais, son ami, le mettait en garde, lui contait la
mobilité du sentiment de la femme comme une chose
inévitable, un caractère de son sexe. Mais non, Octave
croit que celle-là est différente, il donne à la femme une

individualité, une chance d'être distincte des autres, par là même lui attribuant — faussement — une essence. Bref, après des inquiétudes et des tourments, Brigitte et Octave sont amants. Or, et c'est là l'originalité du roman, Octave n'est pas heureux, cette jouissance qu'il espérait ne se révèle pas, et au lieu de tomber comme Werther dans un abattement tragique et morbide, il veut, lui, trouver les raisons de son fiasco : « J'ai à raconter maintenant ce qui advint de mon amour et le *changement* qui se fit en moi » (début de la quatrième partie). Octave va se livrer à une rationalisation de la faute de la femme. Il va la faire passer en jugement et la déclarer coupable (implicitement) tout en affectant de prendre la faute à son compte. Air connu. En fait, ce qui condamne Brigitte inexorablement c'est que, avec elle, la passivité revient en Octave. Libertinage, violence, jalousie injustifiée qui est absence de contrôle, comme si le jeune homme était toujours dépendant de quelque impression irrationnelle dont il ne pouvait se défaire, le reprennent. Il a, alors, cette phrase capitale (début du chapitre II de la quatrième partie) : « Une espèce *d'inertie stagnante,* colorée d'une joie amère, est ordinaire aux débauchés... C'est une suite d'une vie de caprice... la volonté meurt... » Et Octave ajoute : « quoique je ne fusse plus un débauché, il m'arriva tout à coup que mon corps se souvint de l'avoir été ». Tout à coup ? Oui, lorsqu'il connaît de nouveau une femme. Voilà le sacrifice de Brigitte consommé, le reste n'est que pure anecdote. C'est parce que, femme, elle est elle-même pleine d'inertie qu'elle a ramené cette inertie au cœur de son amant. Elle le paye. Et très cher. Octave la traite comme une fille, est odieux, jaloux sans motif. La raison qu'il en donne est qu'il est infesté par cette femme qu'il a connue et qui lui a menti, il n'arrive pas à croire à la sincérité de la veuve. D'ailleurs, il y a des indices, des signes tout de même : tel air qu'elle a, et qu'avait ou qu'eut telle ou telle prostituée, son aptitude — *si naturelle* — à mentir (elle le fait si bien que son amant ne s'aperçoit de rien) —, telle coquetterie si étrangement courtisane. Enfin, nous avons compris. Toutes les femmes sont pareilles, non dans la transcendance, comme les hommes, qui, eux, se reconnaissent dans la grandeur et le dépassement (comme Octave et son rival heureux : Smith), mais dans la contingence, c'est-à-dire la mobilité, le changement, le caprice, et pour justifier tout cela : le mensonge. Car il faut toujours mentir quand on change, et le monde, fait par les hommes, qui eux, ont une essence et répugnent à changer, exige de la femme une certaine constance qu'elle ne peut assumer, puisqu'elle est l'inconstance même. Alors, elle affabule, elle ment. Que faire d'autre ? Ceci posé, et dont nous ne pouvons pas ne pas nous rendre compte inconsciemment, puisque, lorsqu'il était seul, Octave avait oublié son inertie, sa débauche, son libertinage, et qu'il était sur le chemin de la virilité parfaite, ce que nous appelons anecdote, ce sont des pages et des pages d'un mea culpa savant dont Musset n'est pas dupe. En vérité, son propos est de montrer qu'au fond, si sa maîtresse l'a trompé, aventure qui lui est arrivée de notoriété publique avec George Sand, il l'a bien cherché. Sa vanité entre en compte de façon assez amusante, et il en rajoute, certes, beaucoup : avanies et humiliations pleuvent sur la pauvre Brigitte qui, elle, continue à être parfaite. Mais pour nous et pour le lecteur la cause est entendue : il y a quelque chose dans la femme contre quoi on ne peut rien, et elle ne peut rien elle-même, et qui est qu'elle détruit, par son existence seule, par sa présence toute possibilité créatrice en lui, toute jouissance élevée, tout espoir de transcendance. Elle le coupe et le prive de lui-même. Mais cette privation est décelable par les ravages qu'elle cause, et Octave est horriblement malade, pris de fièvres, de violences, de sueurs : « Je m'éveillais tremblant de tous mes membres et couvert d'une sueur froide ». Nous sentons, en vérité, qu'il va en mourir. Il est

atteint dans sa chair, dans sa vie même. Et — ô horreur —
c'est ainsi que le veut sa maîtresse, c'est dans cette
exaltation d'impuissance, dans ces orages que cause la
mobilité d'humeur du malheureux pris de doute, angoissé,
peu sûr de son pouvoir et de sa virilité, qu'au fond elle le
préfère. Elle le chérit abêti, à son niveau, apathique,
passif, féminin comme elle. Par son amour, la femme
entreprend de nier l'homme, de le réduire à elle-même.
Parce qu'elle le jalouse ? Parce qu'elle hait sa puissance
créatrice ? Parce qu'elle ne peut supporter sa jouissance ?
Et certes, qu'on en arrive là avec un texte concernant
Musset et George Sand est révélateur, car Musset se venge
ici de la femme écrivain de façon exemplaire : il lui lance
à la face que son propre pouvoir phallique, son imagination créatrice, qu'elle, elle n'a pas et désire plus que tout
au monde, elle l'a jalousé à son amant au point d'avoir
voulu l'en castrer, d'avoir voulu le garder dans un état
d'impuissance créatrice. En cela, Charlotte et Brigitte sont
dissemblables et il y a chez l'amante d'Octave un aspect
presque conscient qui la condamne infiniment plus. En
effet Charlotte a comme un pressentiment qu'elle est
« mauvaise » pour Werther, qu'elle va causer sa perte, et
bien que dans le fond de son cœur elle désire, nous dit
Gœthe, le garder pour elle-même, elle le met cependant en
garde, elle lui dit, en clair, qu'elle est le contraire de la
jouissance créatrice : « Oh, pourquoi êtes-vous né avec
cette fougue, avec cet emportement indomptable et passionné... Je vous en prie... *soyez maître de vous. Que de
jouissances vous assurent votre esprit, vos talents, vos
connaissances. Soyez homme, rompez ce fatal attache-
ment.* » Merveilleuse intuition ! Il sera beaucoup pardonné
à Charlotte pour cet acte de générosité créatrice. Elle sera
prise pour modèle et son humilité qui s'avoue contraire à la
création, sa grandeur qui demande au mâle de la sacrifier,
seront les vertus que dorénavant les hommes réclameront
des femmes, pour compenser leur bassesse féminine. Mais

Brigitte Pierson n'est pas de cette trempe, et on imagine
fort bien que George Sand non plus ne le fut pas. Elle ne
demande pas à son amant de retrouver sa virilité perdue,
sa volonté et sa maîtrise de soi, au contraire : « Durant ces
nuits de volupté terrible, Brigitte ne paraissait pas se
souvenir qu'il y eût en moi un autre homme que celui
qu'elle avait devant les yeux. Lorsque je lui demandais
pardon, elle haussait les épaules comme pour me dire : —
Ne sais-tu pas que je te pardonne ? Elle se sentait gagnée
de ma fièvre. Que de fois je l'ai vue, pâle de plaisir et
d'amour, *me dire qu'elle me voulait ainsi, que c'était sa vie
que ces orages ;* que les souffrances qu'elle endurait lui
étaient chères *ainsi payées...* » Quelle horrible phrase,
dans le contexte où nous pouvons la replacer, phrase
véritablement vampirique, où la femme se dit payée de ses
souffrances par l'abaissement où elle jette son amant. Et
tout cela paraît tout de même bien agencé, puisque dès que
cet abaissement cesse, Brigitte va voir ailleurs, va rechercher l'abaissement d'un autre jeune homme, que nous
voyons, comme Octave, devenir pâle, tremblant, malade,
passif et féminisé. En effet, Octave s'est brusquement
ressaisi, le mâle s'est réveillé en lui, il a retrouvé son
essence, avec le goût de la sincérité. Il n'est pas très
explicite sur ce changement — motivé apparemment par la
confiance qu'il a maintenant en sa maîtresse, après qu'elle
a tout quitté pour le suivre — mais ce qui est parfaitement
explicite c'est la rapidité extraordinaire avec laquelle,
alors, Brigitte change de partenaire. Une fois que son
amant a retrouvé sa vérité, sa virilité, sa force, son
contrôle, etc., ça ne traîne pas, on note en elle « un
changement ». Ce qui apparaît, c'est que Octave, lui,
s'élève avec une rapidité toute terrienne. Il redevient très
évidemment créatif, il envisage une vie, avec Brigitte,
d'envol, de certitude, de solitude heureuse. L'agencement
des paragraphes est troublant. Voilà, l'amant rêvant :
« nous sentions s'élever en nous ce sentiment plein d'une

grandeur étrange qui s'empare du cœur à la veille des
longs voyages, vertige secret et inexplicable qui tient à la
fois des terreurs de l'exil et des espérances du pèlerinage.
O Dieu, c'est ta voix elle-même qui appelle alors, et qui
avertit l'homme qu'il va venir à toi. N'y a-t-il pas dans la
pensée humaine des ailes qui frémissent et des cordes
sonores qui se tendent ? » Eh bien, il n'y en avait certainement pas chez Brigitte, car c'est précisément au
moment où son amant s'épanche en ces envolées créatrices
où nous retrouvons tant d'éléments déjà analysés, et entre
autres, le sentiment de la divinité possible, où le mâle se
voit déjà déifié, c'est donc précisément à ce moment-là
qu'elle change, « languit », « baisse la tête », « garde le
silence ». La rencontre, tout de même, ne peut pas être un
hasard, et on a du mal à ne pas penser que, ce qui se passe
c'est que Brigitte ne *peut pas suivre son amant sur ce plan.*
Dans sa contingence, dans sa médiocrité, dans son corps
de femme, elle doit le laisser là. Soit qu'elle ait peur, soit
que l'absolu lui soit à jamais fermé, il est certain qu'elle se
met à souffrir comme quelqu'un qui manque d'air. Sa voix
est éteinte, elle est pâle, elle s'évanouit. Octave a atteint
des hauteurs qui l'épuisent. Elle doit rester dans sa boue,
dans sa fange. Etonnante vengeance du jeune coq qu'est
Musset, qui sait parfaitement ce qui va faire mal à George
Sand, qui connaît les préjugés que le siècle a contre les
femmes écrivains, et qui, avec un sûr instinct du schéma
créateur, bafoue la femme autant qu'on peut la bafouer. Il
est vengé. Le reste devient trivialité qui abaisse également
son rival. Ne pouvant suivre dans son envol un jeune
créateur, la Sand prit un docteur, qui naturellement, volait
moins haut... On sait que George Sand ne fut pas
enchantée de ce roman. Il y avait de quoi. Elle fit bonne
figure. Il n'en reste pas moins que la question posée par *La
Confession* et qui est : « qui, dans cette affaire, a fait
manquer l'absolu, qui est coupable ? » constitue un débat
judiciaire qui ne se situe plus entre Rousseau et Jean-

Jacques, mais entre l'Homme et la Femme, et nous savons
bien que si l'Homme crie « c'est moi le coupable, c'est moi
le coupable » en se frappant la poitrine dans un grand élan
de générosité et d'altruisme, sa dialectique, et les preuves
qu'il avance avec une naïveté feinte et des gestes de
dénégation, désignent la Femme à la vindicte publique.
Dans ce tribunal de la littérature où le juge a toujours l'air
d'être Dieu, où on l'invoque à tout moment, où on le prend
à témoin, où on a l'air de solliciter son indulgence pour la
Femme et sa dure justice pour l'Homme, le créateur
demande compte à Dieu de l'ignominie de la Femme, se
plaint, et assumant finalement la Faute divine, demande à
être crucifié à la place de la coupable, parce que *elle ne
sait pas ce qu'elle fait*. Au demeurant, elle est pitoyable,
cette malheureuse femme, punie atrocement, dans sa
chair, du mal inconscient qu'elle fait, et voilà Octave,
contemplant sa maîtresse endormie, au moment où il veut
la quitter (tout en prétendant que c'est elle qui le quitte,
puisqu'elle ne l'aime plus, et bien qu'elle lui ait sacrifié
son nouvel amour) et détaillant avec une cruelle précision
ses flétrissures, son teint jaune, sa maigreur, les signes
évidents de son vieillissement. Car elle vieillit, elle, la
femme, elle paye ainsi l'abêtissement dans lequel elle jette
son amant, et Octave s'écrie : « Elle était là, ma fleur
fanée, prête à mourir, consumée par l'amour » (on imagine
le plaisir qu'eut la belle George Sand, qui, en fait, n'avait
que six ans de plus que Musset, à lire ces douceurs). Il
faut qu'il soit bien entendu que la femme n'a que son corps
pour porter les stigmates du Mal, et que c'est ce corps qui
en témoigne. Les termes employés : « consumée, fanée »,
etc., sont extrêmement révélateurs de ce que nous appelle-
rons clairement la mutilation et le sacrifice de la femme.
Le propos ici est obscurci par la souffrance réelle qu'a
subie Brigitte dans ses relations avec un amant quasi fou et
qui se présente comme tel, mais dans *La Maison du berger*
par exemple, la malheureuse, « mourante » d'amour, elle

aussi, comme toutes ces femmes romantiques, ne semble avoir fait aucune expérience horrible. Sa mort, totalement gratuite et absurde, révèle mieux encore le propos du créateur. Dans le cas d'Octave, sa sensualité, sa dépendance charnelle, ses violences, jalousies, orages inspirés par la présence funeste de la femme, l'ont consumée, elle, fanée, et elle est victime de la flamme (d'où le sens de la métaphore de l'orage si chère à Musset comme à Gœthe) qu'elle a fait naître. Cependant, malgré les apparences, nous ne sommes pas encore sortis de la question fondamentale : « qui est coupable », et Octave continue à battre sa coulpe devant une Brigitte sans tache et à se dire qu'elle ne connaît pas le mal. Dans la première partie, Octave se disait : le mal est en moi, j'ai été contaminé par cette première femme infecte qui m'a appris la trahison et le mensonge de la femme, c'est donc moi qui suis coupable. Dans la deuxième partie, le mal, c'est Smith, qui lui met au cœur l'inquiétude et qui, peut-être, motive le changement de Brigitte. Or celle-ci le nie. Elle prétend aimer encore Octave. Elle le suivra. Elle quittera pour lui la France. Alors se situe une nuit capitale où, encore une fois, le héros s'accuse. Elle vient de lui avouer qu'il l'a fait beaucoup souffrir et il se fustige encore, s'accable, il n'a pas su l'aimer, il l'a flétrie, mais elle est encore son « idole », Dieu l'a sauvée, que le Christ la protège, il va la quitter pour qu'elle guérisse du mal qu'il lui a fait, quant à lui il retournera à sa tâche divine qui est de souffrir pour s'approcher de Dieu, etc., etc. Cette grande fustigation intime terminée — où pointe cependant à plusieurs reprises le sentiment qu'il s'affirme coupable mais qu'au fond il ne se sent pas coupable, que quelque chose en lui lui dit qu'il est innocent — il sort doucement de la chambre où dort sa maîtresse et en s'en allant trouve la lettre qu'elle destine à Smith où elle lui avoue qu'elle l'aime. Elle mentait donc. Circonstance aggravante, quand elle lui disait, quelques heures auparavant qu'elle l'aimait,

elle venait d'écrire à Smith la même chose, tout en lui
disant bien sûr un éternel adieu. Voilà comment elle avait
répondu à la grande prière de sincérité de l'homme.
Cependant, elle entend ne pas quitter Octave, car elle lui a
tout sacrifié et « il ne peut vivre » sans elle. A partir de ce
moment-là, Octave se retrouve, devient grand, généreux,
magnanime, donne sa maîtresse à son rival, souffre certes,
mais enfin, il se débarrasse de la fin de son récit en
quelques pages, avec une espèce de soupir de soulagement
comme si, tout, en fait, était rentré dans l'ordre. Et c'est
bien ce qui s'est passé. Cette Brigitte était vraiment trop
bien, il y avait quelque chose de bizarre là-dessous et qu'il
savait bien inconsciemment puisque, quand sa raison lui
disait : « tu es coupable », quelque chose en lui s'éton-
nait, pensait à sa pureté passée, et s'écriait : « Moi, faire
le mal, moi à qui ma conscience, au milieu de mes fureurs
mêmes, disait pourtant que j'étais bon. » Et il répète « ce
n'est pas moi qui agissais ainsi, mais mon destin, mais
mon mauvais génie » (entendez : la femme) « je ne sais
quel être qui habitait le mien mais qui n'y était pas né ».
Et on le croit, car il se parle à lui seul, et il fait un tel effort
de sincérité. Après qu'il ne soit ainsi absous, il revient en
arrière, et se fustige de cette absolution. Le moyen de ne
pas le croire sincère ? D'autant plus que notre opinion est
faite. Le pauvre garçon est victime de l'amour. Et l'amour
qu'est-ce que c'est ? Eh bien, mais... c'est la femme.
Alors, quand nous nous apercevons qu'en fait Brigitte était
bien comme les autres, qu'entre elle et la femme impure de
la société parisienne il n'y a en fait qu'une question de
degré, ou de temps (elle, il lui faut six mois pour changer
d'amant, la courtisane, il lui faut huit jours), nous sommes
bien soulagés. Ce pauvre Octave ne s'était pas trompé.
Quant à lui, bien sûr, il a le triomphe modeste, mais enfin,
il est assuré de sa supériorité, et de l'abaissement définitif
de la femme. Desgenais avait raison, les femmes changent. C'est dans leur nature. Et quand il lui disait qu'il

fallait les prendre quand elles vous aimaient, et surtout, toujours chercher à savoir si on était aimé, il avait raison. Coquette, grisette, femme du monde ou femme vertueuse, toutes les femmes sont les mêmes. Devant l'abaissement de Brigitte, Octave paraît s'en débarrasser en la donnant à Smith : c'est tout ce qui lui convient, elle ne mérite pas mieux. Au demeurant, c'est un charmant jeune homme. Vertueux et sans fantaisie. Quant à lui, il soupire pour la forme, mais il est aussi très satisfait : il se donne le beau rôle, et son attendrissement est sur lui-même. N'est-il pas d'une générosité et d'une grandeur insignes quand il offre à cette femme, tombée, indigne, contingente, changeante, incapable d'absolu, qui n'a pu le suivre nulle part, ni dans l'amour, ni dans la création, ni dans la fidélité, le titre d' « ami » ?

De la pauvre Brigitte, il ne reste finalement pas grand-chose. Outre qu'elle porte en elle la léthargie comme une maladie contagieuse, elle aime l'abaissement de son amant, et le veut médiocre et passif comme elle. Mais sa jalousie de la création va plus loin encore, et s'exprime dans son dessein de *ne jamais avouer à son amant qu'elle a changé*. Pendant des pages et des pages, il la tourmente pour savoir la vérité. Au cours d'une scène dramatique, il l'interroge directement. Non. Elle ne veut pas avouer. Elle ne veut pas qu'il sache qu'elle est soumise au temps, qu'elle change, que face à lui, si absolu, si élevé, si inchangeable, elle est contingente. Une fois de plus elle veut *s'approprier la virilité*. Etrange chose que ce roman où Musset dévoile le sentiment dans lequel son siècle se tient à l'égard des femmes qui veulent créer. Elles ne peuvent le faire qu'en *volant* quelque chose à l'homme, en se voulant comme lui, *en mentant*. Et c'est bien ce que fait Brigitte Pierson : elle ment. Mais il apparaît alors qu'elle le sait, et qu'en aimant un autre homme elle s'est condamnée à une féminitude qu'elle rejette de toutes ses forces. Cela est une condamnation de la femme et de la main même d'une femme, circonstance aggravante. Tant il est vrai, et nous l'avons maintes fois remarqué, que le créateur demande toujours à la femme de faire le sale travail antiféminin et de reconnaître, elle-même, la supériorité de l'homme. C'est ce que fait Brigitte, symboliquement, en mutilant sa chevelure et en donnant une mèche de cheveux à son amant, avec, écrit Musset « un sourire étrange ». Oui, c'est une « belle journée », journée de victoire pour le mâle, car après s'être demandé avec les tortures de l'angoisse, pendant plus de trois cents pages si, au fond, elle n'était pas son égale, il a enfin la conviction rassurante de l'abaissement et de la contingence de la femme : il peut vivre et continuer à créer, dans sa solitude reconquise.

MME DE MORTSAUF : LA FEMME-SEXE

(Balzac : *Le Lys dans la vallée*)

L'enfance de Félix de Vandenesse c'est celle de *Bénédiction* (Baudelaire) : « Loin d'adoucir mon sort, mon frère et mes deux sœurs s'amusèrent à me faire souffrir. » Mais si l'être médiocre succombe à cette féminité imposée, à cette violence qui en fait un passif, un faible, « un esclave », celui qui porte en lui, dès l'enfance, la force de lutter contre l'envahissement de la léthargie due au rôle de femelle qu'on lui impose, celui-là est le créateur, soit qu'il regarde au-delà, vers sa divinité phallique, comme le fait Baudelaire, soit qu'il devienne sauvage et connaisse cette « fierté », qui est la marque virile. Félix découvre ainsi son autonomie et qu'il n'a besoin de personne pour être heureux : « Je bénissais mon abandon et me trouvais heureux de pouvoir rester dans le jardin à jouer avec des cailloux, à observer des insectes, à regarder le bleu du

firmament. » Jouissance créatrice de l'androgyne. Son
aspiration à la totalité s'exprime par son amour des étoiles
qu'il contemple, au risque de se faire gronder, car les
femmes qui l'entourent, sœurs, mère, gouvernante, ne
comprennent rien, naturellement, aux étoiles. En compensation, il jouit de cet état viril lorsqu'il le trouve, et ce sont
des « délices », à contempler l'étoile de son enfance.
Seuls délices en vérité, délices de l'homme seul se
contemplant soi-même et découvrant sa transcendance, car
les délices de la présence maternelle, il les ignore. Voilà
qui est essentiel pour la suite du roman, car la mère, dont
il ne sait ce qu'elle est, il la recherche, le malheureux,
dans les femmes qu'il rencontre, en faisant la même erreur
que Werther ou Octave qui est toujours de ne pas savoir
comment est la femme dans sa sordide réalité. Or, la mère,
c'est l'être protecteur. Comment se tromper à la première
image qui suit l'apparition de Mme de Mortsauf : « Une
femme se posa près de moi par un mouvement d'oiseau qui
s'abat sur son nid » ? L'être qui « couve », c'est le
créateur qui couve son œuvre (V. Hugo), qui protège les
faibles. D'ailleurs, la mère idéale s'apparente immédiatement à la création : « aussitôt, je sentis un parfum de
femme qui brilla dans mon âme comme y brilla depuis la
poésie orientale ». Métaphore poétique qui est ici sans
ambiguïté. Ainsi le geste fameux de Félix se jetant sur les
épaules de la femme et les baisant est-il le geste de
reconnaissance, de familiarité, de l'enfant à la mère, et il
ne s'y trompe pas : « je me plongeai dans ce dos comme un
enfant qui se jette dans le sein de sa mère ». La
découverte de la mère, d'ailleurs, ce sont les seins : « je
fus complètement fasciné par une gorge chastement
couverte d'une gaze… » La scène, admirable, est parfaitement clarifiée par la candeur descriptive de Balzac qui
retrouve, pour détailler les épaules, la tête, les cheveux, la
gorge de la femme, la curiosité naïve et passionnée de
l'enfant qui découvre la mère. Au vrai Mme de Mortsauf est

doublement mère : ses enfants, chétifs, elle doit leur donner la vie à chaque seconde. La vigilance maternelle ranime la vie à chaque instant, et être mère, c'est accoucher mille fois. D'ailleurs il faudrait dire qu'elle est trois fois mère, car elle est aussi la mère de son mari, malade, malingre, fou, qu'elle ranime, lui aussi, sans cesse. Elle transfuse sa vie, sa chaleur en eux. Félix immédiatement subit la même emprise maternelle : « Comme les enfants, j'eus moins chaud quand elle ne fut plus là. » Mais c'est parce qu'en elle tout est mère, qu'au lieu d'être funeste et d'apporter la mort, comme Charlotte ou comme Mme de Rênal, elle soutient la vie, c'est parce qu'elle ne connaît rien des tumultes de la passion. Félix s'en aperçoit très vite : « elle ne savait rien de l'amour ». Bien plus, disciple de M. de Saint-Martin qu'elle a connu chez sa tante, la duchesse de Verneuil, elle tient de sa doctrine, avec la « douceur inaltérable », ce « je ne sais quoi de maternel » qu'a l'ange céleste qui méprise la souffrance. Terme fort révélateur en vérité. Car cette souffrance, elle la connaît, c'est la souffrance qui fustige la femme, celle que connaît la mère devant la maladie de ses enfants, l'angoisse pour leur vie, l'injustice d'un mari malade. Félix, qui veut s'identifier à la mère, découvre alors les violences faites à la femme : « Pendant les premiers moments de mon séjour, *je tentai de m'unir intimement* au comte, et ce fut un temps d'impressions cruelles ». Et à la jeune femme qui lui demande, bouleversée d'être comprise : « Avez-vous donc été femme ? » (propos si clair pour notre schéma), il répond cette parole étonnante, qui révèle la féminité comme une véritable anormalité, une faute de la nature : « Ah…, mon enfance a été comme une longue maladie. » La femme « animal malade » apparaît ici sans que cela soit choquant pour Mme de Mortsauf qui se pense mère et mère exclusivement, mettant elle-même, et d'elle-même, une différence fondamentale entre deux états qu'elle juge

opposés. Aussi bien commence-t-elle à faire au jeune
Félix une place de mère dans son sein : « J'avais fini par
entendre en elle des remuements d'entrailles causés par
une affection qui voulait sa place. » D'ailleurs l'amour de
Félix se repaît de cette maternité. C'est une mère qu'il
veut, et sa joie est parfaite lorsqu'elle le traite comme un
de ses enfants : « La comtesse me jeta un de ces
remerciements muets qui brisent un cœur jeune, elle
m'accorda le regard qu'elle réservait à ses enfants. » Ce
regard de mère en fait, c'est comme une nouvelle vie pour
lui, comme s'il lui était donné d'être accouché de
nouveau : « Je sentais en moi ce regard, il m'avait inondé
de lumière, comme son Adieu, monsieur avait fait ressentir en mon âme les harmonies que contient l'*o filii, o filiae*
de la résurrection pascale. Je naissais à une nouvelle
vie. » Or, Mme de Mortsauf connaît la femme en elle, elle
sait la jalousie, la violence, la sensualité de la femelle.
« Croyez-le » s'écrie-t-elle avec exaltation « une vie
d'amour est une fatale exception à la Loi terrestre : toute
fleur périt, les grandes joies ont un lendemain mauvais,
quand elles ont un lendemain ». Vision qui rappelle celle
de Mme de Clèves qui sait que la chair est touchée par la
mort. En voulant être mère avant tout, elle veut que la
chair soit sublimée par le sacrifice : « Les femmes qui
sont exclusivement mères ne s'attachent-ils pas plus
par les sacrifices que par les plaisirs ?... Si mes souffrances servent au bonheur de ma famille, est-ce bien des
souffrances ? » Enfin voilà en Mme de Mortsauf
l'apothéose maternelle, qui rejette l'amitié souffrante de
Félix, parce que, mère, elle se sait sublime, et qu'elle ne
veut pas de la chute que la femme représenterait pour
elle : « Sachez-le, monsieur, mon cœur est comme enivré
de maternité. » Ainsi apparaît la jouissance de la mère,
analogique de la jouissance mutilatrice du mâle créateur,
et qui est le *sacrifice* de la féminité. Les relations établies
entre Félix et Henriette sont claires : elle l'aimera comme

un fils, elle sera sa mère (et nous avons à cet égard quelques scènes révélatrices où le jeune homme se fait caresser le front comme Jacques ou Madeleine, par exemple), quant à lui, il l'aimera comme l'aimait sa tante, la duchesse de Verneuil, seconde et seule vraie mère de Mme de Mortsauf.

Dans ce rôle de mère, si le désir charnel est bafoué, la jouissance de Félix est cependant totale. Voilà établie finalement la relation parfaite entre un homme et une femme, nous dit Balzac, chacun mutilant en soi ce qu'il y a de passivement féminin. Pas de passion charnelle satisfaite chez Félix, d'où jouissance créatrice, pas de jalousie et de violence chez Henriette, d'où jouissance maternelle. On pourrait presque dire : jouissance créatrice, car Balzac donne à la mère quelque chance de grandeur littéraire inconsciente. Lorsqu'elle est au plus haut de sa maternité et de son sacrifice féminin, lorsque son enfant malade est mourant et qu'elle le ranime à chaque seconde, l'accouchant chaque fois, elle vit l'encerclement du créateur, et tout naturellement la Poésie naît en elle : « Durant ces trois mois, elle avait, disait-elle, vécu d'une vie tout intérieure ; elle avait habité comme un palais sombre... Elle disait des poésies suggérées par la solitude, comme aucun poète n'en n'a jamais inventé ; mais tout cela naïvement... » Processus créateur qui cependant la dépasse et dont elle ne fait rien. N'est-ce pas le destin de la femme de ne se jamais connaître ? Ce qu'elle sait cependant, c'est la force du sentiment maternel qui lui donne une seconde vue pour ses enfants, des visions, et qu'elle étend à Félix. Si donc la femme est aveuglée, si la chair la rend incapable de voir la vérité du monde, si les amantes balzaciennes sont folles (et on pense à Louise de Chaulieu, dans les *Mémoires de deux jeunes mariés*), la mère, débarrassée de la féminité, est clairvoyante, au-delà même du sensible. C'est la mère qui devine et pressent. En cela, elle est proche du Poète, avec cette différence

essentielle, que l'esprit du Poète est vaste (« les vastes
éclairs de son esprit lucide »), qu'il englobe tout l'univers
(Hugo), qu'il conçoit tous les temps (« imposer tous les
temps et tous les univers »), quand la femme n'est voyante
que dans sa fonction de mère, c'est-à-dire pour ses seuls
enfants. Et Henriette s'en attriste : « Par quelle loi ne
puis-je user de ce don merveilleux que pour mes enfants et
pour vous ? » Par la loi qui la fait femme, tout simplement,
même si elle est mère avant tout. Or, c'est elle qui a le
pouvoir de maintenir cette relation parfaite du fils à la
mère, et si c'est elle qui en a le pouvoir, c'est bien elle qui
sera coupable si cette relation se détruit. Le soir de son
retour de Gand, Félix est dans sa chambre, agité de désirs.
Il descend et colle son oreille à la porte de la sienne :
« j'entendis son égale et douce respiration d'enfant ». Une
telle disponibilité maternelle à la pureté a le pouvoir alors
de le ramener à ses dispositions parfaites de fils : « Quand
le froid m'eut saisi, je remontai, je me remis au lit et
dormis tranquillement jusqu'au matin. »

Et puis, devant l'horreur des conséquences de la chute,
on reste confondu. Car c'est bien d'une chute qu'il s'agit,
d'une rentrée dans l'atmosphère. La femme reprend le
dessus, la femme de chair et de sens, qui éprouve des
désirs charnels brûlants, et certes, à lire Balzac, on
s'imagine qu'il s'agit là d'une véritable métamorphose
kafkaïenne. C'est donc un monstre que cette femme, à voir
curés effrondrés, enfants terrorisés, maison désespérée,
bonnes et marmitons courant de tout côté. Qu'est-ce donc
que cette femme ? mais une bête. Une bête qui ose
effleurer de sa bouche l'oreille de son amant, d'une bouche
brûlante — et d'ailleurs, le malheureux en est terrorisé :
« Je fus épouvanté par cette folle caresse » —, une bête
qui l'embrasse, une fois, la seule, « violemment », et il
dit, « hébété de douleur » : « *Non...* ce n'est plus elle. »
Cette atteinte de la chair est une maladie, et d'ailleurs,
Balzac punit Henriette, elle en meurt, et de façon combien

symbolique : d'inanition. Monstrueuse par la chair, c'est la chair qui périt en elle, c'est la source de la survie corporelle qui se tarit. Le créateur condamne et châtie cette passivité du désir aveuglant qui est le fait même de la féminité ressentie comme plongée dans l'abîme du mal. Car nous avons vu ce qu'était la mère : sacrifice, mutilation volontaire, chasteté — M. de Mortsauf se plaint amèrement devant Félix de la vie monastique qu'elle lui fait mener en se refusant à lui — oubli de la chair, mais aussi rayonnement de l'amour, vie, qu'elle transmet à chaque seconde, et surtout, clairvoyance pour ses enfants. Une fois mutilée en elle la femme, elle connaît la jouissance de la mutilation, elle propage cette jouissance. Voilà maintenant la femme, qu'elle attrape comme une maladie, comme si elle avait été contaminée par Lady Dudley, qui immédiatement lui sert de modèle (« moi aussi j'apprendrai à monter à cheval, et je t'appellerai My Dee »). Le résultat n'est pas très beau : cette fleur resplendissante devient une fleur fanée (cf. Musset). Teint jaune, amaigrissement, yeux « cave ». Une femme-femme est une femme malade, bien sûr. On se souvient du symbolique : « Il y a toujours quelque chose de détraqué dans ces machines-là » de M. de Rênal. A partir du moment où M. de Mortsauf se plaint à Félix du « *changement* » de la comtesse, nous avons la série des symptômes habituels, soutenus d'ailleurs par l'ample analyse que Vandenesse fait de Lady Dudley. Après le corps qui est affecté — et cela on le remarque constamment, même les enfants s'en inquiètent : Madeleine : « Ma mère souffre souvent et beaucoup » — c'est le caractère qui se ressent de l'intrusion de la chair : « elle, si douce, si dévouée jusqu'ici, devient d'une maussaderie incroyable ». C'est le principe mutilateur de la volonté qui est atteint, et nous nous apercevons que la maternité est un état acquis : *on est femme, on devient mère.* Pour preuve : la comtesse refuse et rejette ses enfants, au plus fort de son délire sensuel :

« Vous me coûtez bien cher », dit-elle à Jacques et Madeleine « en les repoussant de son lit ». Telle est la grandeur de la mère qui la rend proche du créateur : sa pente naturelle la porte à être femme, sa volonté mutilatrice de sa féminité en fait une mère. La maternité est une violence que la femme se fait subir, qui la grandit et qui la sauve. La création est une violence que le mâle se fait subir qui le grandit et qui le sauve. Le créateur est donc une mère, si la mère n'est pas un créateur. Mais l'amour de la comtesse pour Félix, il le ressent, lui, comme un inceste. Il voulait une mère, pour connaître la grandeur de la maternité, et déceler ou former la maternité en lui. C'est fait, et pour qu'on ne s'y trompe pas, il a quelques phrases révélatrices. Outre son étonnement, sa terreur, son épouvante, face à cette mère qui se veut brusquement amante, et qui force en lui un tabou sacré, face à cette harpie qu'il décrit dans son égarement sensuel avec un sentiment scandalisé, il ne répond à son attente, à ses demandes que par la reconnaissance de l'authenticité de leurs relations passées : « J'écoutais sans répondre ou plutôt je répondais par un sourire fixe et par des signes de consentement, pour ne pas la contrarier, agissant *comme une mère avec son enfant.* » Mais cette fixité, cette hauteur, ce silence, ce sont les condamnations de la femme, dont la plus terrible suit et, une fois de plus, rejette la malheureuse dans la contingence, dans le code. Car, quelle est-elle, en fait, cette femme malade, perdue, basse, en pleine chute, défaite et condamnée ? Une enfant. « Après avoir été frappé de la métamorphose de la personne, je m'aperçus que la femme, autrefois si imposante par ses sublimités, avait dans l'attitude, dans la voix, dans les manières, dans les regards et les idées, la naïve ignorance d'un enfant, les grâces ingénues, l'avidité de mouvement, l'insouciance profonde de ce qui n'est pas son désir ou lui, enfin toutes les faiblesses qui recommandent l'enfant à la protection. » Qu'est-ce que cela veut dire ? Tout simplement que la

sainte Henriette est revenue à ce qui en elle précède
l'éducation, mais quel état horrible pour la femelle ! Le
mâle qui retrouve son enfance, c'est la pureté qu'il
retrouve. Dans cet être battu, et dont il dénombre les
stigmates de la dégradation, l'homme retrouve la fillette.
Bien sûr, l'invraisemblance est telle qu'il faut trouver un
biais : nous avons déjà remarqué que c'est dans les
invraisemblances, dans les absurdités, qu'alors on accepte
comme des fictions romanesques, que se trouvent les
enseignements les plus cruels et les plus révélateurs du
schéma. C'est le moment où (la femme pourrait se rebeller)
le créateur enfonce le clou avec le plus de violence. Car la
maisonnée n'est pas désespérée parce que Henriette meurt
(ce qui serait normal), mais parce qu'elle *meurt mal*. C'est
dit. D'ailleurs, on la pousse un peu à mourir. Sa résistance
est telle qu'elle ne s'y décide pas. Or, après une telle chute
(?), que pourrait-elle faire d'autre ? Lorsque le médecin la
voit reprendre vie pour aimer son amant, il s'écrie qu'il
faut l'épargner. Au cas où elle aurait le mauvais goût
(entendez bien sûr péché, monstruosité) de ne pas mourir,
on va l'y forcer et « l'envelopper d'opium ». La charité est
double : elle est physique, mais elle est aussi clairement
morale. Quant à Félix, il ne s'y oppose pas. Cette mort lui
paraît naturelle et inévitable. Or cela est très grave car elle
paraît aussi naturelle et inévitable au lecteur. En vérité,
tout le monde a l'air de savoir que, parce qu'elle a fauté,
elle doit mourir, elle est devenue ce « quelque chose sans
nom de Bossuet, qui se débattait contre le néant, et que la
faim, les désirs trompés poussaient au combat égoïste de la
vie contre la mort ». C'est fait, la comtesse est dominée
par une force incontrôlable qui vit en elle comme un
parasite, comme si la féminité justement était un parasite
dont il faut se débarrasser. Elle est le siège d'un affreux
combat shakespearien où remonte à la surface d'elle-même
tout ce que son éducation a vaincu, tout ce que sa volonté a
annihilé.

« Son front… exprimait l'audace agressive du désir, et
des menaces réprimées. Malgré les tons de cire de sa face
allongée, des feux intérieurs s'en échappaient par un
rayonnement semblable au fluide qui flambe au-dessus
des champs par une chaude journée. » Nous y sommes,
Mme de Mortsauf, c'est le diable ! Ainsi la femme qui désire
sexuellement est possédée, elle n'a ni centre ni autonomie
et par là même, apparaît-elle dans notre littérature comme
extrêmement tragique, puisque sa responsabilité est totalement limitée. On pleure sur son impuissance avec l'espoir
que l'homme puisse l'éclairer, ou la religion et qu'enfin,
comme Kitty Bell (*Chatterton*), elle s'écrie : « Je ne suis
qu'une femme simple et faible. *Je ne sais rien que mes
devoirs de chrétienne.* » On remarquera d'ailleurs chez
Kitty Bell le même processus que chez la comtesse de
Mortsauf : mère, elle est sauve, sublime et efficace, elle
soutient Chatterton. Amante, c'est-à-dire déchue, elle n'a
plus qu'à mourir et elle ne peut plus rien pour personne. Il
est certain — et les démons nous incitent à le penser —
que nous retrouvons ici le schéma chrétien où la Vierge
Marie, c'est la mère, mère qui sauve et rachète la femme.
Enfin, grâce à l'opium, la maternité revient in extremis à la
comtesse et tout est sauvé, elle meurt mère, donc aussi
parfaite que puisse l'être une femme. Sa lettre, bouleversante — comme d'ailleurs l'ensemble du roman — donne
la mesure du malentendu tragique qui exista entre elle et
Félix, et surtout, lui en fait porter, à elle, implicitement,
une grande part de responsabilité. En effet, toute notre
analyse montre que Vandenesse, assoiffé de maternité,
veut à la fois connaître et s'identifier à la mère. Cette
identification, elle apparaît à la fin lorsque la comtesse,
infantilisée, devient en quelque sorte son enfant. Mais
c'est son geste, le plus ouvertement tendu vers la maternité, le baiser du bal, qui cependant déclenche chez
Mme de Mortsauf la violence du désir charnel. Or c'est un
geste dont il n'était pas responsable, instinctif et qui engage

la responsabilité de sa propre mère plutôt que la sienne. Mais il a allumé le démon en la comtesse et cependant, dans le reste du roman, il s'en justifie et s'en fait approuver par le sentiment où il est, et qu'il communique à son lecteur, qu'il maintient ainsi Henriette dans une grandeur extraordinaire pour une femme. Elle lutte, elle combat, elle mutile, elle taille à vif dans sa chair. Tant que la mère est victorieuse, elle n'est pas femme, et donc nous l'approuvons, car Balzac et Vandenesse en décident ainsi. Mais elle rompt le pacte. Pourquoi ? Parce que sa perfection attire la jalousie du monde, et deux femmes s'acharnent à faire revivre la femme en elle : sa mère, qui lui parle de Lady Dudley ; Lady Dudley, elle-même, qui veut Vandenesse pour triompher de la mère. C'est par les femmes que le mal arrive. De sa chute, Henriette s'accuse et s'affirme ainsi plus coupable que Félix.

Les femmes qui l'accusent, lui : Madeleine, Nathalie, semblent dures, insensibles et surtout incompréhensives. Il serait l'assassin d'Henriette ? Non. Elle est son propre assassin, c'est le démon qui sommeillait en elle et qu'elle connaissait, qu'elle avait à plusieurs reprises évoqué, qui l'a terrassée : « En tombant sur mon cœur, ce coup de foudre y alluma des désirs qui sommeillaient à mon insu... J'étais aussi une de ces filles de la race déchue que les hommes aiment tant. » De même que Brigitte Pierson était au fond semblable aux femmes perdues qu'Octave avait connues à Paris (*La Confession d'un enfant du siècle*), Henriette n'est pas vraiment différente de Lady Dudley, et s'en accuse. Même chair, même sang, même passivité fondamentale. Alors, dira-t-on, si Félix n'était pas arrivé là, à ce bal, avec son besoin de tendresse maternelle, rien de tout ceci ne se serait passé ? Peut-être... mais, à voir l'ampleur de la catastrophe, il apparaît assez clairement que la comtesse de Mortsauf portait en elle, inéluctablement, sa fin tragique. Cette violence, cette jalousie, qu'elle se connaissait, et dont elle parle si tôt dans le roman à Félix, n'auraient-elles trouvé, jamais, aucun prétexte à s'exprimer ?

Quant à Félix, que pouvait-il faire, le malheureux, contre le déchaînement meurtrier de la femme, qui ne peut que se détruire soi-même et détruire ceux qui l'entourent, par une navrante destinée naturelle, dont on la plaint certes, mais dont *elle,* et surtout elle, se condamne ?

THÉRÈSE RAQUIN : LA FEMME-CORPS

Où il est indiqué que la femme ne peut même pas prendre
les caractères secondaires de la masculinité

(Zola : *Thérèse Raquin*)

Avec Thérèse Raquin, finie la femme porteuse de culotte ou fumeuse de pipe. L'homme peut avoir une physiologie féminine. La femme ne peut jamais développer en elle un tempérament viril. Zola est encore plus puritain et phallocrate que Baudelaire, Vigny ou Balzac. La femme a un corps. Ce corps lui donne un certain nombre de caractères généraux. Un point c'est tout. L'hermaphrodite physique peut être un homme. Jamais une femme. Et pourtant, au-delà de cette transposition sur le mode du fonctionnement organique des caractères psychologiques habituellement exposés par les romantiques, Zola veut faire du neuf. C'est l'homme qui est encombré de son corps, qui est adipeux et lourd. C'est la femme qui paraît physiquement plus immatérielle. C'est l'homme qui ne lit jamais, qui est une brute épaisse. C'est la femme qui a une sensibilité, un goût exalté (comme Emma Bovary) par les livres, un espoir de sortir de son tragique marasme. Et c'est pourtant l'homme qui crée.

Laurent et Thérèse sont des « brutes », c'est-à-dire

qu'en eux les réactions nerveuses, les influx physiques
conditionnent totalement le comportement. Ainsi Zola
décrit-il avec beaucoup de précision leurs deux physiolo-
gies, donnant à Laurent un tempérament sanguin, lourd,
gras, et à Thérèse une nature physique nerveuse et sèche.
Or, leur rencontre va transformer Laurent et porter à
l'excès le tempérament primitif de Thérèse. Lui, le mâle,
aura, sans qu'on sache bien pourquoi, sans que Zola s'en
explique le moins du monde, l'aptitude remarquable à
prendre en lui les caractères de sa maîtresse, et deviendra
un être plus complet, à la fois viril, comme il l'était
auparavant, et femelle, puisque ses nerfs, des nerfs de
femme, développeront leur sensibilité au contact de
Thérèse : « Elle avait fait pousser dans ce grand corps,
gras et mou, un système nerveux d'une sensibilité étonnante... Une existence nerveuse, poignante et nouvelle
pour lui, lui fut brusquement révélée, aux premiers baisers
de sa maîtresse... Alors eut lieu en lui un étrange travail ;
les nerfs se développèrent, l'emportèrent sur l'élément
sanguin, et ce fait seul modifia sa nature... » Or il n'en va
pas de même pour Thérèse. On pourrait penser que son
amant, avec sa lourdeur, va lui apporter un équilibre
nouveau, faire pour elle ce qu'elle a fait pour lui et
modifier sa nature biologique, faisant naître en elle une
autre femme. Pas du tout. « Thérèse se trouvait, elle
aussi, en proie à des secousses profondes. Mais, chez elle,
la nature première n'avait fait que s'exalter outre mesure...
Dès la première étreinte de l'amour, son tempérament sec
et voluptueux s'était développé avec une énergie sauvage ;
elle n'avait plus vécu que pour sa passion. » Hasard, dira-
t-on ? Hasard étonnant. L'homme voit se créer pour lui,
grâce à Zola, cette dualité, qui lui ouvre la porte de la
création car elle en est la condition première. Et comme
par hasard encore, la chose ne tarde pas à se manifester.
Laurent, qui avait, par une rencontre due au hasard, et
parce que cela l'amusait, mais sans goût véritable, sans

vocation définie, fait un peu de peinture avec un ami
durant ses premières années à Paris, quand il était censé y
faire son droit, Laurent, qui y avait manifesté une
inaptitude reconnue, dont les autres rapins se moquaient,
qui n'avait pas l'ombre d'un talent ou d'un don, Laurent
devient brutalement génial. « Le peintre... resta longtemps en silence devant les études. Certes, ces études
étaient gauches, mais elles avaient une étrangeté, un
caractère si puissant qu'elles annonçaient un sens artistique des plus développés... " ... Où diable as-tu appris à
avoir du talent ? Ça ne s'apprend pas d'ordinaire. " » En
vérité, Zola est dépassé par son propos. Que veut-il faire,
en effet ? Montrer qu'il croit en la création comme une
sorte de névrose, un déséquilibre profond, obsessionnel,
où le pauvre Laurent ne peut que créer, inlassablement, le
visage de l'homme qu'il a tué : Camille. Il est en vérité
« devenu comme fou », exalté. « Puis les nerfs dominè-
rent, et il tomba dans les angoisses qui secouent les corps
et les esprits détraqués. » La création serait alors pour Zola
l'expression obsessive d'un dérangement mental et nerveux
aigu, le besoin d'exprimer, comme pour s'en libérer, le
fantasme qui assiège le quasi fou. Dans ces conditions-là,
pourquoi n'est-ce pas Thérèse — tout aussi folle, détra-
quée, obsédée et exaltée — qui écrit brusquement des
poèmes admirables ? D'autant plus qu'on l'a vue se mettre
à lire comme une démente, « elle s'abonna à un cabinet
littéraire et se passionna pour tous les héros des contes qui
lui passèrent sous les yeux. Ce subit amour de la lecture
eut une grande influence sur son tempérament. Elle acquit
une sensibilité nerveuse qui la faisait rire ou pleurer sans
motif. L'équilibre, qui tendait à s'établir en elle, fut
rompu. Elle tomba dans une sorte de rêverie vague... »
On ne peut nier ici qu'elle soit presque plus en état que
Laurent de devenir « un créateur ». Elle semble même y
être poussée par une sensibilité, ou un certain besoin qui
n'existent pas chez l'homme. Lui ne réagit, semble-t-il,

qu'aux exigences de son corps, comme une bête sensuelle. Et puis, la femme aussi, connaît la déchirante contradiction interne, puisque, par la lecture, elle est mise dans l'impossibilité d'agir selon ses instincts mais subit l'emprise de l'Idée : « Les romans, en lui parlant de chasteté et d'amour, mirent comme un obstacle entre ses instincts et sa volonté. » Alors ? Eh bien rien. Femme, elle reste femme, nerveuse et sèche, elle devient encore plus nerveuse et sèche, et sa souffrance, son déséquilibre, son angoisse, sont parfaitement stériles. Les conditions sont remplies, mais la création ne vient pas. Pourquoi ? C'est qu'elle n'a même pas pu prendre en elle les caractères secondaires de la virilité, elle n'a fait qu'exaspérer son tempérament tandis que Laurent a acquis la contrepartie femelle au sien, contrepartie d'ailleurs toute physique. Lorsque son ami le retrouve et contemple cette œuvre nouvelle et qui lui paraît de talent, il considère alors Laurent : sa voix « semblait plus douce » et chacun de ses gestes « avait une sorte d'élégance : il ne pouvait deviner l'effroyable secousse qui avait changé cet homme, en développant en lui des nerfs de femme, des sensations aiguës et délicates... Auparavant, il étouffait sous le poids lourd de son sang, il restait aveuglé par l'épaisse vapeur de santé qui l'entourait ; maintenant, maigri, frissonnant, il avait la verve inquiète, les sensations vives et poignantes des tempéraments nerveux. Dans la vie de terreur qu'il menait, sa pensée délirait et montait jusqu'à l'extase du génie ». En vérité il a subi une complète féminisation physique : la douceur de la voix, le caractère vif, aigu et sec qui, par une convention toujours retrouvée, servent à représenter la femme. Le voilà qui, comme Vigny, s'élève, s'allège, apte soudain à « l'extase » sexuelle créatrice androgyne. Mais s'il s'est transformé, Laurent n'en est pas moins resté homme, et c'est précisément pour cela qu'il crée. Parti de l'homme, l'hermaphrodite est un Poète. Parti de la femme, c'est un monstre, d'où le dégoût de

Baudelaire pour G. Sand qui, selon lui, ne peut que désirer se masculiniser, d'où son écœurement devant les hommes capables de s'intéresser à une femme intelligente, plaisir de pédérastes. Ainsi la femme a donné d'elle-même, mais elle n'a rien reçu. Ainsi l'homme s'est servi d'elle, pour se dégager de son épaisseur, de sa lourdeur, de son poids, de cette vapeur amnésique dont parle Zola et qui fait penser à Proust, et il a pu créer, grâce à ce contact. Pourquoi ? Ne serait-ce pas parce que, de toute façon, le mâle porte en lui, en germes, la totalité des caractères humains et que la femme est, quant à elle, naturellement tronquée ? Il semble bien, sur ce plan, qu'en fait de roman expérimental, Zola n'écrive rien de bien nouveau. Alors qu'il croit trouver quelque vérité objective et médicale de l'être, le voilà tombé d'instinct, par la force du schéma, dans l'éternelle histoire de l'homme naturel et de la femme codifiée, du mâle qui a une essence, et de la femme qui n'a qu'une éducation. En vérité, Thérèse a bien un tempérament, c'est-à-dire un héritage génétique, mais Zola, outre qu'il le présente comme toujours brimé, le réduit à un strict minimum biologique : « Elle était d'une santé de fer... on sentait en elle des souplesses félines, des muscles courts et puissants, toute une énergie, toute une passion qui dormaient dans sa chair assoupie. » En fait son comportement, son tempérament sont le fruit d'une éducation, de l'impuissance où elle est constamment d'agir selon sa nature. Pleine de force et de santé, elle est soignée « comme une enfant chétive », on la bourre de médicaments, elle doit rester calme et immobile pour ne pas énerver ou gêner son cousin malade. « Cette vie forcée de convalescente la replia sur elle-même... elle resta l'enfant élevée dans le lit d'un malade ; mais elle vécut intérieurement une existence brûlante et emportée. » Sa nervosité même, la porte-t-elle dans ses gènes, ou est-ce l'effet de cette éducation forcée ? Il semble bien en tous les cas que ce soit pour une grande part le fait de son

existence, de son modelage absurde par une tante
absurde : « Depuis l'âge de dix ans, [Thérèse] était
troublée par des désordres nerveux, dus en partie à la
façon dont elle grandissait dans l'air tiède et nauséabond
de la chambre où râlait le petit Camille. » Depuis l'âge de
dix ans, nous dit Zola, mais avant, qu'était-elle ? Ce
romancier qui se veut scientifique se détourne ici de son
projet et oubliant son ambition de traiter une brute,
d'étudier « un tempérament et non un caractère » (Préface), il semble pris de court devant l'obligation de donner
à la femme ne serait-ce qu'une nature physique, et
d'emblée, il en fait un être « cultivé », le produit d'une
éducation, et non pas la victime d'une hérédité. Nous y
voilà encore. Pour ce matérialiste, qui donc ne parle pas
d'essence, mais de génétique, et ne cherche pas à donner à
l'être une transcendance, il le veut dominé par la fatalité
de son hérédité, manipulé par une nature physique qui
cependant le dépasserait puisqu'elle viendrait d'avant, de
son lignage. Pour la femme, où est l'avant ? Pour Thérèse
l'avant est réduit à la constitution pleine de santé, à la
vitalité. Mais son comportement n'est jamais l'effet de
cette santé (alors que le comportement de Camille, sa
psychologie, ses relations avec les autres, sont l'effet
direct de sa maladie), il est la conséquence de l'éducation
qu'on lui impose. Ce qu'aurait été Thérèse sans cette
éducation, nous ne le saurons jamais ; comme par hasard,
cela n'a pas intéressé son créateur. Par contre Camille est
ce qu'il est par l'effet de son hérédité de malade. S'il
ignore « les âpres plaisirs de l'adolescence » ça n'est pas
parce que sa mère lui a donné une éducation bourgeoise ou
puritaine, c'est parce que « la maladie » lui a « appauvri
le sang ». S'il aime bien Thérèse, ça n'est pas par affection
fraternelle, c'est parce que, à l'occasion, elle « lui fait de
la tisane ». Son égoïsme, son esprit inquiet : des manifes-
tations de sa maladie. Il a vraiment un tempérament, que
rien ne semble pouvoir briser. Si Thérèse fut modelable,

352 La poétique du mâle

Laurent jusqu'à ce qu'il la rencontre ne le fut pas, et aussi
bien peut-on dire que son accès de génie dura peu, et son
hermaphrodisme fut de courte durée. Bien vite il réintégra
l'habitude de son tempérament : « c'était un paresseux,
ayant des appétits sanguins, des désirs très arrêtés de
jouissances faciles et durables. » Or rien chez lui, ni
éducation (qu'il rejette) ni famille (qu'il dupe) ne peut
altérer ce naturel physiologique. Et pourtant lorsqu'il
rencontre Thérèse, il se métamorphose et crée. Ce qui est
frappant chez Zola, c'est donc que, sur sa vision matérialiste et scientifique du monde, viennent se greffer deux
rameaux sempiternels de la suprématie du mâle : la femme
comme pure fabrication sociale, comme véritable non-
existant humain, et l'homme capable de devenir une
totalité autonome, susceptible de s'autoféconder pour
créer : un androgyne. Voilà qui était bien ennuyeux car
cela mettait le créateur de *La Bête humaine* en contradiction avec ses théories de la brute et du déterminisme
physiologique. Il s'en accommodait fort bien, tant il est
vrai que l'essentiel a toujours semblé aux créateurs de
préserver inconsciemment le sacro-saint schéma de la
création phallique. Sur ce dernier point on n'a guère de
mal à retrouver chez Zola, dans « l'allègement » extatique
du génie créateur de Laurent, l'envol traditionnel de
l'imagination virile enfin libérée de sa castration et qui
découvre l'immensité, en même temps que la jouissance :
« depuis qu'il avait tué, sa chair s'était comme allégée, son
cerveau éperdu lui semblait immense, et, dans ce brusque
agrandissement de la pensée, il voyait passer des créations
exquises, des rêveries de poète ». Nous pouvons déceler ici
les éléments déterminés chez Rousseau, Vigny, Baudelaire ou Proust. Il semble alors que les hommes soient
obsédés par le besoin de donner au mâle la supériorité sur
la femme de posséder un « avant » dont la femme,
première mutilation, serait totalement dépourvue, ce qui
ferait d'elle, dans la bonne tradition de la Genèse, un être

fabriqué par l'homme. Dans l'impossibilité où les matérialistes se trouvent — impossibilité brimante pour eux,
source de leur incertitude vis-à-vis de la femme, de leur
agacement ou de leur haine — de se donner une essence,
de se chercher dans le dépassement d'une transcendance
divine, on va les voir de plus en plus, comme c'est le cas
pour Zola, transposer leur besoin de consacrer le mâle
dans quelque chose qui le dépasse et donc le précède par
des moyens où l'obsession jalouse de leur supériorité virile
sera à peine voilée. Mais pour Zola, cet « avant » de
l'homme qui est son hérédité, ce qu'il transporte dans ses
gènes et qu'il a en naissant et même avant sa naissance,
suffit à lui assurer sur la femme, à qui il la dénie sans
cependant le dire, la supériorité évidente de la création.
En vérité, personne ne s'étonne que, par une décision qui
peut paraître arbitraire de son créateur, ce soit Laurent qui
crée et non pas Thérèse. Mais c'est que l'évidence de la
démonstration, et bien d'autres encore, sans doute, obscu-
res, apparaît sans faille à l'inconscient du lecteur. La
littérature est alors la répétition éternelle du même canevas
sur lequel l'écrivain, en fioritures, brode des situations
nouvelles, des comportements, ou des fictions. Mais
chacun y retrouve toujours ses anciennes certitudes qui
sont celles de l'œuvre passée. La littérature serait, en ce
sens, l'éternelle relation de la création comme seule
prérogative de l'homme, l'histoire des différentes tentatives de la femme pour s'immiscer dans cette « créatogo-
nie » et la présentation succincte des raisons pour lesquelles elle n'a aucun droit et aucune aptitude à le faire.
Siècles de rabâchages qui ont rendu les femmes hébétées.
Cependant il est vrai qu'en se déchristianisant, en se
déniant une essence, l'homme s'est mis dans l'obligation
de défendre violemment ce dont il veut garder la prérogative exclusive. Voilà pourquoi, au cours du XIXe et du XXe
siècles nous assistons de plus en plus à un rejet de la
femme hors du système créatif, à une offensive pour la

« néantiser » ou la « fabriquer ». Enfermée dans sa
nature passive, elle sera rayée, immolée par l'homme. Elle
se rebelle maintenant en cherchant à prouver que le
créateur avait tort, par tous les moyens. Comment expliquer autrement ce besoin répété de se découvrir un
lignage, une ascendance, des mères et des grands-mères
qui les précèdent, qui sont leur avant, où elles se
retrouvent : *Souvenirs Pieux,* de Marguerite Yourcenar,
Sagouine d'Antonine Maillet.

Certes, on rétorquera à toute cette argumentation que,
dans le cas de *Thérèse Raquin,* Zola nous montre la femme
une fois de plus victime, empêchée d'être soi-même par la
brimade d'une éducation qui, depuis Rousseau, se veut
ouvertement contraignante pour la femelle. Cela est vrai et
s'inclut dans un propos social. Mais une telle prise de
conscience n'est utile à la femme que lorsqu'il lui apparaît
clairement que c'est précisément parce qu'on lui dénie une
vérité qui précéderait toute éducation, toute culture qu'en
même temps elle se voit rejetée du monde créatif. Il est
tout de même étonnant de constater que lorsque Zola parle
de l'évolution de Thérèse, il emploie une grammaire
restrictive : « Mais, chez elle, la nature première *n'*avait
fait *que* s'exalter outre mesure », signe que ce phénomène
est ici une forme d'infériorité, une impuissance à opérer
une transformation qui aurait été, elle, créative. S'il est
clair alors que la femme est une victime, il n'est pas moins
clair que Laurent en est une autre : victime de ses nerfs,
victime de sa paresse. Quand Thérèse est davantage une
victime sociale, son amant, en étant victime de lui-même,
ou plutôt d'une fatalité de son hérédité dont il n'est pas le
maître, prend une dimension quasi tragique qui fait défaut
à la jeune femme. Ce qui est donc essentiel à comprendre,
c'est qu'un tel roman s'appréhende sur deux plans. Tout
d'abord, celui de deux êtres, victimes d'eux-mêmes ou de
leur éducation, que leurs actes et leur impuissance rendent
à la fois pitoyables et horribles. Dans l'horreur, il y a

même chez l'homme quelque chose qui va plus loin. Son acharnement à parler devant la vieille impotente, à la fin, son intérêt sordide pour l'argent de Thérèse, etc. le rendent plus monstrueux encore qu'elle. Mais il y a l'autre plan, et celui-là donne à l'homme une supériorité magistrale, et qui est la brutale révélation de son génie artistique. Celui-là est, au-delà des modes et des fluctuations des comportements, des philosophies et des politiques, celui qui reste, car celui qui est le plus constant et qui apparaît finalement, au milieu du chaos des conceptions mouvantes, la seule vérité jamais absolue. On plaint Thérèse ; elle est éduquée de façon abominable. Certes, mais elle ne crée pas.

EVA - Mme DE RÊNAL : LA FEMME-MORT

(Vigny : *La Maison du berger*)
(Stendhal : *Le Rouge et le Noir*)

Quelle femme n'a pas cru, lisant *La Maison du berger*, qu'Eva était l'expression magnifiée de la féminité parfaite, ne s'est pas laissée prendre à ces discours habiles, habilement manipulateurs, n'a pas pensé que ces mots : « Tu pousses par le bras l'homme ; il se lève armé » rachetait le poète misogyne du péché viril d'avoir écrit *Eloa, La Colère de Samson, La Femme adultère...* ? Et pourtant, Eva est sacrifiée, et avec elle, toutes les femmes qui ont répété avec extase, pendant deux, trois, quatre générations, ces vers sibyllins. Sibyllin, Vigny, dira-t-on ? Sibyllin certes, lorsqu'il prononce des paroles que la raison ne justifie pas, qui ont l'air alors de sortir du fond des âges, de l'évidence de la fatalité et que l'on accepte comme des vérités indiscutables. Car enfin, nous le demandons

d'emblée, pourquoi faut-il qu'Eva soit « dolente », « mourante » à la fin du poème ? Avait-on dit qu'elle était
vieille ? Avait-on dit qu'elle était malade ?

En vérité, *La Maison du berger* nous est longtemps
apparue comme l'œuvre de l'abandon total à une puissance
poétique élévatrice, profondément liée à la femme et à sa
présence inspiratrice. Or Vigny y développe l'éternel
schéma créateur. « Poésie, ô trésor, perle de la pensée »... identifie sans ambiguïté la créativité à la virilité :
« ... sitôt qu'il te voit briller sur un *front mâle* (...) Le
vulgaire effrayé... ». Poétique très claire de l'homme, où
les qualités du créateur sont des qualités traditionnellement appliquées au mâle, celles de l'activité et de
l'énergie : l'ardeur, la force. Les « tumultes du cœur »,
les relations affectives et sexuelles de l'homme et de la
femme, sont, alors, immédiatement les obstacles qu'il faut
vaincre. Métaphoriquement présentés dans leur relation
avec la mer (« comme ceux de la mer »), ils constituent un
élément fœtal, léthargique, une tentation terrible pour le
poète de s'abandonner à l'anticréation. On reconnaît là le
langage du Musset des *Nuits*. Identifiée comme la première ennemie à vaincre, la femme est mise au rang du
« vulgaire effrayé » qui redoute la puissance virile du
mâle qui crée parce que, double, il est le dieu androgyne :
« La vie est double dans les flammes. » Dualité qui est la
marque de sa transcendance et qui s'oppose tout naturellement à la contingence qui l'entoure, toute expérience
humaine étant essentiellement passagère : « Leurs discours passagers flattent avec étude... » Mais le créateur a
vaincu en lui le tumulte de la passion et la tentation de la
contingence, il s'est mutilé. Il reste seul. Avec Eva. Car
s'il a repoussé la fausse poésie, le mensonge, la muse
vénale, malade, le vulgaire effrayé, et s'il lui reste Eva,
c'est sans doute, pense-t-on que cette femme-là, au moins,
idéale, femme s'il en est, femme dans son essence, a un
rôle à jouer dans cette création résolument mâle. Or qui

est-elle ? Eh bien, elle est la souffrance de l'homme
soumis à sa violence, à son despotisme, elle est
l'implacabilité de ces « yeux puissants... de ce regard
redoutable à l'égal de la mort... » Après avoir été à l'égal
de la mort, ce regard est mourant parce que porteur de
néant, mourant parce que sacrifié, mourant parce que puni
d'être responsable du désastre de l'homme. La création,
c'est la neutralisation de la femme. Créer, n'est-ce pas
lutter chaque seconde contre la mort ? En donnant à la
femme le visage de la Parque, le créateur se donnait aussi
le luxe de l'anéantir à bon droit, cette pourvoyeuse de
cimetière. Et voilà sa souffrance de mâle : il l'aime, Eva,
elle est une partie de lui, qui est androgyne, mais elle
menace d'anéantissement le monde, il faut la vaincre, et
c'est une immolation horrible de soi pour le créateur que ce
sacrifice nécessaire de l'être qu'il aime le plus (dit-il) pour
que naisse l'œuvre, pour que continue le triomphe de la
vie. Car cet être est son miroir, son double passif, et c'est
une image de lui-même, peut-être la plus belle, mais la
plus pervertie, dont il lui faut se séparer, lui : « tourmenté
de s'aimer, tourmenté de se voir ». Mythe du Dieu des
chrétiens affligé de la chute de Lucifer, comme s'il ne
l'avait pas prévue de toute éternité, et qui regarde cette
partie de sa création, donc de lui-même, se détacher de lui
et sombrer dans le mal, avec désespoir, avec le sentiment,
communicatif, d'avoir été surpris, bafoué, floué. Nous
reconnaissons d'ailleurs fort bien là la dialectique du
colonisateur qui crie qu'on le mutile en lui enlevant sa
terre colonisée, parce qu'il l'aime, qui se désespère de voir
se détacher de lui ces hommes, qu'il a exploités, qu'il
considérait comme des sous-hommes, mais que, dit-il, il
aimait... L'amour... Amour sacrificiel et dominateur.
D'ailleurs, dans *La Maison du berger* une telle analogie
n'est pas gratuite. N'est-ce pas bien cette relation de
« colonisateur » que Vigny expose en affirmant que la
femme « règne sur la vie » de l'homme « en vivant sous sa

loi » ? Rhétorique bien connue des maîtres : on ne peut à
la fois régner et être esclave. Or la position de la femme est
justifiée mille fois ici par ses contradictions, son infantilisme, sa bêtise, son intelligence débile, etc. Quant au
fameux vers : « Tu pousses par le bras l'homme ; il se lève
armé », il constitue à la violence de l'homme un alibi fort
étrange et assez scandaleux. Mais au fond, s'il est vrai que
la violence est un instinct de mort... tout cela n'est-il pas
parfaitement logique, si la femme est la mort ? On est
enfermé là dans un système inextricable, et la femme peut
si mal s'en sortir qu'elle n'a pas cherché à le faire,
convaincue qu'elle était par une logique si implacable. Ne
faut-il pas chercher à vaincre la mort ? La fin est
conséquente, c'est l'anéantissement rituel d'Eva :

> « *Qui naîtra comme toi portant une caresse*
> *Dans chaque éclair tombé de ton regard* mourant
> ...   *ta tête* penchée
> *Dans ta taille* dolente *et mollement* couchée
> *Et dans ton pur sourire amoureux et* souffrant »

On reconnaît ici le thème de la fleur fanée (penchée,
couchée), de l'extrême souffrance (dolente, souffrant) cher
à Musset et à Goethe : mort et résurrection. Il faut que
quelque chose meure pour qu'autre chose naisse. C'est à la
femme de mourir. Cependant la pitié prend Vigny face à
cet être qu'il lui faut anéantir pour rester seul avec lui-
même, la pitié du mâle. Et la fameuse bonté du poète peut
s'étaler dans un renouveau de tendresse. Mais elle est déjà
morte, Eva, et s'il semble l'accompagner dans cette mort :
« Nous marcherons ainsi ne laissant que notre ombre... »,
il n'en reste pas moins qu'il n'est pas réduit : il parle,
quand elle est pour jamais enfermée dans le silence, le
silence de la non-création, celui du néant :

> « *Pleurant, comme Diane au bord de ses fontaines*
> *Ton amour taciturne et toujours menacé.* »

Suprême traîtrise du mâle qui a depuis longtemps abandonné la femme quand elle se croit encore accompagnée. En fait, il ne reste d'elle que l'œuvre, parce qu'elle a consenti à son immolation, et qu'en suivant le poète elle a brisé en elle « les tumultes du cœur », se faisant vestale. Voilà ce fameux devoir qui lui est assené. Le créateur, quant à lui, reste seul avec son incertitude (« appuyée aux branches incertaines »), marque fatale de sa grandeur phallique. Mais à la femme qui a consenti à mourir le poète dit : ce chant « ne vient que de toi », à celle qui comprend que sa chair est condamnée et que si elle accepte son immolation, elle prend part au mystère de l'œuvre, il assure une place, même si c'est un « chemin effacé ». Car la femme enfin a compris son devoir, et cet effacement : elle s'y « plaît », elle le recherche, elle aime sa souffrance car elle la purifie et la rachète. On ne peut guère aller plus loin et peu de créateurs ont été aussi explicites dans leur rôle de tentateur morbide d'une femme préalablement accablée. Il ne reste plus à la malheureuse qu'à prendre ses responsabilités, à connaître son néant, et à remercier l'homme de lui donner la chance d'un effacement et d'un mutisme qui lui permettent de participer de loin à l'œuvre de vie. Participer ? certes, car, logique négative, s'il est vrai que la femme, par sa présence, empêche le processus créateur, si elle consent à disparaître, sa mort devient le seul acte positif et vital qu'elle puisse perpétrer, elle entre dans la mutilation nécessaire de la féminité du mâle.

Voilà encore un exemple de l'illogisme pervers du créateur dont nous avons déjà plusieurs fois parlé, et qui lui fait, sous couvert de licence poétique, nécessité de rime, unité d'inspiration, liberté romanesque, employer des adjectifs ou des adverbes non motivés, voire absurdes, et où précisément gît le truquage poétique. Dans la fin de

la Maison du berger un sentiment de nostalgie et de
tristesse enveloppe les vers et semble amener, tout
naturellement, cette mort si peu naturelle de la femme,
cette souffrance, que le créateur, *tout de même,* ne va pas
jusqu'à partager. Mais on laisse dire. Lorsqu'il parle de la
femme qu'il aime, le créateur ne parle-t-il pas de lui-
même ? Halte-là ! Non justement, tout ce qui précède le
prouve, et quand il affirme à la femme qu'elle est son
miroir, on est vite informé que l'image qu'elle lui renvoie
n'est pas pour satisfaire totalement le créateur : elle n'est
que la partie basse de lui-même, que sa faiblesse, que sa
léthargie. On trouve, dans les comportements romanesques, tout autant d'illogismes pervers. Que penser par
exemple de la mort brutale de Kitty Bell, ou pis encore, de
celle de Mme de Rênal ? Vigny a été un peu gêné de la
disparition si brutale d'une jeune femme en pleine santé et
il indique dans sa préface qu'il faut qu'on voie qu'elle peut
mourir brusquement(!?). Mais pour Stendhal, la chose est
tout de même plus difficile à accepter. Et cependant on
l'accepte très bien. Tant c'est une convention romanesque
extraordinaire d'abord que les femmes meurent comme des
mouches dans la littérature romantique, et ensuite qu'elles
meurent de chagrin avec une aisance stupéfiante. Or cette
convention romanesque est étrange, on l'avouera, et
l'analyse précédente que nous avons pu faire de l'effort
créateur de Julien Sorel nous amène à penser qu'il y a
autre chose dans cette mort — surtout de la part d'un
écrivain de la force et de l'originalité de Stendhal —
qu'une vague convention romanesque. Car ce phénomène
n'est ni vraisemblable ni naturel, admettons-le, et il est
tout de même peu courant qu'on meure, en trois jours, à
trente ans, sans avoir aucune maladie fatale. Or il y avait
deux héroïnes, et cette folle de Mathilde, on aurait trouvé
presque plus acceptable que ce soit elle qui meure : autre
trait d'originalité aristocratique, dernière pratique d'une
femme qui voulait toujours agir contre les habitudes

courantes, ne pas faire comme tout le monde. Que ce soit Mme de Rênal qui meure, cela est surprenant et paraît être une punition. Or nous savons qu'elle est responsable de l'échec viril de Julien. C'est cette lettre, insensée, que son directeur de conscience lui a fait écrire, qui est cause que Sorel, retombant de façon désastreuse dans un accès de faiblesse incontrôlable, a commis, en la blessant, un acte passif, incontrôlé, féminin. Tant d'autres gens auraient pu écrire contre Julien, qui était haï, une lettre fatale, et cependant c'est à Mme de Rênal que, contre toute attente, car son caractère ne paraissait pas s'y prêter, Stendhal a confié, symboliquement, ce rôle anticréateur. Il est extrêmement révélateur d'ailleurs que ce soit sous l'influence d'un prêtre, d'un homme portant robe, féminisé, soumis à un dogme autoritaire et donc méprisable, que Louise ait agi. Quoi qu'il en soit, c'est elle qui ranime en Julien l'impuissance contre laquelle il a, toute sa vie, lutté et que, dans sa relation avec Mathilde, il a totalement jugulée. Maître de lui, créateur en lui-même d'un être complètement viril, il réussit. De cela, Stendhal sera reconnaissant à Mathilde, et à la fin, il lui rend une espèce d'hommage : elle ne se déjuge pas, elle reste fidèle à elle-même et au personnage qu'elle a décidé de jouer. Même, elle connaît la grandeur de la passion vraie. Mme de Rênal, elle, meurt. Elle meurt, et pourtant, nous le savons, si celle-là n'était pas une femme parfaite, quelle femme sera jamais parfaite ? Stendhal s'est appliqué à faire d'elle un portrait complètement aux antipodes de ce que la femme traditionnelle est supposée être. Elle n'en a aucune des faiblesses, aucune des vanités. Elle est simple. Elle ne joue pas de rôle comme Mathilde. Elle est mère. Grandie et magnifiée par sa maternité. Et au fond, pour Julien, elle est la mère, comme Mme de Mortsauf est la mère pour Félix de Vandenesse. C'est quand, dans sa jalousie (même scénario que dans *Le Lys dans la Vallée*) elle cède à l'entraînement de la chair, oublie la maternité et retombe

dans la fange féminine qu'elle se perd et avec elle l'homme
qu'elle aime qu'elle entraîne dans sa chute ; c'est là cette
lettre. Elle est aveuglée, prise au piège d'elle-même. Elle
devient néfaste, fatale à l'homme. Elle doit en être punie.
C'est dans la logique des choses que la femme castratrice
souffre par la mort la punition de son acte anticréateur,
Mme de Rênal n'y échappe pas, et nous le savons. Car là
est le message fatal qui traverse le conscient, brutalise
notre système de logique, et s'enfonce pour n'en plus sortir
dans nos subsconcients soumis. La femme sait alors, de
façon indélébile, que, quelle que soit sa pureté initiale
(qui n'est qu'un leurre, qui n'est que la comédie de
l'éducation, nous le voyons bien ici, puisque, la maternité
oubliée, la femme revient au galop), quels que soient ses
mérites apparents (qui ne sont que mensonges, perversion)
elle sera châtiée si, se laissant aller à sa nature bestiale et
oubliant son éducation, elle jette sur l'homme le voile
aliénant de sa chair, le rendant impuissant. Or, ce qui est
horriblement pernicieux pour les femmes, c'est que,
présentée comme une femme parfaite, vertueuse, douce,
« soumise », Louise de Rênal est celle à laquelle toute
lectrice s'identifie, ou tend à s'identifier, justement parce
qu'on la présente comme un modèle. Elle s'identifie à
Brigitte Pierson, à Charlotte. Quand elle arrive au bout de
l'identification elle est irrémédiablement brisée, condamnée. Mais Mathilde aussi est punie d'être femme. Car son
effort pour être un homme, pour se maîtriser (elle est
souvent le frère de Julien), n'aboutit à faire d'elle qu'une
caricature, une actrice, un être totalement dépourvu de
vérité, dominé par l'obsession d'atteindre une virilité qui
se révèle impossible comme elle se révélera impossible à
Thérèse Raquin. Nous le savons parce qu'elle ne connaît
jamais son amant, Stendhal la punit en ce qu'elle est
privée de le voir tel qu'il est, et que, apparence, elle n'a
droit qu'à l'apparence. Elle ne saisit de Sorel qu'un
masque. Lui, par contre, parce qu'il est homme, l'a

totalement percée à jour. Voilà pourquoi il peut la dominer et finalement s'en faire aimer. Il est toujours le maître.

La différence ici est essentielle : la femme, que la chair aveugle, et qui n'a pas d'essence, qui ne peut donc jamais aller au-delà de cette chair, la dépasser, ignore toujours le reste du monde, passe à côté des êtres dans une profonde méconnaissance de ce qu'ils sont réellement. La vérité profonde lui est inaccessible. L'homme par contre y atteint par son effort de virilisation : plus il est homme plus il connaît l'homme et les hommes. Voici le Poète : « Insensé qui crois que je ne suis pas toi. » Ainsi, elle a beau jouer à l'homme, Mathilde est et reste femme. Mais elle a au moins le mérite d'aider le mâle dans son ascension virile, tant il est vrai que plus la femme est femme, plus elle est dangereuse, mais en même temps plus elle se dévoile et apparaît condamnable. Alors, quand il a maîtrisé toutes ces tentations de la féminité, l'homme devient le mâle absolu : le Poète. C'est-à-dire, celui qui s'exprime, celui qui clame l'effort viril que la Poésie implique au XIXe siècle, et qui est un dépassement de tout l'être vers une unité, qui est bien au-delà de la jouissance physique : l'activité à son degré ultime, presque dégagée de l'humain. C'est Julien Sorel au moment de marcher à la guillotine : « Jamais cette tête n'avait été aussi *poétique* qu'au moment où elle allait tomber. Les plus doux moments qu'il avait trouvés jadis dans les bois de Vergy *se peignaient en foule* à sa pensée et avec une extrême *énergie*. » Force et courage du mâle héroïque dont la récompense dernière est de créer, tel est le créateur libéré des femmes et délivré de sa faiblesse. Il a vaincu la mort et il a fait le tour de toutes les tentations anticréatrices. Il est évident que dans ce gigantesque acte d'auto-adulation virile la femme est réduite à l'ombre, rien en elle n'est abouti parce que la création étant l'acte d'énergie absolue, elle n'en possède pas. Quand elle s'en affuble, c'est comme un oripeau qui ne cache ce vide qu'imparfaitement : elle devient grotes-

que, un travesti. Car l'androgyne, c'est-à-dire le mâle qui a
la fatalité de se voir encombré d'une nature féminine,
d'une tendance à la léthargie, la paresse, l'oisiveté, et qui
donc traîne comme un boulet des caractères féminins qu'il
ne peut cacher, s'il arrive à les réduire, arrive à l'essence
mâle qui est vie, renouvellement, création. Et cela, parce
que justement, il est homme, et que ces caractères étaient
fondamentaux, essentiels. La femme, qui mutile sa faiblesse, tout ce à quoi elle peut prétendre c'est à la
perfection féminine : la maternité physique. Comment
arriverait-elle à la virilité essentielle ? Là, elle est flouée,
flouée puisque ce qu'il faut combattre c'est ce qu'elle
possède, ce qu'elle semble être. Il y a alors une impossibilité *naturelle* à la création féminine et que nous nous
sommes efforcés de montrer car ce n'est pas le comportement de la femme qui est impuissant, c'est son être qui est
inexistant. Sa contingence est un vice : soumise au temps,
elle est soumise au mâle qui la domine de sa transcendance. Alors, elle peut bien se donner des allures
d'homme, croire que puisque à l'homme il suffit apparemment d'avoir des caractères androgynes pour créer, il lui
suffira de fumer la pipe pour être un créateur, ou
d'afficher comme Mathilde une volonté et une maîtrise
illusoires. Que lui restera-t-il si elle n'est mère, quand elle
aura brisé la passivité qui l'entoure ? Mais... rien, puisqu'elle n'a pas d'essence, seulement cette féminité factice,
produit pur de l'éducation, et du reste, non créatrice par
nature, puisque seul l'effort d'énergie du mâle est créateur. C'est ce qu'elle comprend fort bien, la femme, quand
elle lit tous ces romans, tous ces poèmes qui la condamnent. Et quand ensuite on lui fait remarquer que Beethoven était un homme, que Mozart était un homme, que
Goethe, Hugo et le Greco furent des hommes, que
pourrait-elle répondre ? Elle sait, on le lui a assez dit, que
c'est justement là qu'elle est punie d'être femme, et
qu'alors son seul recours est d'être mère, et mère avant

tout, donnée, offerte, martyre enfin des petits mâles qu'elle peut mettre au monde. N'est-ce pas le seul lien qu'il y ait entre la femme et le créateur ? Certes, au XIXᵉ siècle, il nous paraît clair que le Poète a l'obsession de l'œuvre, du livre à faire, à jeter aux hommes, et, de Musset à Proust si le créateur souffre de sa féminité puis s'en mutile, jouit de cette mutilation et atteint enfin l'état viril de la profusion poétique, c'est pour faire une œuvre qui justifie à la fois sa souffrance, sa jouissance et la condamnation de la femme. Cette œuvre, c'est cet enfant dont il accouche, dont il est la mère sublime : « l'âme d'un poète est une mère aussi et doit aimer son œuvre pour sa beauté, pour la volupté de la conception et le souvenir de cette volupté, et, pensant à son avenir, s'écrier : " Je l'ai fait pour toi, Postérité ! " » (Vigny, *Journal d'un poète.*) Si bien que, jusqu'à Proust, qui peut être vu comme le point terminal de ce schéma complet, toute attache n'est pas rompue entre la femme et le créateur. Mais s'il arrivait que, s'attachant moins à l'œuvre à produire, le créateur cherchât avant tout le plaisir, la jouissance de son état créatif, s'il arrivait que la recherche de cette virilité essentielle, qui est ce qu'Aragon appellera « le goût de l'absolu », « passion si dévorante qu'on ne peut la décrire », passât avant la nécessité de l'œuvre, c'est-à-dire du témoignage communicable et déchiffrable de soi-même, alors, on peut penser, que ce lien, déjà si ténu, disparaîtrait totalement. Et c'est probablement ce à quoi nous assistons, de plus en plus, au XXᵉ siècle et qui accomplit la descente terminale de la femme dans l'enfer de la non-création.

XI

LE SACRIFICE CONSOMMÉ

Le XXe siècle n'apporte au schéma de la création que peu
de modifications dont la plus importante est, nous le
verrons, le rejet de la mère. La représentation symbolique
toutefois s'en exacerbe, s'en fait manifeste. La période que
nous connaissons avive la misogynie créatrice parce que la
femme revendique avec de plus en plus de vigueur et de
cohérence. Comme une sorte de réaction, alors, le schéma
s'exprime avec un caractère d'arrogance que l'on trouve
chez Montherlant, Claudel ou Malraux. Il atteint, en fait,
un apogée. Son déroulement est un système plus ou moins
manifeste, sorte d'arcanes presque révélés de la virilité, où
le créateur brode, à la manière de la Commedia dell'arte,
des thèmes plus ou moins vraisemblables mais toujours
explicites. La « littérature de gare », les romans-photos,
les feuilletons des journaux féminins l'exposent sans fin,
créant ainsi chez la femme un déséquilibre accentué par le
fait qu'elle revendique son égalité sociale et, qu'en même
temps, elle subit la loi du maître à l'intérieur de la famille
patriarcale où elle est encagée. Dignité à l'extérieur, luttes
syndicales, revendications. Basse animalité, service
méprisable, position secondaire, soumission au schéma
créatif que ces littératures lui infligent, à l'intérieur, dans
le cercle, si peu rassurant de nos jours, de la famille. De
quoi faire de la femme un être encore plus vulnérable

qu'auparavant, schizophrène, coupé en deux. Ne l'a-t-elle pas déjà été, par le schéma sexualisé, avec le tourment de ne pouvoir être à la fois mère (donc sublime) et femme (donc infâme)? Maintenant, elle est prétendument libre ici ; esclave là.

Mais cette liberté sociale qu'elle revendique, soutenue par les aspirations les plus nobles des hommes, fait d'elle une rivale possible et dangereuse. Jamais il n'avait été plus nécessaire peut-être au créateur d'affirmer sa supériorité inhérente de mâle. Jamais alors la littérature ne s'est faite plus virile. Jamais le principe féminin n'y a été davantage mis en accusation. Depuis vingt ans de plus en plus de femme créent cependant. Mais à quel prix pour elles-mêmes. Inconsciemment soumises au schéma, elles le récusent violemment dans ce qu'il a de plus affirmatif et déclamatoire. C'est encore une façon de le prendre pour modèle. C'est encore une façon de se conformer à la terrible astreinte qu'il implique, de mettre en équation sexualité et création, de développer en soi des forces que des siècles de manœuvres littéraires nous font toujours inconsciemment concevoir comme mâles et exclusivement mâles. Quel lavage faudrait-il pour dissiper enfin ces relations absurdes entre les comportements, les pensées et les aptitudes de ceux que l'on a appelé actifs, donc virils, et de celles que l'on a enterrées dans la passivité et la féminité.

SOLLERS : UNE SOLITUDE
PAS SI CURIEUSE QUE CELA

En 1957, un jeune homme de 20 ans, Philippe Sollers, publie un roman qui est moins important que les cris de reconnaissance qu'il suscite. Louis Aragon s'écrie, lyrique, dans *Les Lettres françaises* : « ... ce n'est pas tous les jours qu'un jeune homme se lève et... parle si bien des femmes » (20 nov. 1958). Le roman : *Une curieuse solitude,* a été en 1970 renié par son auteur qui y voit, dit-il « un livre écrit... dans la tradition culturelle classique bourgeoise... dont il faut précipiter la chute ». C'était un ouvrage « ironique » (P. Sollers entendait-il par là : « plein de questions » ?). Son entrée en matière certes, est amusante, car elle nous présente la caricature du créateur romantique, tel que nous avons pu le définir, et, nous pouvons dire d'emblée que s'il ne l'a pas dénoncé ce créateur type, Louis Aragon, c'est bien parce qu'il l'a pris, lui, pour ce qu'il se donnait, qu'il a cru à ses apparences, et qu'il a aimé ses façons. Ce créateur, c'est : l'homme seul. Une sorte de voyage baudelairien le transporte vers son double, cet autre soi-même qui n'est pas soi totalement mais un autre en soi, tantôt la partie virile, tantôt la partie femelle de l'androgyne qu'il faut alors soit sublimer, soit mutiler, soit aider dans son ascension, soit impitoyablement briser. Individu « sans attaches, sans croyances, sans amours », c'est-à-dire, comme le héros hugolien, prouvant par son existence asociale, qui défie l'éducation et les normes, la transcendance du mâle. Voilà, dès la seconde ligne du texte, la marque du créateur qui, toujours, selon notre expérience, a conçu la création comme une condamnation et une mutilation de la femelle. Or, quinze mots plus loin, c'est l'exposition du principe

phallique par excellence : l'imagination. Ce héros solitaire, comme Jean-Jacques, plonge alors dans la « rêverie » qui est appréhension de l'essence, perception éblouie
de « la vie » : « cet inconnu que l'on imagine sortant de la
plus obscure retraite, ne serait occupé que de l'attente.
Toutes ses qualités longuement, minutieusement pesées,
seraient donc attentives à *ce mouvement toujours le même*,
encore qu'avec *mille variantes*, telle *la vague* est portée par
la même nécessité, mais avec plus ou moins de *vigueur* et
d'*insolence* ». C'est la cinquième promenade. Le mouvement fort sexuel de la rêverie appelée ici « attente »
déclenchait chez Rousseau un état de jouissance créatrice
extraordinaire. Or Sollers ne tarde pas lui non plus... la
jouissance, exactement onze lignes après, apparaît sans
coup férir. Ce personnage, qui ne « serait occupé que de
l'attente », sent cette attente, ou le mouvement de la vie
passant sans autre nécessité que soi-même, dans son
expression phallique, répétition, vigueur, dont le dernier
aspect d'ailleurs n'est pas sans provoquer quelque inquiétude : « insolence », comme si la virilité maintenant
s'exposait dans une crudité impunie. Cette attente apparaît
alors comme la position du créateur occupé de soi-même et
de sa virilité, une fois de plus se contemplant dans sa
puissance et excluant par cette puissance le reste du
monde. C'est le Poète hugolien transporté dans l'éternelle
et « intime » *contemplation* de son moi phallique. Mais
passons au roman. La femme, Concha, est d'emblée
passive, même si cette passivité est mise au compte de son
origine espagnole : « Et l'on prenait pour de la froideur ce
qui n'était qu'une incertitude, un grand désir, au fond,
d'être emportée par l'événement... » Le héros, en face
d'elle, est tout vigueur, activité, sorte de Julien Sorel dont
le combat aurait déjà été livré et gagné : « Mais il suffit
d'oser. Plus l'insolence est grande et plus elle a de chance
de passer inaperçue. » Le jeune homme, dont Concha est
la première expérience sexuelle, croit qu'elle possède un

pouvoir parce qu'il y a en elle un mystère, un comportement irréductible, qui est à la fois sensualité et indifférence. Excité par ce secret de soi qu'elle semble porter, il
croit en découvrir l'origine : elle est lesbienne. Tout un
monde alors, qui ne serait qu'à elle, s'ouvre à lui. Elle ne
l'aimerait pas mais (et sa sexualité pleine de vanité
s'expose là sans détour), il pourrait la toucher par son
adresse sexuelle, par ses qualités physiques de mâle. Au-
delà de lui et hors de lui, elle porterait un monde, celui de
l'amour des femmes, qui la ferait totalement distincte de
lui, qui s'y perdrait, comme dans un labyrinthe. Seulement
voilà, il se trompe. Comme tous les petits jeunes gens
romantiques, tous très jeunes et donc très crédules, il
commet l'erreur de croire en l'individualité souveraine, en
l'autonomie puissante et séduisante de la femme. Mais
non, mais non... Cette femme n'a rien : elle l'aimait, tout
simplement. Elle ne portait en elle nul secret, nulle
souveraineté qui l'aurait faite l'égale du créateur, mais une
banalité totale de femelle passive éblouie — malgré sa
sexualité déviante — par l'énergie du jeune mâle. Message
capital du roman, il fait alors la deuxième erreur de croire
que la jouissance puisse lui venir d'un(e) autre qui, dans
sa souveraine autonomie, constituerait, avec lui, la totalité
androgyne. C'est bien ce qu'il cherche, lui aussi, et ce
qu'il découvre, c'est que, oui, l'androgyne existe, mais...
c'est lui, et lui seul, car lui seul possède en lui ce secret
qu'il cherche ailleurs et qui est celui de sa transcendance
et de sa virilité. Et on comprend le frisson d'Aragon,
lorsqu'il écrit dans l'article déjà cité : « Et je sais, pour
ma part, un peu mieux, grâce à Philippe Sollers, que, non,
nous ne mourrons pas tout entiers... Puisque nous pouvons
disparaître, l'amour demeure. La vie. » C'est un sentiment
qui est ici exprimé, que le mot « vie » résume, et
« survie » encore mieux, c'est celui de l'affirmation de la
transcendance du mâle. Au détriment de la contingence de
la femelle. En effet, voilà notre héros courant désespéré-

ment partout après une femme, courant après cet absolu,
cette totalité, ce dépassement auxquels il aspire, et
cependant, sachant, instinctivement que là n'est pas la
solution, citant finalement Stendhal : « Le grand seul
remplit l'âme et non pas les femmes quelles qu'elles
soient. » Et puis, se situe l'expérience de l'androgénéité,
de l'autonomie supérieure de l'homme. Seul, épuisé par sa
quête, malade, il sent d'abord les atteintes de la léthargie,
alors que s'amoncelle en lui le sentiment d'une féminité,
d'une passivité intérieure : « ... je retrouvais cette présence en moi, que ni les agitations, ni les trahisons, ni les
conquêtes imaginaires n'avaient pu éloigner ; cette présence, cet « invariant » qui compose, juge, soupèse,
décide et nie. Je touchais enfin l'extase, la certitude du
vide absolu. Et j'éprouvais que la vie était ce merveilleux
suspens dont je ne savais et ne saurais jamais rien dire,
auquel cependant je m'abandonnais sans recours... »
C'est la contingence, qui en ferait un héros sartrien si elle
était absolue, qui n'en fait qu'un héros traditionnellement
romantique, parce qu'elle n'est qu'un aspect de sa dualité.
Extase toute rousseauiste ici, qui est précisément parce
qu'elle précède la découverte de son aptitude à s'en
mutiler, à la violenter. Phénomène d'interrogation et de
suspens, abandonné dès que découvert, dont il sait, en en
jouissant qu'il ne peut être qu'éphémère, tentation de se
dissoudre dans le néant. Déjà, dans cet abandon, la force
phallique se fait jour, icarienne : « était pour moi sensation absolue toute celle qui en moi *ouvrait ses ailes* ». Le
désir de voler, de planer, d'atteindre les hautes sphères
(qu'il n'atteint symboliquement qu'à la fin, quand il s'est
débarrassé de la femme) est en lui, et il le manifeste dès la
page 105 : « cette vie particulière, cette vie elle-même
(qui est cette suspension, cet abandon au néant) je voulais
malgré tout lui donner un rythme, une cadence —
comment dire ? — une raison (mathématique) ». Quoi de
plus clair que cette opposition entre la conscience raison-

nante et le néant, la passivité et l'énergie, la contingence et la transcendance ? Voilà le mâle créateur prêt pour son autofécondation créatrice, qui va éprouver le besoin de s'enfermer, se circonscrire, et empêcher toute intrusion à l'intérieur de soi qui pourrait détruire son œuvre. Et puis, la phrase suivante, comme si la machine était parfaitement huilée, nous la lisons avec l'amusement que provoque sa fatale et maintenant si ennuyeuse évidence. « J'existais ainsi dans un petit *cercle* assez murmurant dont je voyais bien toute l'histoire. Cercle qui s'élargissait, se contractait ou se troublait suivant que je tombais dans ce lac... Il m'aurait fallu rencontrer une *exigence*... » Ce désir de virilité, qui s'exprime par l'exigence, c'est l'appel de la création où ces images rousseauistes (et probablement voulues) le conduisent. Cela ne rate pas plus que les autres fois : à la page suivante, il commence à écrire. Et là, il fait la connaissance de la violence mutilatrice, il découvre que, pour arriver à la création, il faut briser quelque chose en soi, et, par la même occasion, ce quelqu'un à l'extérieur de soi à qui la partie qu'il faut sacrifier s'apparente : la femme. « Je faisais du mot à mot au sens où l'on dit : lutter corps à corps... ce serait une relation de bataille que mon livre, de lutte et de travail avec soi-même... et tout se présentait pour moi comme si, à force de courage, je devais me frayer un passage à travers ce que j'aimais le mieux, persuadé que cet effort... etc. etc. » Bien, cette fois-ci, nous en sommes à la mutilation du principe léthargique, et nous le savons clairement parce que, bien entendu, le but recherché va certainement s'apparenter à une expression parfaite de la virilité : créer, ne l'oublions pas, c'est arriver à l'extase virile par *l'effort* de dégagement du rideau de passivité que l'androgyne possède en lui, comme une fatalité chez les romantiques, comme une source d'extase chez le créateur du XXe qui commence tout de même à avoir repéré que sans cette présence morbide en soi, pas de création. Eh oui, nous y sommes encore, ce

vers quoi cet effort tend, mais c'est… mais bien sûr : « la
lumière », et la « simplicité », c'est-à-dire l'unité souveraine du mâle parfait, l'identité profonde avec soi-même.

La lumière, le soleil, principes virils par excellence,
nous avons vu maintes fois qu'ils s'exprimaient dans
l'incertitude phallique de l'érection créatrice, et pour que
rien ne manque ici à notre propos, voilà bien l'incertitude
qu'accompagne l'effort créateur, la levée puissante de
l'imagination : « persuadé que cet effort n'avait en lui-
même aucune importance — ce qui lui donnerait peut-être
sa merveilleuse *fragilité*, son caractère lumineux, désin-
volte ». On notera, au passage, l'alliance, qui n'est pas
sans saveur, de merveilleuse, fragilité, lumineux et désin-
volte (qui n'est pas non plus sans rappeler l'affirmation
première d'insolence, qui certes caractérise de plus en
plus le processus créateur de l'homme face à la mutilation
qu'il inflige à la femme). En lui, l'homme maintenant se
rebelle contre « la femme malade », et le désir d'écrire
s'exprime dans le sentiment de « relever de maladie »,
une maladie qui s'apparente à l'amour, qui est ce « tout ce
que j'aimais le plus », où s'exprime l'hypocrisie la plus
tenace du mâle. « Se frayer un passage » (expression si
sexuellement révélatrice d'une poétique du mâle) cela veut
dire briser, rejeter, oublier. La simplicité, la lumière, c'est
l'envers du plaisir sexuel, le plaisir qu'il appelle « dédou-
blé ». Ecrire, c'est *doubler* son plaisir, précisément, parce
que c'est l'unifier à soi, parce que c'est le ressentir, à
l'intérieur de soi, androgyne, comme une extase morbide *et*
une énergie solaire. Si bien que, tout naturellement, pour
atteindre ce plaisir créateur auquel il aspire sans cesse et
dont le plaisir sexuel n'a fait qu'éveiller l'écho, il découvre
la nécessité de la solitude, où personne, où rien, ne doit
troubler « l'exercice » créateur : « C'est pourquoi je ne
m'occuperais que de moi, c'est pourquoi tout ce qui passait
pour problèmes importants ne saurait me retenir. » Bien,
voilà donc le désengagement du monde qui est celui du

créateur, lorsqu'il crée, désengagement qui implique son intérêt passionné pour tout ce qui est homme, et où, clairement, l'autofécondation de l'androgyne devait finalement amener le Poète. Il y a là une démystification brutale des prétentions humanitaires du créateur qui, se refermant de plus en plus sur lui-même, dans son cercle autonome, en arrive, comme tous les schizophrènes, à parler un langage autonome parfaitement incompréhensible : *Espace du dedans* de Michaud où aboutit et sans doute se termine la virilité triomphante avant de sombrer. L'hermétisme était certainement le piège du schéma créateur dans lequel les romantiques avaient su ne pas tomber, peut-être parce que, ce schéma, ils l'exprimaient naissant, mais où, après Mallarmé, et d'une façon de plus en plus caricaturale, le Poète s'est en quelque sorte dissous, retranché dans un secret viril de plus en plus ténu, de plus en plus incertain, de plus en plus difficile à percevoir. Littérature de plus en plus castrée alors que celle du XXe siècle où l'homme, ayant de plus en plus de difficultés à être homme, s'en prend de plus en plus à la femme de cette impuissance dont il la rend responsable. Ainsi, au-delà du canular que constitue le roman de Sollers, il y a tout de même un cri de désespoir qui, lui, sonne juste, et qui est peut-être le désespoir de ne pas pouvoir, malgré tout, en sortir, de ce fameux schéma, de se sentir obligé de se mutiler, de tuer en soi quelque chose pour y arriver, à cette misérable création. Car pour lui aussi, comme pour Apollinaire, il faut mourir femme pour renaître homme, il faut tuer son plaisir pour dédoubler son plaisir, il faut tuer la femme pour que vive le mâle, et peut-être enfin verra-t-on se lever une génération d'hommes qui crieront au meurtre et trouveront cela scandaleux. « Oui, il me faudrait passer bien du temps à disparaître. Et sans doute, il y avait une sorte d'ironie, dès le début de ma vie, à m'occuper de ma mort ». Cette mort, c'est celle de sa vie passée où il ne s'est occupé que de l'amour, de la femme, de la chair, où il

a vécu sur des illusions, des mensonges, et en particulier
celui de la transcendance de la femme, de sa féminité, qui
serait un dépassement de soi. Sommes-nous convaincu,
maintenant, nous dit alors Sollers ? Avons-nous bien
compris quelle est la source de la création ? Non ? Pas
encore ? Eh bien, pour le plus grand bénéfice des critiques
et des écrivains contemporains, poursuivons. Nous avons
présenté un schéma abstrait qui indique clairement qu'il
faut que quelque chose meure en soi pour créer. Maintenant, nous allons passer aux travaux pratiques, et pour
ceux qui n'auraient pas compris que ce quelque chose qui
est la léthargie et le néant est la féminité (de l'androgyne),
nous allons sacrifier devant vos yeux une femelle, et vous
montrer la jouissance qu'on en retire. C'est ce que Aragon
appellera : « si bien parler des femmes ». Voilà donc
notre androgyne, persuadé de son autonomie. Or, un
matin, il se sent pénétré d'une « curieuse douleur ».
Concha, qu'il n'avait pas revue depuis bien longtemps,
mais dont le secret possible le hantait, « par mégarde,
était entrée en moi, cherchait à se faire une place dans
mon attente ». Gare, crions-nous, car nous savons. Malheur à qui s'immisce dans l'autofécondation de l'androgyne. Voilà encore une fois une femelle jalouse (en vérité
le mot n'est pas très juste car c'est le mâle qui l'a suscitée
en lui) qui veut s'intégrer dans le processus créateur. C'est
un tout jeune homme. Malgré l'instinct qui est en lui, et
qui s'est récemment dévoilé, que la jouissance créatrice
est en lui et lui seul, il veut encore y convier la femme,
renouvelant ce geste symboliquement fautif de tous les
généreux jeunes gens de la génération, des générations
précédentes. N'en finirons-nous donc jamais, avec cette
femelle castratrice, non créative, dangereuse ? Va-t-il,
encore une fois, falloir se livrer, dans un roman, à son
sacrifice symbolique pour qu'elle comprenne enfin qu'elle
n'a pas de place dans le schéma créateur et qu'il est donc
inutile qu'elle continue, malgré deux siècles d'avertisse-

ments, à vouloir, à tout prix, y pénétrer ? Or, une fois
encore, le prétexte pour faire revenir Concha sur la scène
et puis s'en débarrasser sans pitié prend la forme habi-
tuelle et hypocrite d'une épreuve que l'homme, courageusement, s'infligerait. Et le héros se sert de Proust pour
s'exhorter à cette mort de soi qu'il affecte de croire la mort
de tout soi, de tout son passé, de tout son plaisir passé,
quand ce n'est en fait la mort que d'une partie de soi. Il
s'écrie que revoir Concha et la découvrir médiocre (car,
hypocrisie supplémentaire, il sait — et comment le sait-il ?
— qu'il la découvrira médiocre) c'est *se* faire souffrir. Tant
pis, cette souffrance-là, il l'accepte, il le faut. Voyez
comme le mâle est courageux, puisqu'il n'a pas peur de
sacrifier ce qu'il aime, puisqu'il a cette grandeur. Et de
plus en plus nous savons : la grandeur du mâle, c'est de
sacrifier la femelle. Voit-on un film sur un grand capitaine
de guerre ? On est bien sûr qu'il y aura là une pauvre
malheureuse abandonnée, et que nous pleurerons sur ce
pauvre homme qui, pour la gloire, pour la patrie, pour
l'honneur et tout le reste consent à sa propre souffrance en
se séparant, si courageusement, de la femme. Elle, eh
bien, elle se hausse vers l'homme en acceptant cette
mutilation. Ce qu'on oublie de dire, c'est qu'elle, elle a
tout sacrifié, puisqu'elle n'est que femme. Lui, il n'a
sacrifié en lui que la part de la femme, il est toujours
homme. Mais si on oublie de nous le dire, on s'arrange
toujours pour que cela soit explicite et pour que les
femmes se délectent de ce sacrifice qui les punit d'être. Ça
les purge rituellement de se savoir si médiocres, si
pauvres, si femmes. Depuis deux siècles, dans les romans,
elles se lavent rituellement de leur horreur d'elles-mêmes,
en voyant leurs héroïnes, une à une, souffrir le martyre de
leur chair, le rejet de la vie, la hache méritée sur leurs
ambitions créatrices. Et ici, dans *Une curieuse solitude*, et
ce qui est très curieux, c'est tout de même que ça ait
réjoui des écrivains comme Aragon, chez qui l'analyse

marxiste, cette fois-là, n'a pas marché, ici donc Concha, la
femme, est encore une fois liée à l'abandon, au désir, au
néant, à l'emprisonnement, à la lâcheté : « Et puisque je
m'étais *trompé*, puisque ce que j'avais pris pour une
libération n'avait réussi en m'abandonnant à mes désirs
qu'à m'en faire éprouver le *néant*, à *m'emprisonner* dans
l'obsession … je ferais demi-tour… Finis les dédains, les
disparitions un peu *lâches*… il me fallait… brûler ce
dernier vaisseau. » Brûler la sorcière. Brûler la femme qui
crée en l'homme tant de bassesse. Peut-on ne pas être
d'accord ? Car cette littérature truquée est bien truquée, et
le tribunal de la littérature est défendu par d'habiles
avocats. Jamais on ne dira assez la puissance du langage,
la violence créatrice des images, car elles entrent dans le
subconscient, qu'elles tapissent, où elles vivent, autono-
mes, sans que jamais on cherche à les refouler. Pourquoi
les refouler, puisqu'elles sont des évidences non pas
rationnelles mais absolues, qu'elles déclenchent d'autres
images qui cependant ne se savent pas liées à elles ? Il n'y
a pas un homme politique, un conquérant, qui arrive à la
puissance formidable du Poète. Cela nous le savons. C'est
vrai. Notre aliénation, elle a été voulue par le créateur, et
nous l'avons subie et la subissons encore, avec une
soumission totale. Car toutes les apparences sont fausses,
tous les systèmes truqués, toutes les situations à double
sens. A voir ce jeune héros rechercher passionnément le
secret de la femme, affirmer son amour pour elle en
« enfouissant » son visage dans « les robes, le peignoir, les
slips, les combinaisons », recherchant ses lettres, ne se
dit-on pas que la féminité a un bien grand pouvoir ? Car
enfin, voilà un garçon affolé, recherchant désespérément
la femme et qui, en fait, ne pense qu'à elle. Alors ? Que
veut-on de plus ? La femme est forte, que diable. Elle le
tue même, ce malheureux garçon. Le voilà souffreteux,
asthmatique, pâle. Le voilà souhaitant s'anéantir. Et tout
concorde. Parce que, finalement, cette femme est une

série de désillusions, très proustiennes. Et finalement, elle termine comme toutes les femmes : elle l'aime. Elle n'en est pourtant pas récompensée et le créateur nous dit que c'est très médiocre, cet amour. Il ne lui en a aucune reconnaissance, et il se débrouille pour que son lecteur soit d'accord avec lui. Résultat : malgré son triomphe final, on le plaint.

Et nous disons : NON. Cela ne peut pas durer. Il faut désabuser les femmes qui lisent, leur montrer la façon dont elles sont grugées, dire à Louis Aragon qu'écrire un roman pour affirmer que les femmes sont contingentes, qu'elles n'ont aucun secret, aucune vérité transcendante, qu'elles sont la désolation du mâle (qui est le juste bien sûr) parce qu'elles ne sont qu'illusion, qu'elles l'épuisent car il croit en elles, et qu'enfin il n'a d'autre ressource pour être, pour vivre, authentique, clair, viril, simple et unique, pour créer, que de s'en débarrasser purement et simplement en les sacrifiant, tout cela n'est pas « si bien parler des femmes ». Passons donc vite au sacrifice, pour en finir. Il s'annonce par une vigoureuse atteinte de misogynie : il faut préparer le lecteur et la lectrice à l'exécution finale. Et puis, n'est-ce pas une autre convention littéraire que tout homme à femmes soit misogyne ? Parbleu, il a toutes les raisons du monde, l'homme à femmes, de les mépriser : il les connaît, et la connaissance des femmes mène inexorablement à la misogynie. En vérité, les femmes elles-mêmes l'attendent, cette misogynie. La souhaitent. Ne prouve-t-elle pas une grande fréquentation des femmes ? Si bien que on ne pense jamais à suspecter la déviation des mœurs d'un homme misogyne. Pour la femme qui n'aurait pas la plus totale admiration pour les hommes, ce serait évidemment qu'elle ne les connaîtrait pas. Car enfin, ne sont-ils pas extraordinairement généreux ? Et de Rodrigue (*Le Cid*), aux héros de Miller, ne passent-ils pas leur temps à croire la femme leur égale, à lui tendre la main pour qu'elle se hausse jusqu'à

eux, et puis à se morfondre de désespoir parce qu'elle n'a
pas suivi, la pauvre, eh oui, forcément, elle n'a pas
d'essence, donc pas d'autonomie, etc. ? Alors la calamité
s'abat sur l'homme seul, réduit au triste abandon de sa
grandeur non partagée. Et cela fait des siècles que nous y
croyons, car il faut bien avouer que tout cela est bien fait
et que les hommes ont, pour se former, une littérature
merveilleuse, entièrement à leur service, remplie de
modèles admirables, tandis que la femme... La femme,
oui, on n'a pas toujours envie de la rencontrer, et très
souvent, on n'a pas du tout envie d'en être une. L'horreur
de la jeune fille (on pense à Baudelaire, à Montherlant) est
aussi une de ces arbitraires décisions littéraires contre
lesquelles les malheureuses, pendant longtemps, n'ont pas
pu lutter. Et voici Sollers : « Pour comble de disgrâce, une
jeune fille, qui croyait à la poésie des rencontres dans le
train, se crut obligée de m'adresser la parole. C'était une
artiste : je fus accablé. » Sans commentaire. La femme
qui n'a pas passé encore par le joug formateur de l'homme
est une fange. Hâtons-nous vers la fin, sans trop nous
attarder vers d'autres éléments très évidents du schéma,
mais en notant, cependant, l'effort du créateur pour se
constituer une vie formant un « ensemble clair et solide
qui aurait l'éclat et la dureté d'un nouveau métal... »
Point n'est besoin d'insister ici sur l'analogie sexuelle, ni
sur le fait qu'une telle prise de conscience amène le héros
d'abord à renvoyer la femme pour marcher *seul*, et ensuite
à ressentir de l' « euphorie physique ». Cette marche, le
long d'un parc, le soir, sans Concha dont il s'est séparé
pour être seul donc, l'amène à la totalité phallique de
l'existence ressentie comme dépouillement viril : « Mon
souffle se faisait plus lent, mes oreilles bruissaient, et, en
marchant, j'habitais mon sang. Puis-je dire que, soudain,
je flottais ? » En vérité, il se transcende au point de se
dépasser, de se voir comme Dieu le verrait : « Mes pas
s'étaient amplifiés démesurément, ils me semblaient rem-

plir la nuit tout entière, sonner de plus en plus comme au
rythme d'une danse inconnue. Mais ce n'était plus moi. Et
sans doute, à ce moment si intense, si fugitif, étais-je ce
ciel où... sourdait une lumière. » Orgasme créateur du
mâle solitaire, autonome et androgyne. Cela fait déjà trois
ou quatre fois qu'il a fait cette expérience. Nous l'avons
compris, il lui faut être seul. Parfait. Il pourrait se
contenter alors de décider de vivre en ermite et de fuir...
Mais non... c'est ce qu'il ne fait pas, car il veut,
auparavant, régler son compte à la malheureuse femme.
Sans doute, est-elle une trop grande tentation. Sans doute
sent-il sa chair faible, vulnérable, susceptible de retomber
dans son erreur. Il ne suffit donc plus de se séparer de la
femme, il faut encore l'humilier, la déconsidérer, pour que
le message prenne une valeur exemplaire, et n'échappe à
aucun homme, à aucune femme, non plus. En vérité, le
problème du RÔLE que le mâle se donne à jouer dans la
littérature apparaît ici dans une clarté aveuglante. Il ne
veut pas admettre que tout son système créateur soit, en
fait, fondé sur son acte sauvage de domination gratuite de
la femme. L'homme, de fait, veut *se donner le beau rôle.*
C'est-à-dire que son geste sacrificiel, il lui faut le justifier
par autre chose que son plaisir ou sa nécessité à lui. Il faut
lui donner une portée universelle. Et pour cela il faut que
la femelle soit sans âme, sans conscience, sans morale,
ignoble enfin, pour qu'il soit JUSTE de l'immoler. Le jour
où la femme accepte cela, elle entre de son plein gré dans
le système créateur du mâle, elle y participe, en quelque
sorte, et le créateur lui dit : « c'est là qu'est ta grandeur ».
Elle l'a cru. Ainsi donc Concha va-t-elle devenir une
« image fausse », une apparence, un mensonge. Cela est
nécessaire. Ainsi donc elle s'inscrit, d'office, dans « l'erreur » du mâle. Tout y est, et on lira avec étonnement les
pages 154 et 155. Alors, elle s'en va, humiliée, elle qui
avait laissé croire qu'elle avait un secret quand elle n'en
avait pas, et Sollers a cette phrase étonnante : « ... je pus

encore distinguer son ombre qui montait la tête rejetée en
arrière, lentement, comme si, sa mission terminée, elle
était montée, grave, à un *sacrifice*. » La suite tombe sous
le sens, et nous y avons droit de la même façon. Il suffit de
citer : « Mais ce qui montait doucement en moi, avec le
jour, comme une inextricable contradiction, cette chose
immuable sur laquelle ma vie serait bâtie et où le monde
extérieur n'apporterait plus désormais que des variations,
ma solitude enfin, m'avertissait que j'étais guéri de ma
jeunesse. » Tant il est vrai qu'il faut se purger de la femme
et prendre en pleine poitrine le choc de sa médiocrité et de
sa contingence pour être un homme. Tant il est vrai que
cette chose immuable sur laquelle la vie du créateur se
bâtit, c'est notre schéma. Tant il est vrai que ce schéma a
comme centre porteur : le phallus. Et il termine : « Je me
sentais *sauvé*. Et il y avait dans cette certitude qui soudain
m'avait envahi (certitude d'être inaccessible) une joie telle
que j'avais la nette sensation d'avoir trouvé ma voie... »
Après l'extase sexuelle et le plaisir, la joie de la création
sublimée. Ce qu'il y a de remarquable ici, c'est que le
propos est clair. Disons le tout net, on croit difficilement à
la naïveté de Sollers, et si son roman est un grand cri
poussé contre la mutilation créatrice, la machination
honteuse que constitue pour le mâle l'appareil de la
création, alors il a écrit un livre admirable. Mais pourquoi
l'a-t-il renié alors ? Serait-ce parce qu'il était trop profondément vrai et qu'il s'en sentait gêné ? Car si c'était un
magnifique canular, prodigieusement intelligent, ne pourrait-on voir dans son œuvre actuelle les traces de son refus
de la misogynie ? Or, son admiration pour Lacan, son
hermétisme semblent suspects. En vérité, n'est-ce pas
plutôt l'écriture qu'il renie et qu'entend-il par « tradition
culturelle classique » ? Cela importe peu au demeurant.
Ce qui confond, c'est le sérieux avec lequel l'éditeur de la
collection du Livre de Poche indique que « *Une curieuse
solitude* s'inscrit dans une tradition complexe, à la fois

libertine et secrète, contradictoire, qui va de Diderot, Goethe ou Novalis à Stendhal, Nerval et Proust ». Belle lucidité en vérité ! Belle évidence prise pour une identité d'inspiration ! Qu'entend d'ailleurs par « tradition... contradictoire » ? On voit là comment la critique se paye de mots, car qu'y-a-t-il de contradictoire dans Novalis, Goethe ou Sollers ? Tout est dans un ordre parfait. Nerval peut-être échappe à notre schéma. Mais pour avoir accepté que la femelle prenne en lui un empire absolu, pour avoir consenti à s'identifier à elle, à devenir elle (*Aurelia*), ne finit-il pas, inexorablement, par se suicider, par sombrer dans ce néant qu'elle représente ? Admirable avertissement d'ailleurs pour les créateurs à venir, et qui en dit long sur la puissance des schémas inconscients. Si bien que contre le rêve et ses maléfices si âprement féminins, les surréalistes appelleront à leur secours les violences et les ressources non contenues d'une misogynie d'une terrifiante agressivité. Enfin, l'admiration d'Aragon nous laisse tout de même pantois. Comment, il a pris ce roman au sérieux ? Comment il y a vu la vie, la création, l'amour ? Qu'il y ait vu la transcendance du mâle, c'est sûr, mais qu'il ait osé le proclamer, c'est quelque chose que l'on pourrait comprendre de Mauriac, mais d'Aragon ? Qu'il se soit identifié à ce héros, traditionnel, banal, plein de tous les lieux communs littéraires et de tous les clichés de comportements qui avaient fait la littérature depuis deux cents ans presque, cela en dit long sur le fait que le schéma créateur n'est pas historique, au sens où l'on pourrait concevoir qu'une prise de conscience différente de l'homme, que le marxisme, que l'engagement dans un parti militant pour la cause des opprimés auraient dû changer radicalement ce mode de création, apparenté au colonialisme en ce qu'il fait sa fortune, sa puissance sur l'abaissement de l'autre, et surtout sur sa dégradation volontaire de soi, provoquée par une constante intoxication littéraire. Alors ? Il faut se rendre à l'évidence. Tout ici n'est encore que mauvaise foi,

toujours et sempiternellement, mauvaise foi. Car la violence faite à la femme paraît de plus en plus grande à
mesure que nous avançons à la découverte des conséquences de la constante créatrice. Dans le roman de Sollers, un
fait frappe, qui frappe aussi chez Montherlant, chez Gide,
chez tant d'autres, c'est que la concession faite à la femme
en sublimant en elle la maternité, et qui était si importante
chez les romantiques, disparaît de plus en plus au profit
d'une virilité exclusive qui s'occupe de sa jouissance plus
que de son œuvre. Cette œuvre qui avait hanté les
romantiques, elle paraît maintenant dérisoire et le héros de
Sollers s'écrie plusieurs fois, devant l'œuvre « A quoi
bon ? ». A quoi bon quand ce qui compte, c'est de jouir. A
quoi bon un roman ou un sujet de roman, dit Edouard, le
héros des *Faux-Monnayeurs* de Gide ?

Ainsi, l'acte féminin de l'accouchement qui faisait du
mâle créateur la mère de son œuvre et maintenait en lui
une factice androgénéité, disparaît-il petit à petit.

La mère rejetée

L'ANGOISSE DE LA STÉRILITÉ

*Où il apparaît que, se refusant à naître,
l'œuvre compte moins que la jouissance*

Nous avions pu remarquer comment, à partir de Rousseau et des penseurs du XIXᵉ siècle, l'inquiétude matérialiste avait amené le créateur à fonder son analogie poétique
sur l'acte sexuel et à sexualiser, ainsi, une création, dont
le cycle trouvait son achèvement dans la maternité. Mais à
la fin du XIXᵉ et au début du XXᵉ siècle, notre vision de la
sexualité a été considérablement bouleversée. La sexualité
qui est la nôtre semble étrangement tributaire et analogique de l'évolution du créateur qui, voulant jouir avant tout,
s'inquiétant davantage de lui-même que de son œuvre, va
amener sur le monde un déferlement véritablement épique
de besoin de jouissance, qui s'exprimera essentiellement
dans la nouvelle conscience de la sexualité. Il faut jouir et
jouir à tout prix : voilà le nouveau mot d'ordre de la
création sexualisée. En réalité, il semble que la maternité
se dérobe au créateur et l'accouchement devenu impossible apparaît d'abord comme une impuissance. Depuis
Mallarmé, une armée de poètes halète de désespoir devant
la fuite de l'œuvre, la « page blanche », le fruit qui refuse
de se concrétiser et dont l'avortement s'expose dans
l'amertume de la communication. Ainsi, dans *Nombres*
(1968), Philippe Sollers a l'air de redécouvrir, après
Sartre, la contingence comme seule vérité absolue de
l'être, mais en plus, s'y mêle ce sentiment de l'impossibi-

lité de faire l'œuvre, d'une stérilité angoissante, celle de
l'être aphasique, de l'homme abandonné par la création :
« ... je sentais mon propre silence tomber au centre
comme un battement d'organes illimités. » La descente à
l'intérieur de soi, qui constitue la recherche permanente
du secret viril de l'androgyne devient un labyrinthe dont
l'homme ne peut plus sortir. Il est de plus en plus pris au
piège de sa recherche, de son langage, de son ésotérisme,
car il n'est plus compris. En effet, les romantiques avaient
besoin de mettre au monde l'oeuvre, et cherchaient cet
accomplissement vital. Un tel accouchement, ils le conce-
vaient comme une sortie hors de l'ombre, hors de l'incompréhension du néant, du néant absurde, que l'on ne peut ni
comptabiliser ni disséquer ni communiquer. La création
alors était la mise au monde symbolique d'une parcelle
transmissible d'eux-mêmes qui aurait été comme un signe
de leur existence, c'est-à-dire de leur intelligibilité. Pour
toutes ces raisons, ils ont donné à l'œuvre une portée
universelle, ont conçu le poème comme un élément du
grand mystère de la virilité dont, mâles, ils avaient tous en
eux la graine spermique, la force énergétique, l'imagination créatrice. Leur œuvre a une portée considérable car
elle témoigne de la puissance de l'homme qui veut étendre
cette puissance, la justifier, la présenter orgueilleusement
comme une participation à l'élan vital. En cela, et malgré
(ou justement à cause de) cette grandeur elle est, et fut,
désastreuse pour les femmes. Le créateur, mère de son
œuvre, donnait au monde un fruit porteur de vie, nourris-
sant tous les temps, et Vigny clamait alors que le vrai
Poète en dit toujours beaucoup plus qu'il ne dit, il répond
aux besoins de la multitude, son intelligibilité transcende
le temps. Certes Baudelaire concevait l'œuvre figée, statue
grecque que le temps épargne mais qui n'enfante plus :
absolu enfin trouvé, débarrassé de l'horreur de toute
sexualité. Mais l'œuvre alors était indispensable, devenait
son rachat, justement, parce qu'elle seule, une fois

achevée, ne participait plus de l'ignoble sexualité qui cependant l'avait fait naître. C'était cela la gloire du mâle, qu'il pût, par sa création, échapper à « l'infâme » nature. Ainsi, peut-on dire que c'est cette assimilation de l'œuvre au fruit de l'accouchement — le créateur est la mère de son œuvre — qui constitue l'intelligibilité de cette œuvre, car elle se veut alors sortie du néant, victoire sur la mort, expression de la vitalité et de l'énergie. Ce qu'il y a de communicable et de compréhensible dans le Poème est justement ce qui appartient à la femme (sublimée certes, « nettoyée »), ce qui tient de la mère. L'œuvre, comme l'enfant, lorsqu'elle est aboutie, est un signe où le créateur se retrouve et se dépasse. Or il y a déjà, chez Mallarmé, plus qu'une impuissance à faire œuvre ; un refus : « Je n'aime pas ce bruit (les pulsations de mon propre cœur) : cette perfection de ma certitude me gêne : tout est trop clair, la clarté montre le désir d'une évasion ; tout est trop luisant, j'aimerais rentrer en mon Ombre incréée et antérieure... » (*Igitur*) Cependant, les éléments du schéma sont là, intacts, de l'androgénéité, avec sa mutilation nécessaire du « ventre » féminin, à l'éblouissement de la virilité reconnue dans laquelle « s'oublier » et « se dissoudre » : « Ce scandement (du battement de son propre cœur) n'était-il pas le bruit du progrès de mon personnage qui maintenant le continue dans la spirale, et ce frôlement, le frôlement incertain de sa *dualité ?* Enfin ce n'est pas *le ventre velu d'un hôte inférieur de moi*, dont la lueur a heurté le doute, et qui s'est sauvé avec un halètement, *mais le buste de velours d'une race supérieure* que la *lumière* froisse, et qui respire dans un air étouffant, d'un personnage dont la pensée n'a pas conscience de lui-même, de ma dernière figure... aussi, *maintenant que sa dualité est à jamais séparée...* je vais m'oublier à travers lui, et me dissoudre en lui » (*Igitur* II). Or justement cette dissolution, cet oubli sont des manques, des échappatoires à l'Etre qui se dérobe, l'expérience répétée de l'avortement

créateur du mâle cependant arrivé à se dépouiller de son
encombrante léthargie. C'est que brusquement la virilité,
qui se veut total rejet de l'incarnation, libération complète
de la chair pour atteindre l' « Idée », qui s'affirme refus
de quitter les « hautes sphères », volonté de se maintenir
dans la Pureté absolue de l'essence, par un hasard qui
pour nous, nous le voyons bien, n'en est pas un, se voit
refuser le secours de la maternité. Les mots, enveloppés de
chair, formés de féminité, se refusent à la tâche qu'on leur
impose, se rebellent et se vengent de la chute qui leur est
infligée — parce que le Poète, malgré tout, affirme leur
déchéance — en faisant sombrer l'œuvre qui se veut sens
dans l'absence de sens, dans une mort glacée (*Igitur*) :
« ... jusqu'à ce qu'enfin les meubles... fussent morts dans
une attitude isolée et sévère, projetant leurs lignes dures
dans l'absence d'atmosphère, les monstres figés dans leur
effort dernier, et que les rideaux cessant d'être inquiets
tombassent, avec une attitude qu'ils devaient conserver à
jamais. » L'absence de sens, c'est ce vide dans lequel la
parole tombe et se fige : « Je profère la parole pour la
replonger dans son inanité » (*Igitur*). Première atteinte de
la grande « folie » du XXᵉ siècle, le créateur schizophrène
ne peut plus que vivre la torture de son rêve de pureté
virile impossible. Les mots, les mots maintenant sont les
grands coupables, ils portent en eux l'impuissance congénitale de la femme à communiquer, connaître, comprendre, ils tirent, castrateurs, le créateur vers la mort, le
néant, le séparant cruellement de lui-même, l'enveloppant
d' « inanité », d'impuissance. C'est dans la parole que se
loge la léthargie féminine, ce qui fait le doute de l'homme,
sa chute et son incarnation, et Michel Foucault, dans un
texte transparent (*L'Ordre du discours*), n'hésite pas à la
qualifier bien sûr, cette parole, de « redoutable, de
maléfique, peut-être ». D'ailleurs, tout ce qui s'amorce
alors, déjà clair, s'épanouit ici chez Foucault, avec une
tranquille assurance que masque mal la complexité du

discours. Et c'est bien d'une femme qu'il s'agit et que
d'abord le créateur feint de vouloir embrasser, dont il se
veut circonscrit, entouré, comme un fœtus : « Dans le
discours qu'aujourd'hui je dois tenir… j'aurais voulu
pouvoir me glisser subrepticement. Plutôt que de prendre
la parole, j'aurais voulu être enveloppé par elle… (Michel
Foucault, *ibid.*) Tentation non voilée de la passivité,
dangereux attrait qui s'oppose, par la peur du commencement, de l'acte décisif de la prise de parole, à l'énergie de
l'intelligence des hautes sphères, au projet du mâle de
« considérer », de comprendre, de « commencer », c'est-
à-dire de naître et de mettre au monde. Car le discours est,
dans son ordre, « hasardeux », opaque, inauthentique,
mensonger, et Michel Foucault rêve qu'il soit tout ce qu'il
n'est pas, exprime, par le « *désir* », c'est-à-dire la manifestation la plus directe de la virilité, désir tout apollina-
rien, la recherche de la « transparence », de la certitude,
des vérités qui « *se lèvent* », modes du mâle. Et, ce qui est
extrêmement caractéristique une fois de plus c'est que le
groupe, la société, l' « institution » se font complices du
discours, ramenant une fois de plus, et comme nous
l'avons vu maintes fois, la femme à son appartenance au
groupe qui, comme elle, aliène et castre, maintient le
langage dans l'ordre des lois, s'oppose à la libération de la
parole créatrice. « Le désir dit : Je ne voudrais pas avoir à
entrer moi-même dans cet ordre hasardeux du discours ; je
ne voudrais pas avoir affaire à lui dans ce qu'il a de
tranchant et de décisif ; je voudrais qu'il soit tout autour de
moi comme une transparence calme, profonde, infiniment
ouverte, où les autres répondraient à mon attente, et d'où
les vérités, une à une, se lèveraient. » Certes, le rêve de la
mère, elle, ouverte et transparente, est encore ici fort
clair. Mais ce n'est plus qu'un rêve, non plus une
identification possible. Il y a dans ce rêve maintenant
quelque chose d'impossible, et qui tient à la conjuration
du langage et du groupe, conjuration où ils tentent, car ils

sont femelles, d'empêcher le mâle d'arriver à son secret viril, à son essence : « J'aurais aimé qu'il y ait derrière moi... une voix qui parlerait ainsi : Il faut dire des mots... jusqu'à ce qu'ils me trouvent, jusqu'à ce qu'ils me disent — étrange peine... ils m'ont peut-être porté jusqu'au seuil de mon histoire, devant la porte qui s'ouvre sur mon histoire, ça m'étonnerait si elle s'ouvre ». Plainte qui est celle de Mallarmé, plainte qui est celle de Sollers (*Nombres*) ou celle de Gide. Le créateur, c'est toujours l'être double, l'androgyne dont la féminité maintenant s'exprime par le langage dont il lui faut alors mater la passivité, se débarrasser ?

Mais alors, l'entreprise créatrice débouche sur le silence et l'on comprend mieux l'angoisse mallarméenne et celle des créateurs qui le suivent, obligés, pour arriver à percer le secret de leur virilité, pour atteindre enfin cette essence, de mutiler leur voix, de la réduire au chuchotement imperceptible, voire au néant. Ce qui pour Julien Sorel s'appelait sensibilité, sensiblerie, manque de contrôle, et qu'il épurait de lui-même avec une violence inouïe, s'appelle maintenant discours, dont alors l'insistance sur son épaisseur, son existence charnelle, le chuintement, le grasseyement de ses phonèmes, la prononciation de ses syllabes deviennent l'obsession du créateur qui sent là sa puissance castratrice, sa rondeur qui l'apparente à la passivité féminine. Dans le bruit de ces syllabes, une discordance apparaît qui est l'absurde, le néant, l'inanité. La femme s'enferme dans le discours, elle jette sur la parole toute l'horreur de son corps et les mots conjurés dressent devant le Poète le mur de leur vacuité. Il semble ainsi que celui qui se voue au langage se voue à la mort et ne puisse alors que vivre, toute sa vie, une éternelle contradiction. Jamais, il ne pourra atteindre l'œuvre, ou plutôt jamais il ne pourra atteindre l'intelligibilité absolue de l'essence. Non, son œuvre ne sera que la fatale collusion de son désir avec le langage, bataille dont,

la plupart du temps, il sortira vaincu. On ne s'étonnera
guère dans ces conditions, que la femme soit un objet de
violence et de répulsion, pour le créateur, comme jamais,
probablement dans l'histoire. Car, pour la première fois,
elle se refuse à être vaincue, pour la première fois elle est
irréductible, et certes, depuis la fin du XIXe siècle, et
surtout depuis les années 60 les mouvements de femmes
ont fait échec à la violence masculine. Le créateur s'en
venge, mais aussi il en est victime : le schéma enfin se
retourne contre lui. L'absurde, comme par hasard, naît
précisément au moment où la femme dit non à la demande
de mutilation volontaire que le créateur veut lui faire
subir, il se sent de plus en plus englué dans ce qui
représente pour lui, historiquement, sa propre passivité à
vaincre et qui devient, entre autres le discours dont la
nécessité alors de se débarrasser crée l'absurdité la plus
totale : il ne peut plus dire. Son acte créateur est aussi
vacant que ce silence, c'est celui de l'Etranger (Camus)
tirant pour rien, comme un geste de révolte inutile contre
une léthargie qui le prend et à laquelle il se laisse aller,
comme un appel ou un rappel discret du Mal. Car
Meursault n'atteint jamais à l'intelligibilité, et ce constat
d'inintelligibilité qui le sauve, cette acceptation absurde
d'un devenir absurde, est tout ce à quoi prétend Camus en
fin de compte, avec la vague affirmation qu'il faut penser
« Sisyphe heureux »... Acte cependant symbolique que
celui du meurtre de cet Arabe par l'étranger. Ce phallus
déserté par le sens et qui, par l'intermédiaire du revolver
braqué sur l'Arabe, tire et tue pour rien, ou plutôt pour une
raison inintelligible, répond en quelque sorte au coup de
pistolet de Werther, qui tue la femme en lui, quand
Meursault, hasard qui ne peut être un hasard, tue le
colonisé féminisé par sa position, et sans savoir pourquoi il
le fait. Etrange hasard également, c'est une sorte d'ordre
solaire qui lui fait accomplir son acte, ce soleil pesant,
violent, qui le poursuit depuis la mort de sa mère, qui le

pousse à commettre un geste apparemment absurde.
Absurde pourquoi ? Parce qu'il est inutile. C'est fini. Le
monde a changé. Et l'on ne peut pas s'empêcher de penser
que cet admirable roman soit en fait le constat de la fin
inéluctable et prochaine du schéma créatif. Meursault,
c'est le mâle bafoué qui désespérément se rebelle. Mais
c'est trop tard et nous le savons précisément parce que
personne ne comprend jamais son geste. Enfoncé dans la
léthargie, gagné par la féminité qu'il hait et qu'il récuse, il
tire et c'est le mâle en lui, déjà perdu, déjà noyé qui tire
dans ce vaste décor symbolique de la mer fœtale et du
soleil phallique. Ce roman de Camus entre, cela est clair,
dans la grande lignée des romans d'avertissements où le
créateur crie au mâle qu'il fait fausse route. Mais cette
fois-ci, Camus ne semble pas avoir de solution à offrir.
Alors que Musset, que Goethe, que Vigny laissent entendre qu'il suffit de s'écarter de la femme pour créer,
Camus, lui, hausse les épaules et pense qu'il n'y a rien à
faire. Son héros, qui du fond de sa virilité parle et écrit,
voit la chute de l'homme comme celle d'un être envahi par
l'absurde : gestes quotidiens dépourvus de sens, présence
d'un ami, existence de l'amitié, tout est englué d'inintelligibilité, et cela, c'est le signe de la défaillance du mâle,
qui ne peut plus atteindre les hautes sphères de l'intelligence, qui n'a plus la connaissance des causes, qui
découvre, après Roquentin, la contingence. Mais alors que
Roquentin l'accepte et l'admet comme la seule vérité
possible de l'être, Meursault y reste enfermé car sa
découverte ne débouche sur rien. Quand enfin il prend
conscience que tout ce qui l'entoure n'a aucun sens, sa
révolte, signe de virilité, se manifeste par la parole : il crie
et hurle sa violence dans la cellule où un prêtre, pour lui
insensé, cherche à justifier la soumission passive au
monde absurde, propos que *Caligula* prouvera inaccepta-
ble, par une hasardeuse mathématique. Vivre l'absurde
comme la seule vérité cohérente de l'homme est le postulat

de Caligula, qui ne l'entraîne que vers la mort, lieu du non
sens où toute intelligibilité disparaît. Voici, avec Camus,
le problème de la création ramené schématiquement à sa
lutte primitive entre la vie et la mort, le positif et le
négatif, l'énergie et la passivité, le mâle et le femelle. Du
fond de l'énergie, qui est la marque de sa virilité,
Meursault « agit », ne voit que l'acte, et sa parole brève où
domine le verbe n'est pas alourdie par quelque aspect
charnel qui serait style descriptif ou émotivité. Meursault
est, lorsqu'il commence, au stade abouti de l'androgyne en
ce qu'il s'est lui-même épuré de tout aspect sanguin, de
toute sensiblerie, de tout laisser-aller à la passivité. Pour
lui, tout n'est qu'acte, mort de la mère, vie professionnelle, vie à côté de la vie professionnelle. Mais ce qui est
étonnant c'est que, vivant ainsi, sans trace d'émotion, il
devient inintelligible aux autres. Le monde qui l'entoure a
sombré dans la féminité : code, codification, institution,
groupe castrateur, aliénant abandon à la chair par la
sexualité ou la nourriture. Sa solitude est celle du mâle
abandonné. Sa prise de conscience finale est qu'en tant
que tel, il ne peut qu'être haï. Voilà ce qu'il lui faut
assumer, vieux rappel du poète maudit, vieux sentiment
postromantique de l' « étrangeté » du créateur et de son
projet créateur. Mais s'il crie et s'il parle, il n'en est pas
moins condamné, comme Raphaël de Valentin, comme
Lucien de Rubempré, comme Julien Sorel. Il vit la chute
du monde et ne peut, en en témoignant, que se mettre à
côté, que parler d'une voix qui serait autre, mais réellement autre, celle de l'homme isolé dont la parole, comme
celle de Dieu, tombe dans le désert de l'inintelligence
léthargique et ne peut plus jamais être déchiffrée. La
parole de l'inintelligible devient la parole du sacré, et
paradoxalement, le Poète que l'on ne comprend pas se
dresse alors comme le mâle par excellence, celui qui ne
peut être accessible au groupe, celui qui doit être
incompris. Le rideau est de plus en plus opaque entre la

perception des causes et la communication possible d'un
signe divin à la masse, celle-ci est maintenant totalement
abandonnée à sa léthargique imbécillité. La parole de
Meursault, encore parfaitement intelligible grammaticale-
ment, renvoie à quelque vérité de lui-même qui n'est pas
communicable et qui est sa virilité essentielle, désengluée
de la femme, comme de la mère — puisque le roman
débute par la mort de la mère. L'acte créateur — qui était
l'œuvre, à son aboutissement —, n'est plus, ici, que la
prise de conscience que la voix du poète est séparée de la
dualité dominée par la léthargie. Son discours reste le
discours d'un autre monde, et il est condamné. Ainsi
Meursault fait-il une expérience extraordinaire, et qui est
que le langage, réduit à sa pureté la plus grande, à sa
virilité essentielle, manque à percer le mur de la passivité
universelle, et reste, dans toute sa clarté cependant
aveuglante, inaccessible à ceux qui ne sont pas lui et qui,
eux, sont tous contaminés par la féminité. Eléments
symboliques c'est donc un colonisé qu'il tue, être réduit à
la passivité, c'est un prêtre, homme féminisé, portant une
robe et qui lui prêche la soumission, l'acceptation et la
passivité, qui déclenche son cri de révolte. Le langage du
mâle inaccessible aux autres, c'est alors le langage de la
révolte. A partir de là, tous les abus sont possibles, et les
abus ne manquent pas : le poète mâle, pour être mâle *et*
poète (ou et *donc* poète) doit être inintelligible. Voilà qui
justifie certains hermétismes et l'obscurité du langage,
voilà aussi par où les hommes rient et rejettent la femme
dont l'obscurité voudrait témoigner de quelque vérité
essentielle dont elle se libérerait dans un mouvement de
révolte, mais dont elle connaîtrait l'inintelligibilité et
l'ésotérisme : elle est alors réduite à l'état de travesti, de
miroir, de valeur fausse, de mensonge. Elle n'est pas prise
au sérieux : son œuvre est simiesque. Ainsi, dans le
Panorama des idées contemporaines de Gaëtan Picon, par
exemple, sur les centaines de noms à l'index, cinq

femmes, pas un seul poète. Et cependant on y trouve Michaud, Breton, Aragon, Eluard, etc. De toute façon, cela est vrai, de poètes femmes, au XXe siècle, il n'y en a guère (qui ait atteint la notoriété) et à voir où en est le schéma créatif, on le comprend assez bien. Qu'est-ce qu'une femme pourrait bien aller faire dans cette galère de mâles, dans ces tortures d'êtres empêtrés dans leur horreur de la féminité (passivité, léthargie, etc.) ?

Or nous étions partis de Mallarmé, pour montrer combien l'impuissance à atteindre l'œuvre dont témoigne l'angoisse mallarméenne, le sentiment qu'elle retombe inéluctablement dans la mort et qu'au moment de naître le fruit avorte, s'exprime de plus en plus par une défiance du langage sur lequel la léthargie de l'androgyne se transfère. Le discours devient une monstruosité à vaincre. Avec Mallarmé il est encore un outil que l'on peut épurer, et qui, peut-être libéré de sa chair, de sa passivité, de sa féminité, permettra de rendre intelligible aux autres l'essence du mâle. Ainsi s'explique-t-il sans cesse sur un tel espoir de voir les autres concevoir aussi l' « Idée » qui apparaît, cause absolue, à l'imagination visionnaire du mâle créateur. Avec Camus et *l'Etranger,* l'expérience a raté, et devant nos yeux nous en voyons le déroulement des preuves. Mais alors ce langage, à force de porter en soi le signe de la chute, à force d'être épais, immaîtrisable, inintelligible, vacant, incapable de se concevoir et de se comprendre, mur, aliénation, castration, etc., devient une obsession telle que le créateur ne peut plus parler d'autre chose que de ce langage dans lequel il s'enfonce, dans lequel il a la tentation de sombrer. De même que la littérature romantique et postromantique étalait sans cesse l'obsession de la femme et de l'abandon possible et dangereux à la léthargique féminité, exposant clairement alors le conflit dans son aspect psychologique, exposant le créateur lui-même envahi de cette léthargie source de faiblesse, de maladie, d'oisiveté et d'impuissance créa-

trice, le langage a pris maintenant place d'interlocuteur
privilégié, c'est ce discours que le créateur interpelle et
qu'il s'épuise à réduire. Mais à travers lui, c'est la femme
qu'il cherche à atteindre. Car le schéma n'est pas modifié,
et ce langage, il finit tout de même par être virilisé, c'est-
à-dire isolé de sa couche inessentielle : « Un désir
indéniable à mon temps est de séparer comme en vue
d'attributions différentes le double état de la parole, brut
ou immédiat ici, là essentiel » (Mallarmé, *Crise de vers*).
Dualité analogique de celle de l'androgyne créateur où le
langage doit naître à l'énergie essentielle, hors de la
gangue étouffante de l'inintelligence léthargique des causes. Nous voyons cependant par l'engluement du créateur
dans ce langage que l'épuration devient de plus en plus
difficile, que la féminité a envahi le monde de la création,
que le créateur ne peut plus alors exprimer librement son
schéma mutilant de la femelle, et qu'il reste prisonnier du
langage, auquel, hélas, il s'est voué. Il invective alors ces
mots qui ne veulent pas s'ouvrir, parce qu'ils ne veulent
pas s'épurer, et Michel Foucault se fait, en 1970, l'écho de
la vieille plainte rousseauiste et postrousseauiste que le
Poète fait à la fatalité qui met toujours en face de lui, pour
l'empêcher d'aller à son érection créatrice, la féminité ici
comme un langage touffu, comme une forêt de symboles
indéchiffrables, comme la mort. Pour Sollers (*Nombres*)
l'envahissement charnel du langage est tel qu'il est une
rechute perpétuelle dans la torturante impuissance dont
rien ne peut sortir, rien ne peut naître, et il se sent lui-
même non né, non créé, craintif lui aussi, comme
Foucault, devant ce commencement qui préfigure l'œuvre,
où, en ouvrant la bouche, en commençant de prononcer
une syllabe, un enfantement se fait (I. 5.) : « Je voyais la
tête coupée mais toujours vivante, la bouche ouverte sur le
seul mot qui ne saurait être prononcé ou capté... Naturellement je pouvais lire la signification des mots... Mais *rien
ne sortait* vraiment de ce dessin sans commune mesure

avec ce qui avait lieu en réalité plus loin que mes yeux. »
Parole symbolique ici, où la signification avorte (rien ne
sortait) et l'œuvre avec elle. Or, ce qu'il y a de tout à fait
étonnant, c'est que cette impuissance créatrice, ou plutôt
cette impuissance à l'enfantement de l'œuvre, et qui vient
directement de la conception schématique postrousseauiste, de la création qui affirme que ce qui est passif ne
peut pas créer, est refusée par le créateur qui, comme
Sollers, veut en même temps en affirmer la fausseté
historique. C'est l'immersion dans la masse et non plus la
recherche d'un dépassement individuel qui doit donner à
l'homme son véritable sens, sa réalité dans l'histoire. La
question qu'il pose, dans *Nombres :* « Comment lever la
contradiction entre *discours* et *histoire ?* » recouvre, en
fait, l'affirmation, en conclusion, qu'alors il n'y aurait plus
de création, ou plus exactement, plus de création telle que
nous la concevons encore. Comme l'enfant, l'œuvre issue
du schéma créatif traditionnel est fortement individualisée
puisqu'elle est le résultat du dépassement du mâle vers son
authenticité la plus pure. Ainsi, Edouard, le romancier des
Faux-Monnayeurs (Gide) s'écrie-t-il : « en art, comme
partout la pureté seule m'importe ». Nous sentons là, de
plus en plus, l'étrange contradiction dans laquelle se
trouvent les femmes à l'heure actuelle : certes, l'intelligibilité du discours, avec comme corollaire la formation
d'une œuvre, est principe hautement viril ; mais faut-il la
rejeter pour autant, surtout lorsque, pour le Poète,
l'inintelligibilité du discours peut être signe de virilité
absolue, découverte et non communicable à l'autre, ou tout
au moins à la masse ? Certes se plonger dans la forme,
reconnue charnelle, du langage, se couler dans l'épaisseur
des mots, découvrir qu'ils sont des matrices, toute une
féminité puissante et protectrice, c'est avoir le sentiment
de rentrer dans le monde femelle de l'étendue, du rêve et
d'y rester, sans autre besoin de fécondation, d'érection, de
violence. Mais qui nous a fourni un tel schéma ? Pourquoi

persévérer dans ces analogies illusoires, qui ne sont autres
que des conditionnements intellectuels, sociologiques et
historiques : femme, masse, rêve, illusion, langage d'un
côté avec la passivité et la léthargie universelle, tentantes
mais non créatrices, et puis mâle, imagination, intelligibilité, connaissance des causes et de l'essence de l'autre
avec l'énergie qui féconde et qui crée ? Au demeurant,
qu'on ne s'y trompe guère, la femme ne gagne pas toujours
à cette immersion reconnue nécessaire dans un langage
dont cependant on affirme qu'il est un mur, une aliénation : « ... pensant à l'impossibilité de transmettre ce qui
arrivait... » (Sollers, *Nombres*). Ainsi la descente de
l'individu dans cette masse, qui est la reconnaissance de
sa force et de sa vérité historique, l'abandon par le
bourgeois de ses prérogatives individuelles qu'il laisse
happer par le groupe aliéné, correspondant à sa plongée
dans la mer fœtale et féminine du langage, est-elle pour
l'ex-créateur que se veut Sollers, une torture, une violence
où l'on retrouve, étrangement, un écho de la mutilation de
la féminité intérieure du romantique. Ici, cette acceptation, nécessité historique inéluctable, est un sacrifice,
mais, le faisant, le mâle se grandit et fait œuvre de mâle,
sa sexualité phallique apparaît à chaque tournant de
phrase, pénis érigé sur la femme (« Caressant sa joue avec
le sexe dur », *Nombres*), sexualisation phallique du langage qui explose, jaillit, pousse, etc. Cette absence
d'œuvre est finalement encore une victoire du mâle, c'est
une ascèse, sorte d'appropriation de la matière dite
féminine, de la masse où se couler. Cet effort, c'est
précisément ce qu'il écrit : le thème, sinon l'œuvre, de son
discours. Et la femme est flouée une fois de plus, puisque
la création est encore sexualisée mais qu'avec le refus du
commencement, et de la fin, elle est exclue, elle qui
précisément fait naître.

L'OBSESSION DE LA JOUISSANCE
COMME GAGE DE LA CRÉATION

Mallarmé souffre d'avoir peur de ne pouvoir accoucher, il torture en lui la femme à l'infini, pour qu'enfin la mère, qui serait l'Idée de femme, apparaisse et fasse œuvre. Sollers, à l'autre bout du spectre, nie l'œuvre dans ce qu'elle a de profondément individuel et la nie en l'écrivant incommunicable, inintelligible, mais il jouit de cette négation. Ainsi (*Nombres* : 4.48) écrit-il : « ... vous êtes comme devant le portique de l'histoire elle-même... Plus rien ne répond de vous ni pour vous dans cette séquence, cet englobement, ce sursaut terreux de fermer, de disséminer, de *fonder en disparaissant...* [...] Si j'écris parmi vous les traces de cette histoire, la seconde où *je jouis de ma recomposition* et du fait d'être brièvement écrit parmi vous, j'appelle en même temps cette *grande brisure* blanche et bleue qui nous produit et nous laisse aller, nous attire, nous change, nous confond dans son étirement, son isolement... [...] ... Ici, vous commencez à comprendre ce que ce roman poursuit dans la science et son détour, vous savez maintenant ce qu'est le *refus de toute naissance...* » Une fois alors que tout s'est mélangé, histoires et langages, Occident et Orient, il n'y a plus de création : « Vous vivez ainsi parmi vos objets de façon à vrai dire soumise, animale, désormais retiré sans conscience dans votre sang blanc... gardant malgré tout l'enjeu, *l'agrafe de désir* sur le

tissu qui vous reproduit et s'use... » (4.64) Seul, reste ce
désir, qui est une jouissance, et dont cependant l'écrivain
se refuse la possession. Au fond, rien là de radicalement
différent du Gide des *Nourritures terrestres*, de celui qui,
en 1897, s'écriait : « Ce que j'ai connu de plus beau sur la
terre/ Ah, Nathanaël, c'est ma faim. » En vérité la
jouissance créatrice qui précède l'œuvre et qui est la
satisfaction du désir sans son aboutissement, sans son
terme qui en serait le fruit, est plus importante que cette
naissance elle-même... L'émanation féminine du créateur
peut rester stérile, peut se satisfaire d'être femme et
uniquement femme. Car la jouissance gidienne des *Nour-*
ritures emmagasine et ne produit pas. Cette ouverture sur
le monde où les sens aspirent la totalité des vies et de la
nature au point extrême où l'être s'en dilue, désir toujours
renouvelé, « ferveur », s'arrête à l'ivresse, à la volupté et
s'en gorge, s'en emplit jusqu'au débordement. Etre à
sentir, à jouir et à désirer et non être à produire, Gide ici
ne s'adresse jamais à la femme, son discours, comme tous
ses discours, est celui du mâle qui interpelle le mâle, du
mâle qui chante la volupté du mâle. Cette passivité
sensuelle à laquelle il s'abandonne lui donne loisir
d'écouler, sans chercher à le mater, son langage qui, dans
les *Nourritures* (et il le regrettera plus tard) reste lyrique,
emphatique, excessif, incontrôlé, collé à la sensation. Il
est étrange de voir ainsi le désir se substituer à l'œuvre, ou
plus exactement devenir l'objet de l'amour du Poète quand
on pense à l'obstination désespérée avec laquelle les
romantiques ont voulu mettre bas, donner naissance à un
fruit qui leur survive. Ce que Gide offre, ce qu'il transmet,
c'est sa joie (« Prends ma joie »), c'est son désir, c'est sa
ferveur jouisseuse, et non pas cette œuvre ballottée,
éperdue, mais divine que Vigny lançait à la multitude dans
La Bouteille à la mer. Jouir devient donc plus important
que créer alors que pour Vigny, et comme c'était clair dans
Stello, peu importait la souffrance pourvu que l'œuvre

naquît, mais quelle jouissance dans cette souffrance !
C'est justement cette souffrance-là, cette torture dont Gide
se délivre, qu'il rejette. Il ne veut plus, lui, être la mère de
son œuvre, même si cependant il fait œuvre. Comme
certains surréalistes, il arrête la création à la jouissance,
tronquant le schéma de son dernier aspect, qui le faisait
aboutir au cycle maternel, et, tout en l'excluant, rendre,
tout de même, hommage à la femme. Certes, non androgyne, elle ne pouvait produire le fruit, incapable de
dépassement, elle n'était que chair, mais au moins épurée
et mère elle était grandie ou sublime. Avec cet univers
nouveau de la jouissance où ce qui est créateur c'est
précisément cette jouissance, il lui faut jouir pour être et
le peut-elle ? Pas de quartier cette fois-ci encore pour la
femme. Ce que *Les Nourritures terrestres* ne disent pas,
L'Immoraliste le clame : la femme ne peut, ne sait pas
jouir. Le drame de Michel — dont il feint de croire ou de
prétendre qu'il est responsable — est qu'il vit avec un être
qui, non seulement ne peut réellement jouir, mais encore
l'empêche de jouir : une femme. On pourrait dire : LA
femme. Et pourtant, l'astuce est encore grosse, la ficelle,
une fois de plus complaisamment étalée, cette femme est
admirable, Michel le dit et le redit sans cesse : si celle-là
ne peut jouir, si celle-là empêche la jouissance de
l'homme, alors, quelle femme peut jouir et permettre à
l'homme sa jouissance ? Si Marceline est condamnée, c'est
la condamnation de toutes les femmes qui est prononcée.
L'Immoraliste est un voyage, un de plus, celui de la
découverte de la sensation et de la jouissance, et que cette
jouissance, qui seule est créatrice, est celle de l'instant
libéré du temps, de l'espace, de toute limite morale,
sociale ou philosophique. Jouir, c'est éprouver la totalité
de la sensation brute comme un engorgement, c'est en être
plein. Et c'est certainement parce que le mâle en est empli,
gros, féminisé que cette jouissance est créatrice : elle le
rend androgyne. Mais en même temps, l'exaltation qu'il en

ressent, et qu'il dénie à Marceline, qui n'est jamais
exaltée, est une élévation à l'enthousiasme romantique du
mâle qui signe son autonomie par rapport à elle, la femme,
qui a toujours besoin de lui, qui le réclame sans cesse et
n'a pas de plaisir loin de sa présence : « Cette sorte
d'odeur légère inconnue qui me semblait *entrer* en moi par
plusieurs sens et m'*exaltait* ». De plus en plus, l'expérience quasi digestive de l'ingurgitation du monde qui
donne la jouissance, se révèle comme impossible à
Marceline, et même, s'affirme comme gênée par sa
présence : femme, elle empêche l'érection de l'exaltation.
La gêne qu'éprouve Michel est en fait, de plus en plus, la
conscience de sa propre féminisation, et que sa jouissance
est justement d'être gros, plein du monde. Tout se passe
alors comme si, dans l'exercice pleinement créateur du
mâle, qui lui donne ce pouvoir de se féminiser parce qu'il
est androgyne, la merveilleuse possibilité de devenir
passif, la femme l'ait gêné, comme pouvant en être
jalouse, ou bien comme le témoin fâcheux d'un secret bien
gardé qui lui vole son être à elle. Ne craint-il pas surtout
que, comprenant le mécanisme, elle n'en jouisse enfin ?
En tous les cas sa présence le rend impuissant à s'annihiler
dans la sensation ; à trouver en lui l'essence même de la
féminité. Toujours l'éternel paradoxe d'autant plus évident
pour Gide qu'il est pédéraste : seul le créateur est femme.
Aussi Michel laisse-t-il sa femme, cherche-t-il à prendre
seul ce plaisir qu'elle lui limite ou lui appauvrit. Et tandis
qu'il « s'emplit » du « charme adorable de vivre » et de la
« joie » qui « habite » en lui (métaphores à la fois
digestives, mystiques et féminines), elle va de son côté
car, dit-il, sa « trop calme joie eût tempéré la mienne,
comme son pas eût ralenti le mien ». Ce n'est pas qu'elle
n'ait eu, elle aussi, sa chance de renouveau. Comme lui, et
avec lui, elle a fait le voyage libérateur qui, tel un phénix
l'a fait renaître. Comme lui, plus tard, elle connaîtra la
maladie, la chance de la maladie qui, comme à lui, lui

donnera le sentiment extrême de la précarité de la vie, de l'illusion du futur. Mais, toutes ces chances, elle ne les saisira pas. Elle ne le peut et cette inaptitude pathologiquement féminine à la métamorphose, nous la découvrons une fois de plus comme l'affirmation qu'elle est un être fabriqué, confectionné par le monde, sans vérité... sans essence. Certes Gide se garde bien d'affirmer l'essence du mâle, mais dans cette contingence, Michel découvre un peu déjà comme Roquentin l'absolu, la seule réalité qui chez l'un fera naître la nausée, chez l'autre l'exaltation. Michel, lui, mâle, affirme que la seule vérité est dans l'instant. Il retrouve, alors, sa vérité à lui, humain, qui est d'être instantané, non pas un être malléable, par des idées — n'affirmait-il pas, avant sa palingénésie, aimer plus l'amitié que les amis, et les beaux sentiments que la vérité du sentiment ? —, par une société, mais un être au contraire imprévisible, aux autres comme à soi-même, se créant à mesure que l'instant se fait, écoutant en soi jaillir la vie. Et c'est là que Gide rejoint Rousseau, Michel le promeneur solitaire et après lui tous les créateurs romantiques : cette vie, que chaque fois qu'il est hors du monde, loin de la femme, délivré de la morale, et de la société, il sent exploser en lui dans une ivresse de jouissance, il en est le dépositaire, elle ne demande qu'à reparaître car il la porte en lui, il en est gonflé, gros, et seule la tristesse de la vie sociale, des autres, de Marceline la masque, la fait disparaître. Ce sont les beautés naturelles, la force des éléments (le soleil, la mer, le désert, le vent), ce sont surtout les êtres authentiques, porteurs, eux aussi de vie (les petits mâles arabes que la société n'a pas encore corrompus, parce qu'ils sont justement tout petits et libres) qui font réapparaître en lui la puissance — magique — de la vie. Créer, alors, ce n'est plus donner la vie, mais vivre, ce n'est plus accoucher du fruit, mais être son propre fruit. Marceline est parfaitement incapable de suivre, la pauvre, parfaitement incapable de sentir. Oh, elle est très bien,

elle est résignée, elle est tendre, elle aime et suit jusqu'à
la mort, jusqu'à l'épuisement extrême, le vagabondage
créateur de son mari. Mais dès le début du roman nous
voyons signée sa condamnation. Sa plus grande faute :
cette vertu apprise, que l'on appelle morale, et qui lui fait
aimer les bons et détester les méchants, qui lui fait aimer
se sacrifier, car elle est chrétienne, recueillir les malheureux, s'en occuper, pousser les gosses au travail et non à
l'oisiveté voluptueuse. Bref, c'est l'ennemie. Celle qui
croit à l'ordre et qu'une raison souveraine conduit le monde
dans le sens d'une immuable organisation. Elle est l'être
du futur — cet enfant qu'elle porte —, ou du passé —
cette éducation qui l'enserre et la forge —, mais jamais
réellement du présent. Elle se plaît alors à l'action plus
qu'à la sensation, préférant marcher, plutôt que jouir
paresseusement de la beauté d'un lieu. En fait, elle n'aime
pas jouir, ne recherche jamais son plaisir. Alors que
Michel choisit toujours parmi les enfants qu'il favorise le
plus beau, celui dont la sensualité le charme le plus, celui
dont la puissance de vie ou la santé l'attire, lui, vers son
plaisir, celui qui vole ou qui est lâche parce qu'il se
délecte de l'amoralité dès qu'il la rencontre, elle chérit
parmi les enfants ceux qui sont faibles, chétifs ou trop
sages : elle les recherche non pour sa satisfaction à elle,
mais pour eux, par altruisme. Elle fait des besognes
ingrates par goût du sacrifice (toujours le christianisme),
par haine, ou peur du plaisir, par impuissance à jouir
vraiment. Alors, quand il est avec elle, il ne sait plus, ne
peut plus vivre l'instant : « depuis notre nuit de Sorrente,
déjà tout mon amour, toute ma vie se projettent sur
l'avenir. » Le résultat, c'est qu'avec elle, il ne peut plus
sentir, il est malheureux, sombre dans l'ennui, elle lui
coupe les ailes. Elle est liée à la vie répétitive, sédentaire,
stupidement sociale, au travail, à cet enfant. Elle est liée
au souvenir de son père, car il l'épouse pour lui...
    Elle est le contraire de la vie. Quand nous avons bien

compris cela, quand on nous a bien assené que toutes ces
vertus apparentes sont horribles car elles tuent la sensation, la jouissance, la création et la vie, il ne reste
vraiment qu'une chose à faire : sacrifier la femme.
Sacrifice nécessaire. Qui en disconviendrait ? Les choses
d'ailleurs sont faites en douceur, et on a le temps de
s'habituer à l'holocauste. Dès la page 23 (Livre de Poche),
Michel nous annonce qu'il n'aime pas la malheureuse,
mais qu'il a « pitié d'elle ». C'est étrange, parce qu'enfin
elle est belle, elle est blonde, elle est robuste, elle est en
bonne santé. Ça, on nous l'a dit. Pitié ? Oui, c'est une
victime qu'on mène au sacrifice pendant deux cents pages
admirables où, petit à petit, on nous amène savamment à
comprendre Michel, à le justifier, à s'exalter avec lui de la
beauté du monde, de la recherche de l'authentique, de la
passion de la vie, où petit à petit on se désintéresse de
Marceline, où sans y penser on prend l'habitude de
l'assimiler à l'ennui, à la contrainte, à la société bavarde et
stupide, aux intellectuels vaniteux. Sans qu'on y prenne
garde se crée l'association honteuse de la femme castratrice — sans le vouloir certes, mais par quelque décision
inexorable d'on ne sait quel destin. Lentement se forme le
sentiment que, chaque fois qu'elle est là rien ne se passe,
il n'y a pas d'extase, il n'y a pas de jouissance, il n'y a pas
de vie. Certes, il y a l'amour. Mais comme il est peu décrit,
peu sensuel, peu exaltant. Il ne vaut pas un coucher de
soleil sur Sorrente ou une nuit tiède et ventée de Biskra.
Alors, Marceline, on l'abandonne à son destin de victime.
Et ça commence très vite, ce destin. Le désir de la faire
souffrir, de se venger d'elle, apparaît très tôt chez Michel,
justifié d'ailleurs par cette vision traditionnelle de la
femme aveugle, qui ne sent pas, qui n'a pas d'intuition.
Michel crache le sang pour la première fois, et elle ne
s'aperçoit de rien. Scandale. Preuve qu'elle ne voit pas au-
delà des apparences. Lorsque Michel manquera, lui aussi,
à voir la maladie de Marceline, il s'en excusera par son

état : elle est enceinte, et tout le monde sait que dans ce
cas là la femme n'est pas bien. Mais alors que Marceline
ne réagit pas à cette injustice qu'on lui fait de la croire
naturellement fatiguée quand elle est mourante, Michel a
un sursaut de violence inouï contre celle qui ne comprend
pas qu'il peut être mortellement atteint. Ce que Gide veut
dire là, c'est que l'instinct de vie de l'homme est
prodigieux quand celui de la femme terriblement faible.
D'ailleurs ne survit-il pas là où elle meurt ? Homme
porteur de vie, femme liée à la mort. Chaque fois qu'il se
sent mourir, il lui en veut avec une effrayante férocité,
justifiée d'ailleurs à posteriori par son impuissance à elle à
vaincre la mort en elle. C'est comme s'il sentait qu'elle
l'attirait vers la léthargie qu'elle porte. Ainsi l'accuse-t-il
cruellement, lorsqu'il découvre qu'il lui faut manger pour
guérir, de ne pas s'occuper suffisamment de la nourriture,
ainsi est-il si dur avec elle, après son crachement de sang,
qu'elle s'évanouit. Tout se passe alors comme s'il lui fallait
vivre malgré elle, malgré son ignorance de la vie, malgré
son aptitude à la mort. Car Marceline, grave faute, ne croit
pas en la vie, elle croit en Dieu. Elle en mourra. Face à la
maladie, elle ne trouvera en elle nulle force de vie capable
de la guérir. Son sacrifice, il est consommé page 119,
justifié page 162. Justifié par son impuissance à vivre, à
jouir : « Elle, un rien de plaisir la saoulait : un peu d'éclat
de plus, et elle ne le pouvait plus supporter. » Il faut une
grande force intérieure pour supporter le plaisir, pour
jouir, pour sentir la force turbulente de la vie sourdre en
soi. Est-ce alors sa force à lui qui l'a tuée, force qui n'a
rien à voir avec la chétivité de la santé première, qu'il a
vaincue, parce qu'il a pu, lui, homme, exalter sa vitalité ?
Ce sacrifice, non seulement il est inéluctable, parce que
qui ne possède pas la vie ne peut que mourir, mais il est
nécessaire, et Gide trahit clairement son propos. Oui, la
mutilation, l'abandon et la mort de la femme sont
nécessaires à la puissance créatrice du mâle, ils lui

procurent, curieusement, une profonde jouissance. Michel a promis à Ménalque de passer avec lui la dernière nuit que le baladin fou et philosophe passe à Paris avant de partir en mission. Mais Marceline est très malade. Ses craintes sont terribles et cependant, elle est résignée. Son état empire, car elle ne lutte pas contre le mal. Elle en est incapable. Cependant Michel la quitte pour rejoindre Ménalque à son hôtel, et voilà comment Gide décrit ses sentiments, au moment où il consomme le sacrifice de sa femme : « Marceline allait un peu mieux ce soir-là, et pourtant j'étais inquiet ; une garde me remplaça près d'elle. Mais, sitôt dans la rue, mon inquiétude prit une force nouvelle ; je la repoussai, luttai contre elle, m'irritant contre moi de ne pas mieux m'en libérer. Je parvins ainsi peu à peu à un état de surtension, *d'exaltation* singulière, très différente et très proche à la fois de l'inquiétude douloureuse qui l'avait fait naître, mais plus proche encore du *bonheur.* Il était tard ; je marchais à grands pas ; la neige commença de tomber abondante ; j'étais heureux de respirer enfin un air plus vif, de lutter contre le froid, heureux contre le vent, la nuit, la neige ; *je savourais mon énergie* ». Ainsi découvre-t-il une « exaltation singulière », c'est-à-dire un état d'enthousiasme créatif, en même temps qu'une énergie, c'est-à-dire un sentiment de la vie, prodigieux dans le fait qu'il sacrifie sa femme et qu'il domine en lui le remords qu'il en retire. C'est une des rares fois que le mot « bonheur » d'ailleurs est prononcé et il est exacerbé par le contact avec les éléments premiers : le vent, la nuit, la neige. L'état de surtension décrit par Gide est ici l'état par excellence de la création, c'est-à-dire de la jouissance, où, par la violence qu'il fait à la femme et à ce qui en lui est la femme, s'attache à la femme, le créateur retrouve l'essence de la vie. La leçon est claire. Qui n'y voit alors la morbide influence de Sade, une fois de plus, influence sur laquelle nous reviendrons pour montrer qu'elle domine tout le XXᵉ siècle et justifier ainsi le goût

dément et pervers que les créateurs contemporains ont,
depuis Apollinaire, pour l'apôtre du schéma créatif, de la
puissance mâle et du sacrifice femelle ? Car Rousseau et
Sade ont mis en place un schéma de la création qui,
comme nous avons pu le voir, nous poursuit sans trêve, et
qu'ont fait d'autre Freud ou Lacan que de le reproduire
servilement ? Si nous avons gardé Sade pour la fin, c'est
que c'est le XXᵉ siècle qui l'a exhumé et porté au pinacle,
avec la bénédiction de quelques femmes inconscientes, et
sans doute est-ce la peine de se demander pourquoi notre
époque porte au sadisme une admiration si douteuse
qu'elle se maquille et prend les formes les plus abusives de
la philosophie la plus abstraite, la plus jargonnante et la
plus absconse. N'est-ce pas qu'il faut absolument cacher,
là, quelque chose ?

Quant à Freud, on voit qu'il tombait bien, et *L'Immoraliste* de 1902 ne précède que de trois ans les *Trois Essais*
qui condamnent la femme à une sexualité « de caractère
foncièrement mâle », à l'échec dans le plaisir, à l'impuissance. Elle ne « jouit pas ». On n'avait pas tellement
besoin de Freud pour nous l'annoncer, Gide par exemple
s'en était bien chargé. Mais ce coup de matraque théorique
asséné après les évidences informulées du monde des
Nourritures terrestres c'était la justification à posteriori,
combien dangereuse et néfaste de ce qui apparaissait
alors, sans doute, comme une intuition géniale. La femme
n'a pas d'énergie, pas de vitalité, elle ne jouit pas, elle ne
crée pas. Il ne lui reste qu'à mourir. C'est ce qu'elle fait
d'ailleurs très bien, merci. Le postulat de toute façon est
toujours contre elle. Quand il ne faut pas jouir, elle ne fait
que cela, c'est une bête, elle n'est que sens, la nature est
en elle pure scatologie, elle est incapable d'accéder à
l'Idée, à l'abstraction, elle n'a pas de vérité. Elle ne crée
pas. Quand il faut jouir, elle ne jouit pas, impuissance,
morbidité, manque d'énergie vitale, elle raisonne dans
l'abstrait, penche pour des théories sottement platonicien-

nes, elle n'a pas de vérité, etc. Elle ne crée pas. Alors ?
Alors... Freud semble être arrivé bien à point pour
maintenir la femme dans son impuissance créatrice, à une
époque, précisément, où s'amorçait la possibilité de sa
libération. Les théories freudiennes seront d'ailleurs une
des raisons essentielles pour lesquelles le surréalisme ne
sera pour les femmes qu'un creux dans lequel elles
s'enliseront, jusqu'à ce qu'enfin, en 1948, une femme,
Simone de Beauvoir, tente de rappeler à elles leur raison
perdue. Car Breton et les siens, que tout semblait, au
départ, prédisposer à permettre à la femme d'entrer en
littérature et qui, dans leur révolution sexuelle, dans leur
pacifisme, dans leur anticonformisme, leur haine des
bourgeois paraissaient ouvrir la porte à tous les espoirs
créatifs de tous et de toutes, ont trahi ces espoirs justement
parce qu'ils ont inféodé leur vision de la création à une
pure expérience phallique toute issue des théories freudiennes. Breton réclame pour lui et ses amis qu'ils soient
« les maîtres d'eux-mêmes » mais aussi « les maîtres des
femmes » qui les entourent, ces femmes qui ne devien-
dront peu à peu que de vulgaires objets, sources de plaisir,
qui est source de création. C'est tout. Les femmes, ils les
voudront libérées sexuellement, précisément pour leur
plaisir, et en cela, et en cela seulement, elles joueront un
rôle dans l'écriture du poème. Gide ouvre les vannes de la
sexualité masculine, les surréalistes n'hésitent pas à
déchaîner les violences féminines et cependant, la femme
n'est pas désaliénée. Elle ne crée pas davantage. C'est
qu'alors se pose le problème de la sexualité et des rapports
de sexualité entre les sexes. On s'aperçoit ainsi bien vite
qu'il n'y a pas grand-chose de changé depuis Corneille ou
Rousseau, toute la littérature et la pensée œuvrent comme
un immense trucage pour exclure une fois de plus la
femme de la création en la persuadant qu'elle y est —
sexuellement — inapte. Au XVIIᵉ on avait dit : ontologiquement. Au XIXᵉ : naturellement. Quelle différence ?

III

LANGAGE ET VIRILITÉ

*Les tentations de l'abandon à la léthargie féminine
du langage et leurs compensations viriles*

Depuis le début du XIXe siècle, le langage est nettement
apparu comme répondant à la partie féminine du créateur.
Le lyrisme, qui est entrée à l'intérieur du langage, qui est
s'abandonner aux mots, se couler dans leur contour, leur
fluidité, ne pas chercher à maîtriser leur flot, leur
abondance, et qui est la tentation de Musset, par exemple,
ou de George Sand, a toujours été assimilé à une attirance
vers la passivité. Ainsi Flaubert voit-il en ce qui est pour
lui relâchement, chez Sand, une caractéristique de sa
nature féminine, et certes, si Musset a été rejeté de la
littérature avec tant d'injustice, précisément par ceux du
XXe siècle qui personnifient la tendance adverse et
résolument virile, comme par exemple Gide, c'est bien en
raison de ce qui apparaît tout de suite comme une absence
de résistance à la léthargie, une impuissance à dompter la
femelle en soi et qui s'exprime, justement, par cette parole
non matée, non mutilée. Il ne fait pas de doute que les
femmes ont, à l'heure actuelle, une grande tentation
lyrique, dont Hélène Cixous est une représentante éclatante. Il est caractéristique d'ailleurs de voir que ce
lyrisme féminin tend à exprimer la contingence — restant
hélas le mode privilégié de la femme encore soumise au
schéma de l'homme — et se fait l'interprète d'une
inintelligibilité, d'une vacuité qui en rend l'expression
difficile : lyrisme où veut alors s'exprimer la toute-puis-

sance du langage revêtu d'une présence charnelle,
d'un contour concret où se perd le sens, parce que la
femme se conçoit dans son néant inintelligible et sacré. Au
lieu que le langage soit resserré, comme chez Mallarmé,
pour tenter, par son dépouillement, de déceler l'essence
virile, il y a une tentation de se perdre en lui comme dans
le féminin, pour l'assumer, pour en affirmer peut-être la
complexité, la difficulté à être. Certes, cet abandon au
langage est, depuis le surréalisme, depuis Freud, le seul
moyen que nous pensions avoir de découvrir en nous
l'authenticité de l'être, cette vérité refusée à la conscience
claire et où chacun veut trouver son secret intime,
personnel et individuel. Mais tout ce que les surréalistes
ont trouvé gît précisément hors de ce langage, signe
irrémédiablement son impuissance à dégager l'être, et c'est
par une sexualité phallique exacerbée qu'ils compensent le
nécessaire et désespérant laisser-aller aux mots ambigus.

La tendance contraire, celle de Flaubert, de Maupassant, de ceux que l'on a appelés les « martyrs du style »,
impose au langage une purification, un resserrement, une
contrainte qui le virilisent. Ne pas s'abandonner au
lyrisme, mais en mutiler l'écoulement, telle est l'obsession
de Flaubert, son exigence : « Ne te laisse pas aller à ton
lyrisme. Serre, serre, que chaque mot porte » (A Louise
Colet 1er sept. 1852). Or le lyrisme est, pour Flaubert,
redoutable, parce qu'il est implication totale de soi-même
dans le langage et, dit-il « moins on sent une chose, plus
on est apte à l'exprimer comme elle est (comme elle est
toujours en elle-même, dans sa généralité et dégagée de
toutes ses contingences éphémères). Mais il faut avoir la
faculté de le *faire sentir*. Cette faculté n'est autre que le
génie : voir, avoir le modèle en soi, qui pose » (6 juillet
1852, à Louise Colet). Cette horreur du sentiment vient de
ce qu'il lie sentiment et féminité, tout comme Baudelaire
lie nature charnelle et féminité : « Il ne faut pas toujours
croire que le sentiment soit tout. Dans les arts, il n'est

rien sans la forme », écrivait-il encore à Louise Colet, le 12 août 1846. Le lyrisme ainsi conçu s'opposerait à l'enthousiasme qui est, pour lui, comme pour Mme de Staël et tous les romantiques, l'élévation supérieure du créateur ayant quitté les contingences, par la puissance de son imagination. « J'ai entrevu quelquefois (dans mes grands jours de soleil), à la lueur d'un enthousiasme qui faisait frissonner ma peau du talon à la racine des cheveux, un état de l'âme ainsi supérieur à la vie, pour qui la gloire ne serait rien, et le bonheur même inutile » (Lettre du 24 avril 1852 à Louise Colet). Si le lyrisme est abandon à une léthargie intérieure non canalisée, l'enthousiasme est l'état supérieur du mâle créatif, il est une des formes extrêmes de la jouissance phallique. Partant de l'androgyne, Flaubert, alors, comme tous ses contemporains, voit dans l'art le voyage initiatique au cours duquel ce que sa passivité féminine ressent de matériel, de réel est épuré, transformé. Ce voyage est une ascèse au terme de laquelle il ne reste de l'androgyne que l'Idée mâle, transcendée, sublimée, lieu du dépassement. De la femme, enfouie dans le créateur, il ne reste que la mère, qui accouche, qui fait l'œuvre et qui, par là même, réintègre le cycle de l'action, renonce à sa passivité matérielle. C'est le langage qui, pendant les étapes de l'initiation, a subi la purification la plus violente, a été torturé, flagellé, pour qu'il s'élève enfin, lui, matériel, passif et féminin, à l'Art. Au cours de ses batailles avec lui-même, Flaubert rêve alors à la volupté de m'écrire sur rien, pour que la chair disparaisse de ces mots trop sexués, visqueux (lettre à Louise Colet du 16 janvier 1852).

En se livrant au langage, les surréalistes semblent alors se mettre à l'écoute de leur féminité. Révolution, certes, du moins en apparence, où la parole retrouve l'essence lointainement féminine de la magie, du secret que révèle la pythie incomprise. « Le surréalisme a pris naissance dans une opération de grande envergure portant sur le

langage » (Breton, *Prolégomènes à un Troisième Manifeste
du surréalisme*). C'est que, comme le dit Georges Bataille
(*L'expérience intérieure*) la poésie doit mener « du connu à
l'inconnu », et ce premier connu, qualifié de « simple »
philosophal, alchimiste, c'est le langage. « Placez-vous
dans l'état le plus passif, ou réceptif que vous pourrez »,
écrit Breton (*Second Manifeste*) à ceux qui veulent connaître « les secrets de l'art magique surréaliste ». Les mots
sont alors ce « medium » par lequel passe le souffle d'une
incommunicabilité étrange, mais pleine de richesse grâce
à laquelle le créateur découvre qu'il a « quelque chose
dans le ventre » : le langage automatique, c'est la femme
en l'être qui l'écrit. Or nous savons très bien que,
précisément, l'écriture automatique est un échec. Une fois
de plus, le féminin n'a servi que d'appât. Seul, nous dit
l'aventure surréaliste, il ne crée rien. Cette matière passive
ne pouvait alors que servir à une « reproduction » stérile
d'elle-même, bientôt abandonnée par Breton et les autres.
Mais dans leur période de recherche, l'automatisme
linguistique coule d'eux, et leur apporte d'eux-mêmes une
saveur inconnue, celle de leur être femme. Ce flux de
langage que rien n'arrête est l'ennemi de la Raison,
« cette pionne », comme le dit Crevel, l'ennemi du
réalisme et de l'expérience. Or n'est-ce pas précisément,
et comme par hasard, ce que tous les romantiques,
Baudelaire, Flaubert, reprochent aux femmes : leur
impuissance à voir le réel (une femme n'aime jamais un
homme pour ce qu'il est, dit Flaubert à Louise Colet), leur
poétisation du monde, leur fantaisie, leur illogisme ?
Preuve, s'il en était encore besoin, que langage et féminité
sont bien liés indiscutablement. D'ailleurs, dans son
poème *Femme et Oiseau* (in *Constellations* 1961), Breton
n'écrit-il pas : « C'est l'heure... où partout la femme n'est
plus qu'un *calice* débordant de *voyelles* en liaison avec le
magnolia illimitable de la nuit ? » Calice des mots, calice
du sacrifice. Car bien vite, ce langage est sacrifié. En

effet, s'il est clair que le *Premier Manifeste* ne va pas au-delà d'un abandon aux mots, méprisants du talent, du génie, de l'individualisme qu'ils renient, dès 1928, avec le *Traité du style* d'Aragon, s'exprime un autre son de cloche. Alors que dans le *Premier Manifeste,* Breton appelait tout le monde aux sortilèges de l'écriture automatique, Aragon s'indigne qu'il puisse s'agir là d'un « truc », d'une « diarrhée inépuisable » qui pourrait s'échapper de la plume de n'importe qui. En vérité le langage n'est poétique que s'il porte en lui un sens, où, comme le dira Breton dans le *Second Manifeste* (1929) se trouve « ce point de l'esprit d'où la vie et la mort, le réel et l'imaginaire, le passé et le futur, le communicable et l'incommunicable, le haut et le bas, cessent d'être perçus contradictoirement ». Le langage a donc un sens, un sens où se résout la contradiction éternelle des contraires, où s'épanouit l'androgyne. Nous y voilà, et il n'a pas fallu longtemps pour que cesse le fol abandon à une force passive que le non-sens habitait. C'est « l'épuration » du surréalisme, avant l'affirmation tardive qu'il veut « rendre le langage à sa vraie vie... en se portant d'un bond à la naissance du signifiant ». C'est là rentrer dans l'ordre clair d'une domination des mots qu'un sens, autre qu'eux-mêmes ou formé par eux-mêmes, dépasse, et réintégrer la mutilation traditionnellement romantique de la féminité androgyne.

Or, même au début de son expérience, même au temps de son premier essai d'automatisme, le surréalisme n'a pas suscité de grand génie féminin. On peut s'en étonner, après l'affirmation que l'écrivain n'est qu'un appareil enregistreur, ou que « la littérature est un des plus tristes chemins qui mènent à tout » et que chacun peut prendre. C'est qu'il ne s'agit pas seulement de s'abandonner au langage — dont nous avons d'ailleurs pu remarquer qu'il reste peu de temps un abandon pur et simple à des mots que l'on ne retoucherait pas — mais qu'intervient également, chez les surréalistes, la force créatrice d'un désir

qui, alors, se veut résolument mâle. « Les mots, les mots
enfin font l'amour » s'écrie Breton, mais en vérité, cette
énorme copulation se fait moins entre les mots qu'entre le
poète et son langage. Le monde surréaliste est le centre
d'une énorme vie et jouissance phallique, où, comme le dit
Crevel « les objets bandent, et ce n'est point caprice
métaphorique. Et ils ne bandent pas dans le vide. Ils se
caressent, se sucent, s'enfilent, ils font l'amour, quoi »
(*L'Esprit contre la Raison.*) L'œuvre, « réalisation des
désirs solidifiés » est la réalisation du désir mâle, de
l'écrivain « qui bande ». Plus important encore, les
fontaines de l'irrationnel, l'origine du jaillissement de la
création, c'est le liquide fécondateur du sperme : « Dans
le désert du rationnel, de l'abstrait, au passage de Dali
jaillissent (quel plaisir liquide) les fontaines de l'irration-
nalité concrète » (*L'Esprit contre la Raison*). Que reste-t-il
d'autre à la femme que d'être l'objet de tout ce désir ? En
vérité, il semble bien alors que l'irrationnel ait été, dans le
système surréaliste, l'allié de l'imagination, c'est-à-dire la
forme la plus exaltée de la virilité où, enfin, aurait pu
s'inscrire la connaissance universelle des causes. Le
langage devait en être le medium, comme une sorte de
réceptacle (sons, syllabes, mots) de la vérité secrète,
coupée de la logique matérielle, terre-à-terre, concrète,
vérité secrète où s'exprimerait la transcendance du mâle.
Or le langage ici, une fois de plus a fait écran. Une fois de
plus il s'est investi du caractère castrateur de la femme,
une fois de plus, il a signé, parce que son opacité ne
permet pas la communication, le rejet du femelle hors de
la création possible. Car l'énorme sexualisation du monde
poétique ne s'est pas faite en faveur de la femme, ni même
dans le dessein de la rendre égale à l'homme. Il n'y a chez
les surréalistes aucun renversement des conceptions tradi-
tionnelles de l'amour et de la sexualité : la femme y est
passive, ou béante, ou castratrice. L'homme y est agressif,
il bande et déchire, il porte un poignard en guise de sexe.

Tout cela, Xavière Gauthier l'a fort bien montré dans *Surréalisme et Sexualité*. L'androgyne, c'est toujours l'homme pourvu d'un souffle femelle, d'un sexe de femme, l'androgyne qui court dans les œuvres de Breton ou de Crevel comme un rappel que leur révolution littéraire n'était que l'exacerbation de la poétique romantique, et rien de plus. Nous sommes « l'Androgyne primordial dont toutes les traditions nous entretiennent », s'écrie Breton. « Nous en sommes... l'incarnation, par-dessus tout désirable et tangible. » Certes, mais cet Hermaphrodite ressemble comme un frère à celui de Musset portant sa muse dans son sein ou à celui d'Apollinaire copulant avec sa mémoire. En vérité, il est même plus agressif, puisque sa création s'y exprime dans une relation métaphorique DIRECTE avec l'acte sexuel. Le créateur est celui qui bande (« Les sens ont enfin établi leur hégémonie sur la terre », Aragon : *Le Paysan de Paris*) et ce qui sert de réceptacle à son sperme est en lui-même : son langage. C'est du fond de l'inconnu, du subconscient que se fait cette érection monstrueuse. L'œuvre n'est, en fait, que pure solidification du sperme. On se demande dans ces conditions comment une femme, qui, par définition, ne peut pas bander, pourrait bien se tirer de cet embroglio sexuel du désir créatif ? Mal, sans aucun doute, fort mal, et on trouve bien peu d'épingles tirées du jeu. Jamais dans la littérature, en fait, il n'y a eu une telle exaltation de la sexualité masculine. Quand cette sexualité s'exprimait métaphoriquement, elle était voilée et moins aliénante. Son affirmation péremptoire, loin de libérer la femme, n'a fait que l'asservir en la confirmant dans un rôle non créatif dû à sa sexualité. On peut alors se demander, une fois de plus, si toute cette jouissance créatrice romantique, post-romantique, surréaliste, n'a pas poussé des féministes comme Annie Leclerc, à réclamer la jouissance de la maternité comme une analogie à la création, comme une affirmation indiscutable de l'aptitude de la femme à la création. Le « nous aussi, nous jouissons » serait la réponse non ambiguë à l'affirmation freudienne (et laca- nienne) que la femme ne peut jouir, affirmation qui ne résout pas, d'ailleurs, le fait que cette impuissance est affirmée chez Lacan sur le mode symbolique de la création. Faut-il alors prendre au sérieux le « j'écris donc je jouis » d'H. Cixous ? Ne peut-on pas trouver dangereux que les femmes reprennent à leur compte ce schéma de la création qui passe par une jouissance analogique de la jouissance sexuelle, sublimée ou non ? Tout schéma ne porte-t-il pas, par définition, ses contrats d'exclusion ? Tel, alors, ne pouvait créer, au XIXe siècle parce qu'il n'avait pas eu une enfance maladive, tandis que l'autre trouvait réconfort et certitude créatrice — ce qui aide beaucoup, on en conviendra — dans le fait qu'elle avait aimé grimper aux arbres à douze ans. Ceci pour caricaturer le schéma de l'androgyne, tandis que l'on voit le créateur moderne s'épuiser à jouir, confondre création et érotisme et s'enfermer dans l'étrange certitude antibaudelairienne que qui bande crée. Or, non seulement les théoriciens du surréalisme (Breton, Aragon, Crevel) affirment le primat de la jouissance phallique comme une éblouissante mon- tée, au niveau de la conscience, du secret inconscient du créateur, où l'inconscient exploserait enfin comme le sperme sur le monde, mais encore, l'univers poétique est-il celui de l'instrument créateur : le membre viril. Rien n'est plus révélateur que cette poésie de l'inspiration incontrôlée à laquelle, même après qu'il a affirmé la soumission du langage au sens, le surréaliste se complaît. Ainsi, dans ce poème de Breton, écrit en 1948 et intitulé *Sur la route de San Romano*, poème où il s'écrie, de façon si transpa- rente : « La poésie se fait dans un lit comme l'amour / Ses draps défaits sont l'aurore des choses... », la tentation de regarder d'un peu près les images révèle... bien des choses. On s'aperçoit, par exemple, que les métaphores, qui coulent, qui s'échappent comme un jet continu, sont d'origine phallique. Ainsi « la *haute verge* de tourmaline sur la mer », « la route de l'aventure mentale / Qui *monte à pic...* ». Ainsi « le sens du *rayon de soleil* »... « le *battement en mesure de la queue des castors* », « le *jet de dragées* du haut des vieilles marches / *L'avalanche* ». L'univers de la création est entièrement peuplé d'objets phalliques. Les seules relations métaphoriques qui existent : verge, érection, expulsion de sperme, rapportent au mâle, et à lui seul, l'expression érotique et par là même littéraire. Mais surtout, quelle est cette chambre où se fait l'amour création, quelle est cette chambre aux prestiges, mais celle où se dessine contre un mur : « la délimitation... d'un corps de femme au lancer de poignards » ? Cette chambre, c'est celle de la femme torturée, sexuellement déchirée par le sexe poignard, celle où s'exprime la violence traditionnelle de la pénétration phallique. La poésie se fait dans un lit, comme l'amour, où la femme est soumise à la violence sexuelle du mâle. Elle ne sert que « d'appât », elle est la « ruine » où entre le lierre, elle est l'objet : boucle des cheveux, éponge des Philippines, volute de fumée (*Oubliés*, 1948). Aussi bien est-ce aux hommes que Breton s'adresse : « La chambre des prestiges / Non *messieurs* ce n'est pas la huitième chambre / Ni les vapeurs de la *chambrée* un dimanche soir. » La création que l'on fait dans un lit comme l'amour, c'est celle de l'homme qui se sert de la femme, la meurtrit, la torture, la pénètre, en fait une chose où s'exprime à la fois son goût de la violence sexuelle et de l'iconoclastie : « hostie poignardée » de Breton (*Union libre*), « colombe poignardée » d'Aragon (*Le Paysan de Paris*). Le poignard, c'est à la fois celui avec lequel on tue, et celui avec lequel on écrit. C'est le phallus et le stylo. Chez Antonin Artaud, même histoire. Une création sexualisée où ce qui crée est mâle, même s'il a besoin pour cela d'une présence femelle. Le chaos, c'est le monde asexué et donc sans création. L'œuvre naît avec le sexe, ou plutôt quand le sexe du mâle,

qui préexiste, découvre enfin la masse inintelligente, non
résolue, qui jamais autrement n'aboutirait, de l'espace, de
l'étendue passive, femelle, réservoir d'êtres : « L'espace
était mesurable, et crissant, mais sans forme *pénétrable*. Et
le centre était une mosaïque d'éclats, une espèce de dur
marteau cosmique, d'une lourdeur défigurée, et qui
retombait sans cesse comme un front dans l'espace, mais
avec un bruit comme distillé. » Ainsi le phallus, sans une
destination sexuelle, livré à lui-même, ne peut-il rien
créer. De quoi vous plaignez-vous, crient alors les surréalistes, nous avons rendu à la femme sa place, nous avons
cessé de l'exclure de la grande copulation universelle de la
création. Pas de sexualité sans dualité. Une place à la
femme, certes, mais quelle place ? Celle de faire-valoir,
celle d'agent indispensable de la création, mais non point
celle de créateur possible, car la force *qui donne sens* est la
force phallique. Toute la revendication surréaliste à la
primauté de l'irrationnel s'arrête là, dans cette masse
confuse qui, fécondée « se stratifie... devient transparente », apporte enfin la signification éternelle et profonde
que la raison manquait à apporter. Car ce n'est pas que le
monde soit dépourvu de sens, c'est qu'un autre sens lui est
donné. A partir du moment où l'acte phallique de la procréation peut se faire, par la puissance spermique du mâle
(« les *radicelles* qui *tremblaient* à la lisière de mon œil
mental, se détachèrent avec une *vitesse* de *vertige* de la
masse crispée du vent »), à partir du moment où, ainsi, la
sexualité prend le monde : « Et tout l'espace trembla
comme un sexe que le globe du ciel ardent *saccageait* »,
alors la « pensée profonde » qui jusque-là était
« confuse » et non exprimée, devient « transparente et
réduite ». Peu importe que pour cela le sexe de la femme
soit saccagé, peu importe qu'il soit « troué » par « quelque chose du bec d'une colombe réelle », c'est là, en fait,
son destin, sa contribution au monde, celle de devenir la
« nausée limoneuse et puissante, l'espèce d'immense

influx de sang végétal et tonnant » (*L'Ombilic des Limbes*, 1925). Point n'est besoin d'insister davantage, les exemples abondent et sont fort connus. Ils indiquent tous que le surréalisme fut une entreprise littéraire d'une violence inouïe contre la femme. En lui donnant, avec une feinte grandeur, sa place dans un monde sexualisé et en faisant de la création l'explosion ultime de la force phallique, les surréalistes rendaient la femme *l'objet de leur désir,* c'est-à-dire l'inspiratrice, mais l'inspiratrice à qui l'on dénie la puissance de faire l'œuvre, qui plus que jamais revient au mâle qui conçoit. En vérité, on a pu penser que l'écriture automatique était une tentative de rejet du schéma sexuel. En effet, comme une logorrhée non provoquée, féminine car n'étant pas le résultat d'une érection, d'une tension, d'un effort, cette parole donc, de l'être passifié, était comme une féminité intérieure que le créateur aurait refusé de féconder, c'est-à-dire d'inclure dans une signification, dans une direction susceptible de créer un sens. Au contraire, il la laisse vacante, au début, non touchée par le rayon mâle. Mais, résultat : elle tombe dans l'absurde et ne le satisfait pas longtemps. C'est alors qu'Aragon la traite, cette parole non fécondée, de « diarrhée », l'insulte, la ravale, et ramène le Poète à la sacro-sainte autofécondation, au sacro-saint schéma. Et c'est bien là que tant de femmes se glissent. Parce qu'on leur a tellement mis dans la tête cette analogie absurde de la création à un schéma totalement sexualisé, elles se disent inconsciemment que cette logorrhée verbale que les hommes eux-mêmes, à un moment de leur histoire, se sont permise, leur permet d'échapper à la nécessité d'avoir un organe phallique, à ce qui leur apparaît comme l'inévitable de la création : la fécondation, qui seule permet d'arriver au sens. Alors, elles rejettent le sens. Et pourquoi, grand Dieu, concevoir que seul le mâle, seul le phallus, « soit sens » ?

IV

SADE ET LE SCHÉMA SADIEN

La pensée de Sade fait un tout qui découle, certainement, de sa philosophie de la jouissance qui, n'intéressant les êtres forts qu'à leur seul plaisir, en fait de véritables dieux libérés de toutes les contraintes sociales, politiques et historiques. Ces humains de race supérieure ne s'embarrassent plus d'aucune forme de mensonge : au fait de leurs véritables désirs qu'ils ont la force de ne pas maquiller, ils vont droit à leur satisfaction purement égoïste. Ce qu'ils convoitent, c'est l'appropriation de l'autre, dont la possession totale — morale, intellectuelle et sexuelle — est la source de la jouissance la plus intense. Le dessein n'est plus d'être maître de soi — la maîtrise de soi n'étant que la connaissance savante et sans fard de toutes ses impulsions — mais maître des autres. Alors s'établit immanquablement une hiérarchie : les faibles qui agissent certes pour satisfaire leur plaisir, mais n'ont ni la clairvoyance, ni le courage de l'admettre, les forts qui, non seulement ne se cachent pas leur motif, mais en plus exacerbent leur jouissance par la conscience de leur liberté suprême, dont ils cherchent à reculer les bornes, jusqu'à ce qu'ils tombent, pour nous, dans l'horreur la plus profonde, par une perversion continue et raisonnée, par une exaltation de plus en plus forcenée de leur logique. Quoi de plus révélateur que la querelle de Léonore avec Mme de Blamont, sa — toute récente — mère. Lorsque vous faites la charité, dit Léonore, vous faites une action basse et médiocre, car vous entretenez dans la paresse un homme qui devrait travailler, plus, vous l'incitez au vice puisque, si vous cessez vos largesses il sera tenté de se procurer par le vol ce qu'il a, par vous, à si bon compte. Par contre, si vous achetez ce bijou que vous avez sacrifié à votre bienfaisance, vous ferez vivre l'artisan qui l'a fait, vous contribuerez à l'équilibre de l'économie. Et pourquoi cette charité, continue impitoyablement Léonore, mais pour votre satisfaction, pour assouvir un plaisir à donner, pour la jouissance de vous regarder avec complaisance, pour la délectation d'être vertueuse. Voilà l'être faible qui a besoin de justifications pour jouir. Ainsi définie, la vertueuse Mme de Blamont frappe par son *manque d'autonomie.* Non seulement elle a besoin du pauvre, de son manque, et de son malheur, pour assurer sa jouissance, mais encore elle a besoin d'un critère de vertu extérieur à cette jouissance même pour s'y complaire. C'est le monde, en fait, la société, par les freins qu'ils mettent à l'expression du plaisir, par leur définition de la vertu, c'est l'approbation du groupe qui servent à sa satisfaction. Il faut au faible, c'est-à-dire au vertueux et au moral, des bornes extérieures à quoi il se réfère quand le fort n'a de critère que lui-même, est investi d'une vérité intérieure qui ne doit rien au monde. Ainsi se sent-il parfaitement libéré des autres, *absolument autonome,* aiguillon et organe de son plaisir (*Aline et Valcour*). Certes le héros a besoin de ceux qu'ils torturent, mais ils sont interchangeables : si ce n'est pas Sophie ce sera Augustine, ou une autre, peu importe pour Blamont ou Dolbourg. Le faible investit la totalité de son plaisir possible dans un seul être : c'est Valcour criant qu'il mourra plutôt que de ne pas avoir Aline, et se privant alors des plaisirs du monde. C'est Sainville souffrant mille morts pour retrouver la seule Léonore. Et il apparaît bien vite que là est l'erreur de celui qui est bas dans la hiérarchie : lorsque Léonore réussit à persuader l'inquisiteur que d'elle et d'elle seule peuvent lui venir des jouissances ignorées et extraordinaires, il perd son pouvoir et sa proie. C'est le piège de l'amour qui asservit et banalise l'être. (Histoire de Léonore et Sainville in *Aline et Valcour*.) L'autre alors, le faible, est une proie qu'il faut vaincre, déchirer, dont il faut s'emparer et le pervers ne cache jamais son dessein. Sa maîtrise vient justement de la peur qu'il inspire, parce que l'autre qui a peur n'est plus libre, ni de ses mouvements (il se cache, il fuit), ni de ses pensées (il ment, il maquille ce qu'il est et ce qu'il ressent pour sauver sa peau). Aussi, ni Blamont, ni Dolbourg, ni le roi de Butua, ni l'inquisiteur ne cherchent-ils à se rendre aimables. Leur volonté s'étale avec leur sexe, nulle feinte en eux, et parce qu'ils sont toujours les plus forts — physiquement, politiquement ou socialement — l'autre ne peut que craindre, c'est-à-dire qu'expérimenter la plus dégradante perte de sa liberté. Voilà pourquoi on tue terriblement dans les œuvres de Sade, voilà pourquoi aussi les femmes qui sont atteintes sont toujours d'une extrême vertu, voilà pourquoi l'idée de perdre leur virginité est pour elles aussi terrible que la mort. Car c'est un jeu de mort que l'enfer sadien. Celui qui perd y risque sa vie ou quelque chose qu'on lui a dit aussi précieux que la vie : son honneur, sa réputation... Ainsi apparaît pour Sade l'absurdité de la culture qui fait mettre au même rang la vie, la virginité ou la possession d'un seul être dont on est finalement possédé, comme c'est le cas de Valcour ou de Sainville. Sous la plume ou dans la bouche de ceux-là : « je crains que, j'ai peur, je redoute ». Lorsque Blamont écrit à Dolbourg, c'est pour le fortifier dans ses résolutions criminelles de maîtrise. Ainsi, ce qui frappe dans ce besoin de violence du maître sadien, c'est qu'il implique que le fort est celui qui arrive seul, après avoir en quelque sorte éliminé les autres, à la souveraineté à laquelle il aspire. S'il entraîne à sa suite quelques amis choisis, ce

sont des comparses, et les relations Blamont-Dolbourg en
témoignent : le maître, c'est le Président. Le fermier
général n'est qu'un apprenti vulgaire qu'il faut toujours
rappeler à l'ordre, chapitrer. Amener tous les autres à la
jouissance, ce ne serait pas être le maître des autres. Il
faut pour cela être *le seul* à jouir et le projet sadien — qui
est d'arriver à une sorte de divinité par la jouissance
autonome — implique la souffrance ou la mort des autres.
Etre le seul à jouir, être le grand solitaire, voilà le dessein
suprême, le dessein créateur. Et en vérité lorsque Blamont
veut donner sa fille Aline à Dolbourg, ce n'est pas par
amitié pour ce dernier mais bien parce qu'alors son plaisir
dépend de lui et qu'il humilie et fait souffrir la malheureuse encore davantage en l'offrant à ce grotesque qu'il
méprise. Enfin, il y a du magister dans le personnage
sadien : il faut qu'il explique, convainque, raisonne. Voilà
pourquoi il a des comparses. Il lui faut un public. C'est un
cabotin qui se donne et donne au monde la comédie. Ainsi
s'exhibe-t-il, ainsi Blamont et Dolbourg participent-ils
ensemble aux mêmes orgies avec leurs filles respectives,
dans le secret espoir de choquer en elles le tabou de
l'inceste et que la nudité du père faisant l'amour avec
l'autre pervertisse totalement la fille, éloigne à jamais de
son esprit tout sentiment de décence et de morale.
Choquer, avant de maîtriser, de posséder et de tuer, c'est
ce que veut faire Sade précisément parce que rien ne peut
ni le choquer, ni le posséder, ni le briser. Mais s'il est
magister, ce n'est pas pour amener l'autre à la jouissance,
ce n'est pas dans l'espoir de bâtir un monde heureux où
chacun serait libre car libéré de la morale et des freins
sociaux. Non. S'il est un magister c'est pour expliquer à sa
victime pourquoi elle est et restera victime, pourquoi il est
et restera seigneur. Projet, nous l'avons vu, ô combien
poétique. Pauline Réage, reprenant le schéma sadien, le
modifiera en cela qu'elle y introduira une notion d'incitation à jouissance. Non pas, dit Sade, la jouissance n'est

ouverte qu'à certains, et il ne prêche pas la démocratie du plaisir : « Ce qui est juste, dit Sarmiento (Histoire de Léonore et Sainville), c'est qu'il n'y ait dans l'état de souffrance que l'être faible, créé par la nature pour végéter dans l'asservissement. »

Ce sentiment profond de la hiérarchie, et d'une race, à part en quelque sorte, du maître (qui d'ailleurs donne lieu, dans l'histoire de Léonore et Sainville, à maint développement pseudo-raciste), voilà ce qui nous amène à prendre conscience que c'est presque toujours la femme qui est la victime de la sauvagerie mégalomane du sadique. Oh, bien sûr, il y a des femmes perverses dans l'œuvre de Sade, et en grand nombre. Peu cependant peuvent être considérées comme investies d'une maîtrise véritable : ce sont des agents du bourreau, comme la Dubois, ou des élèves douées, comme Juliette. Car il apparaît très évidemment que l'être faible est tout normalement pour Sade, la femme : faible socialement, physiquement et sexuellement. De la première faiblesse, elle peut se libérer. Mais des deux autres ? D'ailleurs, le maître, qui, lui, récuse les lois, use de tous les éléments que le droit, la loi, les usages mettent en son pouvoir pour maîtriser la femme. A sa fille Aline qui se révolte, Blamont rappelle brutalement les prérogatives légales que la société patriarcale donne au père. A Sophie qui le supplie, il fait montre de sa force physique et de sa supériorité sexuelle. La chose ne fait aucun doute pour Sade : la femme entre, naturellement, dans la catégorie des faibles : « Vois, dit Sarmiento à Sainville, la manière impérieuse dont [les animaux] jouissent de leurs femelles, le peu de désir qu'ils ont de faire partager ce qu'ils sentent, l'indifférence qu'ils éprouvent quand le besoin n'existe plus ; et n'est-ce pas toujours chez eux que la nature nous donne des leçons ?... Or, s'il y a une supériorité établie, décidée, de l'un des deux sexes sur l'autre, comment ne pas se convaincre qu'elle est une preuve de l'intention qu'a la nature, que cette force, que cette autorité toujours manifestée par celui qui la possède, le soit également dans l'acte du plaisir comme dans les autres ? » Certes, on objectera qu'il y a bien des faibles parmi les mâles de Sade. Mais on voit se former une hiérarchie naturelle et une hiérarchie acquise, la femme pouvant certes atteindre une certaine forme de maîtrise, mais avec quel préjudice éducatif et naturel. Il faut remarquer que les grandes débauchées que sont la Dubois, la Durand, sont précisément des femmes de basse extraction : elles n'ont eu à lutter que contre le préjugé naturel. Chez elles, le préjudice éducatif était évidemment moindre. Il ne fait cependant pas l'ombre d'un doute que la plupart des victimes sont des femmes : Sophie, Aline, la mère du marquis de Bressac, Mme de Blamont, etc. Les bourreaux, ce sont en général des hommes : Bressac, Blamont, Verneuil, etc. Ceux-là aiment à faire souffrir, et les victimes détestent leurs souffrances. Voilà qui est clair. Mais il y a une autre catégorie, dans cette espèce de monde de l'absurde, ceux qui, ni totalement bourreaux ni complètement victimes, participent des deux univers comme des espèces de parasites de la souffrance et du plaisir : Sarmiento, Mme de Donis, la Borghèse sont à la fois bourreaux et victimes. Cependant, fait étrange, au moment même où ils deviennent victimes, le bourreau triomphe encore en eux, et s'alliant à leur bourreau, ils deviennent bourreaux d'eux-mêmes. Ainsi, frappé à mort, Sarmiento s'écrie-t-il : « Tu vois qu'on meurt tranquille quand on me ressemble. Il n'y a de malheureux que celui qui espère ; celui qui frémit est celui qui croit encore... » C'est qu'au moment suprême de la mort, celui qui n'a pu être le maître absolu, qui n'a pu être le souverain de tous les autres, l'est de son bourreau qu'il frustre du plaisir de sa rébellion. Il se prouve à lui-même que la grande chaîne qui entrave les hommes médiocres : la peur de la mort, l'a laissé libre, et cette constatation est source de la plus extrême et dernière jouissance. Or parmi les victimes-

bourreaux, êtres hybrides à la fois libérés mais inaptes à
être totalement souverains, une majorité de femmes : la de
Donis, la Clairwill, la Borghèse, exposant le goût de la
femme pour son propre sacrifice, préfigurant la position de
Baudelaire dans l'*Heautontimoroumenos*. Certes, le propos
sadien est infiniment plus complexe que ce qui en est
indiqué ici, mais nous y découvrons, tel qu'il est, des
coïncidences troublantes avec notre schéma créatif romantique et postromantique. Car il ne faut pas se leurrer, une
fois de plus, ce schéma créatif implique une destruction :
c'est sur la ruine de l'univers du plus faible que le créateur
émerge, puissant, c'est sur les cendres de celle qu'il a
immolée en lui qu'il renaît, tel un phénix. Il n'est pas
inutile de rappeler ici que cet élément capital de la
poétique apollinarienne, tel qu'il s'expose dans *Merlin et la
Vieille Femme, Vendémiaire,* les poèmes de guerre, fait de
Guillaume Apollinaire l'héritier direct du sadisme, qu'il a
été un des premiers à porter aux nues. Nous savons,
d'autre part, par la correspondance à Lou, qu'il avait le
goût de s'adonner avec elle à quelques petites expériences
sadiennes. Tout cela, sans doute, n'est pas un hasard.

Le premier élément du discours sadien est celui de
l'autonomie que lui confère une jouissance qui semble ne
tenir à aucun impératif qui lui soit extérieur. Phénomène
assez intéressant, car nous avons maintes fois montré
combien le schéma sexualisé de la création, dissociant et
réunissant en un, dans une unicité quasi divine, le
créateur, à la fois un et multiple, c'est-à-dire androgyne,
fait du Poète le maître du monde, le Prince des Nuées,
précisément parce qu'il est autonome. Au moment où il
crée, il est seul, et il accouche, ou jouit, selon qu'il est
purement romantique ou postromantique, selon qu'il s'agit
de Musset, Vigny ou Gide. Mais cet accouchement ou cette
jouissance, synonymes de création, il ne les obtient
qu'après une mutilation d'une partie de lui-même qui
correspond justement à ce qui, dans son organisation

androgyne primitive, est faible impuissant, léthargique et
passif. C'est par le sacrifice du faible que l'être devient
libre de créer. Ainsi Vigny, Balzac, Musset, Gide ou
Breton rejettent la multitude importune, et après avoir
montré qu'ils pouvaient se libérer, eux, de leur faiblesse,
soit qu'ils la brisent violemment, soit qu'ils la compensent
par une virilité, une tension, une exaltation exacerbées,
soit encore qu'ils la dégradent en la montrant dans son
impuissance désespérée à jouir donc à être, expriment par
leur œuvre la victoire phénoménale du puissant sur le
faible, du maître sur le servile, de soi sur soi. Le Poète crie
alors : « je suis maître de moi comme de l'univers. »
L'acte de création, acte d'anéantissement, fait de celui qui
l'a perpétré l'être qui vit, celui qui, comme Gide, célèbre
la vie comme une récompense de qui a su la ravir.
L'univers sadien a ceci d'exaltant pour le créateur que
dans la lutte où le faible et le fort s'affrontent, aucune
chance n'est jamais donnée au faible d'éviter l'anéantissement. C'est de maîtrise en maîtrise que celui qu'il faut
alors appeler par analogie le créateur parvient au sommet
de sa puissance. C'est un effort permanent de destruction
du faible que le sien : s'il y manque, s'il a des remords, s'il
est pris, une fois, par la peur, il est anéanti pour jamais.
Même si tous les anéantissements ne sont pas ceux de la
femme, chez Sade, même si Juliette est une sorte de
modèle, il n'en reste pas moins que c'est l'être soumis (à
son éducation, aux usages, à la morale, à la culture, aux
autres, à sa peur) qui disparaît. Toute notre littérature est
faite de ces disparitions féminines réelles, ou symboliques, de ces anéantissements qu'on nous fait accepter
comme inévitables, voire logiques, mieux justifiables, de
celles qui sont ontologiquement, naturellement, sexuellement, physiquement, les plus faibles. Littérature de
violence que la nôtre, où l'on ne fait pas de quartier, où,
sans qu'on s'en aperçoive, s'exprime le désir prodigieux
d'une divinité de plus en plus désespérément poursuivie à

mesure que l'on crie plus haut la mort de Dieu. Car c'est cela l'univers sadien : celui où l'homme lance un défi à tous les autres et se propose la tâche d'être Dieu puisque Dieu n'est pas. Après l'ordre immaculé de la poétique du XVIIe siècle où s'instaure un modèle absolu de la divinité auquel la créature veut tendre, par un dépassement désespéré de tout son être, la mort de Dieu impose la foire d'empoigne de ceux que cette place vacante attire avec la terrible tentation d'anéantir le reste du monde pour rester seuls en lice. Chaque fois la femme gêne : c'est trop qu'elle ait en elle la puissance de la vie. Il faut détruire son désir d'être Dieu. D'abord, la tâche est simple : Dieu lui-même, semble-t-il, l'a rejetée. Mais ensuite ? Comment justifier son exclusion ? Eh bien on ne la justifie pas. On l'impose. Par un ordre pervers de l'univers, de la nature, de la sexualité. Que fait la littérature ? Elle propage. Elle est la bonne parole de l'asservissement féminin, l'évangile des puissants. Car la femme empêche l'homme de faire ce qu'il veut. Etrange phénomène, il l'a matée à le desservir. Il l'a voulue passive : elle devient un poids qui l'alourdit et empêche son envol vers les hautes sphères. Il l'a voulue ligotée par des lois sociales, des usages, des morales : elle entrave sa libération et sa remontée vers l'essence. Sade résume à lui seul ce paradoxe meurtrier : elle l'a servi et il l'immole. Car le pervers a besoin, nous avons vu, du faible qui est le tremplin de sa puissance, tout comme le créateur a besoin des entraves pour s'en libérer. Celui qui se croit libre, qui ne veut pas les chaînes dont ses pieds sont chargés, ni « la lettre sociale » écrite avec « le fer » sur son épaule, celui-là est un impuissant, un médiocre, c'est Théramène, ou Œnone, c'est l'être ballotté, pris par le courant de la contingence. Le créateur voit les entraves et les arrache, voit le mal dont il est atteint et qui risque de l'entraîner au néant, ce mal qui est la féminité il le brise en lui : c'est le Vigny de la *Maison du berger,* c'est Julien Sorel, c'est l'Immoraliste. Or, que le créateur jouisse avant la mise en œuvre, ou de la venue du fruit dont il accouche, nous avons montré le rôle puissant de la jouissance dans la poétique du mâle. Jouissance qui le déifie, ou jouissance d'être déifié, cette jouissance, depuis le début de l'échelle jusqu'à la fin, il la dénie à la femme et quand elle jouit, nous savons que ce n'est jamais de la bonne jouissance, ce n'est jamais cette jouissance-là qui est créatrice. Ce qui paraît révélateur de l'intérêt extraordinaire de l'époque postapollinarienne pour Sade, c'est que justement la jouissance y devient directement synonyme de création. Quand le schéma est profondément touché par la nécessité de l'accouchement, c'est-à-dire dans la pleine période romantique, la souffrance de la mise au monde entre encore pour une large part dans l'acte créatif. Certes le créateur jouit, mais il se mêle à cette jouissance — qui est celle de la vie — la suprême torture de la mise au monde. L'analogie à l'acte féminin est alors pleine et le créateur est complètement la mère de son œuvre. Mais au moment où, avec Gide, avec les surréalistes, cette partie du schéma se voit souvent omise, en quelque sorte reléguée puisque le Poète ne s'interdit pas la féminisation de son langage, puisqu'il est lyrique, coulant, qu'il se « passi- fie » dans le rêve et qu'il exprime ouvertement une part de sa féminité qu'il se refuse maintenant à mutiler, la jouissance devient le moment de la création, désir, sperme « solidifié ». Alors comme le créateur accepte de se fragiliser, l'analogie au schéma sadien se fait plus évidente encore. Jouir est, non seulement la revendication suprême, mais la marque suprême de la puissance. Mais jouir de quoi ? Précisément d'être autonome, d'être débarrassé de toute entrave, c'est-à-dire de tout ce qui n'est pas la jouissance. Cette liberté que réclame à grand cri le pervers sadique, Gide l'exprime dans ses vagabondages (liberté dans l'espace), dans ses mœurs (pédérastie), Breton et les surréalistes la proclament dans l'anéantissement de la morale, dans l'éclatement des tabous et des systèmes, dans l'explosion de toutes les forces de la sexualité. Tel est l'univers sadien. Pourquoi se cacher la vérité ? Tout anéantissement, tout meurtre est forcément une souffrance de l'être anéanti et puisqu'il faut anéantir pour se libérer, et se libérer pour jouir, où sont les victimes ? Les femmes, les faibles, les autres, tout ce qui n'est pas moi le maître et moi le créateur. Mais tous les autres sont des concurrents possibles. La hiérarchie deviendra donc de plus en plus une hiérarchie des sexes : il faut créer des ilotes pour s'en rendre maître. Sade n'a fait que dire sans ambage ce que tout notre schéma implique, et encore l'a-t-il dit sans dévoiler une hiérarchie systématique des sexes, quoiqu'elle fût finalement implicite. A son époque il ne pouvait en être autrement. Maintenant les choses sont différentes et demanderaient plus de subtilité. C'est cette subtilité, de plus en plus manquante, qui, de plus en plus, rendra le schéma apparent. Il se dessine nettement avec Breton, prend des contours plus clairs avec Gide, devient éclatant avec Montherlant ou Claudel : peut-être la dernière fulgurance de la poétique du mâle.

Ainsi voyons-nous toujours se profiler un schéma, c'est-à-dire une structure *fixe et inconsciente* qui sert de support à l'expérience et à l'expression créatrice. De la même façon Freud, par exemple, voyait le comportement de l'individu modelé à l'intérieur d'un système étrangement noué qu'il appelait le complexe d'Œdipe. Le propos ici n'est pas de faire une analyse psychanalytique des structures de la création ni d'en donner une explication historique ou sociologique. Simplement de les mettre en évidence. Or, d'une façon qui défie le hasard parce qu'elle est trop constante, le créateur, en son nom ou à travers les personnages de son univers créatif qui le représentent, s'expose dans une reconstruction du monde et de lui-même — que l'on peut, si l'on veut, concevoir comme une compensation, comme l'expression d'une peur informulée, d'une fragilité tragique et angoissante — qui est toujours la même. Par un effort prodigieux sur le monde et sur lui-même, il se retrouve seul et puissant, parce qu'il est arrivé à une autonomie supérieure qui lui fait mépriser, rejeter et anéantir les autres. Dans le cas de son échec, c'est lui qui est englouti. Jeu de mort, la littérature est une expérience d'anéantissement. Que la figure du Maître soit enfin toute puissante ou brisée, que les autres soient définitivement neutralisés ou que l'œuvre n'exprime que la tentative de leur exclusion, il semble bien que notre culture soit celle de la violence et du meurtre rituel. En pleine période révolutionnaire et prérévolutionnaire, Sade exhume de lui-même et met au jour, dans une clarté bouleversante, sans métaphore, sans cérémonie formelle, le squelette terrible-ment exact de l'enchaînement du travail créateur qui sera celui du Poète, jusqu'à nos jours. Certes c'est le schéma de l'homme qui se veut Dieu, qui se veut ouvertement maître de la création, démiurge, Satan, grand balayeur de la médiocrité humaine, que celui de Sade, mais, non formulé, souterrain, dangereux pour les faibles auxquels il s'attaque, l'itinéraire créatif du XIXe et du XXe siècle est absolument le même, avec de loin en loin un cri plus ouvertement sadien, celui de Baudelaire, celui de Nietzs-che, celui de Lautréamont ou celui de Gide. Mais, de façon plus nette, plus évidente que Sade, le créateur a hiérarchisé le monde sexuellement : les faibles, ce sont les femmes ou autres êtres féminisés qui constituent avec elles, d'ailleurs, un amalgame fort clair, les forts, ce sont les mâles et les mâles seulement. L'enfer, c'est-à-dire la non-création, l'impuissance à être, c'est toujours les autres.

Ainsi se justifie donc parfaitement le culte des créateurs du XXe siècle pour Sade. *Aline et Valcour, Les Infortunes de la vertu* sont les bibles poétiques où s'exprime tout de go, sans ambage et sans bavure, la volonté de puissance et d'anéantissement du créateur. Mais pourquoi est-ce seule-ment au XXe siècle que cette éclatante reconnaissance lui

est offerte ? Précisément à cause de la fragilité que s'est
consentie le Poète ; parce que, dans la cuirasse de la
structure créatrice, il y a une brèche qui est l'acceptation
de s'offrir à la féminité du langage, et que l'univers sadien
est une des compensations théoriques que le créateur se
donne, avec l'affirmation triomphante que l'œuvre ne peut
être que le résultat de l'effort viril, qu'elle correspond à un
autre schéma, qui est celui de l'acte sexuel de l'homme. Ce
n'est donc pas hasard, une fois de plus, si le pervers
sadique exprime sa volonté de domination par une appropriation sexuelle de l'autre, qu'il détruit sexuellement, en
quelque sorte, ou par le biais de la sexualité. Toujours
l'étrange relation qu'il y a entre création, cruauté et
sexualité. Coïncidence qui ne peut en être une, et qui fait,
d'ailleurs, des surréalistes des décripteurs du schéma
qu'ils ont contribué plus que tous les autres, par l'œuvre de
Bataille ou d'Artaud, de Breton ou de Crevel, à mettre au
jour. Les théories des uns et des autres apparaissent donc
de plus en plus comme des dévoilements plus ou moins
complets, plus ou moins précis de lambeaux du schéma —
exaltation, imagination et souffrance créatrice mêlée à la
jouissance des romantiques, jouissance purement sexuelle
et mystique phallique chez les surréalistes, etc. —
jusqu'à ce que quelque Lautréamont, puis quelques
créateurs du XXe siècle reprennent avec une virile arrogance l'antique schéma sadien parfaitement remis en état :
Montherlant ou Claudel.

UNE EXPRESSION PARFAITE DU SCHÉMA SADIEN :
CLAUDEL

Il semble à peine nécessaire de reprendre Claudel et Montherlant, tant la force créatrice qui les a poussés, paraît s'intégrer clairement à l'expression conventionnelle de l'immolation de la femme. Mais sans doute n'est-il pas inutile d'en parler, parce que si Montherlant est un peu tombé en désuétude, il n'en va pas de même pour Claudel qui, maquillant son dessein sous les apparences confortables de la nécessité du sacrifice religieux, suscite de nos jours un intérêt toujours renouvelé, et attire un public considérable. Goût sans aucun doute suspect, quand on songe à quel point notre monde est déchristianisé. Il est de bon ton de trouver Claudel « beau », « puissant ». Cette grandeur même déjoue l'analyse. On se perd dans le dédale des images, dans le jeu des strophes. Quelque chose, chez Claudel, visiblement échappe au raisonnement, berce le spectateur de la certitude que sa grandiloquence touche à une vérité profonde et insondable de l'être. Toute sa littérature endort le sens critique, parce qu'elle tourne autour du pot, parce qu'elle use de métaphores, symboles, paraboles, de toute une cuisine poétique qui rassure sur l'authencité de l'inspiration. Or, qu'est-ce que c'est que cette littérature, si on la décode, si ce n'est la caricature du schéma sadien assaisonné à la façon chrétienne ? Toutes ces femelles sacrifiées : dans *L'Otage, L'Echange, L'Annonce faite à Marie, Partage de Midi,* que le mâle pousse au rituel avec une sublime grandeur d'âme, attestent que l'univers claudélien est celui du martyr féminin nécessaire, compensatoire. Univers d'une écœurante banalité que seule pimente l'image,

excessive, déclamatoire et si révélatrice. Claudel, c'est le
dramaturge de la facilité, du confort, où chacun, sexe,
personne, entre dans un moule bien préparé comme dans
les alvéoles d'une rûche ; la femme, toujours faible,
ballottée (Ysé), contingente, qui n'a que deux voies devant
elle : celle du mal, où elle est perverse, dure, méchante
(c'est Mara), putain, créature du désastre, créature de la
chute, et puis celle du bien, qui ne peut être pour elle que
celle du sacrifice et du rachat, car dans la première voie,
elle n'est qu'elle même, telle que Dieu l'a faite, plongée
dans sa nature. Femme, il lui faut se vaincre, comme ce
triste et bouleversant personnage de Bernanos (Blanche de
Dialogue des Carmélites), se défaire de cette nature
empoisonnée et contagieuse. L'homme, quant à lui, il est
tout le reste, et en particulier celui qui souffre et
comprend. Mais quand il est faible, comme de Ciz,
(*Partage de Midi*), on prend bien la précaution de nous dire
à quel point c'est une femme, et pour ne pas être accusé de
partialité, on le fait dire à une femme : « *Ysé :* Quand il
me regarde de ses grands yeux aux longs cils (il a des yeux
de femme tout à fait)... » (*Partage de Midi*). C'est donc un
monde où les valeurs sont sûres que celui de Claudel, où le
père parle en père, c'est-à-dire en chef absolu (*L'Annonce*)
où la mère est mère, partiale, faible, où le jeune mâle est
plein des promesses de sa puissance future, mais sans
l'éclair de l'expérience des vieux (Jacques de *L'Annonce*).
Voilà *Partage de Midi,* par exemple, avec cette symbolique
non voilée du soleil, du zénith, de midi, et de la force
phallique meurtrière, violente, qui est comme un poignard. La femme, les êtres faibles la récusent, ne la
supportent pas. L'homme véritablement homme, que ne
tourmente pas le péché, qui ignore, parce qu'il est puissant,
la tentation secrète, Amalric, celui-là se définit comme la
proue phallique du navire qui aime à fendre les eaux
calmes : « J'aime sentir qu'on fait son trou dedans », qui
hait se voir »... bercé, brossé, /crossé, culbuté » ; il est en

charge, responsable, face aux éléments qu'il regarde en
face et dont il assume la signification (Les Eaux, le Ciel).
Celui-là aime la force du soleil de midi, et ne la craint
pas : elle est la sienne : « *Amalric :* J'aime ce grand jour
immobile. Je suis bien à mon aise. J'admire cette grande
heure sans ombre, J'existe, je vis... je suis satisfait. »
Voilà qui est confortable, qui entre dans les assises des
grandes mythologies. Théâtre où rien n'est mis en cause et
où se fait, sous nos yeux, la grande célébration tranquille
du mystère phallique. Etrange début du XXe siècle (la
pièce est de 1906) où s'amorce l'impuissance créatrice qui
est la nôtre, où s'affirme avec tant d'arrogance la continuation sans équivoque du schéma — déjà bien vieux
cependant — de la création. Car, à quoi nous amène ce
partage de midi ? A la grande culmination du cantique de
Mésa. Mésa qui demande à Dieu compte de sa souffrance,
compte de la femme comme de l'épine plongée dans la
chair. Or cette femme, Ysé, Claudel nous l'offre comme
LA femme : « Après tout » dit-elle « je suis une femme,
ce n'est pas si compliqué. » Et certes elle est l'être second
et qui se sait seconde : Mésa sera son maître et comme une
héroïne cornélienne elle demande à l'homme, en s'offrant
à lui (« Mésa, je suis Ysé, c'est moi ») de la diriger, de lui
montrer la voie, d'être son professeur. Depuis toujours le
vieux traquenard que le misogyne invétéré pose à la
femme : ce n'est pas l'homme qui dans l'œuvre s'écrie : la
femelle est faible, stupide et immonde, non, ce serait
montrer son dessein, ce serait risquer de voir la femme se
rebeller contre une définition de soi qu'on aurait l'air de lui
imposer de l'extérieur. En fait, c'est la femme, elle-même,
qui, lucidement et tragiquement, répète sans cesse qu'elle
est, et le sait, faible, stupide et immonde. Dans *Partage de
Midi*, c'est à Ysé que Claudel confie le soin de rappeler
l'insigne corruption naturelle de la femme, c'est elle qui,
se définissant femme, et femme avant tout, femme dans
toute l'acceptation du mot, belle, certes, et jeune, mais

marquée par son sexe de façon indélébile, signe définitivement sa propre acceptation résignée au partage de la chair,
de la bassesse et de la chute qui est son lot à elle, femelle.
Et la voilà mettant en garde son mari de Ciz, le suppliant
de ne pas partir, de ne pas la laisser à la merci de Mésa,
lui avouant sa peur de succomber : « Comprenez de quelle
race je suis. Parce qu'une chose / est mauvaise / Parce
qu'elle est folle, parce qu'elle est la ruine et la / mort et la
perdition de moi et de tous, / Est-ce que ce n'est pas une
tentation à quoi je puis à / peine tenir ? » Voilà la femme
telle que l'aime Claudel, que diable, la femme qui se sait
misérable et marquée dans sa chair par le démon, le
péché. La femme qui sait que sa pente naturelle va vers le
mal, qui l'accepte comme le sceau de sa nature et qui alors
demande à l'homme, sûr, plein de la grandeur de sa nature
première, fier de son essence, de la brimer, de l'empêcher
de causer la ruine, non seulement de soi, mais des autres,
ruine qu'elle médite, et elle le sait, comme la « perdition... de tous ». Voilà la grandeur de la femme grande, et
qu'on n'en cherche point d'autre, c'est de savoir que,
inéluctablement, elle pêchera, et qu'inéluctablement elle
cherchera à entraîner l'homme vers le mal et la désolation.
Il est certain que la Genèse fournit à Claudel un système
extraordinairement simple, et le malheureux Rousseau,
qui disait la même chose (voir *Sophie*) et réclamait à grands
cris que l'on brimât les filles, n'avait pas à son service
d'explication aussi rationnelle et convaincante : en vérité,
il s'en tirait assez mal et était obligé, on s'en souvient, de
justifier l'éducation très dure, très contraignante, très antinaturelle qu'il voulait infliger à la petite fille par une
raison sociologique assez tirée par les cheveux et ambiguë : la femme, disait-il, sera soumise à son mari, mieux
vaut qu'elle s'habitue à cette soumission le plus tôt
possible. On avouera qu'à la suite de cela, il ne justifiait
pas vraiment la nécessité sociale où elle se trouvait d'être
soumise à son mari autrement que par la faute de sa

sexualité défaillante. Ce qui est prodigieux ici, c'est de
s'apercevoir que la femme ne peut avoir de grandeur que
dans sa lucidité, et qu'en vérité, ce que clame Claudel,
c'est que la seule chance de salut de la femelle est dans
l'homme. Quand elle a déterminé en elle les stigmates du
mal, c'est-à-dire son aversion pour le bien, sa tentation du
péché *parce que* c'est le péché, et que la désobéissance est
sa nourriture, quand elle a bien reconnu sa déchéance et
qu'elle n'a aucune arme pour lutter seule contre l'appel
irrésistible de la mort, elle peut se réfugier en l'homme,
qui est sa force et son rachat possible. Le mâle alors,
christique, prend en lui ce péché, et peut en être victime.
Il en est désormais responsable :

« *Ysé :* Après tout je suis femme, ce n'est pas si
compliqué.

Que lui faut-il.

Que la sécurité comme la mouche-à-miel active dans la
ruche bien fermée ?

Et non pas une liberté épouvantable. Ne m'étais-je pas
donnée ?

Et je pouvais penser que je serais maintenant bien
tranquille,

Que j'étais *garantie* qu'il y aurait toujours quelqu'un
avec moi

Pour me conduire, un homme quelque idée que j'aie,
quelqu'un

Qui saurait bien toujours être plus fort que moi ».

Ainsi apparaît-il très juste de ne pas donner de liberté à
la femme, puisque, quoiqu'elle fasse, sa liberté ne peut
s'exprimer que dans le Mal. En vérité, si elle tend
continuellement vers le Bien, elle est anormale. Son état
est donc nécessairement d'être combattue, enfermée,
privée de cette liberté naturelle de faire le Mal qu'elle
dénonce elle-même ici. Bien plus, l'homme, fou, stupide
et infantile comme de Ciz qui n'encage pas la femme, est
coupable : la mort et la ruine qui s'abattent sur le monde

par l'effet de cette femelle déchaînée, il doit alors, lui, les
assumer, parce que lui, doit savoir qu'il faut empêcher
l'épanouissement du Mal. La femme courageuse qui « se
donne », se donne pour être garantie contre elle-même,
réduite à l'impuissance, neutralisée en quelque sorte.
Belle profession de foi que celle d'Ysé, dont on peut tout
de même s'étonner que, présentée aussi crûment, elle ait
pu cependant bouleverser plusieurs générations — et
continue à le faire — de spectatrices. Mais le goût de
l'holocauste est soigneusement entretenu chez les femmes.
Comme dans le schéma sadien, on s'aperçoit que l'unique
grandeur à laquelle l'être faible et condamné soit admise,
est celle de se détruire, de devenir le bourreau de soi-
même, seule puissance à laquelle le personnage hybride
puisse prétendre, chez Sade. Assumer son ignominie et
réclamer que l'autre s'en venge, c'est, par exemple, la
revendication ultime de la perverse Borghèse. Voilà avec
quoi on a enflammé le cœur des femmes. A défaut de
créer, elle s'anéantissent. Ne pouvant rejeter les autres —
parce que ça leur est refusé — pour s'affirmer démiurges,
elles se mutilent et s'immolent. C'est Ysé, ici, demandant
d'être asservie, bâillonnée, gardée, reconnaissant sa pourriture et sa chair maudite. C'est Violaine, détectant dans
son corps les stigmates du Mal. Mais bientôt c'en est fait et
Ysé cède à Mésa. Et une fois de plus, elle apprend à
l'homme ce qu'est la femme, au cas où il ne saurait pas
quel être ignominieux elle est : « Tu ne sais pas ce que
c'est qu'une femme et combien merveilleusement, et avec
toutes ces manières qu'elle a,

Il lui est facile de céder et tout à coup de se retrouver
abjecte et soumise et attendante ;

Et pesante, et gourde, et interdite entre la main de son
ennemi... »

Cette facilité, c'est l'évidence de sa nature contre
laquelle nul ne peut rien. C'est aussi l'évidence, pour elle,
de la nécessité de sa propre souffrance. « Et *qu'importe* »

disait-elle un moment auparavant à de Ciz « *que tu me
fasses mal* pourvu que je sente

Que tu me serres et que je te sers* ». La femme se prête,
ici, au schéma, elle consent à son immolation, et elle y
consent parce que sa propre abjection lui est insupportable. On n'a pas besoin de la traîner vers le bûcher, elle y
va d'elle-même. Elle est totalement vaincue. Claudel ne
consent plus à la lutte. Alors que chez Stendhal, chez
Balzac ou Musset elle se rebelle, elle dit non, elle entraîne
le créateur vers une mort inexorable qu'il ne peut arrêter
qu'en l'immolant, ici, le travail est simplifié, la femelle a
cessé d'être réellement dangereuse. Oh bien sûr, on le
prétend : ainsi Ysé apparaît-elle un moment comme la
ruine de Mésa. Mais non pas ! Elle était au contraire sa
chance de salut, elle était son rachat par la souffrance, son
Jardin des oliviers. Car elle n'est pas le bonheur, elle est la
déchéance et le désespoir : « j'ai frémi en te reconnaissant » lui crie Mésa « et toute mon âme a cédé / Et je suis
comme un homme qui s'abat sur le visage… / Et je
t'épouse avec un amour impie et avec une parole condamnée. » Cette souffrance qu'elle lui inflige le sauvera. Or la
suprême traîtrise de Claudel est dans la lucidité qu'il
donne à la femme. Sa chute lui fait mal et la ruine qu'elle
sème — à la fois en le voulant comme une conséquence de
son être et sans le vouloir pour la même raison — lui est
une torture. Condamnée à déchirer l'homme, à être sa
propre ruine, à le savoir, à n'y rien pouvoir, et à se haïr de
sa déchéance. Tout cela, c'est vraiment trop, et c'est
indigne. L'horreur de la responsabilité assumée d'actes
dont cependant elle n'est pas responsable constitue un
imbroglio scandaleux où la raison se perd. Et la malheureuse femme, troublée, finit par regarder Ysé et admirer la
situation tragique et ambiguë dans laquelle on l'a mise,
avec le sentiment qu'il n'y a plus qu'à faire comme elle et à
réclamer la mort à grands cris « J'ai faim et soif de mourir /
Afin de ne plus exister et que personne ne me méprise…

Et je prie de mourir, et je suis contente de mourir. » Belle
incitation. Et puis voilà le cantique de Mésa. « Pourquoi ? » s'exclame-t-il « Pourquoi cette femme ? » Là est
la grande question de *Partage de Midi*, question qui n'en
est pas une et qui contient sa réponse, parce qu'en vérité
Claudel ne questionne pas, il affirme, et ayant affirmé, il
condamne. Pourquoi la femme ? Parce que sans elle,
l'homme serait Dieu. Pourquoi la femme ? Parce qu'elle est
l'expérience du néant, de la chair et de l'humilité, pour le
mâle qui, autrement, serait perdu d'orgueil. Elle est ce qui
le tire vers le bas et le sauve d'être Dieu. Il faut on
l'avouera une bonne dose de crédulité chrétienne pour
admettre cette explication qui semble, in extremis, réhabi-
liter la femme. Claudel nous dit : voyez, dans le monde
sans Dieu, la femme est totalement à anéantir, parce
qu'elle est l'obstacle fondamental entre le mâle et sa
création. Mais, pour nous chrétiens, elle a une nécessité,
au même titre que la mort, ou la peste, ou la lèpre, elle est
la finitude, elle est ce qui sauve l'homme orgueilleux de se
croire Dieu, elle est celle qui fait au mâle « le chemin plus
court ». « Eh bien », s'écrie Mésa, « j'ai refait connaissance avec mon néant, j'ai regoûté à la matière dont je suis
fait. » La femme, c'est pour l'homme la mémoire de la
chair et ainsi ne se justifie-t-elle que dans l'univers
chrétien. Triste vérité cependant que la sienne, qui est
d'avoir été placée sur le chemin du mâle pour lui rappeler
à chaque instant qu'il est mortel, et poussière, et qu'une
partie de lui-même, peut-être, s'incline vers le Mal. Mais
l'homme triomphe et la fin du drame est un grand cri à la
gloire du « mâle sublime », du « grand mâle dans la gloire
de Dieu », de celui qui possède « l'esprit vainqueur dans
la transfiguration de Midi ». Car il a vaincu la femme, et
avec elle le péché, et en même temps, il a consenti à elle,
c'est-à-dire à une partie de la déchéance humaine et le
voilà régénéré, prêt à accéder à Dieu qu'il avait rejeté avec
son orgueil exécrable. Voilà l'affaire. La consécration du

phallus divinisé. La grandeur du mâle qui pourrait être
Dieu sur la terre, mais qui grâce à la femelle ne l'est point,
pour son salut. Elle est sa souffrance, elle « étendue
comme un grand olivier », sa passion, sa mort, et peut-être
alors sa résurrection… mais ça, tout de même, on ne peut
guère le savoir. Finalement, elle s'immole, de son plein
gré — quand elle est grande et héroïque comme Ysé —
avec l'homme qu'elle a racheté par la souffrance qu'elle lui
a infligée. Pour elle c'est une punition, pour lui c'est un
accomplissement. Ainsi *Partage de Midi* est-il une tragédie, parce qu'il est l'histoire de la chute de Mésa. Seul,
orgueilleux, pur et sans tache, il est, au commencement,
une insulte à Dieu qui le veut homme. Son ascèse, sa
punition et sa catharsis c'est Ysé, la femme. Dieu, n'ayant
pas voulu que l'homme soit dieu, a donc créé la femme :
boue, chair, néant, mort et instinct de mort. Vous voyez,
nous dit Claudel triomphant, j'ai justifié la femme, elle
qui au fond n'avait guère de justification, je lui ai donné
une raison d'être, une nécessité ontologique. Probablement, faut-il alors qu'elle dise merci. Sans doute aussi
doit-elle être reconnaissante des punitions multiples qu'on
lui inflige et dont la plus terrible et la plus claire est
certainement celle de la mort de son enfant. Ambiguïté
absurde, c'est pour cela que « les femmes sont faites »,
c'est-à-dire pour la punition et la souffrance de l'homme,
et cependant elles en sont punies. Or, tous ses abandons,
morts et désespoirs, Ysé semble les prendre très bien,
comme des conséquences naturelles de la condition
féminine contre lesquelles on ne se révolte pas. Ce qu'il y
a de plus pernicieux dans l'œuvre de Claudel c'est la
passion grandiloquente, poétique et « définitive » avec
laquelle la femme ne se révolte pas contre sa destinée,
quand elle est grande. Cette acceptation intérieure de la
souffrance comme un dû de la femme que le dramaturge
annoblit par son lyrisme, dont il veut visiblement convaincre qu'elle est dans la seule et bonne et vraie voie, endort

le sens critique des femmes qui n'ont plus qu'à murmurer, subjuguées : « que c'est beau », avec le désir d'être Ysé ou Violaine.

Partage de Midi, à la lueur de notre schéma, est une véritable parabole créatrice. L'homme en effet, Mésa, qui, au début, par peur de la souffrance, par orgueil, par désir d'imiter Dieu, se refuse à être double, celui-là ne crée rien. Il est insatisfait. Il n'est bien nulle part, il cherche sans trouver. La féminité est une autre partie de soi-même (« Je suis Ysé » et Ysé « Je suis un homme »), qui est la déchéance et la passivité, la mort et l'incertitude mais qu'il lui faut assumer, puis détruire — à moins qu'elle ne se détruise elle-même — pour devenir enfin l'apogée de l'androgyne : « le grand mâle sublime », « le grand mâle dans la gloire de Dieu ». La gloire de la femme c'est de l'y avoir aidé, c'est tout, et surtout d'avoir consenti à son propre sacrifice pour que le Mal, la passivité et la déchéance soient vaincus.

V

LE SCHÉMA INVERSÉ.
ROQUENTIN : L'ANTI-MÂLE

La Nausée : *le premier pas à l'intérieur d'un monde*
où le féminin cesse d'être non créatif

Roquentin : c'est l'anti-mâle. C'est-à-dire un être qui
fait la découverte que le doute, l'incertitude, l'inexistence
et le manque, le sentiment d'être de trop, tout ce qui n'est
pas l'absolue et arrogante certitude du mâle enfermé dans
une sur-réalité forgée par sa culture, tout ce domaine qui
était le ghetto répugnant, nauséeux, blanchâtre et mou des
femelles, lui appartiennent en propre. Ce n'est pas une
expérience facile, et il lutte, contre ce schéma insolent et
en même temps réconfortant qu'affiche l'Autodidacte,
contre le serpent de la virilité triomphante, où la maîtrise
de l'homme s'exprime aux dépens de la femme qui est en
lui et à côté de lui, cette femme qu'il faut expulser pour
« être » et qui est donc « de trop ». Femme ou passivité.
Femme ou métaphore féminine. Mais Roquentin c'est
aussi un homme, un homme qui apprend ce que c'est que
d'être femme, qui gomme, sans l'affirmer, sans même le
savoir, cette sempiternelle différence qui faisait du mâle
l'être de la transcendance, et de la femelle, l'être de la
contingence. La nausée... enfin ! dirons-nous. La contingence... enfin ! Car reconnue comme un absolu, dans la
vision enfin logique que, si Dieu n'est pas, pourquoi diable
faut-il encore courir après une illusoire hiérarchie des
êtres et des sexes ? Il fallait tout de même arriver à

l'assumer, cette mort de Dieu et qu'elle soit vraie *aussi*
pour le mâle.

On peut dire alors qu'avec *La Nausée,* Jean-Paul Sartre
a écrit le premier grand roman de femme.

C'est d'abord l'entrée lente dans l'univers inconnu du
détail, du classement, de l'étendue, univers passif où
aucune signification n'apparaît. Rien de net. Pas de
cassure précise mais des réactions étranges à « l'humide »
et au « boueux ». Dégoût. C'est qu'il faut plonger,
homme, dans le flou de l'inintelligence passive. Alors que
le héros romantique sabre impitoyablement en lui toute
tentation de céder à cette féminité qui l'entoure et qui est
en lui, Roquentin s'en approche, comme d'un rivage
inconnu et s'exhorte à ne pas reculer devant le dégoût qui
le prend : « Il *faut* dire comment je vois cette table… il ne
faut pas mettre de l'étrange *là où il n'y a rien.* » Mais
Roquentin a peur : s'écarter des rives confortables des
certitudes tranquillement clamées, même si elles ne
reposent sur rien, rentrer dans les eaux troubles et
boueuses qui furent, par la volonté du mâle, le lot
vertigineux de la femme, c'est terrifiant, et ça dégoûte :
« il est certain que j'ai eu peur ». C'est tellement
inconcevable pour un homme, que, un moment, Roquentin
peut se croire fou, fou de vouloir quitter « un monde si
régulier », pour aborder celui où tout est possible et rien
n'existe, monde des « impressions au jour le jour » qui
n'auraient ni construction, ni schéma, ni fin, ni sens, et
que de façon étrangement caractéristique et claire, Sartre
qualifie de monde « de petites filles ». « Je suis guéri »
affirme Roquentin, dans son moment de refus, quand
précisément il s'accroche encore au système du mâle, « je
renonce à écrire mes impressions au jour le jour, *comme
les petites filles,* dans un beau cahier neuf ».

Et puis Roquentin va accepter. Et cette entrée dans le
monde du flou, du rien, de la contingence, est pour lui
comme une féminisation. Comment ne pas être frappé de

cette prise de possession de l'être par le monde, ressentie
comme « une maladie » et en même temps comme une
intrusion, le sentiment d'être « bizarre », d'être « gêné »,
sans qu'il y ait de raison apparente, et qui est tellement
constant dans l'être femme tel que les romantiques l'ont
décrit. Or ce que découvre Roquentin, et qui est étonnant,
c'est qu'entre le monde de la transcendance et celui de la
contingence, il n'y a rien de commun, aucune connaissance réciproque possible, parce que le monde, les objets
sont totalement différents. Brusquement, l'arrogance avec
laquelle, après l'avoir enfermée dans la passivité et la
contingence, les hommes ont disserté sur l'univers de la
femme, apparaît dans sa crudité la plus troublante.
Passée, la certitude culturelle : « dans mes mains, par
exemple, écrit Roquentin (lundi 29 janvier 1932), il y a
quelque chose de neuf ». Non pas une distanciation réelle
d'avec les objets, mais un rapport nouveau avec eux,
comme si, réellement, il avait cessé d'être homme.
Insensiblement, il devient réceptacle, « les métamorpho-
ses s'accumulent » en lui, au lieu qu'il en prenne
l'initiative et la direction, et très vite son expérience du
femelle culmine : aphasie et passivité totale : « Eh bien,
j'étais paralysé, je ne pouvais pas dire un mot. » Conclusion logique de l'incohérence dans laquelle l'homme l'a
placée, en prétendant que c'était là sa nature, l'aphasie,
c'est-à-dire l'impuissance à parler, à dire, à *créer* en un
mot, n'est plus le destin fatal de la femelle. Non. Empêtré
dans la même passivité anarchique où rien n'a de sens, où
aucune vérité qui serait éternelle ne se profile, le mâle lui-
même est voué à l'impuissance et à l'improductivité : « Il
me semblait que j'étais rempli de lymphe ou de *lait
tiède.* » Le voilà femme. Et parce qu'il est encore soumis à
ces structures mythiques qui allient inconsciemment aphasie, passivité et féminité, Roquentin devient tout simplement femelle : rempli de lait, « paralysé », « vide ». Le
monde du vide, opposé à celui du plein, c'est celui de

l'opposition illusoire entre la féminité et la virilité, entre le
rien et l'Idée. Ballotté dans ce rien où il n'est que vide,
comme un grand utérus sans signification, Roquentin,
féminisé, voit l'outre grossie de l'Idée-Phallus, dans toute
sa volumineuse fadeur, comme s'il en découvrait enfin
l'absurdité et le danger. Une fois encore, la nausée, signe
de peur, le reprend, à la fois parce que, femme, il
découvre la peur de la virilité (l'Idée, clairement associée à
la barbe de Mercier), et sans doute, parce qu'il en sent
aussi la vanité. « Devant moi, posée avec une sorte
d'indolence, il y avait une idée volumineuse et fade. Je ne
sais pas trop ce que c'était, mais je ne pouvais pas la
regarder tant elle m'écœurait. Tout cela se confondait pour
moi avec le parfum de la barbe de Mercier. » Or
Roquentin résiste encore. Il veut échapper au non-sens et
à l'impuissance où il est « à voir clair » en lui, autre
aspect horrifiant de sa féminisation. Ne jamais connaître
les autres, ne jamais se connaître soi-même, n'avons-nous
pas vu maintes fois que c'est là le lot de la femme. « Je
voudrais voir clair en moi avant qu'il ne soit trop tard »,
cherche-t-il à se convaincre. Or voir clair en soi, c'est
chercher un ordre, une logique, un système, un schéma.
Mais le héros sartrien est maintenant au-delà. Il est dans le
monde du liquide, du fluide où « tout coule », rien ne
« fixe », parce qu'il n'y a pas un fait, un objet, qui ait plus
d'importance que l'autre. Ainsi reproche-t-on toujours à la
femme de ne pas avoir le sens des valeurs, de ne pas sentir
la hiérarchie des événements, de ne pouvoir ni retenir, ni
fixer, ni comparer, ni juger. Mais le hasard, le contraire de
cette hiérarchie organisée et logique, le hasard où se meut
la femelle, est lui aussi créatif. Il n'y a pas que cette
tension volontaire vers une création analogique de quelque
chose, Genèse, acte sexuel, comme s'il fallait que tout
entre toujours dans un schéma clair, qui soit productrice.
Ainsi, ce hasard qui, le mardi 30 janvier, fait se
rencontrer, comme dans Lautréamont, cette petite bonne

femme blonde, cette « palissade qui sent si fort le bois mouillé » et ce grand nègre « avec un imperméable crème, des chaussures jaunes et un chapeau vert », ce hasard-là a créé, en une seconde, *quelque chose de beau :* « l'ensemble s'est animé pour moi d'un sens très fort et même farouche, mais pur. Puis il s'est disloqué, il n'est resté que la lanterne, la palissade et le ciel : *c'était encore assez beau* ». Ce sens enfin donné, qui ne dure pas, qui se disloque, qui est fugitif et solitaire, c'est celui de la beauté, qui ne rejette plus maintenant, formé par le hasard, la femme de son orbite, de sa création possible. On est frappé alors de ce que le mâle, dominé par une sexualité terriblement incertaine et hasardeuse, ait toujours voulu reconstruire le réel, ôter du monde ce hasard qui fait de lui l'être, par excellence, de la contingence, domestiquer, au nom d'un phallus suprême qui serait, dérision extravagante, Idée, essence, transcendance — un univers sur lequel, plus que tout autre, il n'a pas de prise. Dans l'esprit de Roquentin, ce hasard créateur d'un sens parfaitement gratuit, fugitif, c'est ce qui prend corps soudain, en opposition à l' « idée, volumineuse et fade » de ce pénis sublimé dont il découvre la faillite. C'est consentir à se glisser, bon gré mal gré, mais avec honnêteté et courage, dans l'incertitude et la peur que procure au mâle l'absence de référence, le « je ne peux plus expliquer ce que je vois ». Etrange et capitale expérience du xxe siècle, qui est celle du Ionesco de *La Cantatrice chauve* (1950) où ce qui défie la vaniteuse certitude de notre logique confortable, ce n'est pas que chaque fois qu'on frappe à la porte (épisode du pompier) il n'y ait personne, mais que chaque fois que l'on frappe à la porte, il y ait *quelquefois* quelqu'un... Ainsi le malheureux Daniel Benoin, dans sa mise en scène de la pièce, en 1977, s'imaginant avoir saisi le propos du dramaturge en prenant le contre-pied *systématique* de tout ce qui est habituel, en mettant au pompier un chapeau de paille et en

faisant vivre les Smith dans un intérieur Peynet ou danser
des tangos espagnols, ne réussissait qu'à recréer un
univers confortable où régnait tout simplement une autre
forme de logique tout aussi porteuse de loi et de système.
Rien de l'inquiétude angoissée de l'expérience de la
contingence ne passait alors dans ces pitreries sans
conséquences qui, sans détruire nos vieilles certitudes
phallocratiques, idéalistes et raisonnables, rebâtissait une
vision tout simplement analogique et tristement infantilisée. Tant il est vrai que les mâles se refusent à mettre le
pied sur une terre totalement nouvelle où la femme, par
son expérience, se sent, elle, beaucoup plus à l'aise, une
terre où ne règne plus le pénis divinisé.

Aussi est-il extrêmement intéressant de voir que la
critique de Benoin fut très bonne : sa *Cantatrice chauve* ne
gênait pas ; même, elle rassurait, elle permettait de se dire
que, oui, Ionesco avait fait un étonnant chef-d'œuvre par
hasard, que d'ailleurs il n'avait pas renouvelé cette
expérience, et qu'on pouvait comprendre qu'il s'agissait là,
au fond, d'inversion — entendons d'un monde inversé,
paralogique, à l'image des mathématiques modernes — et
non du chaos. Or Roquentin, lui, est dans le chaos. Et ce
chaos où il se féminise a comme premier et plus important
corollaire l'absence de liberté : « j'ai pensé que je n'étais
plus libre »... « je ne suis plus libre. Je ne peux plus faire
ce que je veux. » C'est qu'il ne se sent plus protégé par la
connaissance de son importance, de sa supériorité, par
l'affirmation de sa suprématie sur le monde, sur les objets.
Objet lui-même, il devient un objet parmi d'autres, et
éprouve pour la première fois le sentiment qu'a la femme
qui toujours fut objet, possession. L'impression de ne
pouvoir se distinguer du reste, de ne pouvoir prendre de
recul, d'être dans une masse. Plus de puissance dominatrice, plus de certitude d'ordre en lui ; il a cessé, homme,
d'être maître du monde : « Lents, paresseux, maussades,
les faits s'accommodent à la rigueur de l'ordre que je veux

leur donner, mais il leur reste extérieur ». Ainsi, plus rien
n'a de relief. De même que l'Idée, la raison donnait aux
êtres et aux choses des contours nets, appuyés, une
hiérarchie durable, le soleil, divine raison phallique créait
ces masses d'ombre et de lumière qui favorisent ou
oublient les choses selon leur position. Mais, le soleil n'a
plus cette mission de faire-valoir, il s'amenuise, faiblit,
pâlit. Tel qu'il est cependant, il est encore dangereux, il
fait peur, il est cause de dégoût. Tel qu'il est, il est encore
la tentation de revenir à la raison : « Je remue dans cette
lumière pâle ; je la vois changer sur mes mains et sur les
manches de ma veste : je ne peux pas assez dire comme
elle me *dégoûte.* »

Ce dégoût de la peur qui secoue, c'est celui de
Roquentin-femme, que domine la mort. Cette mort, elle
est en lui, dans ses yeux « vitreux », dans sa chair
« fade », dans cette mollesse prête à se défaire, à pourrir,
à disparaître. Ainsi la femme regarde avec angoisse dans
un miroir les stigmates de la mort qu'elle porte en elle et
qu'on montre du doigt comme les signes de sa déchéance,
de sa contingence. Le mâle, lui, y voit les traces de
l'expérience, de la sagesse, d'une continuité possible.
Voyons Baudelaire, il sent la mort en lui, mais hésite à en
détailler les plaies sur son visage, préférant regarder sur sa
compagne la pourriture manifeste qu'il répugne à imaginer
sur lui. Il est « un cimetière abhorré de la lune », « un
vieux boudoir plein de roses fanées ». Elle est cette
charogne « les jambes en l'air comme une femme lubri-
que », d'où sortent de « noirs bataillons de larves ». Plus
d'image, plus de métaphore pour la femme. Créature de la
mort physique, elle doit subir la violence de la vermine et
les exhalaisons non symboliques. Mais Roquentin, lui, a le
choix. S'il fait, homme, l'expérience de la contingence,
c'est bien parce qu'il le veut bien. Toute une tradition
culturelle, toute une mythologie de mâle, derrière lui, est
là cependant pour attester qu'il peut rejoindre le camp des

forts, des tranquilles, des certains, de ceux qui savent, raisonnent et classent. Et c'est bientôt ce qu'il fait, sans l'avoir d'ailleurs voulu, mais parce qu'il retrouve, malgré lui, comme une longue filière des mâles, *le schéma de la création*, et sa tension phallique qui veut, à toute force, sa transcendance. La nausée, c'est-à-dire ce phénomène maladif de la féminisation, où le mot nausée d'ailleurs est si clair, nausée de la femme enceinte, nausée de la femme sensible, maladive, bovarienne, la nausée donc, qu'il vit comme un poids qu'il porterait à l'intérieur de lui, comme la charge quasi fœtale d'une masse qui lui ôterait toute liberté, toute individualité, le quitte tout d'un coup. C'est qu'il entend le chant de la Négresse : *Some of these days*, sur le phonographe. Dans le rien, dans le néant ambiant « quelque chose est arrivé ». Et immédiatement nous assistons à la virilisation de Roquentin : « j'ai senti mon corps se durcir ». Après le monde du mou, du gluant, du vomi, du passif, s'installe en lui celui du dur, du dilaté, de l'enflé. Les mots sont clairs : l'art provoque en Roquentin une virilisation qui éloigne son angoisse et qui est comme une immense maîtrise du temps, de l'espace, de tout ce hasard sale et fade dans lequel il se mouvait. « Quand la voix s'est élevée dans le silence, *j'ai senti mon corps se durcir* et la Nausée s'est évanouie. D'un coup : c'était presque pénible de devenir ainsi *tout dur*, tout *rutilant*. En même temps la durée de la musique se *dilatait, s'enflait* comme une trombe. Elle *emplissait* la salle de la transparence métallique, en *écrasant* contre les murs notre temps misérable. » Cette rentrée dans l'activité du mâle, phallique, avec toute son implication de violence, de transcendance et de transfiguration du réel, s'oppose à la Nausée, qui était clairement phénomène de féminisation. Ainsi Sartre affirme à quel point l'art et la création sont activité du mâle, dans ce qu'ils ont de désir de permanence, en ce qu'ils bafouent le réel, refusent la contingence, brutalisent et reforment le monde. Il évoque la difficulté même

(« c'était presque pénible »), si traditionnellement reconnue, de la création, la souffrance qu'il y a à se heurter au
monde, pour peut-être le détruire. Etonnante parabole, où
l'activité sexuelle du mâle, exprimée par la dilatation, le
durcissement, l'enflement, culmine dans le « Je suis *dans*
la musique », tout à fait surréaliste, qui rappelle le : « je
les enc... tous » de Montherlant. Ainsi le voilà totalement
actif, redécouvrant la dureté — toute sadienne — du
monde, le « dur sourire de la lumière », la nécessité
hiérarchique des objets : le mâle est celui qui crée et qui,
par sa création, impose un ordre nécessaire et cruel. Mais
lorsque Roquentin se lève et se voit dans la glace, il y
découvre « un visage inhumain ». Car le mâle créateur est
celui qui n'a « ni sang, ni lymphe, ni chair », une sorte
d'être entièrement fait de violence et de pureté (on pense à
l'éternelle revendication gidienne aussi bien qu'à celle de
Vigny) : « La Nausée est restée là-bas, dans la lumière
jaune. Je suis heureux : ce froid est si pur, si pure cette
nuit ; ne suis-je pas moi-même une vague d'air glacé ?
N'avoir ni sang, ni lymphe, ni chair... N'être que du
froid. » Ce qui participe de l'art tel que l'homme l'a
conçu, c'est une réalité complètement déshumanisée,
dépourvue de vie où le mâle recrée une sexualité
« idéale », sublimée, transfigurée, non débitrice du
hasard. La musique : superpénis qui, dilaté, enflé, empli
et écrasé, est cette ombre rassurante à laquelle Roquentin,
un moment, s'identifie : il devient l'Homme, horrifié par le
mou, dégoûté par les choses et cependant grand fécondateur de l'univers : « L'air me fait du bien : *il n'a pas le goût
du sucre ni l'odeur vineuse du* vermouth... que vais-je
faire ?... les choses vivantes, les chiens, les hommes,
toutes les masses molles qui se meuvent spontanément, j'en
ai assez vu pour l'instant. » C'est le créateur, ici, qui
rejette la mollesse biologique de la masse dépourvue
d'idée, lui, qui, justement, s'est libéré de sa passivité
intérieure, lui, qui, maintenant a prise sur le monde,

comme le mâle en érection croit avoir prise sur le monde et
la femme. Ainsi, tout, autour de lui, est béance. Le monde
n'est que grotte utérine sombre où s'enfoncer, où dominer :
« Je vais m'enfoncer dans ce trou, là-bas... j'entre dans le
trou noir. » Mais en même temps que la virilité, la hantise
de la castration renaît, vieille machine à système, vieux
schéma qui est toujours celui de la création : ce trou est
dangereux, noir, il souffle « un vent glacial », il est
comme un « coquillage » qui se referme, emprisonne,
coupe. Et puis, il est, ce trou, le grand compétiteur, le
rival, celui qui est là, à vous fourrer sous le nez son
pouvoir créatif, ses naissances innombrables : ce coquillage de la vieille gare a « *fécondé* les cent premiers mètres
du boulevard Noir... *y a fait naître* une dizaine de
réverbères et, côte à côte, quatre cafés... »

C'est que la créativité que s'attribue l'homme peut être
contestée. La femelle rappelle la sienne à tout moment, si
grande, et que, par sa puissance castratrice, elle peut tarir
la source phallique de la création. C'est pourquoi il faut la
sacrifier, c'est pourquoi dans le système viril de la
création, à la rentrée dans la pureté (« je suis gagné par la
pureté de ce qui m'entoure ; rien ne vit »), dans l'abstraction totale (« Le boulevard Noir est inhumain. Comme un
minéral. Comme un *triangle* ») succède l'impitoyable
immolation de ce qui, justement, est sexualité, chair,
passivité : la femme. Or la voilà la femme : Lucie, la
femme de ménage. Elle est là, brusquement, devant
Roquentin, souffrante, désespérée, abandonnée, rejetée
par l'homme, Charles, qu'elle supplie, bras tendus.
Etonnante fable que ces pages célèbres du « vendredi
5 h 1/2 » où Sartre retrouve, en si peu de temps, l'essence
même du carcan de la création : ce Roquentin qui se sent
durcir, face à l'œuvre, qui se virilise, qui devient
inhumain, comme entouré de pureté, abstrait, et qui,
allant jusqu'au bout de son expérience, redécouvre que
dans le monde qui veut ignorer la Nausée, il faut

inexorablement que la femme soit sacrifiée. Voilà ce que,
pour la première fois, un mâle, qui cependant en a tout le
bénéfice, récuse : « Après tout » pense Sartre-Roquentin
« elle a de la chance (cette femme défigurée par la
souffrance). Moi je suis bien trop calme depuis trois ans.
Je ne peux plus rien recevoir de ces solitudes tragiques
qu'un peu de pureté *à vide*. Je m'en vais. » Ainsi « elle a
de la chance » et, une seconde, a-t-il le sentiment,
qu'elle, elle vit. Pure illusion d'homme, car en fait
« quand on vit, il n'arrive rien ». L'impression de l'aventure, c'est ça la littérature, c'est raconter ou se raconter un
événement qui autrement n'est rien, que l'on a vécu dans
la gratuité totale. Le retour à l'univers particulier de la
femme, qu'il ne sent pas comme tel, mais que nous savons
tel, est à nouveau, pour Roquentin, celui de la confusion :
confusion du temps, confusion de l'espace : « Je ne
distingue plus le présent du futur et pourtant ça dure, ça se
réalise peu à peu... » ... « Anny était à ma droite. Ou à
ma gauche ? »... « il ne reste plus que des mots... »
L'écrivain, le créateur, c'est bien celui qui ne dit jamais la
vérité : « les événements se produisent dans un sens et
nous les racontons en sens inverse ». C'est celui qui se
force à être. Celui qu'était Roquentin dans la certitude de
son existence d'androgyne, bien à l'aise dans sa
conscience de mâle qui s'offre le luxe de mettre bas,
comme une femelle, mais avec quelle sublimité ! Le
marquis de Rollebon dont il écrivait la biographie, c'était
cet enfant en gestation que le créateur porte en lui, avec le
texte : « Je le sentais comme une chaleur légère au creux
de l'estomac... il était là, en moi, tranquille et chaud et, de
temps en temps, je le sentais remuer. Il était bien
vivant... » Et puis, avec les lettres, les mots, c'était
l'œuvre enfantée, Rollebon expulsé parcelle par parcelle :
« Les lettres que je venais d'y tracer n'étaient pas encore
sèches et déjà elles ne m'appartenaient plus », terrible et
traditionnelle expérience du créateur romantique qui,

comme la mère, fait, de sa chair, un être qui finalement lui
échappe, découvre son autonomie. Mais, une telle création, c'est un subterfuge, le mensonge de l'homme qui veut
masquer son vide, se donner l'illusion d'être et donc d'être
plein : « Il pesait lourd sur mon cœur et je me sentais
rempli. » Brusquement, le schéma apparaît à Sartre dans
tout ce qu'il a d'artificiel, de mécanique, toute sa
construction s'en effondre dans la conscience de la vanité
de cette tentative désespérée et tragique pour se donner
une essence. Alors, l'homme va découvrir ce qu'il a infligé
à la femme depuis toujours : sa vacuité, sa contingence,
son manque. La femme est manque, clamait Proudhon et
chuchotaient les autres, manque phallique, manque d'être.
« Je me laissais aller en arrière contre le dossier de ma
chaise, avec l'impression d'un manque intolérable » écrit
alors Roquentin. Le mâle orgueilleux, qui s'était toujours
refusé à n'être que lui, l'apprend ici, avec dureté : cette
existence libérée qui coule en lui, cette salive qu'il avale,
ses membres qu'il sent, c'est tout ce qui lui reste de lui-
même, sans ce modèle qu'il s'était forgé, à l'image de
l'enfant que l'on fait et dans lequel on se regarde vivre.
Plus de référence. C'est le vide et la solitude. Il faut vivre
sans rien avant, sans rien devant. Il faut, mâle, récuser la
primauté de la pensée qui serait distincte du vécu, d'un
autre ordre, qui attesterait quelque essence supérieure,
quasi divine de l'homme. Il faut qu'elle s'intègre, cette
pensée, à l'existence, qu'elle en prenne la forme. Il faut
qu'elle cesse d'être comme un pénis brandi, par devant
soi, qui ait la prétention de féconder le monde, mais
qu'elle soit comme l'existence, l'existence elle-même,
qu'elle remplisse l'être. Comme une femme, que l'homme
soit vide d'essence et plein d'existence : « la pensée
grossit, grossit et la voilà, l'immense, qui me remplit tout
entier et renouvelle mon existence. » Le voici donc femme
encore, gros de la pensée (« et ma pensée, c'est moi »),
plein de n'être que lui-même, violé par l'existence qui le

précède, qui est partout, là, avant lui, violé comme la
petite Lucienne dont on vient de retrouver le corps de
petite fille, comme elle « qui a senti cette autre chair qui
se glissait dans la sienne ». Exister paraît alors la forme
extrême de la passivité ; tout ce qui est mou, ballotté, sans
se dresser droit, sans faire effort pour être, sans s'ériger
violemment en maître de quelque chose, existe. C'est
l'antimâle que l'exister, c'est l'antivirilité, où la chair,
comme du lait, tourne, se coagule, devient crème, beurre,
malaxée, sans force, dominée par l'existence, je vis, je
tourne, ma chair tourne comme de la crème. Roquentin
s'abandonne alors à exister, sentant que toute chair est
passive, acceptant l'existence comme une sodomisation
qui vous prend « par derrière », respirant dans le mou,
dans le tourné, dans le vomi, dans le fade, reconnaissant
enfin qu'il n'y a pas de différence entre l'homme et la
femme, entre les êtres : l'existence est partout, tout est
plein. Lui, mâle, la petite Lucienne, l'enfant violée, ils
sont remplis d'existence. L'homme, c'est une femme que
l'on force, qui se force, à se viriliser. Et l'Homme, c'est
l'Autodidacte : celui qui s'affirme mâle et rejette l'autre
dans le visqueux, dans le blanc, le laiteux de la passivité,
celui qui se commande des légumes phalliques, des radis,
et qui impose à l'autre des huîtres, cet autre qui, une fois
encore, est tenté par sa structure d'élection, si simple, si
simplifiante, si parfaitement sadienne, et réclame du
saucisson. Scène étonnante du déjeuner Roquentin-l'Autodidacte, où l'horreur de la puissance phallique candide-
ment exprimée par l'autre soulève bientôt Roquentin d'une
colère effroyable. Car tout y passe, c'est encore une fois
comme une grande répétition générale du schéma : la
création, l'art, la jouissance, la connaissance que le mâle a
de l'autre mâle par l'effort viril que constitue son œuvre
(entre phallus... n'est-ce pas ?), par le fait qu'ils y ont mis
leur esprit, leur âme, leur essence. Et puis le sens, la
fraternité virile (on pense à Malraux), les objets ritualisés,

sacralisés, détournés de leur existence et projetés dans un
système hiérarchisé romantique : hangar devenu sacré, foi
aveugle dans les hommes divinisés. Tout cela, c'est la
panacée de l'Autodidacte, toute cette culture de la virilité
qu'il ingurgite à haute dose, et par ordre alphabétique,
tous les jours. Toute cette culture humaniste, qui est, nous
l'avons vu, dominée par le schéma sadien, et qui exprime
la violence que, pour être, une caste fait subir à une autre,
parce que, pour « être », soi, il faut, inéluctablement, que
d'autres ne « soient » pas. Lorsqu'il expose ainsi sa
théorie, où nous retrouvons de façon si étonnante notre
schéma, l'Autodidacte se virilise, devient dur, raide, son
visage « jaune et dur comme un coing... figé dans un
tétanos réprobateur ». Figé parce que sans vie. Dur, parce
que tendu, raide comme un tétanos phallique dans un
projet de violence qui est une négation de l'existence.
Voilà le mâle : « En réalité, il affirme. Son vernis de
douceur et de timidité s'est écaillé ; je ne le reconnais
plus. Ces traits laissent paraître une lourde obstination ;
c'est un mur de suffisance. » Alors, Roquentin se
récuse : non, si c'est pour être cela, il n'est pas bien sûr
d'être un homme. Et face au : « c'est difficile d'être un
homme » de l'Autodidacte, il répond, lui « qu'il n'y a qu'à
se laisser aller ». Etre un homme, alors c'est être comme
une femme. Plus de différence culturelle. Plus d'affirmation de différence. Plus d'héroïsme nécessaire et que
l'autre subit. Mais le mâle s'affirme dans une redoutable
violence et la nausée qui prend Roquentin, parce que son
hôte lui impose un morceau de camembert blanc, crayeux,
c'est cela aussi être dans la contingence, quand le mâle, en
face, se complaît heureusement dans ses certitudes théoriques, dans la paisible satisfaction de sa transcendance.
L'Autodidacte est un pantin, certes, mais il est satisfait, et
l'autre, il le rejette violemment dans la contingence. C'est
ça, une des formes de la création sexualisée. Mais à quoi
ça sert ? Car tous les gestes sont gratuits, inutiles,

superflus, et ce que découvre Roquentin, c'est que tout ce qui n'est pas l'existence est gratuit, de trop, tout effort pour être, événement créé, œuvre, pensée distincte du vécu, tout cela ne sert à rien, est parfaitement inutile. Comme ce désir qu'il a, soudain, de crever l'œil fat de l'Autodidacte avec son couteau, arme phallique qui lui fait comprendre, tout de suite, l'inanité d'un pareil geste. Ce qui est phallique, en fait, n'existe pas, mais tend désespérément, et inutilement, à « être ». Cet événement, cet œil crevé, qui n'est pas dans l'ordre de l'existence, et qui serait créé, comme on donne naissance à une œuvre, ce serait par essence un événement dramatique, celui d'un créateur qui se voudrait et se penserait créateur. Inutile, superflu, de trop. Tout le schéma de la création est encore une fois rejeté, tout comme était rejeté, un peu auparavant « les petites danses rituelles et mécaniques » des rapports amoureux, tout ce qui se déroule dans un ordre mythique, dans un système analogique de quelque chose, et qui donc se rapporte, se modèle, se façonne sur cette chose qui le précède et lui en dicte le déroulement. Le présent seul existe. Le présent seul est vrai. Seul il permet de voir la totalité de l'existence et pas seulement cette mince « pellicule » superficielle qui affirme prouver l'existence de Dieu. Car l'existence, qui est toutes les existences, c'est un grouillement, un fourmillement, qui toujours s'expose en ce qu'elle a d'antimâle, de totalement concret. Et, puisqu'elle est contingence et gratuité totale, l'existence n'est que dans une forme femelle : ainsi la banquette, sur laquelle Roquentin est assis, se présente-t-elle comme un « énorme ventre tourné en l'air, sanglant, ballonné », ventre de femme qui accouche, qui dérive, qui flotte dans l'eau, porté, passif, identique à tous les autres ventres, sans nom. Comme les femmes, les « choses, les innommables »... « n'exigent rien, ne s'imposent pas : elles sont là. » Et d'ailleurs, bien vite, elles apparaissent comme des femmes, elles se donnent comme des femmes, elles « se

laissent aller à l'existence comme ces femmes lasses qui
s'abandonnent au rire et disent « c'est bon de rire » d'une
voix mouillée ». Mort, le serpent de la virilité, ce long
« serpent de bois », qui est le dessein qu'a l'Homme de
tout expliquer, de raisonner et que rien ne soit absurde ou
gratuit. Mais en vérité tout est absurde, et cette absurdité
est le monde de l'existence féminine. Ce monde surréel,
gonflé, à l'image de sa fatuité et de son orgueil, que le
mâle s'est bâti pour y porter en triomphe son phallus
divinisé, raisonneur et logique, ce monde là « se dégonfle,
se vide de son sens avec une incroyable rapidité ». Il n'y a
ni nécessité ni droit à exister. Etonnante découverte que
celle de Roquentin, que fait l'homme si longtemps après
que la femme ait su cela : qu'elle n'a ni nécessité ni droit à
exister. Voilà pourquoi elle s'est toujours sentie « de
trop ». Voilà pourquoi, se sentir de trop pour Sartre-
Roquentin, c'est entrer, enfin, dans le domaine réservé et
imposé à la femme. C'est être femme. Et quand Sartre écrit
« Exister, c'est être là, simplement ; les existants apparaissent, se laissent rencontrer, mais on ne peut jamais les
déduire. Il y a des gens, je crois, qui ont compris ça », il
aurait tout aussi bien pu écrire : « il y a les femmes, je
crois, qui ont compris ça ». La contingence, la gratuité
parfaite. Seulement maintenant cette contingence, elle est
pour tout le monde. Seulement maintenant, elle est
l'absolu. Les autres, ils sont dans quelque chose qui n'est
pas l'existence, qui est un mensonge, un masque dont ils
se parent. Les autres, les hommes, les Salauds, ceux que
la « mauvaise foi » habite. Au lieu d'être dans une ligne
toujours identique et maintenue, avec des passages logiques du temps, et la pensée claire de cette logique, la vie,
celle de la femme, c'est cette façon d'être pris à chaque
seconde par l'existence, gros, fécondé, et puis délivré la
seconde d'après, comme une secousse. C'est aller de
présent en présent, sous l'effet de naissances multiples, de
féminités incessantes : « L'existence n'est pas quelque

chose qui se laisse penser de loin : il faut que ça vous envahisse brusquement, que ça s'arrête sur vous, que ça pèse lourd sur votre cœur comme une grosse bête immobile — ou alors il n'y a plus rien du tout. Il n'y avait plus rien du tout, j'avais les yeux vides et je m'enchantais de ma délivrance. Et puis tout d'un coup ça s'est mis à remuer devant mes yeux… j'allais enfin surprendre des existences en train de naître. » Et les existences se ressemblent, elles sont toutes identiques, il n'y en a pas une qui soit plus importante que l'autre puisqu'elles sont toutes gratuites. Ainsi la raison, bien sûr, la raison, et la nécessité, c'était la façon la plus simple de faire des maîtres et des esclaves, des existences hiérarchisées, différentes les unes des autres. « Pourquoi, pourquoi tant d'existences puisqu'elles se ressemblent toutes ? » Et le sentiment qui, de plus en plus prend Roquentin, c'est celui de la mascarade de cette volonté phallique créatrice tendue dans un effort de vivre (« volonté de puissance, lutte pour la vie ») quand la vie est, s'abandonne à l'existence, se laisse aller, sensuelle, molle, gélatineuse, affalée. Rien de cette ridicule érection qui se donne comme modèle, comme symbole.

Après cela, les retrouvailles de Roquentin et d'Anny sont un moment capital, et totalement logique, du roman, parce que c'est la reconnaissance de sa vérité à elle, sentie dans une pure gratuité, dans les parfaites variations que le temps lui impose, face à l'effort qu'il faisait lui, pour « être », c'est-à-dire pour se forger une illusoire cohérence, dans laquelle, cependant, elle veut l'enfermer. Pour elle, qui a changé, qui se sait — par culture — contingente, soumise au caprice du temps qui fait et défait les choses, elle veut que, lui, respecte cette satisfaisante abstraction qui en fait un « mètre de platine », comme celui qu'on *conserve* quelque part, à Paris ou aux environs : « J'ai besoin que tu existes et que tu ne changes pas. » Tel est l'Homme. Elle, qui se donne le droit d'exister, de varier, d'évoluer, elle le récuse à Roquentin qu'elle enferme dans son passé, dans ses chapeaux anciens, ses vieilles manies, alors qu'il connaît la nausée de la contingence, l'absolu de la gratuité, alors qu'il a découvert qu'il n'était pas différent d'elle, qu'il est entré dans le monde de la féminité. Or, face à lui, elle ne peut que s'intéresser à son « essence éternelle », et son « indifférence totale pour tout ce qui peut arriver » dans sa vie, à lui, prouve assez qu'elle le regarde comme un existant différent. Il a beau lui dire qu'il a fait le même trajet qu'elle, qu'il a découvert l'existence, elle ne veut pas comprendre. En vérité, ça la dérange... c'était pratique, au fond, cet homme qui se voulait « essentiel », figé comme un étalon, inamovible, froid et inexistant, qui se donnait comme une certitude première. Lui qui est passé de l'essence à la contingence, de la certitude à la gratuité totale, lui qui, homme, s'est plongé dans les existences infinies, se faisant femme, explorant un univers de plus en plus féminisé, se trouve en face d'une femme qui, à toute force, veut faire le chemin inverse, sortir de cette incertitude, qu'elle ne peut plus supporter, abolir ce hasard, qui lui fait horreur, construire, de toute pièce, un monde irréel et mort, dans lequel ranger, mort aussi, le mâle victime de lui-même. Pourquoi ? Parce qu'elle est comme l'Autodidacte, au fond, elle a « la cervelle... empoisonnée ». Et l'horreur de la condition de la femme apparaît dans toute sa crudité soudaine. Cette incertitude, source de joies horribles, dures mais multiples et récentes pour Roquentin, sa plénitude nouvelle et dont il est encore comme ébahi, encombré, c'est à lui-même qu'il les doit. Anny, on la lui a imposée, sa contingence, comme une déchéance de l'essence, comme une impuissance à « être ». Etre femme, ça n'est pas seulement exister gratuitement, c'est exister gratuitement avec la certitude culturelle qu'il faudrait être, qu'il faudrait avoir une cohérence, une logique, entrer dans un système, être différent des autres. Eternelle et vague revendication des femmes à la *différence*. C'est-à-dire à l'accession à l'essence, à la permanence. C'est ça, ces « situations privilégiées », c'est ça ces « moments parfaits » que cherche, dramatiquement, Anny, et qui constituent tout son passé. « Mettre de l'ordre » dans le vécu et rivaliser en cela avec le mâle. Question de création, question de morale, peu importe, voilà, pour Roquentin, le poison du serpent viril. Mais pour Anny, la découverte de l'impossibilité d'atteindre à cette perfection, perfection toute phallique, c'est la chute, c'est l'horrible retombée dans la féminité qu'elle hait. Car, dit-elle, ce moment parfait : « finalement, il n'était nulle part, ni d'un côté ni de l'autre de la rampe ; et pourtant tout le monde pensait à lui ». C'est cela, ce phallus sublimé et impossible de Lacan, celui que tout le monde convoite comme l'absolu et ne peut jamais atteindre. La perfection, l'essence, l'Idée. Et on dira : mais Sartre est profondément misogyne. Nous y voilà une fois de plus. Maintenant que le mâle découvre l'inanité de l'essence, maintenant qu'il se castre et qu'il crie qu'il n'a plus de phallus, eh bien c'est la femme qui court après ce pénis illusoire et prétend qu'elle le veut, elle. Tout en sachant d'ailleurs qu'elle ne l'aura jamais. Ainsi voyons-nous qu'elle ne sait aucun gré au malheureux Roquentin de cette castration volontaire qui ne ferait que la confirmer, elle dans sa propre castration. Certes. Mais ce qui est important c'est que si Anny est bien sûr dans l'erreur, pour Sartre, si son esprit est empoisonné par toute sa culture, il n'y a pas en elle toutefois d'impuissance congénitale à sentir la vérité. Aussi bien le fait-elle, tout en la refusant : « Il n'est pas bon non plus que je fixe trop longtemps les objets », dit-elle « ... ils me dégoûtent ». Cela est clair, elle sent l'existence, elle connaît la contingence, mais elle serre les dents et dit non. Parce qu'elle ne peut accepter cette vacuité, et qu'elle n'a pas la sottise virile de l'Autodidacte, elle souffre de son vide, de son manque, d'être femme. Mais ce qu'a découvert

Roquentin dépasse, par son implication, l'impuissance
passagère et culturelle d'une femme à consentir à
n' « être » pas, et c'est l'affirmation de toutes ces existences identiques, sans différences et qui sont innombrables.
Et cela, Anny le sait parfaitement : « ... moi, c'est
toujours la même chose, une pâte qui s'allonge, qui
s'allonge... ça se ressemble même tellement qu'on se
demande comment les gens ont eu l'idée d'inventer des
noms, de faire des distinctions ». Le résultat du refus
d'Anny est qu'elle souffre, elle est décomposée, blême, les
traits tirés. Son seul recours est de ne pas exister, ce
qu'elle va, de plus en plus, s'appliquer à faire. Ainsi est-
elle « raide », sans colère, « yeux inexpressifs ». Elle
s'abêtit par des exercices, comme l'homme de Pascal, pour
essayer d'être, de sortir un peu de cette existence
intolérable. Et en cela, elle n'est pas rejetée, car c'est
précisément ce que va faire Roquentin, parce que le
fourmillement intense et constant de l'existence est en fait
intolérable. C'est pour cela que les humains créent. Pour
se « laver du péché d'exister ». Pour faire « quelque
chose qui n'existerait pas, qui serait au-dessus de l'existence ». Compromis ? Compromis, oui certes, et inattendu. Il y a dans tout humain un désir de dépassement qui
est la hantise de la nausée. Compromis qui met l'homme et
la femme, Anny et Roquentin, au même point de leur
histoire : elle, avec ses exercices à la Loyola, lui, avec son
espoir qu'une œuvre, peut-être, justifiera son existence,
même un tout petit peu. Et c'est cela justement l'existence : qu'il n'y ait pas de perfection, et qu'ayant
découvert qu'il n'y a que de l'existence, ni Anny, ni
Roquentin ne puissent aller jusqu'au bout de cette
découverte ; c'est qu'ayant découvert que tout est gratuit et
qu'il n'y a rien à justifier, ils veuillent, tout de même,
temporairement, justifier l'injustifiable, comme une espèce
de défi au bon sens, qui n'existe pas. Roquentin n'est pas
plus fort qu'Anny. Il ne peut pas plus aller au fond de lui-

même qu'Anny. Il crie d'angoisse devant sa solitude, et consent à tout, même à sa propre folie, pour : « quelque chose que je ne connaissais plus : une espèce de joie ».

Là, Sartre fait retomber ses personnages dans les arcanes de l'ancien schéma et, en quelques pages étonnantes, en démonte le mécanisme. Alors qu'Anny veut remodeler le passé, lui donner l'apparence, forcément illusoire, de la perfection, Roquentin se lance dans quelque chose de nouveau, une histoire qui n'aurait jamais existé, avec l'espoir d'annihiler ce passé futur. Il veut, désespérément, sans cesser d'exister, tout en existant, écrire une œuvre, forcément inexistante, et qui lui permettrait, par la suite, de voir son passé sans nausée, pour que ce passé, au moins, échappe à la contingence. Celui qui écrirait, alors, serait en quelque sorte sur deux plans, double : existant et se sentant exister, en même temps que cessant d'exister par le fait qu'il crée cette œuvre « au-dessus de l'existence », transcendée. Il serait l'androgyne fatidique de la création. Féminisé, femme en quelque sorte, par son expérience de la contingence, il se viriliserait par son œuvre, ou tout au moins quand il écrirait. Le voilà, existant, sentant son existence, donc femme, mais justifiant son existence par ce livre, sortant de l'existence, donc mâle. Est-ce pour cela que cette histoire serait « belle et *dure comme de l'acier* » ? Certes. Nous y voilà. C'était bien cela. C'est parce que le mâle ne peut pas aller jusqu'au bout de l'existence, qu'il se crée de toute pièce cette forme inhumaine qui échappe à la mort et qu'il met sur son visage, comme un masque. Roquentin, qui avait découvert que « si l'on existait, il fallait exister jusque-là, jusqu'à la moisissure, à la boursouflure, à l'obscénité », ne peut tout simplement aller jusque-là. Il est comme Anny, qui a besoin qu'il reste toujours le même, parce que « c'était plus commode ». Il se retourne alors vers les bonnes vieilles certitudes, celles que véhicule depuis si longtemps notre littérature, parce que

c'est plus commode, créer, se diviniser un peu, devenir
mythe pour les autres, s'arrêter d'être contingent pour les
autres, retrouver ce schéma qu'il avait cependant, plusieurs fois, rejeté. Quelle dérision alors dans ce mot de
« joie » (« une espèce de joie ») que paraît apporter la
création, quand on la compare à « l'extase » ou « la
fascination » qui étaient celles de l'immersion dans
l'existence, lorsque le héros de Sartre s'écriait : « l'existence me pénètre partout, par les yeux, par le nez, par la
bouche... » Dérision qui fait bien de Sartre l'anti-Goethe,
celui qui voit la jouissance dans l'existence, et non pas
dans l'inhumaine transcendance. Celui qui ravale son
héros, quand il retombe dans le rail, dans le système des
schémas. Pour Gœthe, l'existence, ce ne pouvait être que
le chou et les porcs, les enfants et la platitude. Pour lui,
certes, exister c'était « un péché », et s'en « laver », par
la création ou par la mort, c'était exprimer la totalité de son
essence virile.

La création alors, c'est toujours cela, cette impuissance
de l'homme à accepter de n'être que lui-même, existant
parmi d'autres existants, identiques à eux, comme eux
gratuit, pur fruit du hasard, sans justification, sans
nécessité aucune. Ecrire une histoire, faire des romans : le
fait du mâle qui se transcende.

Mais ce que nous montre Sartre dans *La Nausée* et qui
est passionnant, c'est que ce schéma sexuel, dans lequel
inexorablement retombe le mâle qui refuse de sombrer
dans la mort, est aussi inexorablement excluant de la
femme, et porte en lui une hiérarchie qui la fait seconde,
sans qu'il semble qu'on y puisse quoi que ce soit. Quand
Roquentin se transcende, se dédouble, laisse un moment
ce corps qu'il rejette comme une guenille, Anny, qui n'est,
alors, dans ce schéma, que corps, ne peut devenir
androgyne, puisqu'elle veut, sans ambage rester dans le
passé. Ce réarrangement du passé exclut une projection
quelconque de l'imagination, s'exprime dans une impuis-

sance phallique qui n'est d'ailleurs pas sans perspicacité.
Quand Roquentin lui demande si elle n'a pas, au théâtre,
réalisé des moments parfaits, c'est-à-dire cet arrêt du
temps où tout s'organise et prend un sens, elle répond :
oui, « pour les autres ». La création alors ne servirait qu'à
permettre à l'autre de croire qu'on s'en est tiré, de cette
contingence. Prétendre qu'on a été Dieu. C'est bien
d'ailleurs ce que découvre Roquentin : « Il y aurait des
gens qui liraient ce roman... et ils penseraient à ma vie
comme je pense à celle *de cette Négresse* : comme à
quelque chose de précieux et d'à moitié légendaire. » On
est arrêté alors dans le souvenir des autres. Un moment du
temps se privilégie et s'éternise. Mais qu'est-ce que cela
signifie puisque tout n'est qu'existence ? Sartre abandonne
alors Roquentin, timide et banalisé, banalisé par ce que
cette œuvre espérée représente pour lui de vieille mythologie et d'imagination phallique. Ce qui reste de possible,
c'est la beauté inopinée de l'existence, s'offrant spontanément, par hasard, dans la rencontre de cette petite bonne
femme blonde, de cette palissade, de ce grand nègre, de
ce jaune, de ce vert, de ce crème (mardi 30 janvier). Mais
c'est là précisément où nous nous perdons parce que toute
notre culture se révolte devant un hasard qui, pour nous,
ne peut rien créer, devant cette première affirmation que
l'existence, contingence absolue, peut être vécue dans sa
contingence comme la sensation de ce qui est rempli,
fourmillant, plein. Existence où, depuis toujours chassée
par l'homme de l'absolu, qui est vide, inhumain et
absurde, la femme se meut. Contingence où, s'il consent à
s'y engluer, le mâle découvre qu'il est identique à elle,
parce qu'alors il peut en sentir la plénitude, le fourmillement, l'angoisse. Au point qu'il en devient femme : gros,
nauséeux, et enfin, elle.

Après cela, la création ne peut plus être la transcendance unique du mâle, qui a besoin d'affirmer son
immortalité par le rejet, dans la mort, d'une femelle

réduite à néant. Peut-être doit-elle être maintenant pour la femme un témoignage, l'assurance que cette existence est réellement pleine. L'assurance, surtout, qu'elle n'est pas, femme, une contingence face à la transcendance de l'homme, qui la réduit, par là, à n'avoir aucun devenir, à n'être qu'un vide, qu'un utérus béant. Face à cette existence unique et absolue, toute hiérarchie devient inutile, tout schéma absurde. Reste la mort. Mais pour la première fois elle ne distingue plus ses victimes. *La Nausée,* c'est la fin du paradis des mâles.

DERNIÈRES PARUTIONS

*Cet ouvrage
a été achevé d'imprimer par
l'imprimerie Bussière à Saint-Amand (Cher)
le 14 avril 1982.
Dépôt légal : avril 1982.
Imprimé en France (419).*